令和7年度

ITパスポート

＋よく出る問題集

著
渡辺さき
ITすきま教室

インプレス

インプレス情報処理試験シリーズ　読者限定特典!!

本書の特典は、下記サイトにアクセスすることでご利用いただけます。

https://book.impress.co.jp/books/1124101058

※サイトにアクセスし、画面の指示に従って操作してください。
※特典のご利用には、無料の読者会員システム「CLUB Impress」への登録が必要となります。

特典❶：本書全文の電子版

本書の全文の電子版（PDFファイル）がダウンロードできます。

特典❷：過去問題14回分

スマートフォンやパソコンで、過去問題にチャレンジできます。なお、解説はありません。

※本特典のご利用は、書籍をご購入いただいた方に限ります。
※ダウンロード期間は、いずれも本書発売より1年間です。
※印刷してご利用いただくことはできません。あらかじめご了承ください。

インプレスの書籍ホームページ

書籍の新刊や正誤表など、最新情報を随時更新しております。

https://book.impress.co.jp/

ごあいさつ

はじめまして！　チャンネル登録数約10万人（2024年時点）のYouTubeチャンネル **ITすきま教室** で動画コンテンツを発信する、渡辺さきと申します。

ITすきま教室は、私が社会人になったときの**IT・ビジネスの知識がなくて困った！**という実体験をもとに作りました。当初は独学で、遠回りしながらの学習になっていて、「ネットで無料で効率よく勉強できたらいいのに…！」といつも考えていました。そして社会人４年目のとき、ある程度仕事にも慣れてきたこともあり、

「自分が社会人になったときに学習で困ったことを動画にしてみたら、同じように困っている人の役に立てるのではないか…？」

と思い、現在の「YouTube ITすきま教室」が始まりました。

YouTubeを始めてからは、たくさんの視聴者から
「参考書だけでは分からなかったことが、すっきり理解できた！」
「動画を視聴することで学習の流れが分かった！」
「過去問が解けずに困っていたが、動画を見たら意味が分かった！」
など、うれしいコメントがたくさん届くようになりました。

このたび、ITすきま教室のエッセンスが詰まった内容が、動画とセットで書籍になりました。本書では、次の２点を重視して、動画とテキストの分かりやすい解説を用意しました。

- 忙しい学生・社会人でも、効率よく学習できること
- YouTubeで無料で視聴でき、コスパよく試験合格をつかめること

そして、本書はこんな方におすすめです。

- 文章を読むのは得意ではないが、動画講義のスタイルなら頭に入りやすい。
- 抽象的な話は苦手なので、具体例や身近な事例とセットで理解したい。
- 過去問にチャレンジする前の簡単な確認問題で、段階的に力を身につけたい。
- 資格取得のために、スクールなどに高額な金額はかけたくない。

本書は、独学に自信がない方や、文章だけでは理解が難しい単元でも、**動画・書籍・問題演習**の組み合わせで、学習スピードを加速できます。

- 学習範囲を理解するため、書籍に対応した**動画講義**
- インプット（暗記）に適した赤シート対応の**書籍**
- アウトプット（理解チェック）には**小テストと過去問演習**

動画や小テストは、二次元コード（QRコード）からスマートフォンで簡単にアクセスでき、学習のしやすさを重視しています。是非、本書を活用して、ITパスポート試験合格の力を着実に身につけましょう。

本書が、皆様の合格の一助になると幸いです！

2024年11月
ITすきま教室　渡辺さき

本書を使った学習方法

本書の特徴

本書の最大の特徴は、書籍による解説だけではなく、**解説動画がQRコードから視聴できる点**です。本書の各セクションの内容が、YouTubeの人気チャンネル「ITすきま教室」の動画と対応しています。もちろん、YouTube動画は無料で視聴できます。

各セクションの冒頭では、そのセクションを読むための時間の目安や、ITパスポート試験における重要度を星の数で示しています。「超効率ポイント」は、その章のポイントをまとめています。Chapterごとの全体観の把握や、復習時の振り返りなど、効率的な学習にお役立てください。

また、学習内容を理解する上で重要な箇所には**黄色のマーカー**を引いています。さらに、覚えておきたい用語には、赤シートで隠れる赤色の文字を使用しているため、復習時に隠しながら読んで、どれだけ覚えているか、理解できているかを確認してみましょう。

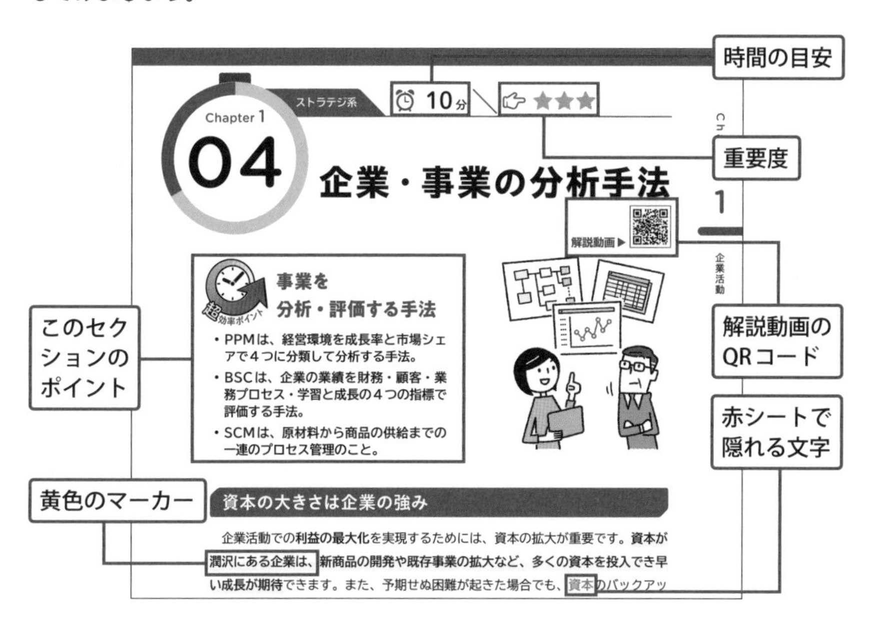

また、理解する上で気をつけたいポイントや試験によく出るポイントなどは、「Point」や「Memo」で詳しく解説しています。

アスキーコードは7桁

データは通常8ビットで1つの単位として扱われますが、アスキーコードは元々7ビットで構成されています。これは、アスキー文字をメモリ（p.379）に保存するとき、通常、8ビットのうちの7ビットをASCII文字の表現に使用し、残りの1ビットはエラーチェック用（パリティビット）として使用するためです。設計上は7bitですが、実装上は8bitとなり、全部で128種類の文字を表現できます。

ニュースで目にしたこともある「決算書」とは？

財務諸表のうち貸借対照表（B/S）、損益計算書（P/L）、キャッシュフロー計算書は、企業の決算時期に公開されるため「決算書」と総称されることがあります。
日本の法律（金融商品取引法）では決算書という報告書類は存在せず、有価証券報告書と呼ばれます。

本と動画の学習メリット

本と動画のメリットとして、**本は情報の要点をつかみやすく、動画は情報の流れをつかみやすい**という点が挙げられます。本書は、こうした本と動画のメリットをともに生かせる書籍構成です。単元を理解するとき、暗記をするとき、知識を見返したいときなど、学習シーンに応じて使い分けを行いましょう。

学習において押さえておきたい、動画・書籍の学習ポイントのまとめです。

動画

- **メリット**：音声や視覚で受動的に情報が入り、学習内容を直感的に理解できる。
- **デメリット**：再生を止めたり、タイムラインの細かい動画操作に慣れない場合、じっくり復習や暗記するのに向いていない。

書籍

- **メリット**：静止情報なので、復習や暗記に向いている。
- **デメリット**：能動的に文章を追うため、内容の理解に時間がかかる。

QRコード・小テストについて

書籍の各セクション末には、確認テストが付録されています。**スマホでQRコードを読み取り**、セクションごとの理解度を確かめましょう。

各Chapterの最後には過去問題が掲載されていますが、「いきなり過去問題を解くのは難しい！」という方もいらっしゃいます。この小テストは、セクションに応じた情報の理解・暗記レベルの確認をすることが目的のため、ITパスポート試験の過去問題よりもやさしい内容がそろっています。

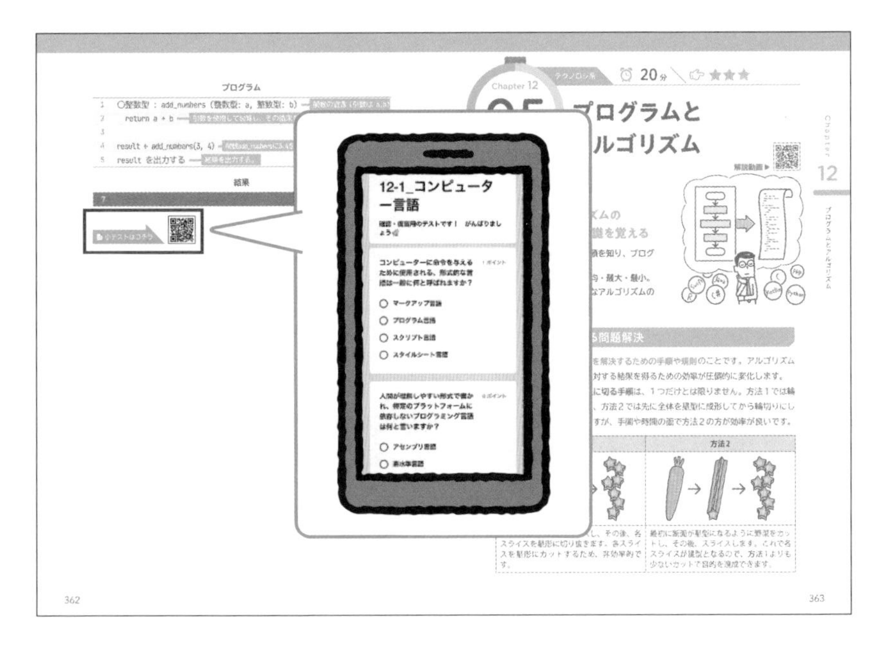

ITパスポート試験と同様の一問一答形式の問題に答えた後は、採点・正誤確認ができます。基本的な知識を身につけるためにも、満点を目指しましょう！

章末の過去問・解説

章末には、各章で紹介した内容に対応する問題を、実際にITパスポート試験で出題された過去問題の中から厳選して掲載しています。間違えた問題や勘で当たっていた問題は解説を読んで、「なぜその答えになったのか」を理解しましょう。

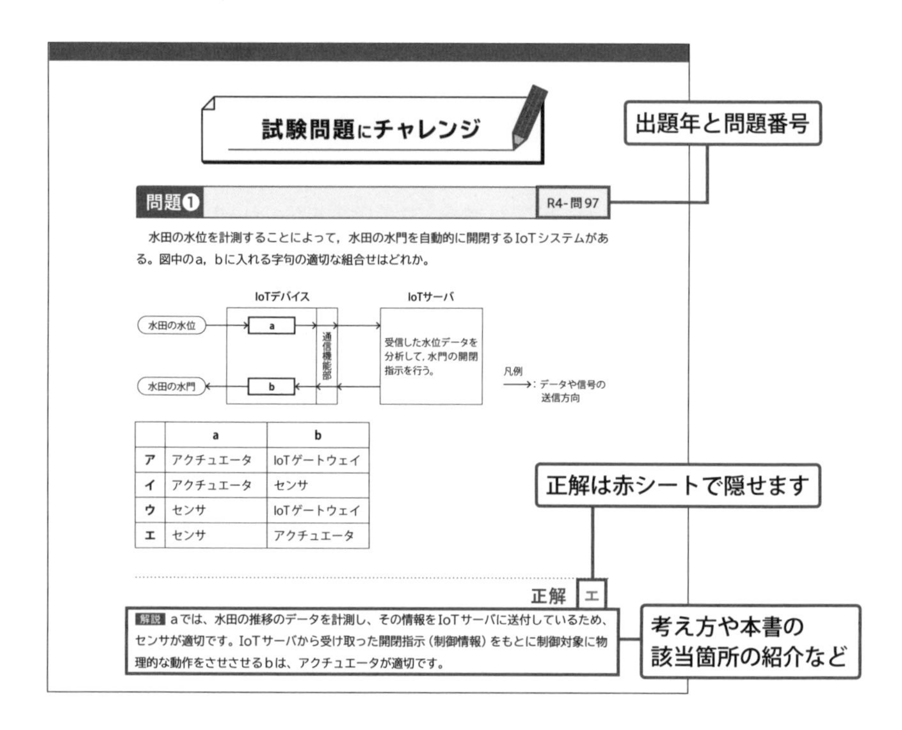
試験問題にチャレンジ

出題年と問題番号

問題❶ R4- 問 97

水田の水位を計測することによって，水田の水門を自動的に開閉するIoTシステムがある。図中のa，bに入れる字句の適切な組合せはどれか。

	a	b
ア	アクチュエータ	IoTゲートウェイ
イ	アクチュエータ	センサ
ウ	センサ	IoTゲートウェイ
エ	センサ	アクチュエータ

正解は赤シートで隠せます

正解 エ

解説 aでは、水田の推移のデータを計測し、その情報をIoTサーバに送付しているため、センサが適切です。IoTサーバから受け取った開閉指示（制御情報）をもとに制御対象に物理的な動作をさせさせるbは、アクチュエータが適切です。

考え方や本書の該当箇所の紹介など

効率的な学習方法

本書のゴールは、**ITパスポート試験に合格する**ことです。最終的に合格までに必要な力は、出題された問題が解けるようになることです。

そのためには、**書籍・動画の内容を理解する**、**書籍の内容を暗記し小テストが解ける**、**過去問が解ける**、という順を追ったステップを踏むことが重要です。

過去問には、ある程度の**知識ストック**ができあがってからチャレンジしましょう。はじめから過去問にチャレンジすることは無謀です。知識の引き出しがない状態で過去問に取り組んでも、時間がかかり効率的に学習が進みません。

学習のNG例

- テキスト１ページ目の隅々を暗記するまで、なかなか次に進まない。
- いきなり過去問を解くことから学習をスタートさせる（特に初学者の場合）。
- 第１回目（2009年）の過去問からさかのぼってチャレンジする（ITパスポート試験の試験範囲は数年で大きく変わっています）。

学習のコツ

- 試験範囲の全体観を知るために、本書を通読する。
- 書籍の内容が頭に入りづらい場合は、書籍に対応する動画講義を視聴して時短に努める。その後、暗記が不足した単元は本書からじっくり覚える。
- 直近の過去問からチャレンジする。このとき知らない類（たぐい）の問題に出会ったら、その都度、理解・暗記することに務める（ITパスポート試験では、シラバス未掲載の用語や、参考書では扱わない問題が出ることがあります）。

ITパスポート試験とは

ITパスポート試験・概要

ITパスポートとは、経済産業省が推進する情報処理技術者試験の一区分となる国家試験です。情報処理推進機構（IPA）が実施し、年齢や受験回数などの制限がなく、誰でも受験可能な試験です。

受験会場	全国・47都道府県の指定会場
実施時期	会場ごとに定期的に開催
受験料	7,500円（税込み）
試験形式	パソコンに問題が表示され、4つの選択項目から1つを選ぶ。パソコン上で回答するCBT方式。
出題形式	・試験時間120分 ・全100題出題（3分野：ストラテジ系・マネジメント系・テクノロジ系）
合格基準	以下の2つの条件を満たすこと ・試験全体を1,000点満点に換算したとき、600点以上の得点 ・分野ごとに1,000点満点に換算したとき、300点以上の得点

出題範囲

ITパスポート試験は、ストラテジ系・マネジメント系・テクノロジ系の3分野から出題されます。それぞれ、出題される割合と、その内容について見てみましょう。

分野	ストラテジ系	マネジメント系	テクノロジ系
出題割合	35%	20%	45%
本書の対応	Chapter 1〜5	Chapter 6、7	Chapter 8〜15
概要	・経営戦略 ・マーケティング ・会計 ・法律 ・システム戦略	・プロジェクト管理 ・システム開発 ・サービス提供	・ハードウェア ・ソフトウェア ・ネットワーク ・プログラミング ・セキュリティ ・データベース

ITパスポートの試験範囲は毎年アップデートされ、新しい用語が着々と増えています。特に、試験範囲の柱となる**ITとビジネスの基礎知識**は、社会人として必要な知識ばかりです。

一方、古くなった技術情報は削られる傾向にあります。本書では昔から共通して変わらない知識を中心に、**合格のために押さえておきたい知識の要点**を絞って掲載しています。

ITパスポート試験には、シラバスに掲載されていない用語が出題されることもよくあります。そのため本書では、過去問を解くために**自走できる基礎**を身につけることで、新しく出会う問題にも対応できる骨格の習得を目指します。

出題範囲を参照できる！　IPA公式 ITパスポート試験 シラバス

ITパスポート試験の試験範囲を示す**シラバス**には、新しい用語が定期的に増えています。シラバス (Ver.6.3) では、60ページを超える単語が掲載されています。

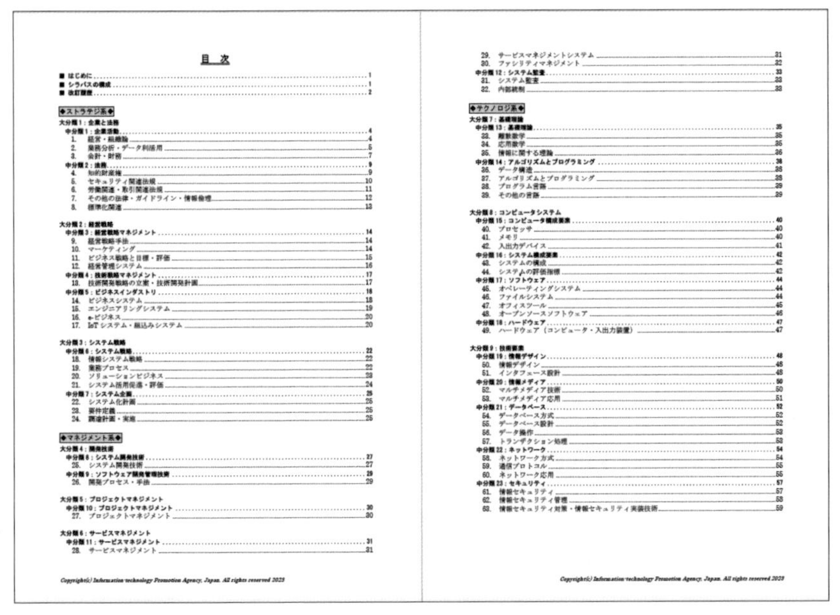

目 次

ITパスポート試験シラバス (Ver.6.3) より。
https://www.ipa.go.jp/shiken/syllabus/nq6ept00000014eh-att/syllabus_ip_ver6_3.pdf

●試験結果の確認方法

ITパスポート試験の合格基準は、全体で60%、各分野で30%以上の得点です。全部で100題の4択形式の問題が出されます。試験時間は120分のため、**1問あたり72秒以内の回答**を目安としましょう。ITパスポート試験の合格基準は全体の60%の得点なので、知識の完璧さ（満点）を目指す必要はなく、最低限のIT基礎知識とビジネス知識があれば合格基準を達成できます。

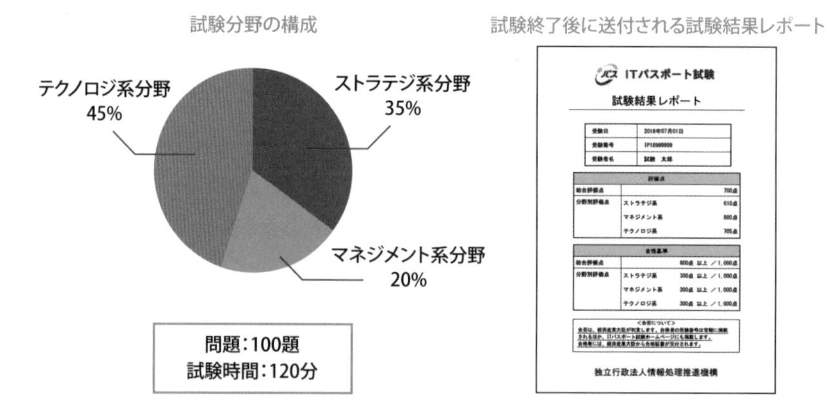

マネジメント系が20%出題だからといって、1分野丸ごと捨てると合格基準は満たせません。まんべんなく得点できるように学習を進めましょう！

ITパスポート試験の受験メリット

近年、ITパスポート試験は、さまざまな大学・企業に学習内容の有用性が認められています。次のような場面で利用されることもあり、ITパスポート試験の受験によって、さまざまな恩恵を受けられる可能性があります。

- 大学の単位認定
- 就職活動で有利になる
- 就職後の昇進要件となる
- 就職後、取得することで奨励金がもらえる

IPA公式

https://www3.jitec.ipa.go.jp/JitesCbt/html/about/merit.html

無料の学習ツール

YouTube：講義プレイリスト

YouTube動画講義から一気見したい方は、まずはこのQRコードから動画視聴できます。

YouTube：過去問解説シリーズ

直近のITパスポート過去問題を解説しています。

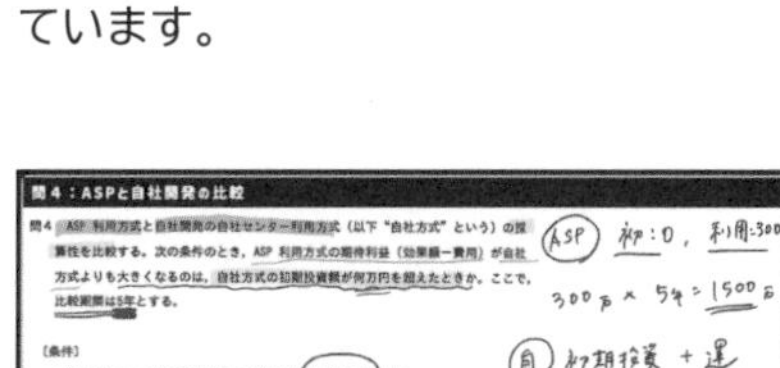

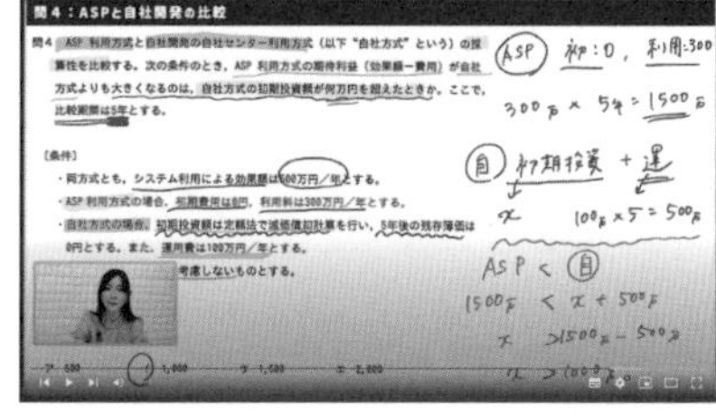

X bot（旧Twitter）

3時間に1回、ITパスポート出題用語をつぶやく単語帳botです。

アカウントID@it-sukima

ITパスポート試験過去問サイト

過去問にチャレンジする方は、こちらのサイトから問題・回答を閲覧できます。

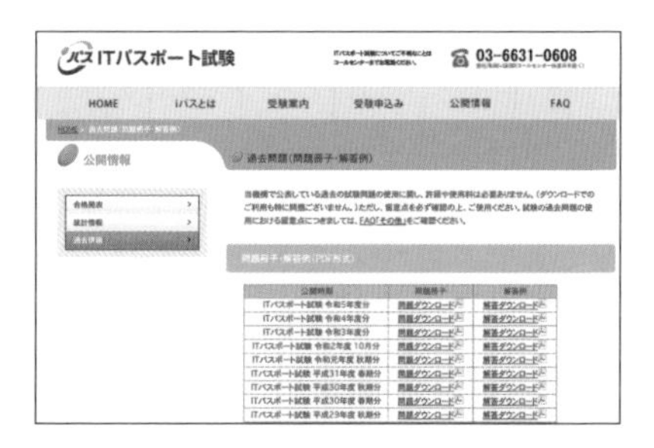

インプレス情報処理試験シリーズ　読者限定特典

本書の特典は、下記サイトにアクセスすることでご利用いただけます。

https://book.impress.co.jp/books/1124101058

※サイトにアクセスし、画面の指示に従って操作してください。
※特典のご利用には、無料の読者会員システム「CLUB Impress」への登録が必要となります。

特典❶：本書全文の電子版

本書の全文の電子版（PDFファイル）がダウンロードできます。

特典❷：過去問題14回分

スマートフォンやパソコンで、過去問題にチャレンジできます。なお、解説はありません。

※本特典のご利用は、書籍をご購入いただいた方に限ります。
※ダウンロード期間は、いずれも本書発売より1年間です。
※印刷してご利用いただくことはできません。あらかじめご了承ください。

すきま時間に過去問が学習できるサイト

チャレンジ！ITパスポート

https://shikaku.impress.co.jp/ip/

過去問が5問ずつ解ける「5問チャレンジ」、iパスの頻出用語がクイズ形式で学べる「でる語句クイズ」ほか、ITパスポートの学習に役立つコンテンツが満載です！

● 学校やスクールでの活用

こちらから詳細・シラバスをご確認ください。

https://it-sukima.com/ckitp-syllabus/

CONTENTS

ストラテジ系

Chapter 1

企業活動

本章の学習ポイント

- 企業の経営資源は、ヒト・モノ・カネ・情報。
- 企業の目的は、利益を最大化させること。
- 企業は利益を最大化する活動に注力する一方、社会貢献活動も併せて実施することで中長期的な企業メリットが生まれる。

ストラテジ系　15分＼★★★

Chapter 1

01 ストラテジ系を学ぶ前の知識

解説動画▶

ストラテジ系分野の基本用語に注目

- 企業活動とは、企業が顧客に商品を提供することで利益を得る活動。
- 企業活動の目的は、利益の最大化。
- 企業の経営資源は、ヒト・モノ・カネ・情報といわれる。

ITパスポートのストラテジ系分野

ITパスポート試験は、「IT」について問う試験のはずなのに、なぜ企業経営について学ぶのでしょうか？　ITは、現代社会で働くすべての人にとって必須のスキルです。一昔前の社会では、「ITは、得意な人だけができれば良い」といった考え方もあり、仕事のために必ずしもIT知識を身につける必要はありませんでした。一方、社会全体のIT化が進んだ現代社会では、**総合的に会社や業界のことが分かり、業務の中でITを使いこなせる人材が評価されています。**

現代の社会人に求められるスキル

〈従来〉

・ITは、得意な人だけが担当する

〈現代の社会人〉

会社の方針

ITの知識

業界・市場の環境理解

業務の知識

※社会人として必要なスキルの１つ

・ITの手段を経営戦略で活用できる
・会社や業界のことが分かり、総合的にITを活用できる

ストラテジ系分野で学習すること

ITを業務の中で使いこなすために、**ストラテジ系分野(Strategy:戦略)**を学習します。ストラテジとは、企業が利益を最大化するための戦略のことです。企業活動の成り立ちや売上を伸ばす方法を理解しましょう。

企業活動

企業活動とは、企業が顧客に価値を提供することで利益を得る活動です。企業活動の目的は、**利益の最大化**です。これは主に**株式会社を中心に考えたとき、株主に利益を還元する必要があるため**です。

企業が提供するもの

企業が提供する価値は、商品・製品・サービスなど、多様な形で提供されます。本書では、分かりやすさのために下記のような「商品やサービス」をまとめて商品と総称します。

商品・製品	本、衣料品、食品、電子機器など、物理的な商材のこと。
サービス	美容院のサービス、銀行の金融サービス、教育の提供など、触れることのできない行為やパフォーマンスのこと。

株式会社

日本企業の90%以上は株式会社で、ITパスポート試験で取り上げられる「企業」も主に株式会社のことを指しています。株式会社は、株主から資金(カネ:p.24)の提供を受けて運営され、株式(経営権)を発行します。また、株主から得た資金を活用して利益を伸ばし、利益の一部は株主に還元されます。

株主総会

株主総会は、株式会社の所有者である株主が重要事項を決定する場です。役員選任、監査役、会計に関する決議が行われる、株式会社の最高意思決定機関です。

株主のリスク

株主は、**株式を買うことで企業に資金提供（投資）をしています**。これにより、株主は企業の経営権の一部を手に入れます。もしも資金提供（投資）した企業が倒産した場合、出資金がすべて返ってくることは保証されず、企業が資産を売っても足りない分の金額は返済されません。

企業が資金を得る方法

企業が資金を調達する方法として、銀行からの借金、株式の発行（＝株主からの投資）、債券の発行（投資家からの借金）などがあります。自社株の売却や、事業利益によって得た資金は、自己資本です。

企業活動での登場人物

株主	企業が発行する株式を買い、企業の実質的な所有者となる人々。企業の利益の一部を配当として受け取ることができる。
経営者	企業の運営と方針を決定する人々。代表取締役社長や取締役が含まれる。企業の目標を定めたり、お金の使い道を指揮したりすることができる。
従業員	企業で働く人々。自分のスキルや労働を提供し、その対価としてお金（給与）を受け取る。
顧客	企業の商品を購入する人々。顧客行動が企業の成功に大きく影響する。

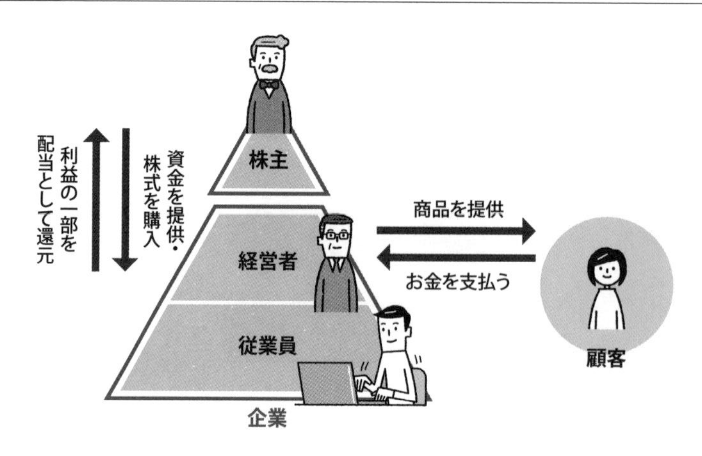

ストラテジ系分野で覚えておきたい用語

企業活動に関連する言葉の定義を正しく理解することで、ITパスポートのストラテジ系分野の学習をスムーズに進めましょう。

ビジネス

ビジネス（Business）とは、直訳すると業務・仕事を意味します。ITパスポートでは「企業活動」と表現されます。**ビジネスは、企業が商品を提供し、利益を得て、お金を循環させ、企業が成長していく……といった一連の経済活動**です。次の図は、ネットショッピングビジネスを例とした企業活動の流れです。

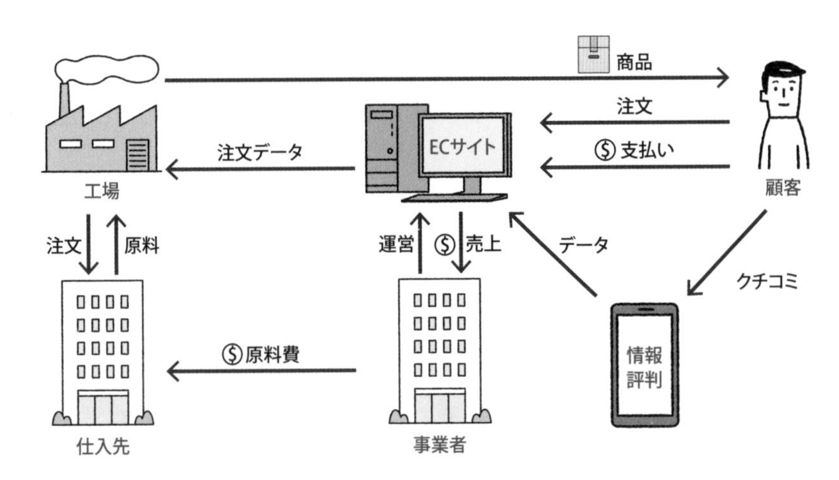

事業

事業とは、企業が収益を得るために行う仕事です。商品を提供する種類によって分類され、身近な事業には、次の例が挙げられます。

飲食事業	レストラン、カフェ など
アパレル事業	洋服を売るお店 など
教育事業	プログラミング教室、資格スクール、学習塾 など

営業

営業とは、企業が利益を上げるために行うすべての経済活動です。「営業」と聞いて「営業担当者が商品を売るためにお客さんを口説いている」「営業部署で働く人の業務だけが営業である」といったイメージを持つ方は、ここからもう少し視野を広げて理解してみましょう。

ITパスポートだけでなく、ビジネスの世界で「営業」といわれたら、**企業が利益を上げるための活動のすべて**です。

「営業」が示す範囲の例

・営業担当者がお客さんに物を売ること
・エンジニアがシステム開発をすること
・コールセンターがユーザーからの問い合わせを受け付けること など

そのため、企業で人が働いている時間を営業時間、企業で人が働いている日程を営業日といったりします。

●資源

資源とは、**企業が経済活動を行うために必要なもの**（例：お金、労働力、土地など）で、リソース（Resources）といったりもします。ビジネスやプロジェクトの実行に必要なすべてのものを示します。

「資源」が示す範囲の例

・24時間営業のコンビニにとって「働く人・お店の土地・商品」は、お店の資源
・YouTuberにとって「動画」は、収益を得るための資源
・沖縄の観光業にとって「海」は、観光資源

企業の経営資源は、一般的にヒト・モノ・カネ・情報といわれています。

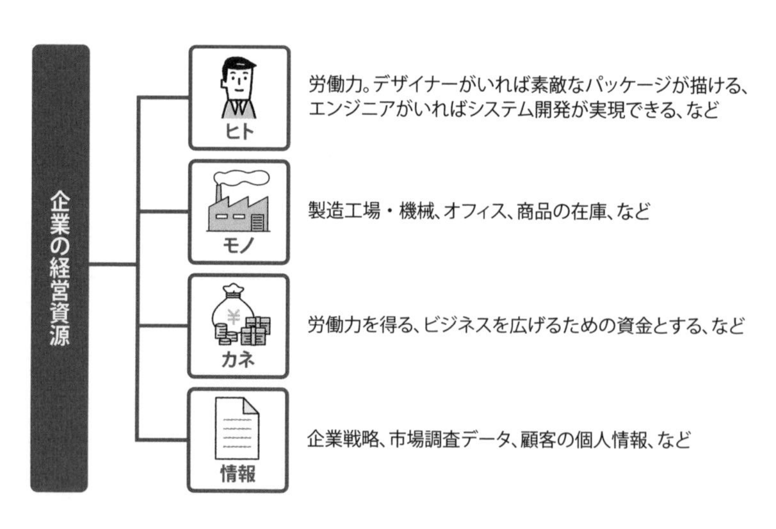

資源、資産、資本の違い

これらの用語は似ていますが、意味は厳密には異なります。**すべての資本は資産であり、すべての資産は資源であるといえます**。

資源（Resources）	企業活動を行うために利用できるすべてのもの。最も重要な経営資源はヒト・モノ・カネ・情報といわれる。
資産（Assets）	企業が所有している将来の経済的利益（＝お金）に変えることができる財産のこと。例えば、建物、機械、在庫、現金、知的財産（特許、商標など）などがこれに含まれる。
資本（Capital）	資本は、企業が業務を行うための資源を調達できる元手。資本は、銀行からの借り入れ・株式の発行・債権の発行により得ることができ、資本を元手に資産を所有できる。

●最高経営責任者（CEO:Chief Executive Officer）

CEOは英語圏の企業における一般的な役職で、企業全体の運営と戦略に最終的な責任を持ちます。

日本では企業の最高責任者は代表取締役といい、日本の会社法で定められています。**代表取締役は、企業の法的な意思決定・経営統括**を行い、企業を代表して契約を結ぶなど、事業にかかわる一切の権限を持っています。また、「企業の最高経営陣を示す一般的な用語として、**CxO（Chief x Officer）**があります。ここで「x」はその人が担当する領域を示します。

CIO	最高情報責任者（Chief Information Officer）は、企業全体の情報技術戦略を計画・実行する責任を持ちます。
CTO	最高技術責任者(Chief Technology Officer）は、企業の新しい技術の研究・開発を推進します。
CFO	最高財務責任者（Chief Financial Officer）は、企業の財務戦略を策定し実行します。
COO	最高執行責任者（Chief Operating Officer）は、企業の日常的な業務運営を監督します。

ストラテジ系　15分　★★★

Chapter 1

02 企業を成長させるフレームワーク

解説動画▶

企業が効率的に利益を上げるための目標管理

- 企業全体でひとつの目標を達成するために、経営理念を掲げる。
- 企業の目標を測る指標・手法として、KGI、KPI、CSFなど、目標管理の方法がある。
- PDCAサイクルや特性要因図で業務を効率よく実行・分析する。

利益最大化のための目標

フレームワークとは、問題を考えを進めるための枠組みです。企業活動の目的である利益の最大化を効率よく行う目標管理の手法を学びましょう。

●ビジネスにおける道しるべ

例えば、あるスマホゲーム企業が利益の最大化を目指すケースを考えてみましょう。この企業が成長するためには、**社長から新入社員まで組織全員が共有できる道しるべ**を示すことが必要です。

そこで経営者が「海外展開し、海外ゲーム事業の売上を1年で1億円にするぞ！」と目標を立てたとしましょう。目標を数値化できると、**いまどこにいて・あとどれくらいで達成できるのか**の状況も共有しやすくなります。

Googleマップや方位磁針すらない時代には、人々は目的地に向かうため北極星を見つけて北の方角の目印としました。このセクションでは、企業の経営者から従業員まで、すべての人が同じ方向に歩けるよう、**ビジネスにおける北極星（道しるべ）**について学習しましょう。

経営理念

企業は経営理念を掲げることで、組織の明確な方向性を示すことができます。共通の目標に基づく活動は、**従業員の目的意識を高める**ことにもつながり、**外部に対して企業の姿勢や取り組み**を明確に伝えることができます。

経営理念にひも付く形で、経営ビジョン、経営戦略、経営計画についても、スマホゲーム企業の事例と共に見てみましょう。

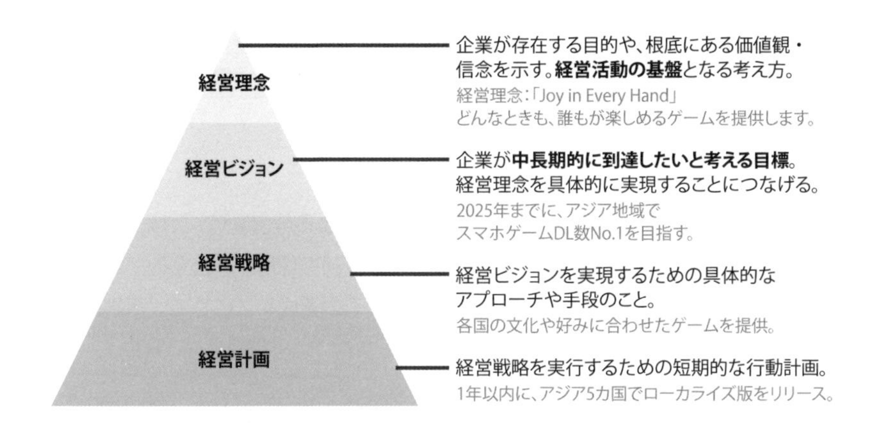

企業の目標を定める指標・手法

企業が**目標を定め、達成するまでの進捗を測る手法**を見てみましょう。

KGI

KGI（Key Goal Indicator: 重要目標達成指標）とは、企業目標やビジネス戦略の立案・実行により**達成すべきゴール**を**定量的（測定可能な数値）**に表した指標です。

KPI

KPI（Key Performance Indicator: 重要業績評価指標）とは、企業目標やビジネス戦略の実現に向けて、**ビジネスプロセスをモニタリングするために設定される定量的な指標**です。KGIを達成するために、指標を細分化したものがKPIです。KPIを置くことで、**目標を因数分解**して検討しやすくなります。

● CSF

CSF（Critical Success Factors：重要成功要因）とは、経営における目標（KGI）を達成するために決定的な影響を与える要因のことです。数あるKPI指標の中で**最も重要なものをCSFとし、重点的に取り組みます。**KGIには、複数のKPIがひも付きますが、その中で最も重要なKPI=CSFとすると、分かりやすいです。

以上の3つをスマホゲーム企業の例で挙げるとすると、次のようになります。

KGI	海外ゲーム事業の売上を1年で1億円にする
KPI	アプリのダウンロード数、有料課金率、一人あたりの月間単価
CSF	アプリのダウンロード数

● MBO

MBO（Management by Objectives：目標による経営管理）とは、組織全体の目標を明確にすることで、各メンバーが自分の役割を理解し、自主的に行動することを促す手法です。従業員自身で目標を定め、その達成率に応じて人事評価を行います。

目標到達のための行動

KPIやKGIを設計することで、具体的な目標達成を目指して行動できるようになります。一方、目標を立てても思ったとおりに計画が進まない場合もあります。こうした場合、PDCAサイクルや特性要因図により、**行動の改善計画**に取り組みやすくなります。

● PDCA サイクル

PDCAサイクルとは、企業が継続的に成長するために改善を繰り返すフレームワークです。Plan、Do、Check、Action の頭文字をとってPDCAといいます。

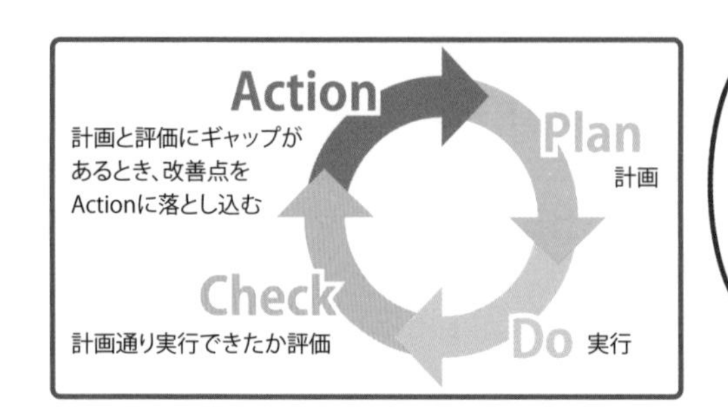

Plan
計画を立てる、何をするか決める
↓
Do
計画を実行する
↓
Check
実行したことが計画どおりに進行できたか評価する
↓
Action
計画と評価にギャップがあるとき、改善策を検討する

特性要因図

特性要因図とは、特性（結果）とその要因（原因）の関係を視覚的に把握しやすくした図です。**原因を明らかにすべき問題を図式化し、潜在的な問題を見つける**ときに利用します。特性要因図は、魚の骨の形をしていることから、フィッシュボーン図ということもあります。

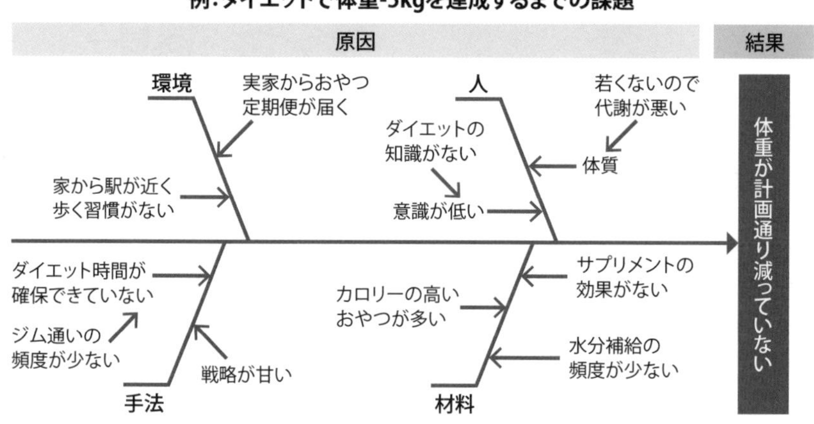

PoC

PoC（Proof of Concept：概念実証）とは、新規ビジネスや技術が実際にうまくいくのかを試すための小規模なプロジェクトのことです。**企業が新しいことを始めるとき、現実的に収益を上げられるか**を確認する重要な手段です。

PoCの事例

居酒屋の注文パネルで、AIを活用しておすすめメニューを提示する新機能を考えます。この新機能がうまくいくかは開発時点では分からないため、顧客単価（お客さん1人当たりの売上）アップをKPIに、次のPoCを行います。

- ビールを頼んだ人に、ピリ辛唐揚げをおすすめする。
- 枝豆を頼んだ人に、厚焼き玉子をおすすめする。

このPoCを実施した結果、顧客単価が増加すれば、AIによるおすすめの機能を継続し、そうでなければやめる判断をすることになります。

ストラテジ系 15分 ★★★

Chapter 1

03 他社との協業

解説動画▶

さまざまな企業同士の協力関係を理解

- 事業会社と機能会社の主な違いは「相手にするお客さん」である。
- 資本提携やM&Aなど、企業拡大や新規市場への参入を目的に資本を活用する。

企業のビジネスモデル

企業にはさまざまな**ビジネスモデル**や**組織構造**があります。これらを理解できると、**事業の戦略立案に利用でき、将来的には競合企業の動きの予測にも役立てる**ことができます。次の例は、世の中に存在する多様なビジネスモデルの一例です。

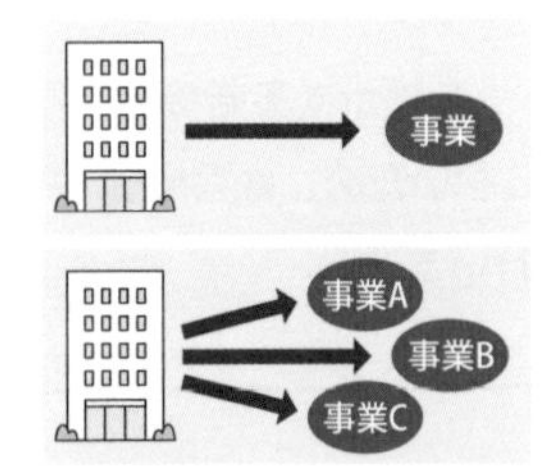

1つの事業に専念する企業もあれば、複数の事業を展開する企業もある。

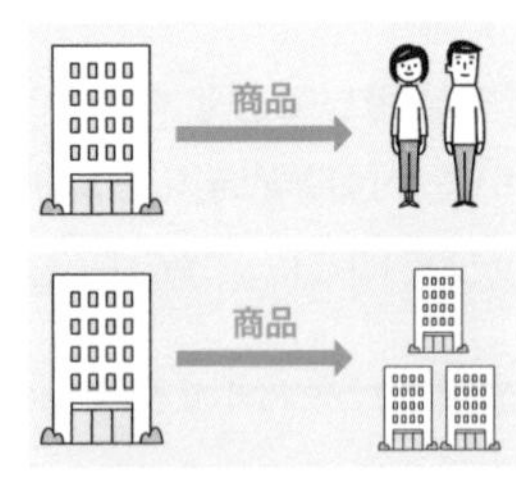

一般消費者をお客さんとする企業もあれば、企業をお客さんとする企業もある。

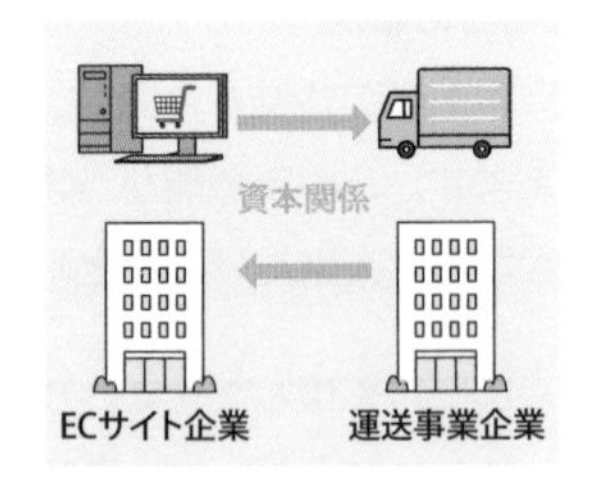

運送事業で有名な企業の資本の多くを、ECサイト企業が保有する。

企業の大分類

会社を役割で大きく２つに分類すると、事業会社と機能会社に分かれます。大きな違いは、**相手にするお客さん**の違いにあります。事業会社は消費者や企業をお客さんとして商品やサービスを販売します。その事業会社をお客さんとして、広告業務や顧客サポート、人事総務などの業務機能を販売するのが機能会社です。

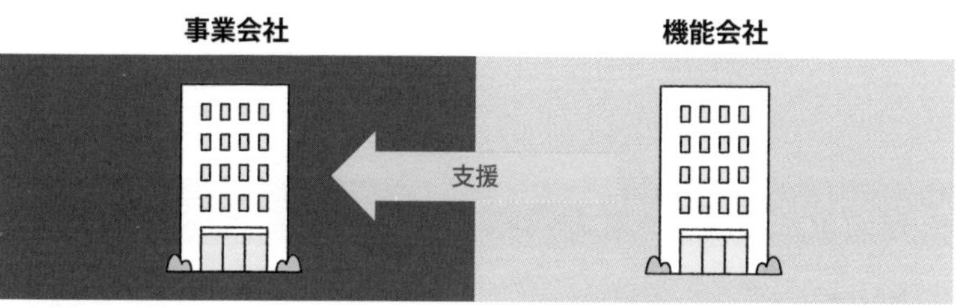

事業会社	機能会社
商品やサービスを直接提供し、消費者や企業に対して売り込む企業。	事業会社の業務をサポートする企業。事業会社を機能させるために存在することが多い。
例：身近な事業会社 ・スマホゲームアプリ企業 ・住宅メーカー ・自動車メーカー ・食品製造企業	**例：スマホゲーム企業と関連する機能会社** ・プロジェクトに必要なスキルのある人材を提供する人材会社 ・ゲームのプロモーションやマーケティングキャンペーンを手がける広告代理企業 ・コールセンターなど、顧客からの問い合わせを担当する顧客対応企業

ビジネスモデルの分類

企業が商品を提供する対象の顧客別のビジネスモデルとして、BtoC、BtoB、CtoCといった用語も覚えておきましょう。

BtoC（Business to Consumer）	企業が**個人**を相手に行うビジネス
BtoB（Business to Business）	企業が**企業**に対して行うビジネス
CtoC（Consumer To Consumer）	個人が企業のプラットフォームを通し、個人に対して行うビジネス（例：メルカリやAirbnbなど）

●シェアリングエコノミー

シェアリングエコノミーとは、資源を複数人で共有する経済活動です。資源を他者と共有することで、費用やエネルギーの消費を減らします。資源の例としては、車や物品、宿などがあります。例えば、カーシェアリングサービスは、車を所有しなくても、必要なときだけ車を利用することができるサービスです。

BtoBとBtoCの２つの機能をもつ企業

例えば運送会社は、個人（一般消費者）と企業の両者にサービスを提供しています。

BtoBとBtoCの両方の機能をビジネスモデルとするケースもあります。

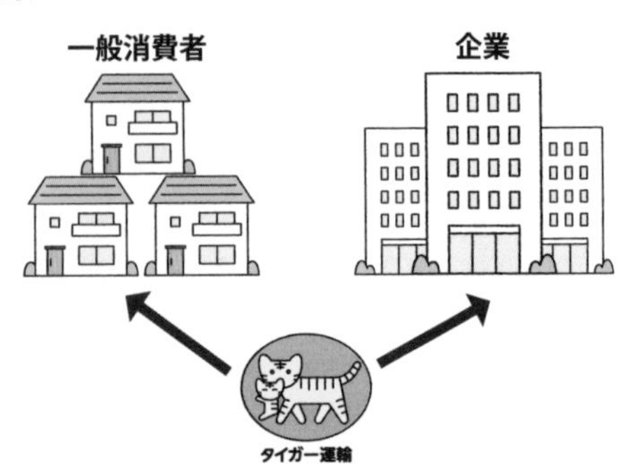

企業の業務を外注する

アウトソーシング

アウトソーシング（Outsourcing：社外からの調達）とは、自社の業務の一部を外部に委託することです。アウトソーシングのメリットは、**人材採用、教育、福利厚生などの専門部門を自社内に持たず外部委託することで、費用を削減**できる点です。これにより、一部業務の効率化と、会社全体のコスト削減が可能です。

アウトソーシングの関連用語

オフショア	労働賃金が安い海外に業務をアウトソーシングすること。
ニアショア	オフィス家賃や人件費が安い地方の拠点に業務をアウトソーシングすること。
インハウス	特定の業務分野を外注することなく、自社内で運用すること。
BPO（Business Process Outsourcing）	カスタマーサービス、人事、会計などのように、ある業務プロセスを一括して、アウトソーシングすること。

アライアンス

アライアンス（Alliance：同盟）は、企業同士が特定の業務や事業で協力し合う形態です。業務提携と直訳すると理解しやすいです。

アライアンスでは資本関係が必ず結ばれるわけではなく、**業務範囲・期間・費用負担などを契約で定め、異なる立場の企業同士が利益を生み出すために協力**する体制を示します。

例：宅配会社とコンビニのアライアンスによる業務

宅配会社がコンビニとアライアンスを締結すれば、宅配会社が独自に24時間対応の受け取り・発送場所を設けるよりも費用対効果は改善します。また、荷物受付により、コンビニ側では来客数の増加が期待でき、売上向上につながります。

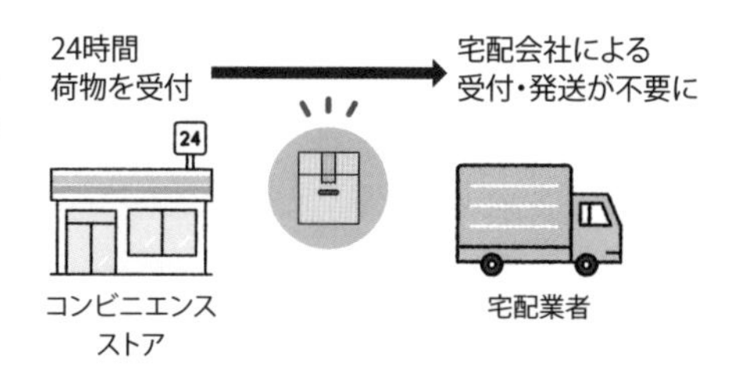

企業の資本戦略

資本提携

資本提携とは、資本の取得を伴う業務提携のことです。アライアンス（業務提携）に比べ経営方針への意見の申し立て・受け入れができるため、より強い企業関係をつくることができます。

例えば、大手ゲーム企業がスマホゲーム企業と資本提携し、お互いの得意分野を共有します。それぞれの企業は、独立して存在し続けます。

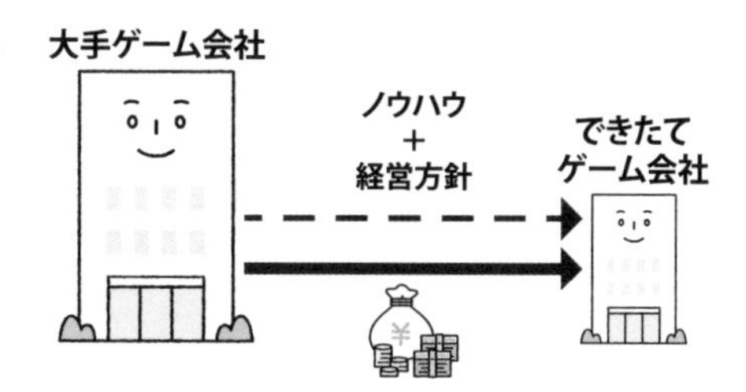

M&A

M&A(Mergers and Acquisitions：合併と買収）とは、**2つの企業が1つになったり**（合併）、ある企業が**別の企業を買い取ったり**（買収）することです。企業がM&Aを行う理由は、多岐にわたります。

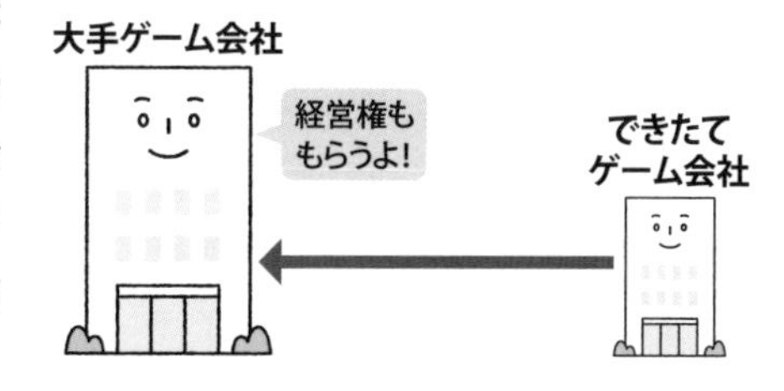

- 合併：似ている事業を強固にし、経費削減・企業成長の効率化につなげる。
- 買収：すでに成熟した他社の事業を自社に組み込むことで、自社の弱い部分を手っ取り早く補うことができる。

● ベンチャーキャピタル

ベンチャーキャピタル（Venture Capital：VC）は、高い成長が予想される未上場企業（ベンチャー企業やスタートアップ企業）に出資する投資会社です。銀行とは異なり、資金の返済・利息の発生はありません。投資を受けた企業が成長（上場など）したときに、株式を売却し、キャピタルゲイン（投資額と売却額との差額）を回収して利益を得ます。

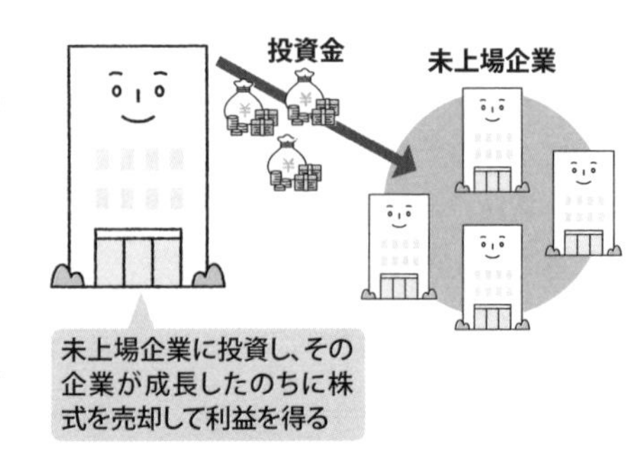

> **Memo　ベンチャーキャピタルの投資は、ハイリスク・ハイリターン**
>
> ベンチャーキャピタルは、新規に設立された企業や成長段階の企業に投資することから、一般的にはリスクの高い投資といわれますが、**多数の未上場企業に投資することで、その中から数社が成功することに期待してリターンを追求**します。

● ジョイントベンチャー

ジョイントベンチャーとは、複数の企業が共同出資して、新しい企業を設立することです。各企業が得意分野を持ち寄って事業を創出できることがジョイントベンチャーの強みです。

例：新しい自動運転車をつくるジョイントベンチャー

大手自動車企業・電機通信企業・ITソフトウェア企業がジョイントベンチャーを立ち上げ、自動運転と高速インターネット、ビデオ会議設備を完備した、移動中にも仕事ができる新しい車を開発する。

ストラテジ系　10分　★★★

Chapter 1
04 企業・事業の分析手法

事業を分析・評価する手法

- PPMは、経営環境を成長率と市場シェアで4つに分類して分析する手法。
- BSCは、企業の業績を財務・顧客・業務プロセス・学習と成長の4つの指標で評価する手法。
- SCMは、原材料から商品の供給までの一連のプロセス管理のこと。

資本の大きさは企業の強み

企業活動での**利益の最大化**を実現するためには、資本の拡大が重要です。**資本が潤沢にある企業は、新商品の開発や既存事業の拡大など、多くの資本を投入でき早い成長が期待**できます。また、予期せぬ困難が起きた場合でも、資本のバックアップにより安定的な事業継続が可能です。

●資本の拡大には事業分析が重要

資本を大きくする方法は、主に次の2パターンが存在します（借金や融資は、一時的に負債（p.119）が増えるため除外します）。

1. 企業活動によって生み出された利益を元手に、企業活動を強化する方法
2. 投資家から投資を受ける方法

特に「2.投資家から投資を受ける」場合、投資家の目線に立ってみると「この企業に投資しても問題ないか？」と、**企業・事業の状況を分析・判断**する必要が出てきます。こうした分析観点は、投資家だけでなく、企業で働く社会人にとっても、自社の競争力を保つために有益です。

事業を分類・評価する

PPM

PPM（Product Portfolio Management：プロダクト・ポートフォリオ・マネジメント）とは、**自社と、自社を取り巻く経営環境**を、成長率と市場シェアの2つの軸を使って分析する手法です。

- 成長率は、売上や利益が伸びるペース（昨対など）を表します。
- 市場シェア（占有率）は、市場全体で事業が占める売上の規模を表します。

自社の事業が下記のどのポジションにあるかによって、事業に投入する資本の配分を検討します。

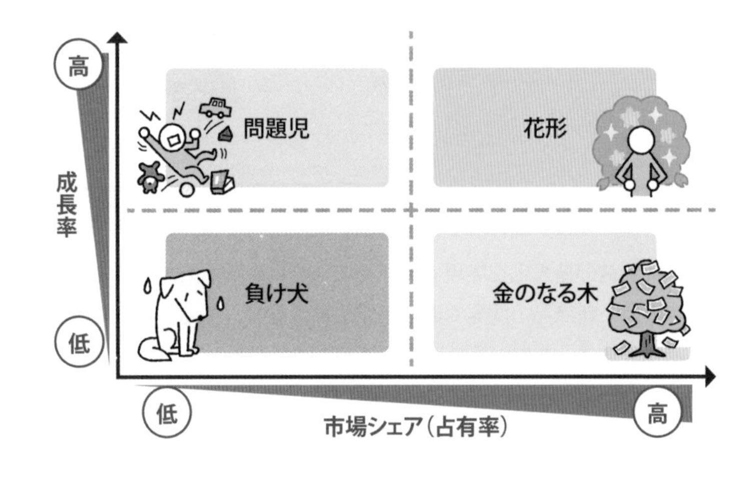

花形	成長率も高く、市場シェアも高い状態です。競合参入余地がほぼないため「花形」であり、最も期待が寄せられるポジションです。
金のなる木	成長率は低いものの、市場シェアが高い状態です。安定的に利益（キャッシュ）を生み出すことから、業界をリードするポジションです。
問題児	成長率は高いものの、市場シェアは低い状態です。成長率が高いことから将来性に期待できそうですが、市場シェアを伸ばせるかは競合状況に依存するため、ある意味「目が離せない」問題児のポジションです。
負け犬	成長率も、市場シェアも低い状態です。将来性に期待することも難しく、競合他社と戦うことも難しいため市場からの撤退が予想されます。

PPMは、次のような事例で活用できます。

- 企業の中に複数の事業がある場合、PPMをもとに仕分けすることで、自社の取るべき製品戦略を判断できます。事業ごとに、資本を投入すべきか・撤退すべきかといった検討ができます。
- 1つの事業の市場戦略を検討する際は、自社と競合企業の立ち位置を把握することに役立てます。同一事業をPPM上で比較し、市場の競争環境を分析します。

BSC

BSC(Balanced Scorecard:バランススコアカード)とは、企業の業績を財務・顧客・業務プロセス・学習と成長の4つの視点から評価することで、**単に利益や売上を把握するだけでなく、企業の全体的な健康状態を把握**できます。

財務	企業の収益性を見るための指標。売上、利益など
顧客	顧客からの企業評価を示す指標。顧客満足度、リピート率、クチコミの評価など
業務プロセス	企業内部で効率的に業務を運営できているのかの指標。品質の向上、納期の短縮、コスト削減など
学習と成長	企業内部の成長を測る指標。従業員の満足度、人材数の最適化、スキルアップの進行状況など

通常、投資家が業績を見るときには、財務観点のみで評価されがちですが、BSCでは**その他の指標(顧客、業務プロセス、学習と成長)をバランスよく評価できる**特徴があります。

企業内のリソースを最適化する

企業活動を分析・管理することで、限られたリソースを適切に配分できます。コスト削減による利益の増加にもつながります。

バリューチェーンマネジメント

バリューチェーンマネジメント(value chain management:価値連鎖の管理)では、商品が生み出される一連の活動を管理します。企業の各部署がどのように商品の価値を生み出しているのかを分析し、改善に活用します。

次図では、企業組織を主活動と支援活動に分け、それぞれの活動のチェーン（連鎖）と付加価値（バリュー）を生み出す工程を可視化しています。

- 主活動：商品を提供するために直接必要な活動。
- 支援活動：主活動を支援するための活動。

SCM

SCM（Supply Chain Management：サプライチェーンマネジメント：供給連鎖の管理）とは、原材料の調達から顧客に商品が供給されるまでの一連のプロセスを管理することです。原材料の調達、製品の製造、商品の配送と販売、アフターサービスの一連の活動が含まれます。

現在は、モノをつくれば、つくっただけ売れる時代ではありません。生産から顧客に届くまでのプロセスを管理することで、**コスト削減だけでなく、市場の変化に即座に対応し顧客ニーズにスムーズに応える体制**がつくれます。

小テストはコチラ

Chapter 1

05 企業の人材管理・人事業務

「人材」が会社を創る

- **企業の経営資源ヒト・モノ・カネ・情報のうち、人を中心とした企業活動。**
- **企業の人事は、企業全体の人材戦略を担当する。**
- **OJTやOff-JTにより社員教育することは、企業全体の成長スピードを加速する。**

人材管理

企業活動の実務の役割を担うのは、従業員です。企業が**利益の最大化を目指す**ために**従業員が能力を発揮しやすい組織構成をつくること**は、重要な業務です。

● 企業の人事

企業の組織構成は、人事部署を中心にとり行われることが多いです。人事部の役割は、企業全体の人材戦略の担当・組織の効率的な運営です。

企業の人事の代表的な業務

- 採用：求人広告の作成、応募者のスクリーニング、面接、雇用オファー
- 教育・訓練：社員のスキルを養うための教育プログラム
- 評価：人と仕事の配置、社員のパフォーマンスを評価・管理　など

● HRM

HRM（Human Resource Management:人的資源管理）とは、人材を経営資源の１つと考え**人的資源を有効活用**することです。

HRテック

HRテック（Human Resources Technology）とは、採用や人事教育など、企業の人材管理業務を効率化するためのIT技術です。

HRテックの事例

- 採用支援ツール：履歴書や面接のスケジュール管理 / AI選考支援
- 給与・労務管理ツール：勤怠管理 / 給与計算 / 社会保険や労災の手続き
- 人材育成ツール：目標・業務評価の自動化 / キャリアアップ支援
- 教育・研修ツール：社員向けオンライン研修 / e-ラーニングシステム など

ダイバーシティ

ダイバーシティとは、多様な人材（性別、年齢、国籍など）を生かす考え方です。**人材による多様な価値・発想**を取り入れることで、さまざまな働き方を実現し、長い目で見た企業成長が期待できます。

ダイバーシティによるメリットには、次のようなものがあります。

イノベーションの促進	多様な背景や視点を持つ人材が集まることで、新しいアイデアが生まれやすくなります。商品開発・問題解決に寄与します。
市場理解	多様な顧客の視点やニーズを理解しやすくなるため、広範な市場のキャッチアップが行いやすくなります。
問題解決力の強化	多角的な視点から問題にアプローチできるため、質の高い解決策を見つけ出しやすくなります。

企業組織の構成

企業組織の構成は、会社内でどのように仕事が分かれているか、誰が誰に報告するのかといった人と仕事の配置図です。社員が最も効果的に働くことができ、企業の利益の最大化が実現するよう、人事部門は組織構成をつくる役割を担います。

職能別組織

職能別組織とは、業務単位（職能別）で部署を分けた組織構成です。人事や経理、営業、企画、総務などの職能別に組織を分けることで、それぞれの専門性を高めます。

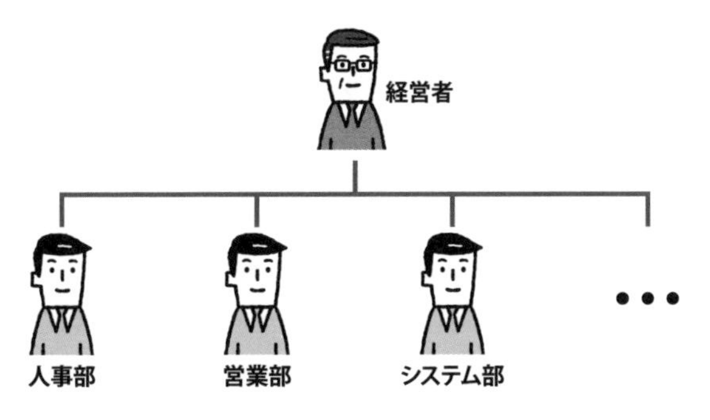

事業部制組織

事業部制組織とは、企業の中に複数の事業があるとき、事業部ごとに部を分けた組織構成です。事業単位で組織をつくり、その中に職務が用意されます。中小規模の企業では、1企業1事業のケースがほとんどですが、企業が大きくなると1企業が複数の事業を有することになり、事業部制組織の体制を選択することがあります。

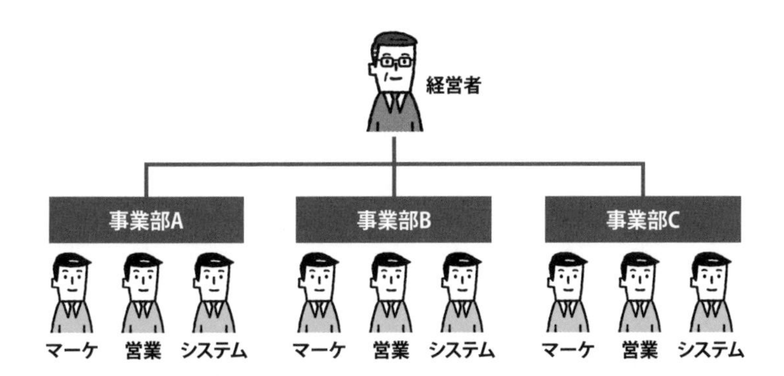

社員教育

社員教育は、企業が従業員にお金と時間を先行投資することで、組織全体の能力向上を図ります。

CDP

CDP（Career Development Program：キャリア開発プログラム）とは、個人の適性・希望を考慮しながら、教育研修や配属先を決定し、**従業員の能力を最大化するための長期的なプログラム**です。企業が準備した研修だけではなく、従業員が自主的に取り組める機会を設けることもCDPに含まれます。

OJTとOff-JT

社員教育のスキル習得（トレーニング）には、大きく分けてOJTとOff-JTの2つのパターンがあります。

- OJT（On the Job Training）：現場で働きながら、**業務を通してトレーニング**を受けます。多くの場合、先輩社員のサポートを受けます。
- Off-JT（Off the Job Training）：現場から離れて、**研修を通してトレーニング**を受けます。多くの場合、セミナーなどによる体系的な研修です。

ITパスポート試験：用語暗記のポイント

ITパスポート試験の用語は、英語表記の略語が大量に出てきますが、略語だけを丸暗記をすることは現実的ではありません。用語を日本語に直し、試験中も的確に答えを導きましょう。例えば、OJTやOFF-JTは、次のような形です。

- **OJTの「On」とは、「業務上でトレーニングをする」の意味**
- **Off-JTの場合、Onの場合とは逆に「業務外でトレーニングをする」の意味**

e-ラーニング

e-ラーニングは、PCやスマホを使用したオンライン学習手法です。"e"はelectronic（電子の）を表します。特徴として、次のような点が挙げられます。

- オンラインで動画研修が受けられる。オンデマンドでは、都合の良い時間に学習も可能。
- オンラインで教材の確認ができる。
- オンラインで問題を解く・答え合わせをする機能を持つ。

これらいずれかが実現できる**専門のWebサイト全体**を指すことが多いです。従業員自身のペースで時間や場所を選ばず、広く学習機会をつくることができます。

Chapter 1 06 企業の社会的役割

解説動画▶

社会があるからこそ企業が存続する

- 法律や規則を守るコンプライアンス遵守のもと企業活動を行う。
- SRIやESG投資は、長く利益を生み出す企業に投資することが目的。

企業の社会的役割

CSR

CSR（Corporate Social Responsibility：企業の社会的責任）とは、企業がビジネスをする上で担っている社会的責任を意味します。**「社会があるからこそ企業が存続できる」という思想**から、利益を生み出すだけではなく、社会の構成員という側面から、その社会を持続・発展させるための活動も積極的に行うべきとされています。

次の事例は、企業にとって直接的な利益を生み出すものではありませんが、間接的に企業の成功に寄与する活動です。

- 飲料メーカが森林保全活動のため、地域のゴミ拾いボランティアを率先する。
- 自動車関連メーカが地域の子どもたちに交通安全教室を開く。
- リモートワークや時短勤務など、多様な働き方を取り入れた業務形態をつくる。

サステナブル

サステナブル（sustainable：持続可能性）とは、地球・社会が将来にわたって持続的に健全に機能し続けることを目指す考え方や取り組みです。かつては経済成長のためにとにかく資源を確保し、利益を多く生み出すことに、どの企業も取り組んでいました。しかし20世紀後半から、次のようなさまざまな問題が世界的に顕在化しました。

- 大気汚染・水質汚染・森林伐採・オゾン層の破壊・地球温暖化
- 石油危機・鉱物資源の枯渇
- 人権問題・労働環境など、経済のグローバル化に伴う問題

こうした背景から、企業は**経済的な利益だけでなく、環境・社会との調和が取れるサステナブルな活動**に取り組むことの重要性が認識されました。これらを実現するためのスローガンとして掲げられたものがSDGsです。

SDGs

SDGs（Sustainable Development Goals）とは、持続可能な世界を実現するために国際連合が採択した2030年までに達成されるべき開発目標です。主に、**人々の生活をもとにした環境保全や生活水準のベースラインを守る取り組み**がまとめられています。

グリーンIT

グリーンITとは、情報技術（IT）と環境保護を組み合わせた活動の考え方です。IT自体のエネルギー効率を向上させるための取り組みとして**「地球環境にやさしいIT」**といわれます。

グリーンITの事例

- IT機器の省電力化：サーバベンダーやCPUメーカーを中心に、パソコンやデータセンターの消費電力を下げる。パソコンなどのIT機器を調達する際、リサイクル性・電子廃棄物の適切な処理など、環境負荷などを考慮した製品を選択する。
- ITを活用して全体の環境負荷を減少させる：従来、紙で扱っていた情報を電子化することで、森林伐採を抑制し、廃棄物を削減する。テレワークやオンライン会議を推進することで、移動に必要な燃料消費を減少させる。

リサイクル法

リサイクル法は、資源や廃棄物の分別回収・再資源化・再利用について定めた法律です。

リサイクル法の事例

パソコンリサイクル法では、**パソコンメーカーによる回収とリサイクルが義務付けられており**、個人や企業が利用するパソコンの両方に適用されます。回収されたパソコンは、再資源化施設でデータ破壊・分解などの工程を経て再資源化され、分解された樹脂や金属の素材は再利用されます。

コンプライアンス

コンプライアンス（compliance：法令遵守）とは、企業が定められた法律や規則を守って、企業活動することです。法律を守ることだけではなく、倫理観や道徳観、社内規範といったより広範囲を指すこともあります。

企業に求められるコンプライアンス	・労働時間や休憩時間、最低賃金、休日出勤など、労働環境を守る ・性別、年齢、人種に関わらず、従業員の人権を守る　など
従業員・個人に求められるコンプライアンス	・営業秘密や顧客情報など、企業が保有する情報の漏洩を防ぎ、適正に業務で扱う ・セクハラやパワハラなど、社内環境を乱さない　など

企業・従業員の双方がコンプライアンスを遵守しなければ、社会や消費者からの信頼を失い、企業の評判を下げることになります。**結果的に、企業の売上に影響を及ぼすばかりか、存続の危機にさらされる**可能性があります。

CSRの投資家評価

従来の投資家は、財務情報を中心に投資判断することが一般的でした。一方、長く利益を生み出し続ける企業に投資したいという考えから、**従来とは異なる評価を行う**ケースも増えています。

SRI

SRI（Socially Responsible Investment：社会的責任投資）とは、投資判断のプロセスに投資先の環境配慮や社会的活動（CSR活動など）を考慮した投資手法です。**例えば、タバコ、アルコール、武器製造など、特定の業種を排除**し、投資先を判断します。

社会的に環境活動への関心が高まり、社会的責任に基づいた活動に取り組む企業が増えており、こうした企業は投資家からの評価が高いです。

ESG投資

ESG投資とは、Environment（環境）、Society（社会）、Governance（企業統治）の３つの観点を考慮して、**持続的に成長を目指す企業**に投資をする考え方です。**売上高や利益、保有財産などの財務情報だけではなく、非財務情報（CSRやSDGsなどの取り組み状況）も考慮した投資の考え方**です。次のような取り組みを行う企業が対象企業の例として挙げられます。

- 環境に配慮した製品開発を行い、省エネルギーや温室効果ガス削減に積極的に取り組む企業
- 女性や障害を持つ従業員のための働き方を提供し、キャリア発展の機会を積極的に行う企業

試験問題にチャレンジ

問題❶ R1秋-問12

企業の経営理念を策定する意義として，最も適切なものはどれか。

ア 企業の経営戦略を実現するための行動計画を具体的に示すことができる。

イ 企業の経営目標を実現するためのシナリオを明確にすることができる。

ウ 企業の存在理由や価値観を明確にすることができる。

エ 企業の到達したい将来像を示すことができる。

正解 ウ

解説 p.27より、経営理念は、企業の存在意義や価値観を明確にするための基盤です。

問題❷ R5-問8

A社の営業部門では，成約件数を増やすことを目的として，営業担当者が企画を顧客に提案する活動を始めた。この営業活動の達成度を測るための指標としてKGI(Key Goal Indicator)とKPI(Key Performance Indicator)を定めたい。本活動におけるKGIとKPIの組合せとして，最も適切なものはどれか。

	KGI	KPI
ア	成約件数	売上件数
イ	成約件数	提案件数
ウ	提案件数	売上件数
エ	提案件数	成約件数

正解 イ

解説 この部門の目的は「成約件数」であると問題文で与えられているため、これはKGIとなります。また、成約件数を増やすためには、提案件数を増やす必要があるため、KGI「成約件数」にひも付くKPIは「提案件数」となります。

問題❸　R4-問19

製造販売業A社は，バランススコアカードの考え方を用いて戦略テーマを設定した。業務プロセス(内部ビジネスプロセス)の視点に基づく戦略テーマとして，最も適切なものはどれか。

ア　売上高の拡大
イ　顧客ロイヤルティの拡大
ウ　従業員の技術力強化
エ　部品の共有化比率の向上

正解　エ

解説 BSCの詳細はp.37です。それぞれ、**ア**は「財務」の説明、**イ**は「顧客」の説明、**ウ**は「学習と成長」の説明です。

問題❹　R6-問5

ベンチャーキャピタルに関する記述として，最も適切なものはどれか。

ア　新しい技術の獲得や，規模の経済性の追求などを目的に，他の企業と共同出資会社を設立する手法。

イ　株式売却による利益獲得などを目的に，新しい製品やサービスを武器に市場に参入しようとする企業に対して出資などを行う企業。

ウ　新サービスや技術革新などの創出を目的に，国や学術機関，他の企業など外部の組織と共創関係を結び，積極的に技術や資源を交換し，自社に取り込む手法。

エ　特定された課題の解決を目的に，一定の期間を定めて企業内に立ち上げられ，構成員を関連部門から招集し，目的が達成された時点で解散する組織。

正解　イ

解説

ア　ジョイントベンチャーの説明です。
ウ　オープンイノベーションの説明です。
エ　プロジェクトの説明です。

問題❺ R4-問35

あるコールセンタでは，AIを活用した業務改革の検討を進めて，導入するシステムを絞り込んだ。しかし，想定している効果が得られるかなど不明点が多いので，試行して実現性の検証を行うことにした。このような検証を何というか。

ア IoT
イ PoC
ウ SoE
エ SoR

正解　イ

解説 PoC（Proof of Concept / p.29）とは、新しいアイディアや技術が、実際の環境で機能するのかを確認する検証のことです。小規模な検証を行うことで、リスクを低減し、大規模な投資を行う前に概念の実現可能性を確認できます。

問題❻ R2秋-問2

企業が社会の信頼に応えていくために，法令を遵守することはもちろん，社会的規範などの基本的なルールに従って活動する，いわゆるコンプライアンスが求められている。a～dのうち，コンプライアンスとして考慮しなければならないものだけを全て挙げたものはどれか。

a. 交通ルールの遵守
b. 公務員接待の禁止
c. 自社の就業規則の遵守
d. 他者の知的財産権の尊重

ア a，b，c
イ a，b，c，d
ウ a，c，d
エ b，c，d

正解　イ

解説 p.45より、コンプライアンスとは企業や組織が法律、規則、社内規定などの規範や社会的な要求を遵守することです。

問題❼ H31春-問26

自社の商品についてPPMを作図した。"金のなる木"に該当するものはどれか。

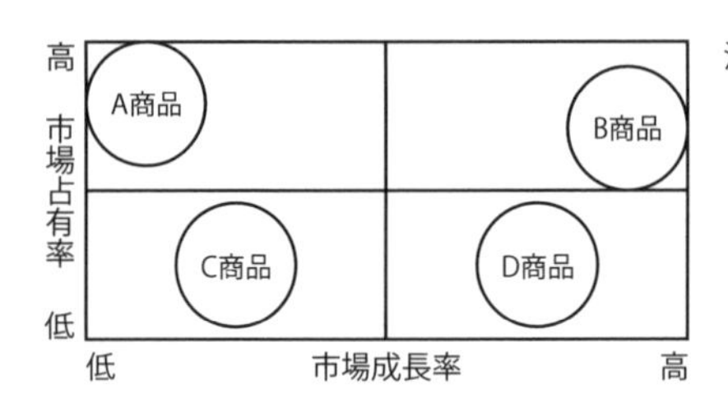

注記　円の大きさは売上の規模を示す。

ア　A商品
イ　B商品
ウ　C商品
エ　D商品

正解　ア

解説 金のなる木は、成長率は大きくないものの、市場占有率が高く、安定した商品（事業・企業）を指します。選択肢アのA商品が正解です。

問題❽ H22秋-問22

CSRの説明として，最も適切なものはどれか。

ア　企業が経営の仕方や業務プロセスを分析し，優れた点を学び，取り入れようとする手法
イ　企業活動において経済的成長だけでなく，環境や社会からの要請に対し，責任を果たすことが，企業価値の向上につながるという考え方
ウ　企業の経営者が持つ権力が正しく行使されるように経営者を牽（けん）制する制度
エ　他社がまねのできない自社ならではの価値を提供する技術やスキルなど，企業の中核となる能力

正解　イ

解説

ア　ベンチマークの説明です。
ウ　コーポレートガバナンスの説明です。
エ　コアコンピタンスの説明です。

ストラテジ系

Chapter 2

マーケティング

本章の学習ポイント

- マーケティングとは、売れる仕組みをつくること。
- 市場を分析し、戦略を考えると、自社が取るべき商品戦略が見えてくる。
- 商品の売り方は、主に2つ。新規顧客を連れてくる方法・既存顧客からリピート購入を引き出す方法。
- 特にデジタルマーケティングが注目される理由は、ヒト・モノが自由に集まること、行動が計測可能である点。

01 マーケティングとは

解説動画▶

マーケティングの基礎を学ぶ

- **マーケティングとは「売れる仕組み」をつくる仕事のこと。**
- **企業は、市場に価値を提供することで利益最大化を狙う。**

マーケティングとは

マーケティングの役割について考えてみましょう。もしも、みなさんがラーメン屋をオープンするとしたら、まずは何から決定するでしょうか。おそらく、次のような戦略を考える人が多いのではないでしょうか。

- 味は、とんこつラーメン一本か ／ バリエーション豊富にするか
- 家賃が高くても都心の駅チカ ／ 家賃を抑えて住宅街
- 高級感あるオシャレ店にするか ／ 親しみやすい大衆店にするか　など

ラーメン屋の例と同様、企業活動を行う上で売上を伸ばすためには、戦略的に物事を決める必要があります。**マーケティングとは、売れる仕組みをつくる**仕事です。企業の商品が**顧客ニーズ**や**期待**にマッチするほど、マーケティングの価値は最大化されます。

Chapter1では、企業の目的が「利益の最大化」であることを学びました。Chapter2からは、より具体的に利益最大化のためのマーケティングの基礎を学びましょう。

●市場

市場（マーケット）とは、売り手と買い手が、お金を介して商品を自由に売り買いする場です。私たちが普段、商品の売買をする場が市場といえます。

商売とは、売り手が市場で価値を提供し、その対価としてお金を得る活動です。買い手は自分のニーズを満たすために、お金を使って商品・サービスを購入します。売り手と買い手の交流が活発になるほど、市場は活性化し、経済が発展します。

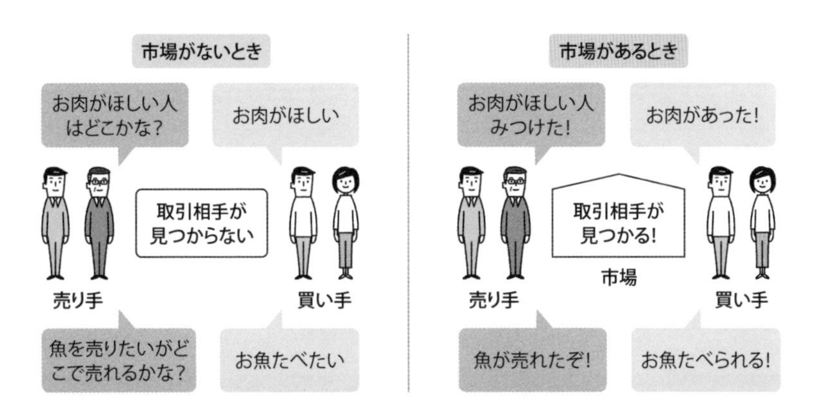

マーケティングファネル

マーケティングファネルとは、**顧客が商品の認知から興味・検討・購入に至るまでの行動を段階ごとに分けたもの**です。商品を認知した潜在顧客が、最終的に商品を購入する顧客へと絞り込まれるプロセスです。

ファネルとは漏斗（ろうと）のことです。商品を認知した多くの人のうち、数%の人が購入までに残る（ろ過される）、といった考え方です。

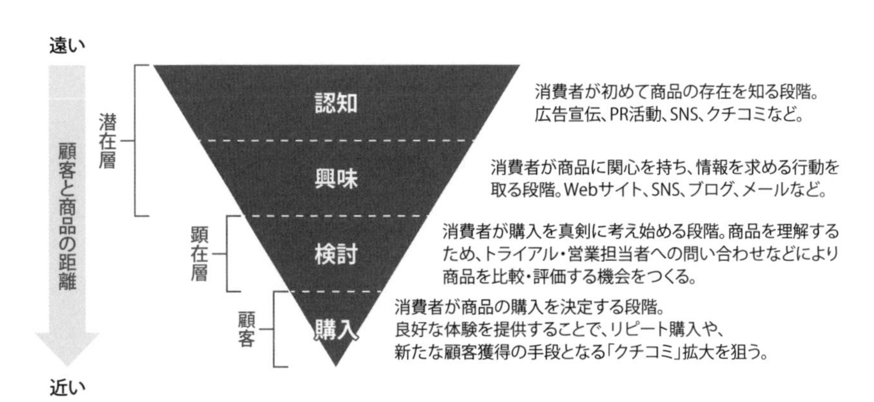

マーケティング活動の例

次の事例は、すべてマーケティング活動に分類されます。

事例	目的
テレビCM、町中の電柱などに広告を出す。	不特定多数の人に**認知**してもらう。 →マスマーケティング（p.56）
YouTubeの動画広告、Instagramや X（旧Twitter）のタイムラインに広告を出す。	SNSがアルゴリズムにより、**ユーザーに合った**広告を表示する。 →1to1マーケティング（p.57）
インターネット検索したとき、検索結果上位にリンクを表示する。	**検索結果の上位**からアクセスされる行動傾向を利用する。 →SEO（p.69）、リスティング広告（p.69）
ECサイトに登録した顧客に、オススメ商品のメールを送付する。	過去の顧客データを活用し、おすすめ商品を**データ**に基づいて提案する。 →CRM（p.59）、RFM分析（p.60）

コトラーの競争地位戦略

コトラーの競争地位戦略とは、**企業が市場での競争力を高めるための戦略**をまとめたものです。マーケティングの権威であるフィリップ・コトラーは、**企業が市場競争を勝ち抜くためには採用すべき４つの戦略がある**と提唱しました。量的経営資源と質的経営資源の２つを軸に、４つの基本戦略を提案しています。

- **量的経営資源**：企業が持つ、具体的で数値化可能な資源（例：資金、従業員数、工場や設備の数、販売店の数など）。
- **質的経営資源**：企業が持つ、数値化することが難しいが、競争力を持つための重要な資源や能力（例：ブランドの価値や認知度、企業文化、技術やノウハウ、経営者のビジョンなど）。

量的経営資源

質的経営資源	多い	少ない
多い	**リーダー** 市場防衛戦略	**ニッチャー** 集中戦略
少ない	**チャレンジャー** 差別化戦略	**フォロワー** 模倣戦略

基本戦略	詳細
リーダー（市場防衛戦略）	既存市場でのリーダー企業が、新規参入企業や競合からの攻撃を防ぐ。自らの地位を守るための戦略。
チャレンジャー（差別化戦略）	独自の商品を提供することで、他の競合と差別化を図る。消費者にとっての価値を高める戦略。
ニッチャー（集中戦略）	全体の市場シェアは小さいが、特定セグメントで高いシェアや認知度を保持する戦略。
フォロワー（模倣戦略）	リーダーやチャレンジャーの戦略や方向性に追随する企業。価格を競合よりも低く設定することなどにより、競争力を高める戦略。

ストラテジ系　15分

Chapter 2

02 マーケティング手法

多様なマーケティング手法

- 認知獲得のためには、多様な広告媒体の特徴を使い分ける。
- 購入アクションを促すために、顧客情報をもとに販売戦略を策定する。

マーケティングファネルに応じた手法

「認知」と「購入」におけるマーケティング手法を順に紹介します。

なおリピート購入を狙うマーケティング手法のうち、住宅購入や結婚など、大多数の人にとって人生で一度の経験となる事例では、本事例と異なるマーケティング手法が取られます。

認知獲得のマーケティング手法

商品は「認知」されなければ購入されることはありません。 理想的な状態は、「こんな商品が欲しい」と思ったときにすぐに思い出してもらえる状態です（第一想起といいます）。

●マスマーケティング

マスマーケティングとは、幅広い対象者に商品を流通させるマーケティング手法です。

日常消費材（洗剤や飲食店）など、**ターゲット層を広く獲得する必要のある商材**は、この手法が向いているとされます。ただし、こうした商材は競合他社も類似したビジネスを行いやすいため、差別化が難しくコモディティ化（一般化）するといわれています。

【例】テレビCMなどのマスメディア、電車・バスの広告、街の中の看板など

セグメントマーケティング

セグメントマーケティングとは、**市場を年齢・性別・嗜好など**で絞り込んで、特定の潜在顧客にアプローチするマーケティング手法です。

【例】ファッション誌は「10代女性」「30代男性」など、特定のセグメントにアプローチする

ダイレクトマーケティング

ダイレクトマーケティングとは、企業が見込み顧客に**直接コミュニケーションを取り、行動を促す**マーケティング手法です。郵送、メール、電話、オンライン広告などの手法で顧客とコミュニケーションを取ります。

【例】オンラインショッピングで気に入った服を見つけてカートに入れたものの、購入を完了しなかった場合、数日後、「カートに入れたアイテムがまだ残っています！」とメールで通知し、購入を促す。

1to1マーケティング

1to1（ワントゥーワン）マーケティングとは、**顧客一人ひとりに合わせた**マーケティング手法です。顧客の過去の行動ログから傾向を導き、商品を提案するレコメンド表示などが該当します。

【例】YouTubeやX（旧Twitter）の広告は、人によって表示される内容が異なる。

広告媒体

多様な広告媒体

企業は認知を獲得するため、さまざまな広告媒体（Advertising Media）を活用します。代表的な広告媒体は次のとおりです。

放送メディア

・テレビCM
テレビを視聴する層へ、幅広くリーチ可能。

・ラジオ広告
ラジオを視聴する層へ、時間帯や番組特徴に応じてアプローチ可能。

デジタルメディア

・Webアフィリエイト
Webサイトや SNS など、ターゲット層ごとにピンポイントで広告配信が可能。

・Eメールマガジン（メルマガ）
顧客のメールアドレスに情報を送信する。パーソナライズされた情報提供が可能。

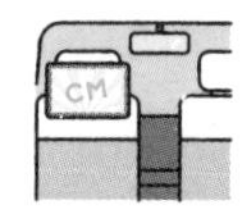

OOH（Out-Of-Home）広告

・交通広告
バス、電車、タクシー、飛行機などの移動手段のスペースに広告を設置する。移動時間中に注目を集めることができ、エリア特性を生かす広告に採用されやすい。

・デジタルサイネージ
電子ディスプレイを使用して情報を伝える。画像やテキストだけでなく動画やアニメーションを使用でき、一度設置すると、印刷や物理的な配布コストが不要となる。

オムニチャネル

オムニチャネルは企業が複数の販売チャネル（店舗・Webサイト・モバイルアプリなど顧客が経由する接点）を管理し、**顧客がシームレスな体験を得られる**ようにする戦略です。

単に複数の販売チャネルを持つマルチチャネルとは異なり、多数の販売チャネルをデータ上で統合することで、購入履歴や顧客情報を一元管理できます。

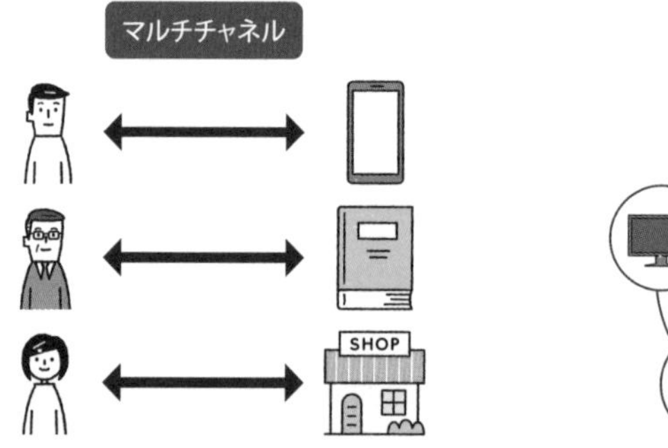

広告の役割

マーケティングファネルのうち、広告宣伝による認知獲得には、特にお金がかかるといわれます。しかし、たとえ費用がかかったとしても、認知獲得は企業にとって大きな価値があり、企業自体のブランド力・信頼性の向上にもつながります。

認知獲得のための広告宣伝

- Webサイトへ誘導する看板広告やテレビCMの場合、一度に広範囲の見込み客にアプローチできる
- 専門スキルや経験を持つデザイナーやコピーライターを雇用することで、魅力的なコンテンツやデザインを制作でき、より効果的に見込み客を引きつける
- 人気タレントを起用する場合、知名度や影響力を活用できるため、より多くの人々に広告メッセージを伝えることができる

リピート購入を狙うマーケティング手法

商品は、一度購入されて終わりではありません。顧客満足度を向上させ、繰り返し購入してもらうことを目指します。

これは、企業の利益最大化にもつながります。

CRM

CRM（Customer Relationship Management：顧客関係管理）は、顧客情報の収集・分析から顧客満足度を向上させ、効果的なマーケティング活動が行えます。

ビジネスでは**新規顧客の購入よりも、一度でも商品を購入した顧客の方が、再び消費行動を起こしやすい**というセオリー（原則）があります。顧客満足度を上げることで、さらなる購買行動につなげます。

顧客接点を保つ戦略

マーケティング戦略は、顧客へのアプローチの仕方によって2つに分けられます。

● プッシュ戦略

企業から顧客へ、積極的にアプローチして働きかけるマーケティング戦略。
企業側から情報を「押し出す」というイメージから、PUSHという表現が利用される。
例：電話やメールなど

● プル戦略

顧客から能動的に、製品・サービス・企業情報を取りに行くことで購入につなげるマーケティング戦略。
顧客自身が情報を「引き出す」というイメージから、PULLという表現が利用される。
例：Webサイトや SNS など

顧客単価を向上させる手法

顧客単価を向上させる代表的な手法です。

● アップセル

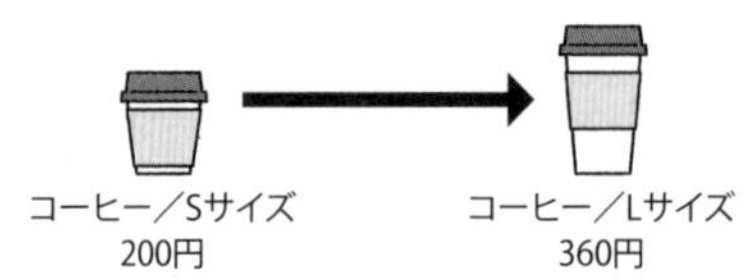

商品の購入を検討している顧客や、以前に商品を購入した顧客に対し、より高額な上位商品を勧めるマーケティング戦略。
例：コーヒーショップで、ドリンクのサイズアップを促す。

● クロスセル

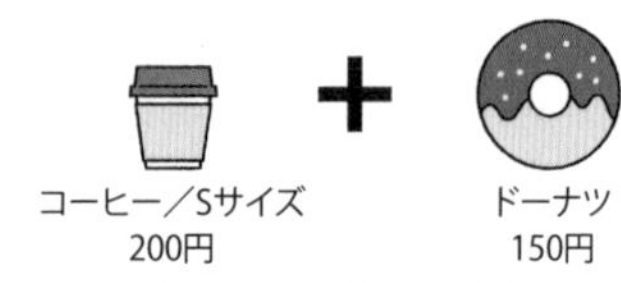

商品を購入する顧客に、別の関連商品もセットで勧めるマーケティング戦略。

例：コーヒーショップで、ドリンクだけではなくフードの購入を促す。

RFM分析

RFM分析は、顧客データを、直近購入日（Recency）・頻度（Frequency）・購入金額（Monetary）の３つの指標でグルーピングし、顧客分析に利用する手法です。３つの指標のかけ合わせで、購入見込みの高い顧客層を特定します。

- 直近購入日（R）…最近購入してくれた人の方が、何年も前に購入した人より、再購入の見込みが高い。
- 頻度（F）…購入頻度が高い人の方が、低い人や一度しか購入しなかった人より、再購入の見込みが高い。
- 購入金額（M）…購入金額の総額が高い人の方が、低い人より、再購入の見込みが高い。

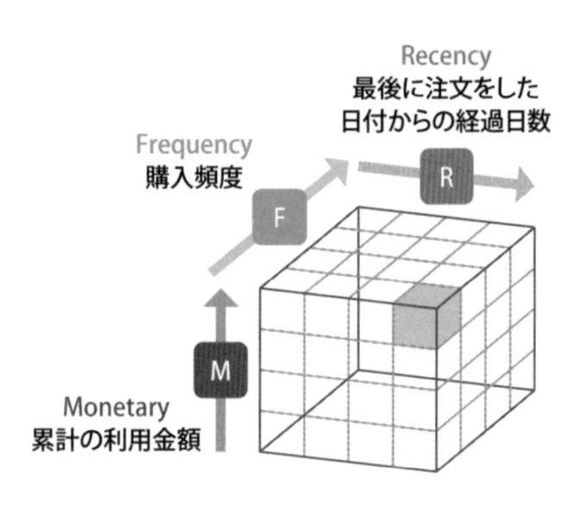

RFM分析により、購入確度の高い顧客が定まった場合、次のような手法で顧客満足度および利益の最大化を目指します。

- クーポンを発行して、更に商品を購入しやすくする
- VIPとして、通常顧客とは異なるサービスが受けられるようにする

ストラテジ系　15分　★★★

Chapter 2

03 マーケティングのフレームワーク

戦略の基準となるフレームワーク

- マーケティングで押さえたいフレームワークは､｢市場･商品の分析手法」と「製品・サービスを設計する」に分類できる。
- 市場・顧客・競合他社など、市場で戦うために必要な情報をフレームワークで整理する。

市場・商品の分析手法

3C分析

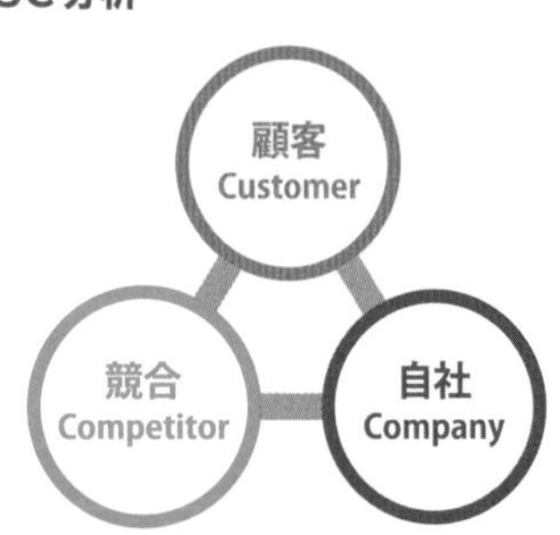

3C分析とは、顧客（Customer）・自社（Company）・競合（Competitor）の３つの観点で市場を分析する手法です。商品の買い手である顧客、およびライバルとなる競合企業を知ることで市場への理解を深め、その上で自社の取るべき戦略を考える際に利用します。

PEST分析

PEST分析とは、**政治（Politics）、経済（Economy）、社会（Society）、技術（Technology）の要素で市場を分析**する手法です。ビジネスは、企業の置かれる業界や世の中の変化（マクロ環境）に大きく影響されます。自社のマーケティング環境を把握し、中長期的な業界分析を行います。例えば「自動運転車」を普及させる際の自動車メーカーによる分析は次ページのとおりです。

SWOT分析

SWOT分析とは、**強み(Strength)、弱み(Weakness)、機会(Opportunity)、脅威(Threat)の要素から市場を分析**する手法です。内部環境要因である自社の強み・弱みと、外部環境要因である機会・脅威の要因を組み合わせることで、市場での機会や事業課題の発見に役立てます。

「自動運転車」の例でいうと、大手メーカーが「自動運転車」を普及させようとする際のSWOT分析は、以下のようになります。

製品・サービスを設計する

STP理論

STP理論とは、**セグメンテーション(Segmentation)、ターゲティング(Targeting)、ポジショニング(Positioning)の3つの段階**に分けて、企画や製品・サービスを検討するときに役立つフレームワークです。

STP理論

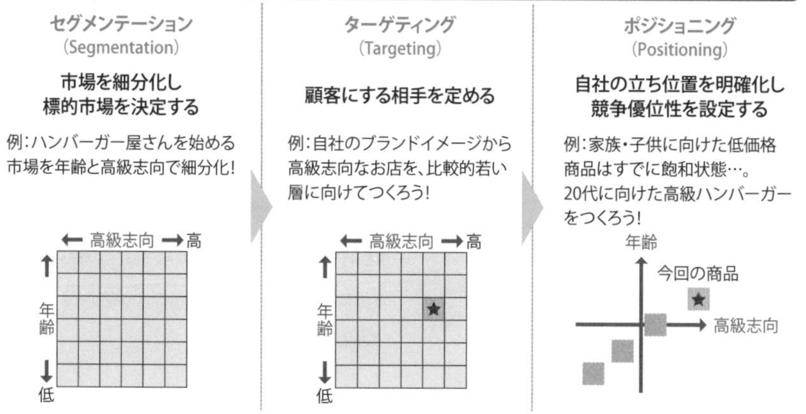

セグメンテーション
（Segmentation）

**市場を細分化し
標的市場を決定する**

例：ハンバーガー屋さんを始める
市場を年齢と高級志向で細分化！

← 高級志向 → 高
↑ 年齢 ↓ 低

ターゲティング
（Targeting）

顧客にする相手を定める

例：自社のブランドイメージから
高級志向なお店を、比較的若い
層に向けてつくろう！

← 高級志向 → 高
↑ 年齢 ↓ 低

ポジショニング
（Positioning）

**自社の立ち位置を明確化し
競争優位性を設定する**

例：家族・子供に向けた低価格
商品はすでに飽和状態…。
20代に向けた高級ハンバーガー
をつくろう！

年齢
今回の商品
高級志向

マーケティングミックス

製品（Product）、価格（Price）、流通（Place）、プロモーション（Promotion）の4つのPで構成される実行戦略です。新商品の設計だけではなく、既存製品の見直しにも有効です。

4P

各Pの意味		決めること
Product	製品・商品	どんな商品を売るか？ 例：男性・女性向け、デザイン、機能など
Price	価格	いくらで販売するか？ 例：高・低価格、支払い方法、割引など
Place	流通	どのように届けるか？ 例：全国のコンビニエンスストア、オンラインなど
Promotion	広告・宣伝	どう知ってもらうか？ 例：テレビCM、YouTube広告、イベントなど

4C

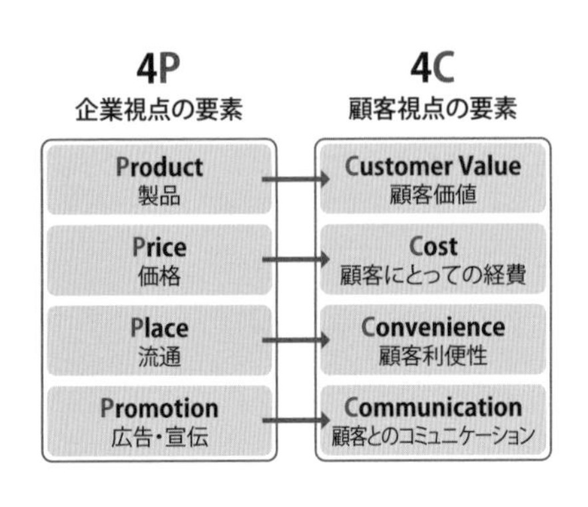

4Cとは消費者中心のマーケティング(Consumer-Centric Marketing)の考え方です。現代の消費者は、情報を取得しやすく、選択肢が豊富な環境に置かれています。企業は、消費者の真のニーズや価値観を理解して商品を提供することが重要です。**企業の視点である4Pの各要素は、左のように4Cと対応**しています。

ベンチマーキング

ベンチマーキングとは、競争力を高めるために他社から事例を学ぶことです。単に他者をコピーするのではなく、自社ビジネスに適応させます。

プライシング

4Pの価格の要素となるプライシング（価格設定手法）の３つの手法です。

種類	詳細	事例
スキミングプライシング	新しい商品や技術を市場に導入する際に、初期に高価格設定を行い、時間が経過するにつれて徐々に価格を下げる戦略。	iPhoneなど、**消費者の購買意欲や製品への評価が高い新型のバージョンの段階**で高い利益を得る。
ペネトレーションプライシング	商品を低価格で販売し、多くの消費者を囲うことで、迅速に市場シェアを拡大させる戦略。	GUやしまむらは、**低価格帯の洋服を幅広く販売**することで市場シェアや顧客を拡大している。
ダイナミックプライシング	商品の価格を、需要や市場環境に応じて、柔軟に変更する戦略。	ホテル・航空券の値段は夏休みやゴールデンウィークに上がり、平日で旅行需要が低い時期は下がる。

市場の定説

商品の市場への導入から普及においては、顧客の移り変わりに合わせてマーケティング手法を常に変化させる必要があります。

プロダクト・ライフサイクル理論

プロダクト・ライフサイクル理論とは、商品（プロダクト）が世に出てから、消費者に受け入れられて衰退するまでのプロセスを示します。

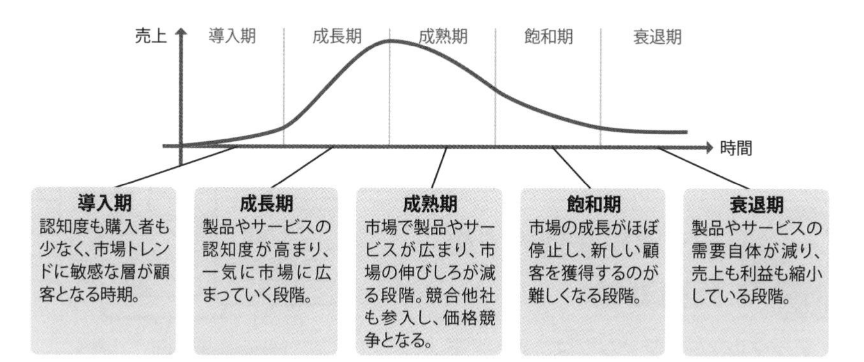

イノベータ理論とキャズム理論

イノベータ理論は、新商品や技術の市場導入時の顧客による採用パターンを説明するモデルで、動機やタイミングにより顧客を５つのカテゴリに分類します。

キャズム（Chasm：溝）とは、商品を世の中に普及させる際に発生する越えるべき障害です。新商品が初期市場からメインストリームに受け入れられるとき、多くの新規ビジネスはキャズムを越えられず失敗します。一方、**キャズムを越えられると市場に受け入れられ商品の成功に直結**するといわれます。

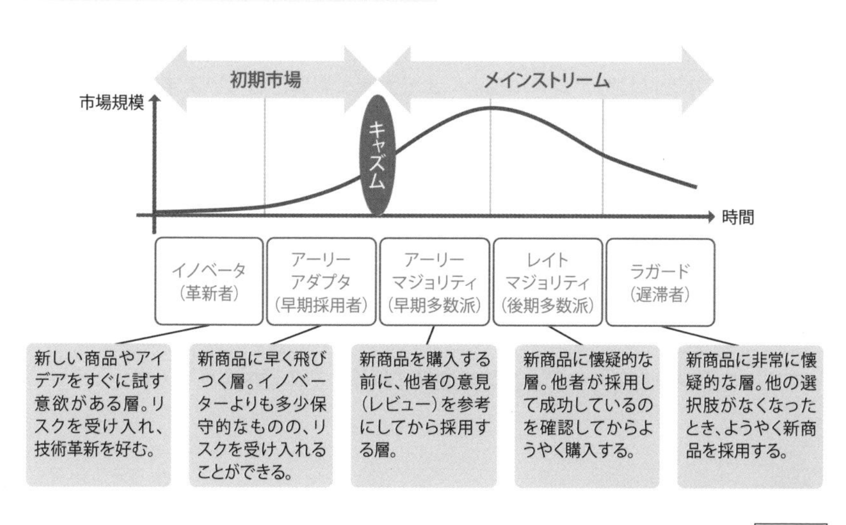

ストラテジ系　15分　★★★

Chapter 2

04 デジタルマーケティング

解説動画 ▶

デジタルな世界での販売戦略

超効率ポイント

- デジタルマーケティングは、ヒト・モノが自由に集まり、商機拡大につながる。
- 検索キーワードにより広告・SEOを活用し、見込み客を自社サイトに誘導する。

デジタルマーケティングがトレンドである理由

デジタルマーケティングは、**インターネットやデジタルデバイス（スマホやパソコンなど）を活用したマーケティング手法**です。現在の私たちの日常における消費生活は、スマホをはじめデジタル技術により大きく影響されています。次の事例は、デジタルマーケティングによるものです。

- SNSやブログによる商品PR（アフィリエイト）
- Webサイトの構築・検索エンジンの最適化（SEO）
- インターネット広告（WebサイトやSNSなど）
- メールマガジンの送付 など

まずは、**デジタルマーケティングが注目される2つの理由**を見てみましょう。

①デジタルの世界には、ヒト・モノが自由に集まる

デジタルの世界（オンライン）で商品を販売する場合、**インターネットを通じてたくさんのヒト・モノを集められる**ことが、ビジネス上の大きなメリットです。商品の販売におけるオンラインとオフラインの違いには、次のような要素があります。

オンラインビジネス	オフラインビジネス
・世界中から、沢山の人がアクセスできる ・敷地にとらわれない商品の陳列が可能で、在庫管理は世界中の倉庫から、柔軟に管理できる ・届くまでに時間がかかる	・街の店舗は、顧客が近所に住む人に限定される ・売り場面積が限定されるため、店の敷地に応じた品揃えに限定される ・多くの場合、その場で手に入る

②計測可能な世界である

デジタルマーケティングによる広告宣伝の大きな特徴は、計測可能であるという点です。オンラインの世界の人の行動傾向をつかむことで、**より効率の良いマーケティングが可能**となります。

オンラインビジネス	オフラインビジネス
・広告を適切にターゲティングできる ・広告を表示した人のうち、何人がクリックして、購入まで至ったか、特定が可能である	・オフライン広告をきっかけに来店、購入した人数を把握しづらい

● オフラインビジネスの利点

一方で、オンラインビジネスが必ずしも優位というわけではありません。オンラインとオフラインの特徴を捉え、ビジネスを展開することが理想的です。

- 見て・触れて・試すことができる、販売者と顧客が近い距離でコミュニケーションを取りやすい。商品の機能や性質を理解する上では、より消費者にやさしい環境。
- 広告の成果を測りにくい一方、マス（大衆）にアプローチしやすい。デジタル技術にアクセスできない層（例：子ども・高齢者・何らかの制約がある人など）にもアピールできる。

インターネットでの検索行動

私たちが普段、インターネットで検索している中にも、企業のマーケティング戦略が隠れています。

●検索エンジン

皆さんが日常生活で調べ物をするときの手段を問われたとしたら、多くの方が「Googleで検索する」と答えるでしょう。Googleのように、**インターネットから情報を探すシステム**を検索エンジンといいます。

検索エンジンは、インターネット上の膨大な情報から、知りたい情報を一覧化します。検索キーワードをもとに、関連するWebサイトを検索結果として表示し、私たちはその中から情報を選択して、Webサイトにアクセスします。

代表的な検索エンジン

- Google：世界最大の検索エンジン。画像検索や地図検索など、多岐にわたるサービスを提供している。なお、Yahoo! Searchの検索結果は、Googleの検索エンジン技術を使用している
- Bing：Microsoft社が開発・運営している検索エンジン。Googleに次ぐ市場シェアを有する
- Baidu：中国最大の検索エンジン

●検索キーワード

検索キーワードは、ユーザーが検索エンジンを使って情報を探すときに入力する単語です。企業は**検索キーワードを活用することで、見込み顧客に効率よく認知され、情報を届ける**ことができます。

検索キーワードの活用事例

渋谷でラーメンが食べたい人が、「ラーメン　渋谷」という検索キーワードを入力したとします。これは、「渋谷」で「ラーメン屋」を経営する企業にとって、顧客と企業を結びつける商機となります。

検索結果を活用したマーケティング手法

自社のWebサイト情報が**検索エンジンで上位に表示される状態**はビジネス戦略上重要です。この手法には、主にリスティング広告とSEOがあります。

リスティング広告

リスティング広告は企業が検索エンジンに広告料を支払うことで、**検索結果の上位（または目立つ位置）に自社サイトを表示**させる方法です。多くの人は検索結果上位からアクセスする傾向があり、見込み客を自社サイトへ誘導しやすくします。

Google検索であれば、Google社に広告料を支払い、指定の検索キーワードを登録すると、検索結果に自社サイトが上位表示されます。

一般的に、競争が激しいキーワードほど、企業が支払う単価は高くなる傾向があります。**業界ごとに検索されやすいキーワード**が存在し、次のキーワードは特にリスティング広告の単価が高くなるとされる例です。

業界	競争が激しい検索キーワードの例
法律関係	弁護士、法律相談、離婚相談　など
保険業界	自動車保険、生命保険、医療保険　など
教育業界	MBA、英会話学校、資格取得、プログラミングスクール　など

SEO

SEO（Search Engine Optimization：検索エンジン最適化）は、**Webサイトが検索エンジンの結果ページでより高い位置に表示されるように、Webサイト自体に工夫をほどこす手法**です。リスティングとは異なり、Webサイトへの工夫（p.341：HTMLなど）をする点がポイントです。

具体的な工夫・手法は専門性が高いことから、SEOを専門業務とする企業も存在します。

SEO対策の一例

- 検索キーワードと関連性の高いキーワードをサイト内に記述する。
- ユーザーフレンドリー（文字サイズやPC・スマホ別対応など）なサイトにする。
- Webサイトのローディング速度を速くする。　など

SEOの目的は、自然検索結果（＝リスティング広告ではない）で上位にランクインし、Webサイトへの訪問者を増やすことです。SEOの大きなメリットは、**検索結果の上位表示のために、広告費をかけずに実現できる点**です。

リスティング広告とSEOの違い

- **リスティング広告は、**検索エンジンのプラットフォームにお金を支払って**検索結果の上位に表示させること**
- **SEOは、**検索エンジンからのサイト評価を技術的に高める**ことでWebサイトを検索結果の上位に表示させること**

インターネットビジネス

ECサイト

ECサイト（E-Commerce Site）は商品をインターネット上で販売するためのWebサイトです。24時間365日、世界中の顧客を対象に、商品を提供できます。

ロングテール

ロングテールとは、企業商品の売上の主力となる主要商品に対して、多数存在するニッチ商品群の売上規模が大きいという、デジタルマーケティングなどでの定説です。企業の商品をよく売れるヒット商品とあまり売れないニッチ商品の２つのカテゴリーに分類します。

ヒット商品	ニッチ商品
大衆に広く受け入れられ、大量に売れる（商品全体の**20%**を占める）。	特定の購入目的の人のみに受け入れられ、細々と売れる（商品全体の残り**80%**を占める）。

物理的な店舗では商品を展示するスペースが必要なため、ヒット商品を中心に陳列されます。一方ECサイトの場合、実店舗のスペースは不要なので、大量のニッチ商品も取り扱うことができ、売上を最大化できます。

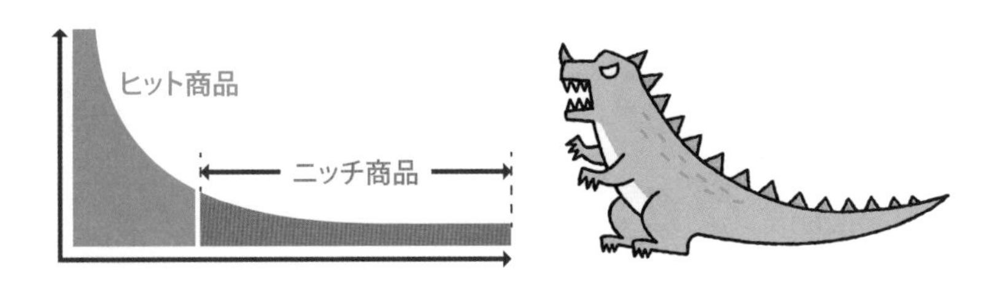

ロングテールの由来

グラフの形が、恐竜のしっぽのように長く伸びる様子から、ロングテール（Long Tail=長いしっぽ）と名付けられています。

●オウンドメディア

オウンドメディア（Owned Media）とは、企業が自社で運営するメディア（主に自社サイトや自社ブログ記事など）のことです。自社の情報や商品に関連する情報を発信し、顧客との接点を広げることに役立ちます。オウンドメディアは、SEO対策を行うことで、**オウンドメディアのコンテンツを検索エンジン上位に表示させることができ、集客力の強化**につなげます。

事例

人材紹介企業が「転職ブログ」をオウンドメディアとして立ち上げ、転職に関するノウハウなどを紹介したとします。すると、転職に興味のある見込み客がアクセスするため、顧客情報の収集も可能となり、転職希望者に仕事を紹介することができます。

また、オウンドメディアから見込み客の興味・関心に合わせた情報提供を段階的に行うことで、企業の目的に沿った親和性の高い集客が可能です。

小テストはコチラ

ストラテジ系　15分　★★★

Chapter 2

05 デジタルマーケティングの評価

データに基づいた効率的な広告

- デジタルマーケティングの強みは、効果計測できること。
- いくらお金をかけ、どれだけの広告成果が出たのかを数字で評価できる。

ROI(投資対効果)

ROI (Return On Investment：投資対効果) とは、**事業に投資した費用により、利益 (効果) がいくら得られたかを表す指標**です。「いくら資金をかけるとどのくらいの売上効果が期待できるのか」をあらかじめ見立てておくことで、**投資の優先順位**を決めることができます。ROIの高い投資を行い、同じ資金でより多くの顧客に商品を購入してもらうことを狙います。

ROIはマーケティングだけではなく、**システム開発**や**販売戦略を検討する**シーンでも、「投資による効果」を測る指標として利用されます。

事例

ある商品を予算300万円で、YouTubeとInstagramに150万円ずつ広告費をかけます。それぞれの**売上結果はデータ計測できるため、YouTube経由で商品を購入した人の方が多かった場合、「YouTubeの方がROIが良い」と判断**できます。そのため、さらに広告予算を投入する場合、YouTubeを優先的に選択するという判断ができます。

デジタルマーケティングの効果計測

Webページの基本計測指標

ページビュー（Page View：PV）	ユニークユーザー（Unique User：UU）
ページビュー（閲覧数）とは、**ユーザーがWebページを表示した回数**です。 ・同じ人が**同じページを再度表示**した場合、PV数は加算されます ・同じ人が**異なるページを表示**した場合、PV数は加算されます	ユニークユーザーとは、**Webサイトやアプリなどを利用する個々のユーザーの数**です。 ・同じユーザーが同じWebサイトに何回アクセスしても、ユニークユーザー数は**1人**と加算されます

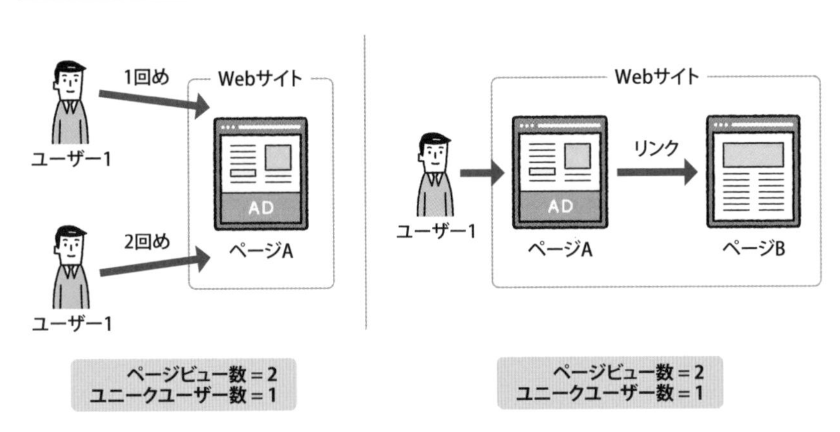

ページビュー数＝2
ユニークユーザー数＝1

ページビュー数＝2
ユニークユーザー数＝1

コンバージョン

コンバージョン（Conversion：成果への転換）とは、Webサイトの訪問者数のうち、**Webサイトが目指す成果に結び付く訪問件数**のことです。コンバージョンを評価するための指標を**コンバージョンレート**（計算方法：p.76）といいます。コンバージョンは、**Webサイトが目指す成果によって、取得するデータ項目が変わります。**次の内容は、業種に応じたコンバージョンの例です。

Webサイトの業種	コンバージョンの例
ECサイト（Amazon、ZOZOタウンなど）	商品のオンライン購入
比較・紹介サイト（ホットペッパービューティなど）	インターネット予約・申し込み
人材・採用サイト（リクナビ、マイナビなど）	企業へのエントリー（応募）

● A/Bテスト

A/Bテストは、**Webサイトに2つのバージョン（AとB）**を用意し、AとBそれぞれのバージョンにどれだけのユーザーが反応するかを比較するテストのことです。A/Bテストは、テストの頻度を増やしたり、テスト期間を長く設けたりすることで、より確実な結果が得られます。

A/Bテストの例として、次のような事例が挙げられます。

・ECサイトの購入ボタンの色（青と赤）が異なるとき、どちらの方がクリック率が高いか検証する。

パターンA

パターンB

・同じ価格でも、表示価格が「月額1,000円」「年間12,000円」のように変わると、購入意欲に影響を与えるか検証する。

パターンA

パターンB

通常、A/Bテストの実施には専用ツールが利用されます。同一期間にサイトの各バージョンをサイト訪問者にランダムに表示し、それぞれのバージョンにおけるユーザーの行動情報を収集・追跡・分析します。

● Cookie

Cookie（クッキー）とは、ユーザーがアクセスしたWebサイトのデータを一時的にWebブラウザに保存する仕組みです。CookieはWebサイトから送信される小さなデータファイルで、ユーザーのWebサイト利用履歴などを保持するために使用されます。

Cookie情報の収集でできること

- ユーザーがWebサイトを再訪問した際に、前回の訪問情報を取得できる
- ユーザーが広告バナーをクリックした場合の情報を追跡できる
- Webサイトのパーソナライズ化に役立つ情報を収集できる

Memo

Cookieの情報管理

Cookieはユーザーの閲覧履歴や個人設定などの情報を保存するため、ユーザーにとって便利に活用できる機能ではありますが、プライバシーに関連する情報が含まれることがあります。そのため、下図のような注意喚起が行われます。ユーザーはCookie情報がどのように収集され、使用されるかを理解し、同意の可否を選択できます。

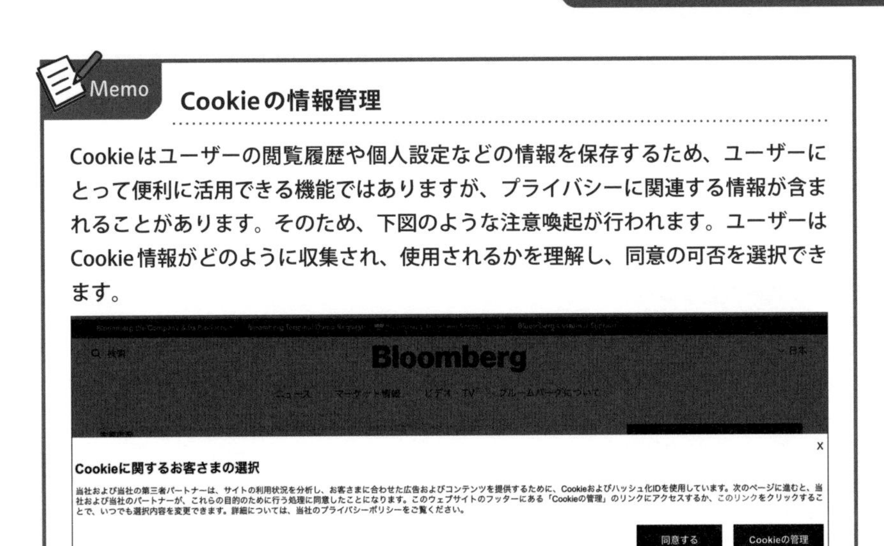

リターゲティング

リターゲティングとは、特定の商品に関心を示したユーザーを対象に、再度広告を表示する仕組みのことです。繰り返し広告を表示することによる販売促進を目的としています。

リターゲティングの仕組みにはCookieが利用されます。ユーザーがある商品のWebサイトを訪れた後、他のWebサイトやSNSを訪れたとき、Cookie情報をもとにその商品広告が表示されます。

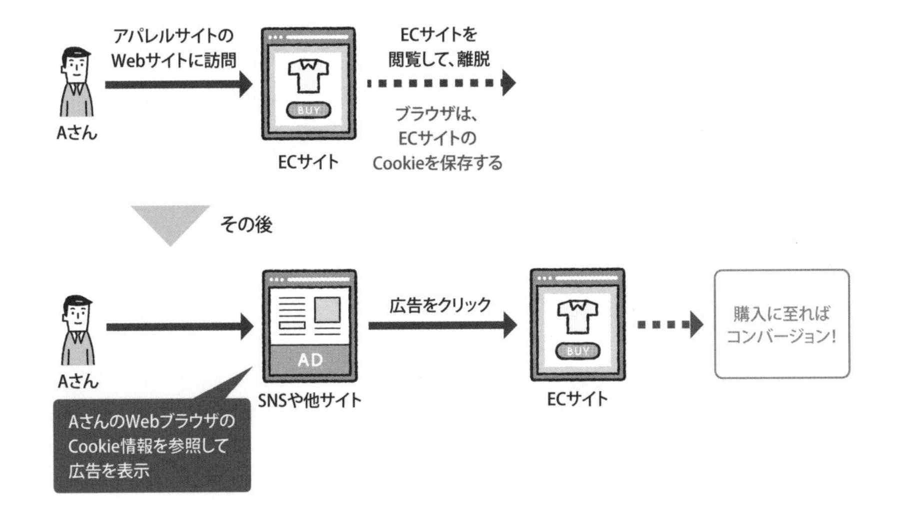

Webマーケティングの計算問題

Webマーケティングでは、「何人が広告を見て」「Webサイトを訪問して」「購入につながったか」を追う（トレースする）ことができるため、**広告にかけた金額に対する効果を比較・評価**できます。

●コンバージョンレート

コンバージョンレート（Conversion Rate）とは、Webサイトなどに訪問した人のうち、何件のコンバージョンを獲得したかを示す指標です。コンバージョンレートは「コンバージョンの件数÷Webサイトの訪問者数」で求められます。

問題

あるECサイトのPVが月間10,000件のとき、購入者は50人だった。
このときのコンバージョンレート（CVR）はいくら？

答え

CVR＝50 ÷ 10,000 ＝ 0.005＝0.5％

購入者のコンバージョンレートが低い・少ない、と評価された場合、次のような対策をすることで、マーケティング施策の改善を行います。

- 広告でPVが増えるように追加投資する
- サイトのデザインを変える　など

●CPA

CPA（Cost Per Action：顧客獲得単価）とは、1件のコンバージョンを獲得するのにかかった広告費（成果単価）のことです。**CPAが低いほど、1件のコンバージョンにかかった費用が安く収まっている**ため、高効率で広告費用を活用できたことになります。CPAは、「広告費÷コンバージョンの件数」で求められます。

問題

製品Aを売るために100万円分の広告を出して、20個商品が売れた。
このときのCPAはいくら？

答え

CPA＝100万円 ÷ 20個 ＝ 5万円

前記の例は、この製品Aを1つ売るために、5万円の広告費がかかったということを意味しています。この場合、もし製品Aの利益が5万円以上であれば、黒字であるといえます。

ROAS

ROAS（Return On Advertising Spend：広告の費用対効果）とは、インターネット広告経由で発生した売上を広告費で割った数値のことで、**広告の費用対効果（投資した広告費の回収率）**を示します。ROASが高くなるほど、広告費に対して得られる収益が高い状態となります。ROASは、「売上高÷広告費」で算出できます。

問題

ある製品AでYouTube広告を出す際に100万円をかけて、その製品が広告経由で200万円売り上げた。このときのROASはどのように評価できるか。

答え

ROAS＝200万円÷100万円＝2＝200%

上記の例では、100万円の広告費に対し、200%の売上を獲得したことになります。仮に、YouTube広告でのROASが200%で、Instagram広告でのROASが180%であった場合、YouTube広告の方が収益効率が高い、という判断ができます。

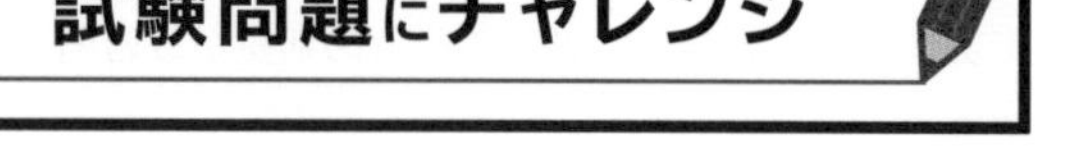

試験問題にチャレンジ

問題❶　R4-問34

あるオンラインサービスでは，新たに作成したデザインと従来のデザインのWebサイトを実験的に並行稼働し，どちらのWebサイトの利用者がより有料サービスの申込みに至りやすいかを比較，検証した。このとき用いた手法として，最も適切なものはどれか。

ア　A/Bテスト
イ　ABC分析
ウ　クラスタ分析
エ　リグレッションテスト

正解　ア

解説 A/Bテスト（p.74）では､2つの異なるWebサイトデザイン（AパターンとBパターン）を用意します。Webサイトの訪問者には、ランダムにA・Bパターンが表示され、どちらのデザインがコンバージョン（p.73）を達成しやすいかを比較できます。Webサイトのデザインの有効性を客観的に評価できる実験的なアプローチです。

問題❷　R3-問8

画期的な製品やサービスが消費者に浸透するに当たり，イノベーションへの関心や活用の時期によって消費者をアーリーアダプタ，アーリーマジョリティ，イノベータ，ラガード，レイトマジョリティの五つのグループに分類することができる。このうち，活用の時期が２番目に早いグループとして位置付けられ，イノベーションの価値を自ら評価し，残る大半の消費者に影響を与えるグループはどれか。

ア　アーリーアダプタ
イ　アーリーマジョリティ
ウ　イノベータ
エ　ラガード

正解　ア

解説 p.65の図より、選択肢アが正解です。

問題❸ R1秋 - 問7

事業環境の分析などに用いられる3C分析の説明として，適切なものはどれか。

ア 顧客，競合，自社の三つの観点から分析する。

イ 最新購買日，購買頻度，購買金額の三つの観点から分析する。

ウ 時代，年齢，世代の三つの要因に分解して分析する。

エ 総売上高の高い順に三つのグループに分類して分析する。

正解 ア

解説 p.61より、3C分析の説明に適切なものは選択肢アとなります。

イ RFM分析の説明　**ウ** コホート分析の説明　**エ** ABC分析の説明

問題❹ R1秋 - 問29

SEOに関する説明として，最も適切なものはどれか。

ア SNSに立ち上げたコミュニティの参加者に，そのコミュニティの目的に合った検索結果を表示する。

イ 自社のWebサイトのアクセスログを，検索エンジンを使って解析し，不正アクセスの有無をチェックする。

ウ 利用者が検索エンジンを使ってキーワード検索を行ったときに，自社のWebサイトを検索結果の上位に表示させるよう工夫する。

エ 利用者がどのような検索エンジンを望んでいるかを調査し，要望にあった検索エンジンを開発する。

正解 ウ

解説

ア SEOの主要な目的と関係ありません。

イ セキュリティの監視やログ解析に関連する説明で、SEOの主要な目的や活動とは関係ありません。

エ これは検索エンジンの開発に関連する説明で、SEOの主要な活動とは関係ありません。

問題❺ R1秋 - 問90

交通機関，店頭，公共施設などの場所で，ネットワークに接続したディスプレイなどの電子的な表示機器を使って情報を発信するシステムはどれか。

ア cookie

イ RSS

ウ ディジタルサイネージ

エ ディジタルデバイド

正解　ウ

解説

ア Cookieは､Webブラウザと Webサーバ間で情報をやりとりするための小さなデータです。ユーザーのブラウジング習慣や設定情報を保存するために使用されます。

イ RSSは、Webサイトの更新情報を配信するためのフォーマットです。ユーザーが特定のWebサイトの新しいコンテンツを簡単にチェックできるようにするためのものです。

エ ディジタルデバイドは、情報技術へのアクセスや利用の格差を指す用語です。特定の人々や地域が情報技術の恩恵を受けられない状況を指します。

問題❻　H31春 - 問35

ロングテールに基づいた販売戦略の事例として，最も適切なものはどれか。

ア 売れ筋商品だけを選別して仕入れ，Webサイトにそれらの商品についての広告を長期間にわたり掲載する。

イ 多くの店舗において，購入者の長い行列ができている商品であることをWebサイトで宣伝し，期間限定で販売する。

ウ 著名人のブログに売上の一部を還元する条件で商品広告を掲載させてもらい，ブログの購読者と長期間にわたる取引を継続する。

エ 販売機会が少ない商品について品ぞろえを充実させ，Webサイトにそれらの商品を掲載し，販売する。

正解　エ

解説

ア ロングテールの考え方は、売れ筋商品だけでなく、売れ筋でない商品も多数取り扱うことで全体の売上を伸ばすというものです。

イ 売れ筋商品や期間限定の販売戦略を示しており、ロングテールの考え方とは異なります。

ウ インフルエンサーマーケティングやアフィリエイトマーケティングの一例であり、ロングテールの考え方とは直接関係ありません。

Chapter

3

法律

本章の学習ポイント

- 企業は利益を生み出すためなら、どんな手段を使っても良いわけではない。自分（自社）を守り、他者を傷つけないためにも「法律」を学習する。
- 知的財産権のうち著作権や特許権などの、保護する対象の違いを知る。
- 個人情報保護法の活用と情報保護のために取り組むこと。
- 情報セキュリティの脅威を取り締まる不正アクセス禁止法。
- 労働基準法や雇用契約を理解し、企業と従業員の労働関係を理解する。
- 技術を標準化することで、互換性が保たれ産業の生産性が向上する。

ストラテジ系　20分　★★★

Chapter 3

01 知的財産権

解説動画▶

知的財産権が守るもの

超効率ポイント

- 知的財産権について理解し、自分や他者のアイデアを正しく守るルールを学ぶ。
- 著作権、特許権、肖像権など、権利によって守られること・適用範囲が変わる。
- 産業財産権は、ビジネスや産業で活用される知的財産を保護する権利のこと。

知的財産権とビジネス

もしも、皆さんが面白いスマホゲームアプリを思いつき、ゲームのデザインから、プログラミング、課金の仕組みに至るまですべてを設計して、大ヒットしたとします。そんな中、**自身が時間をかけてつくり込んだユニークなゲームアイデアがまるごと盗作**され、市場(しじょう)に出回っていたとしたらどんな気持ちでしょうか？　悲しいだけではなく、販売機会や収益、アイデアをつくり込んだ時間も奪われてしまうこととなり、大きな損害も発生するでしょう。

知的財産権について学ぶことで、自分のアイデアを守るだけではなく、他人のアイデアや作品を尊重し、正しく使用するためのルールを理解しましょう。

知的財産権

知的財産権とは、人間の知的活動によって生み出されたアイデアや創作物には財産的価値があるとして法律で保護される権利です。主にITパスポートで押さえたいものは、著作権と産業財産権（特許権・実用新案権・意匠権・商標権）です。

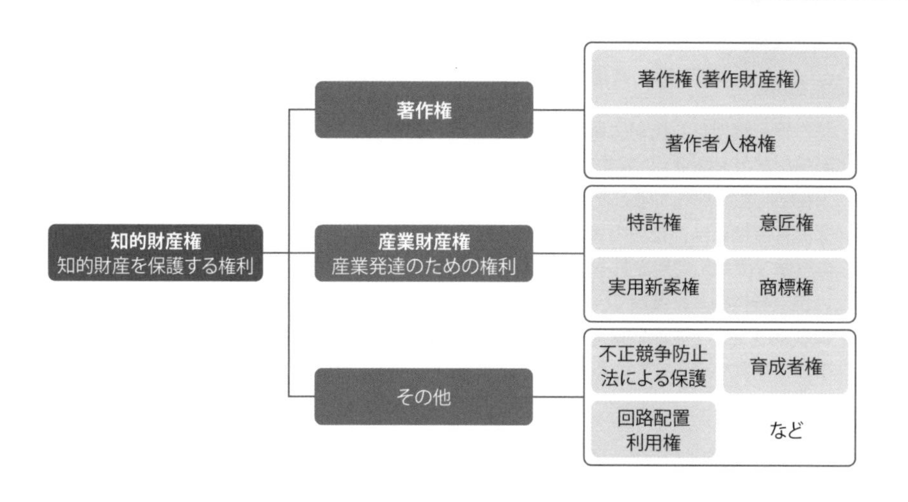

著作権

著作権（著作財産権）

著作権（著作財産権）とは、著作者と著作物が守られる権利です。著作権は著作物を創作した時点から発生しており、**どこかに申請する必要はありません。**他人の著作物を勝手に複製・利用し著作者に告訴されると、処罰されます。

著作権で守られるもの（著作物）	著作権で保護されないもの
創作物（本、音楽、写真など）、建築、地図・図形、プログラム、取扱説明書、論文、データベース　など	プログラム言語、アルゴリズム、プロトコル　など ※特許権であれば保護が可能

著作権に関連する身近な事例をいくつか見てみましょう。

- 違法ダウンロード：**違法に公開された著作物と知りながらダウンロード**する行為は刑事罰の対象となります。
- 使用許諾契約：知的財産権（特許権、著作権、商標権など）の所有者（ライセンサー）が、他の個人や企業組織（ライセンシー）に、**知的財産の使用権利を許諾する契約**です。主にクリックオン契約とシュリンクラップ契約などがあります。

クリックオン契約	ソフトウェアを購入・ダウンロードして使用する場合、契約内容に同意するかを尋ねられ「同意する」を選択するとインストールされる方法。
シュリンクラップ契約	パッケージに使用許諾の内容が印刷されている場合、開封時に契約が成立したとする方法。

著作権と肖像権

著作権と類似した権利に**肖像権**があります。肖像権とは、個人の肖像（写真や絵画、彫刻などの人物像）に対する権利です。肖像の使用許可・制限を定めており、個人の人格的利益を保護することを目的としています。

なお肖像権には、自分の肖像が無断で公にされることを防ぐ**プライバシー権**と自分の肖像を商用に使用されることから守る**パブリシティ権**があります。

・例：著作権と肖像権

次の図のうち、写真を撮っている人(Aさん)が持つものは、著作権です。

また、写真を撮られている人(Bさん)が持つものは、肖像権です。

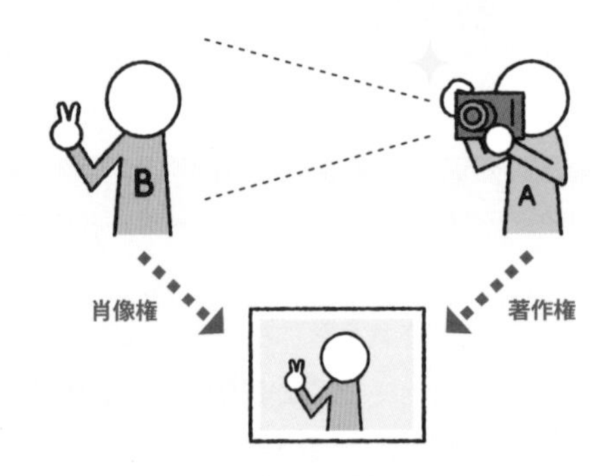

（事例1.）Aさんが、Bさんに承諾を得ずにSNSに写真を掲載した

→　Bさんは肖像権を侵害された

（事例2.）第三者が無断でSNSに写真を掲載した

→　Aさんは著作権、Bさんは肖像権を侵害された

産業財産権

産業財産権とは、主にビジネスや産業において活用される知的財産を保護する権利です。企業が自身の知的財産を保護し、競争優位を維持することが目的です。**産業財産権の特徴は、特許庁が管理する点**です。著作権と異なり、権利を得るためには特許庁への申請が必要となります。産業財産権には、産業の発展を目的とした4つの分類があります。

特許権	**自然法則を利用した高度な技術**により、新しい発明を独占的に使用できる権利。 例：LEDライト、リチウムイオン電池、通信高速化に関する発明　など
実用新案権	品物の形状、構造、それらの組み合わせなど、発明ほど高度ではない**機能的なアイデア**を保護する権利。 例：ふとんたたき、ペットボトルのキャップ　など
意匠権	独創的で美感を有する物品の形状、模様、色彩などの**デザイン**を保護する権利。 例：電気チェロ、羽なし扇風機、落としぶた　など
商標権	商品やサービスに使用するマーク（文字、図形など）を保護する権利。 例：企業の商品ロゴ、企業ロゴ　など

特許ポートフォリオ

特許ポートフォリオは、**企業が所有する特許の一覧情報**のことです。さまざまな特許を網羅することで自社の技術保護や商品開発に有効なだけでなく、**ライセンシング**や**クロスライセンシング**などのビジネスを展開する際に役立ちます。

ライセンシング	知的財産権を持つ者（ライセンサー）が、権利の使用許可を与える契約形態です。通常、ライセンサーは**使用料**や**ロイヤルティ**を受け取ることができます。
クロスライセンシング	2つ以上の企業・個人が**互いに知的財産権の使用許可を与え合う**契約形態です。この形式は特に、各当事者が持つ知的財産が相補的な場合に有用です。

ビジネスモデル特許

ビジネスモデル特許とは、**ITを利用した新しいビジネスモデル**に特許が認められることです。特許法の範囲内で定められています。例えばAmazonの「今すぐ購入」ボタンは、ビジネス特許を取得しています。事前に会員の登録が完了していれば、1クリックで購入手続きを完了できます。

ストラテジ系　15分　★★★

Chapter 3

02 個人情報を保護する法律

解説動画 ▶

個人情報の保護と活用

- 個人情報は、企業活動で活用できるものであり、適切に保護・管理すべきもの。
- 個人情報保護法は、個人の権利・利益を保護する法律。
- 企業活動で個人情報を利用する場合、仮名化・匿名化・消去権を守ること。

個人情報の保護

個人情報

個人情報とは、特定の個人を識別・特定できる情報であり、企業活動（マーケティングなど）に活用できます。一方、個人情報が漏洩した場合、他者に悪用されるリスクも高く、**企業は信頼を失うだけでなく金銭的損害が生じる**ケースもあります。

単独で個人情報となるもの	氏名、住所、電話番号、個人が識別できる音声や映像、顔認証や指紋認証、虹彩認証などの生体認証データ　など
組み合わせると個人情報となるもの	性別、職業、生年月日（＝年齢）、GPS情報（位置情報）　など

個人情報保護法（個人情報の保護に関する法律）

個人情報保護法とは、企業組織にとっての個人情報の有用性に配慮しつつ、個人情報の不適切な扱いを禁止することで個人の権利・利益を保護する法律です。

個人情報取扱事業者

個人情報を１件でも取り扱う会社は、個人情報取扱事業者に指定されます。国内に活動拠点を持ち、個人情報を適切に扱う事業者は**認証を受ければ**プライバシーマークを取得することができます（認証を受けた会社だけが個人情報を扱えるというわけではありません）。

画像提供：一般財団法人日本情報経済社会推進協会（JIPDEC）

個人情報の利用目的の明示

プライバシーポリシー（個人情報保護方針）とは、Webサイトやアプリなどのサービス提供者が、ユーザーの個人情報を取得・利用に関する方針を示した文書のことです。利用目的、第三者への提供の有無、ユーザーの権利などについて、どのように保護するのかを定めます。

▲Instagramのプライバシーポリシーの同意画面

本人同意不要な個人データの提供ケース

個人情報保護法では、個人情報取扱事業者は本人の同意取得を得た場合のみ、個人情報を第三者に提供することが可能です。ただし、**次の５つの場合では、本人同意取得は不要**とされています。

1	法令に基づいて提供する場合 事例：税務署が金融機関から個人の口座情報を要求する
2	人の生命、身体、財産保護のために提供が必要であり、本人の同意取得が困難である場合 事例：交通事故で意識不明の被害者が搬送された際、病院が被害者の保険情報を確認するために保険会社に問い合わせる
3	公衆衛生の向上または児童の健全な育成の推進のため、特に提供が必要で本人同意取得が困難である場合 事例：感染症の発生時、保健所が感染者を追跡するために個人情報を使用する
4	国の機関・地方公共団体またはその委託を受けた者が、法令で定める事務に協力する必要がある場合 事例：警察が犯罪捜査の一環で、犯罪に関連する個人情報を企業から要求する
5	個人情報取扱事業者が学術研究機関等であり、一定の学術研究目的で提供する場合

要配慮個人情報

要配慮個人情報とは、個人への不当な差別・偏見が生み出されないよう**取り扱いを特に配慮すべき情報**です。取得には本人の同意取得が義務付けられています。

要配慮個人情報の例

人種、信条、社会的身分、病歴、犯罪の経歴、犯罪の被害にあった事実　など

マイナンバー

マイナンバーとは、日本に住民権がある人（外国人も含む）に割り当てられる12桁の番号です。税金を納めたり社会福祉サービスを受けたりするなどの行政手続きを中心に利用されます。

マイナンバーの特徴

- 日本国籍であっても、海外居住者には付与されない。
- 一般人にマイナンバーを知られても個人情報が特定されることはない。
- 同姓同名も明確に識別できる。

企業活動のための適切な個人情報利用

個人情報は、企業活動やマーケティング活動に有効に利用できるものです。個人情報保護法の第１条の「個人情報の有用性に配慮しつつ、個人の権利利益を保護することを目的とする」より、**個人情報を安全に利用**するための手法を学びます。

	意味	例
個人情報の仮名化	他の情報と照合しない限り、特定の個人を識別できないよう加工された情報。	年代や居住地域、購入時期などの情報を、マーケティング活動のため、一部の重要情報（名前など）を仮名化して分析に利用する。
個人情報の匿名化	個人を識別不可能な形に加工した情報。個人情報を復元することはできず、告知すれば第三者提供が可能。	「10代の売れ筋ランキング」「エリア別引越し費用データ」などの情報は、統計情報として一般に公開されることがある。
個人情報の消去権	過度に遅れることなく、個人情報を消去させる権利。	景品の発送などのために一時的に個人情報が取得される場合、到着確認後は個人情報を消去させる権利がある。

ストラテジ系 15分 ★★★

Chapter 3

03 情報セキュリティに関わる法律

解説動画▶

ITを中心としたセキュリティ法規

- セキュリティの脆弱性をついた情報の不正操作は、違法である。
- サイバーセキュリティ基本法とは、国・事業者・個人の責務を明らかにし、サイバー攻撃から日本国民を保護する法律。

情報セキュリティを守る法律

知的財産や個人情報などの情報を侵害することだけが違法になるわけではありません。コンピュータ上に存在する情報に不正を働くことも日本では処罰の対象となります。

●不正アクセス禁止法

不正アクセス禁止法は、アクセス権限のないコンピュータネットワークに侵入したり、不正にパスワードを取得したりすることを禁止する法律です。

不正アクセス禁止法の罰則対象

- 他人のID・パスワードを無断で使用するなりすまし行為
- 他人のID・パスワードを第三者に無断で提供する行為
- セキュリティホール（プログラムの不具合や設計ミスなど）を突いて**他人のコンピュータに不正侵入**する行為

ウイルス作成罪

ウイルス作成罪(不正指令電磁的記録に関する罪)とは、コンピュータウイルスの作成、提供、供用、取得、保管を罰する法律です。コンピュータウイルス(p.412)に感染すると、パソコンに保存された個人情報や重要なデータが流出したり、パソコンが壊れたりするおそれがあります。

プロバイダ責任制限法

プロバイダ責任制限法(特定電気通信役務提供者の損害賠償責任の制限及び発信者情報の開示に関する法律)とは、インターネット上で名誉毀損や著作権侵害などの問題が起きた際、**プロバイダ(またはサイト管理者など)に法的責任を問える**と定めた法律です。

インターネット上の書き込みなどにより何らかの問題(トラブル)が起きた際、発信者を特定するため、プロバイダ(p.287)に対してIPアドレス・氏名・住所・電子メールアドレスなどを開示請求できます。

特定電子メール法

特定電子メール法は、受信者の意向に反して送られる迷惑メールを規制することで、インターネット環境を良好に保つことを目的とした法律です。企業の販売促進を目的とした広告メールは顧客の事前の承諾を得ずに配信することは禁止されています。

メール配信の承諾・解除の方法として、オプトインとオプトアウトがあります。

- オプトイン:販売促進メールを送って良いか、許諾を得ること。
- オプトアウト:企業から販促メールが送られてこないよう、メール配信を解除すること。

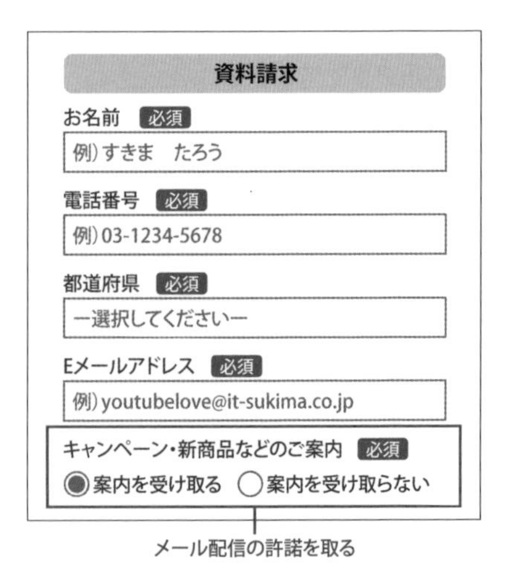
資料請求

お名前 必須
例)すきま　たろう

電話番号 必須
例)03-1234-5678

都道府県 必須
ー選択してくださいー

Eメールアドレス 必須
例)youtubelove@it-sukima.co.jp

キャンペーン・新商品などのご案内 必須
◉案内を受け取る　◯案内を受け取らない

セキュリティに関わる法律

サイバーセキュリティは、国内だけでなくグローバルを対象として国家的にセキュリティ対策を講じる必要があります。

サイバーセキュリティ基本法

サイバーセキュリティ基本法とは、**サイバー攻撃から国民を保護するために、**国・事業者・個人のそれぞれが果たすべき責務を明確にした法律です。この法律により国や事業者、自治体、個人が互いに協力してサイバーセキュリティを強化することが求められます。

サイバーセキュリティ基本法の主な内容

- 国の中長期的なサイバーセキュリティ対策の基本計画を策定。
- 国・自治体・事業者・個人は、情報資産の安全確保・脅威への対策を強化。
- 国や事業者、自治体などの間での情報共有と、迅速かつ効果的な対策。
- サイバーセキュリティ関連の人材育成や教育についての積極的な取り組み。
- 情報通信ネットワークに関する法律や個人情報保護法、不正アクセス禁止法などの法的枠組みの最適化。

その他のセキュリティ関連ガイドライン

次はいずれも、経済産業省が独立行政法人情報処理推進機構（IPA）と共に、情報セキュリティのガイドラインや相談窓口を示したものです。

サイバー犯罪相談窓口	コンピュータ関連の犯罪に関する相談や報告を受け付ける専門の窓口。一般的には各都道府県の警察に設置されている「サイバー犯罪対策課」や「サイバー犯罪相談窓口」、消費者センターなどが相談を受け付けている。
情報セキュリティ管理基準	情報セキュリティをコントロールすることを目的に、規定したガイドライン。企業や学校・組織などで、汎用的に適用できるよう、情報資産を保護するための最適な業務事例を要約している。
サイバーセキュリティ経営ガイドライン	サイバー攻撃から企業を守る観点で、企業の経営層を対象として、サイバーセキュリティ対策を経営戦略の一部として取り組むための指針や考え方を示したガイドライン。経営者が情報セキュリティ対策を実施する上での責任者となる担当幹部（CISOなど）に指示すべき項目をまとめる。

ストラテジ系　15分　★★★

Chapter 3

04 企業活動に関連する法律

解説動画▶

公正な企業活動を促す法律

- 不正競争防止法は、公正な企業活動を保護する。
- 独占禁止法は、市場での企業競争が起きず消費者の選択が妨げられることを禁止する。
- 景品表示法は、不当な顧客誘引を禁止する。

不正競争防止法

不正競争防止法とは、企業間での不正な競争が行われないよう、公正な企業活動を保護する法律です。

不正競争防止法で禁止されている行為

- 他社の有名なロゴやマークなどを不正に使用する行為
- 他社の商品に酷似した商品の販売、デザインの模倣（意匠権の侵害：p.85）などの行為
- 商品の原産地、品質、用途、数量、製造法などの誤認をさせる表示をする行為
- 営業秘密の不正な取得・使用

営業秘密

企業に所属する従業員自身が「会社の秘密だ！」と認識している情報でも、法的には保護の対象とならない場合があります。営業秘密として、法律の保護を受けるためには、秘密管理性・有用性・非公知性の３つの条件を満たす必要があります。

条件名	説明
秘密管理性	秘密として管理されていること。社外秘、Confidencial、マル秘などと書かれた資料、秘密保持契約で指定した書類など
有用性	企業活動に有用な技術や情報であること。自社で行った開発実験の結果データ、顧客情報など
非公知性	世の中（公）に知られていないこと。今後の経営方針、未公表の会社役員の人事異動情報など

独占禁止法

独占禁止法（私的独占の禁止及び公正取引の確保に関する法律）とは、企業が守るべきルール（7つの規制）を定めた法律です。**公正かつ自由な競争**を促進し、これを妨げる行為を規制しています。

7つの規制	説明	不正の例
私的独占の禁止	他社の事業活動を排除・支配することで、実質的な市場競争の制限をすることを禁止する。	ある大企業が新規事業に参入する際に、原価割れ・採算度外視で販売活動を行い、新規参入者を締め出す。
不当な取引制限	複数の企業が共謀し、商品の価格や生産量などを共同で取り決める行為（カルテル）を制限する。	市場占有率80%を超える複数のタクシー事業者が集まり、共同でタクシーの最低運賃を定める。
事業者団体の規制	業界団体の非合理なルール策定を規制する。	業界団体が業界内に不公平なルールをつくり、新しい企業が参入しづらくなる。
企業結合の規制	市場を極端に専有することになる企業の合併を制限する。	大きな会社が合併により市場を独占する力を持つ（他の小さな会社の淘汰につながる）。
独占的状態の規制	ある企業が競争の結果、業界内で50%超のシェアを持った場合、競争回復の措置として企業活動を規制する。	1つの会社があまりにも強くなりすぎて、他の会社が競争できないような状態。
不公正な取引方法の禁止	競争の基盤を揺るがす行為を禁止する。	広告で嘘をついたり、消費者をだましたりするような商売。
下請法に基づく規制	大企業が、小さな下請け企業に不当取引を要求しないよう制限する。	下請け企業に対して不当な低価格を押し付けたり、支払いを遅延させたりする行為。

景品表示法

景品表示法（不当景品類及び不当表示防止法）とは、不当な顧客誘引を禁止する法律で、消費者がより良い商品を自主的・合理的に選べる環境を維持します。

不当表示の禁止

商品の品質・価格に関する情報は、消費者が商品を選択するときの重要な判断材料です。商品の品質や価格が実際よりも著しく優良（または有利）であると見せかけ、**消費者に誤解を与えることは、法律で禁止**されています。

禁止事項	説明	例
優良誤認表示	偽って実物や競合企業の商品よりも優良であると表示すること	カシミヤ混用率が80%程度のセーターに「カシミヤ100%」と表示した場合
有利誤認表示	取引条件を偽って実際よりも著しく相手に有利であると誤認させたり、競合企業よりも有利であると誤認させたりする表示をすること	当選者の100人だけが割安料金で契約できる旨表示していたが、実際には、応募者全員を当選とし、全員に同じ料金で契約させていた場合

景品類の制限および禁止

企業が販売促進のために提供する景品やプレゼント、割引などの表示についても、消費者を守るためのルールがあります。ここでの景品類とは、**顧客を誘引するための手段（キャンペーンなど）**となる自社商品の割引、プレゼント・金券配布などを指します。一般懸賞と総付景品の２つがあります。

一般懸賞

商品の購入者などを対象に、抽選・くじなど特定行為の優劣で景品を渡すことを一般懸賞といいます。**条件１と条件２を満たす**必要があります。

条件１：

商品の購入者が支払う金額	事業者が景品として渡せる最大金額
5,000円未満	取引価額の20倍
5,000円以上	10万円

条件２：

事業者が景品として渡せる総額は、売上予定額の２%

例：お菓子屋さんが開催する一般懸賞

「1万円分の商品券が当たるキャンペーン抽選会」を行うとします。

消費者が抽選会に参加できる条件は、500円以上のお菓子を買うことである場合、条件1より、お菓子屋さんが景品として渡せるものは、消費者1名あたり1万円分までの商品券です。

また、お菓子屋さんが抽選の当たり（1万円分のお菓子）を用意する量も規制されます。条件2より、この「抽選会」による売上予定額の2%までの金額が景品として提供できるようになります。お菓子屋さん全体の売上予定額が100万円であった場合、2万円分の景品提供が許容範囲です。

※2万円分までの景品のため、5,000円×4名や、1,000円×20名の景品を渡すこともできます。

総付景品

総付景品（そうづけけいひん）とは、一定の条件を満たせば誰でも受け取ることができる景品のことです。一般懸賞（抽選など）とは異なり、**条件の対象者すべてが景品を受け取れます。**

条件：

商品の購入者が支払う金額	事業者が景品として渡せる最大金額
1,000円未満	200円
1,000円以上	取引価額の10分の2

例：飲食店が開催する総付景品

「レストランで3,000円以上のお食事をすると、全員が20%OFFクーポンをもらえる」という施策は総付景品のルールによる施策です。

ストラテジ系　15分　★★★

Chapter 3

05 労働・雇用に関わる法律

解説動画▶

企業活動をつくる労働と雇用

- 労働基準法とは、労働者の権利を保護するための法律。
- 雇用契約には、直接雇用と間接雇用がある。
- 間接雇用は労働者派遣契約と請負契約に分類される。

労働基準法

労働基準法

労働基準法とは、労働者の権利と労働環境を保護・改善するための基本ルールを定めた法律です。その他、労働関連のさまざまな法律により、企業は下記のようなルールを守る必要があります。

労働時間と休暇	1日8時間、週40時間の労働時間を超える労働（残業）は、特別な手続きと追加手当が必要です。また、少なくとも週1日の休日と、年次有給休暇が保証されます。
安全と衛生	職場では労働者の健康と安全を保護する基準があります。
最低賃金	各都道府県で設定された最低賃金以上の給与を設定する必要があります。
解雇	労働者を解雇するためには、客観的・合理的な理由が必要となります。

フレックスタイム制

フレックスタイム制とは、一定期間での総労働時間を定めて、**労働者が業務の開始時間と終了時間を決められる**制度です。労働基準法で定められています。労働時間を固定的に定めずコアタイムとフレキシブルタイムに分けて調整します。

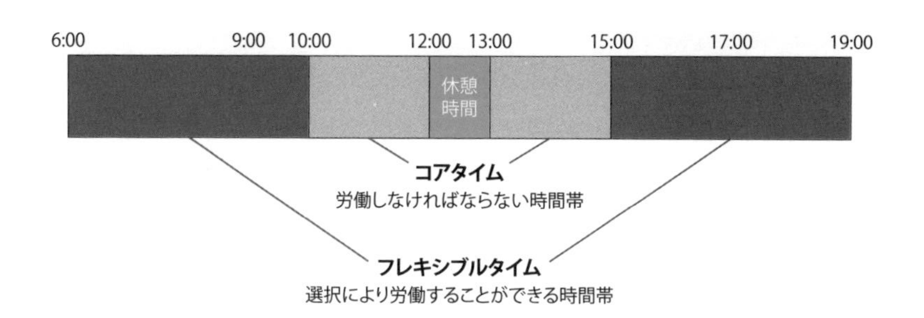

テレワーク

テレワークとは、労働者が情報通信技術（ICT）を利用して、働く場所に関わらず遠隔勤務を実現する事業場外勤務のことです。

テレワークの種類	説明
在宅勤務	自宅で業務を行う働き方。自宅を職場として、通勤時間の削減や柔軟な働き方ができる。
サテライトオフィス勤務	本社や本店から離れた場所に設置された小規模なオフィスのこと。通勤時間を削減できる、エリア間で業務をまとめやすい、などの利点があるが、企業は新たな設備投資が必要となる。

働き方改革

働き方改革とは、**労働者が個々の事情に応じた多様で柔軟な働き方を、自分で選択**できるようにするために、厚生労働省が掲げた改革です。具体的な働き方改革の手段として、DX（p.153）の活用があります。

働き方改革の柱

1. 労働時間の短縮：労働者の過重労働を減らすため、残業時間の上限を設ける・休日保証をするなどの施策が取られます。
2. 柔軟な働き方の推進：テレワークやフレックスタイムなど、時間や場所に縛られない働き方を推進します。仕事と家庭生活・趣味の両立を目指します。
3. 多様な働き方の尊重：フルタイムだけでなく、パートタイム、非正規雇用、フリーランスなど、さまざまな働き方が尊重されます。
4. 公正な待遇：雇用形態に関係なく、同等の労働に対しては同等の賃金が支払われるよう、労働法が整備されます。

雇用契約

雇用契約とは、労働者が雇用主のもとで労働に従事し雇用主（企業側）は業務を指示、報酬を支払う契約です。**雇用**には、業務を与えること・給料を支払うこと・福利厚生などが含まれ、**直接雇用**と**間接雇用**の２つの雇用形態に分けられます。

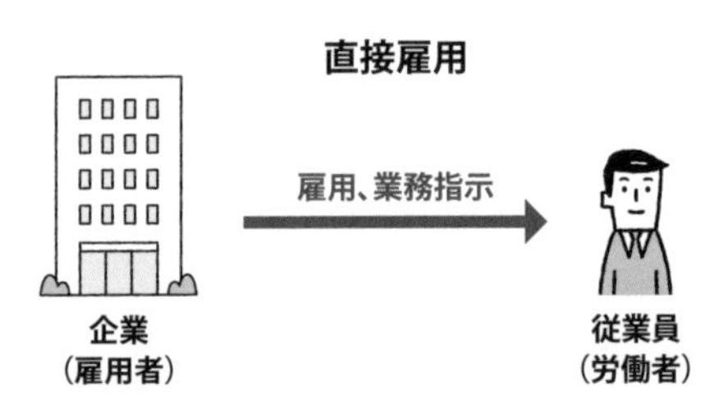

直接雇用	直接雇用では、労働者と企業との間に**直接的な雇用関係**が存在します。労働者は、勤務先企業から業務指示を受け、直接賃金を受け取ります。正社員、契約社員、アルバイトなどが該当します。
間接雇用	労働者と企業との間に**第三者（派遣会社や請負業者）**が介在します。**派遣労働**や**請負**などが該当します。

●労働者派遣契約

労働者派遣契約とは、企業（派遣先企業）が**派遣会社**と契約を結び、人材提供を受けることです。

労働者の職場や業務指示は**派遣先企業**です。労働者は派遣の任期（契約期間）が終了すると、また別の現場で働くこととなり、さまざまな現場を経験できます。

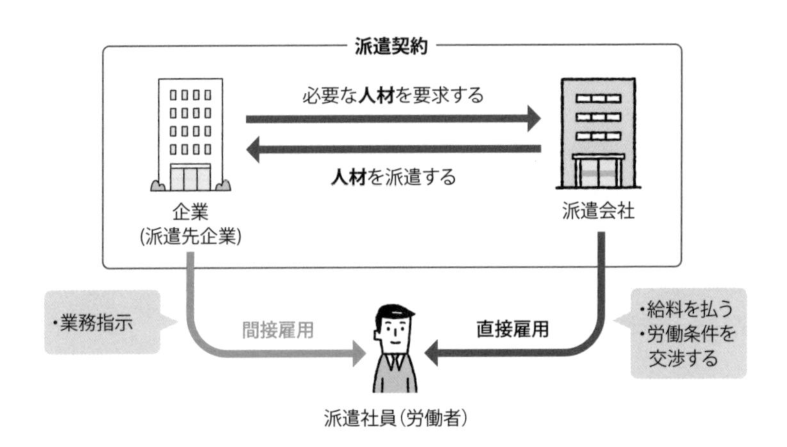

請負契約

請負契約とは、一部の業務を請け負い、その結果を提供する契約です。請負会社と労働者は直接雇用の関係です。請負契約は、発注企業と請負会社の企業間で締結されるため、労働者と発注企業は直接の接点は持ちません。

よくあるケースは、企業がエンジニア組織を自社で持たない場合、システム開発だけを請負会社に発注する事例です。発注を受けた請負会社のエンジニア組織が案件に対応します。労働者は同じ請負会社に勤めながら、さまざまな企業の案件を経験し、実務実績を積むことができます。

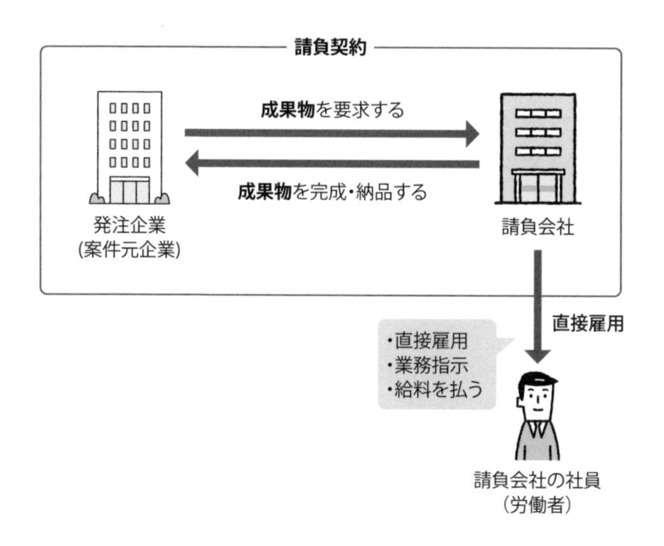

他にも業務に関連するさまざまな契約があるので、違いを学習しましょう。

契約の形態	説明
売買契約	物の所有権を移転することを約束するもの。売主は商品を買主に渡し、買主はその代金を支払うことを約束する。スーパーで品物を買う、オンラインゲームで課金する、ソフトウェアやライブラリを使用するためのライセンスを購入する契約など。
業務委託契約	特定業務の実施を委託する契約。結果の達成を保証するものではなく、業務の実施（稼働日数や時間）そのものが契約対象。広告代理店に広告宣伝業務を委託するなど。
委任契約	本人の代理で法的手続きを委任される契約。不動産の賃貸契約を仲介業者を経由して締結するなど。

下請け企業や労働者を守る法律

下請法

下請法（下請代金支払遅延等防止法）は、不適切な取引条件を強いることの禁止や、下請企業に適正に支払いをする義務などが定められています。

発注企業からの依頼を受ける下請企業が、不適切な取引条件や支払いの遅延に苦しむ問題に対処し、**下請け企業の経済的保護を目的**としています。

公益通報者保護法

労働者が従事する企業の犯罪行為の事実を通報したことをきっかけに、**事業所からの不当な扱いを防止**することを目的とした法律です。

例えば、製品の欠陥を隠蔽して販売を続ける企業の不正行為を通報した場合、内部告発者が**解雇や人事異動などの報復行為を受けない**よう保護されます。

業務関連の法律

基本取引契約

基本取引契約とは、特定の商取引に関して取引の基本的な条件やルールを定めた契約です。商品・サービス・価格・支払い方法・納期・保証などの条件を定めます。

特定商取引法

特定商取引法は、消費者の利益を守るため、ネットショッピングなどに関する取引を規制します。広告表記、契約の締結方法、クーリングオフ（一定期間内の契約解除権）など、**消費者への一定の情報表示や取引ルールを守る**ことが求められます。

電子署名法

電子署名法は、電子文書の信頼性を確保する法律です。この法律に基づき、**電子文書に付された電子署名が、紙文書における手書きの署名や捺印と同等の法的効力を持つ**ことが認められます。電子商取引（p.157）や電子行政手続きなど、電子文書を用いた取引や手続きの信頼性を向上させ、普及を促すために制定されました。

06 標準化規格

解説動画▶

標準化規格による技術製品の役割

- 標準化とは、規格を統一すること。
- デジュールスタンダード、フォーラム標準、デファクトスタンダードの区別を理解する。

標準化とは

標準化とは、**製品の形・大きさ・手続き・システム構成などの**規格を統一することです。製品の形状の標準をつくり、それを文書化したものが規格です。

身近な例では、電気製品のプラグとソケットや、トイレットペーパーの芯とロールサイズなどが規格化されています。日常、買い物するときに常に規格を気にせずに購入できるため、標準化規格は製品の普及や市場の拡大に寄与します。

デジュールスタンダード

デジュールスタンダード（De jure Standard：法的な標準）は、**特定の技術が法的（公式）な規制機関によって標準化された規格**のことを指します。

身近なデジュールスタンダードには、次のようなものがあります。

JANコード		1次元バーコードとして、**0から9までの数字**を読み取れます。商品などを一意に識別できるJIS規格です。

QRコード		2次元コードとして、**英語・数字・記号**の読み取りができます。URLや商品管理など、さまざまなシーンで利用されます。QRコードは、日本企業デンソーウェーブの登録商標です。ISO規格です。
PDF	PDF	電子文書のフォントや画像、レイアウトを1つのファイルに格納し、元のビジュアル情報を保ったまま共有・保存できます。米アドビが開発しました。ISO規格です。

● 公的な標準化規格団体

次の団体によって定められるものはデジュールスタンダードです。

名称	説明	代表例
JIS（Japanese Industrial Standards：日本産業規格）	日本の産業製品の規格や測定法などが定められた日本の国家規格。	トイレットペーパーの芯とロールサイズ（JIS P 4501）、ITガバナンス（JIS Q 38500）など
ISO（International Organization for Standardization: 国際標準化機構）	世界共通の標準規格を定める組織。ITパスポートにも出題される重要な規格も制定されている。	非常口のマークや、情報セキュリティ関連事項（p.417）など
IEEE（Institute of Electrical and Electronics Engineers：米国電気電子学会）	電気、電子工学、コンピュータの分野における米国の学術研究団体。	無線LAN（Wi-Fi）の規格、イーサネットのLAN（有線）の規格など
W3C（World Wide Web Consortium）	Web技術の標準化を行う、国際的な非営利団体。	Webの基盤技術であるHTML、CSS、XMLなどを勧告
IEC（International Electrotechnical Commission: 国際電気標準会議）	電気・電子技術の国際標準を定める組織。ISOとは異なる分野を扱うが、情報技術分野では共同で標準化を行っている。	情報セキュリティマネジメントシステム（ISO/IEC 27000）

フォーラム標準

フォーラム標準とは、関連する民間企業が集まってフォーラムを結成し、フォーラム内で合意して作成された標準です。現代では、技術が複雑化し、開発スピードも加速しているため、1つの製品を一企業だけで技術開発するのは非常に困難です。

さらに、**技術が確立しても標準化されていなければ市場での拡大が難しいという問題**もあることから、フォーラム標準が確立しています。

Wi-Fi	「Wi-Fi Alliance」がWi-Fiの標準化と認証を行っています。無線LAN技術の通信速度やセキュリティについて標準規格を設けており、**異なるメーカーの製品でも互換性を持たせて通信**を可能とします。
USB	「USB Implementers Forum」が標準化を行っています。多種多様なメーカーの**コンピュータと周辺機器**の接続を可能にします。
Bluetooth	「Bluetooth SIG」が標準化とライセンス付与を行っています。Bluetoothは短距離の無線通信を実現し、スマホ・ヘッドセット・パソコンなど、さまざまなデバイス間での**データ転送**を可能にする技術です。

デファクトスタンダード

製品やサービスが世の中に普及することで、事実上の標準製品として認められるようになった標準をデファクトスタンダード（事実上の標準）といいます。市場競争で結果的に勝ち残り、世の中のスタンダードとなったことから、企業がデファクトスタンダードとなる製品を手に入れることはビジネス上の大きな強みです。

Windows	Google検索	QWERTYキーボード
Microsoft社によって開発されたOS（p.257）です。多くの企業・個人がWindowsを使用しており、市場への普及度から、事実上の標準とされています。	インターネット検索エンジンの中で最も広く使用されています。「検索する」という行為自体を「ググる」と言い換えるほど、Google検索は一般化しています。	最も一般的に使用されるキーボード配列です。19世紀にタイプライター用に設計された配列が、その後コンピュータにも採用されています。

小テストはコチラ

試験問題にチャレンジ

問題❶　H30秋-問7

開発したプログラム及びそれを開発するために用いたアルゴリズムに関して，著作権法による保護範囲の適切な組合せはどれか。

	プログラム	アルゴリズム
ア	保護されない	保護されない
イ	保護されない	保護される
ウ	保護される	保護されない
エ	保護される	保護される

正解　ウ

解説　p.83より、プログラムは著作権法により保護されます。アルゴリズムは著作権法の保護範囲ではなく、特許庁の承認により特許権が適用されます。

問題❷　H28秋-問19

イーサネットのLANや無線LANなどに関する標準化活動を推進している，米国の学会はどれか。

ア　ICANN　**イ**　IEEE　**ウ**　ISO　**エ**　W3C

正解　イ

解説　p.102「公的な標準化規格団体」の表より、IEEEが正解です。

問題❸　R5-問10

フォーラム標準に関する記述として，最も適切なものはどれか。

ア　工業製品が，定められた品質，寸法，機能及び形状の範囲内であることを保証したもの

イ　公的な標準化機関において，透明かつ公正な手続の下，関係者が合意の上で制定したもの

ウ 特定の企業が開発した仕様が広く利用された結果，事実上の業界標準になったもの
エ 特定の分野に関心のある複数の企業などが集まって結成した組織が，規格として作ったもの

正解 エ

解説 p.102より、フォーラム標準は、特定の業界団体やフォーラムが策定する技術や規格のことです。公式な標準化団体ではなく、実際の市場や業界のニーズに基づいて広く採用されたものです。

問題❹ R3-問32

a～cのうち，サイバーセキュリティ基本法に規定されているものだけを全て挙げたものはどれか。

a. サイバーセキュリティに関して，国や地方公共団体が果たすべき責務
b. サイバーセキュリティに関して，国民が努力すべきこと
c. サイバーセキュリティに関する施策の推進についての基本理念

ア a, b　**イ** a, b, c　**ウ** a, c　**エ** b, c

正解 イ

解説 p.91よりサイバーセキュリティ基本法は、サイバーセキュリティを確保するために取り組むべき事項を定めたものです。

a. 国や地方公共団体が自組織の情報システムやデータを適切に管理し、サイバー攻撃から守るための対策を講じるなど、果たすべき責務が明確に規定されています。
b. 安全なパスワードの設定や、個人情報を守るための注意を払うことなどは、国民の「努力義務」として挙げられています。
c. サイバー攻撃から社会全体を守るために、政府や民間企業、教育機関などが協力し、連携してサイバーセキュリティを向上させることが含まれます。国民全体が安心してデジタル社会を利用できる環境を整えることが目的です。

問題❺ R4-問27

個人情報保護法で定められた，特に取扱いに配慮が必要となる"要配慮個人情報"に該当するものはどれか。

ア 学歴　**イ** 国籍　**ウ** 資産額　**エ** 信条

正解　エ

解説 p.88より、要配慮個人情報に該当するのは信条（個人や組織が持つ価値観のこと）です。

問題❻ R3-問9

不適切な行為a～cのうち，不正競争防止法で規制されているものだけを全て挙げたものはどれか。

a. キャンペーンの応募者の個人情報を，応募者に無断で他の目的のために利用する行為
b. 他人のIDとパスワードを不正に入手し，それらを使用してインターネット経由でコンピュータにアクセスする行為
c. 不正な利益を得ようとして，他社の商品名や社名に類似したドメイン名を使用する行為

ア a　**イ** a，c　**ウ** b　**エ** c

正解　エ

解説

a. プライバシーの侵害や個人情報保護法に関連する可能性がありますが、不正競争防止法の主な対象とは異なります。
b. コンピュータ犯罪や不正アクセス禁止法に関連する可能性がありますが、不正競争防止法の主な対象とは異なります。
c. 不正競争防止法は、他者の業務を不正に妨害したり、他者の信用をおとしめる行為を禁止しています。他社の商品名や社名に類似したドメイン名を使用して不正な利益を得る行為は、この法律の対象となります。

問題❼ R3-問17

プロバイダが提供したサービスにおいて発生した事例a～cのうち，プロバイダ責任制限法によって，プロバイダの対応責任の対象となり得るものだけを全て挙げたものはどれか。

a. 氏名などの個人情報が電子掲示板に掲載されて，個人の権利が侵害された。
b. 受信した電子メールの添付ファイルによってマルウェアに感染させられた。
c. 無断で利用者IDとパスワードを使われて，ショッピングサイトにアクセスされた。

ア a　**イ** a，b，c　**ウ** a，c　**エ** c

正解　ア

解説

a. プロバイダ責任制限法は、プロバイダが第三者の行為によって掲示板などに掲載された情報に対して、プロバイダの責任となることを規定しています。
b. プロバイダの責任ではなく、メール受信者のセキュリティ対策やメール送信者の責任に関連する可能性が高い状況です。
c. ショッピングサイトのセキュリティ対策や利用者のセキュリティ管理に関連する可能性が高い状況です。

問題❽　R6-問2

情報システムに不正に侵入し，サービスを停止させて社会的混乱を生じさせるような行為に対して，国全体で体系的に防御施策を講じるための基本理念を定め，国の責務などを明らかにした法律はどれか。

ア　公益通報者保護法
イ　サイバーセキュリティ基本法
ウ　不正アクセス禁止法
エ　プロバイダ責任制限法

正解　イ

解説

ア　公益に関わる不正行為を内部告発する者を保護する法律。
ウ　コンピュータシステムやデータベースへの無許可アクセスを禁止する法律。
エ　ISPなど、ネットワークサービス提供者の責任の範囲を定める法律。

問題❾　R1秋-問1

労働者派遣法に基づき，A社がY氏をB社へ派遣することとなった。このときに成立する関係として，適切なものはどれか。

ア　A社とB社との間の委託関係
イ　A社とY氏との間の労働者派遣契約関係
ウ　B社とY氏との間の雇用関係
エ　B社とY氏との間の指揮命令関係

正解　エ

解説 p.98より、労働者派遣契約は、派遣元企業の従業員が、派遣先企業の指示のもと業務を行います。この問題では、A社が派遣元企業、B社が派遣先企業、Y氏が派遣労働者です。そのため、Y氏は派遣先企業であるB社の指揮命令の下で業務に従事することになるため選択肢エが正解です。

問題⑩ R6-問27

個人情報保護法では，あらかじめ本人の同意を得ていなくても個人データの提供が許される行為を規定している。この行為に該当するものだけを，全て挙げたものはどれか。

a. 事故で意識不明の人がもっていた本人の社員証を見て，搬送先の病院が本人の会社に電話してきたので，総務の担当者が本人の自宅電話番号を教えた。

b. 新規加入者を勧誘したいと保険会社の従業員に頼まれたので，総務の担当者が新入社員の名前と所属部門のリストを渡した。

c. 不正送金等の金融犯罪被害者に関する個人情報を，類似犯罪の防止対策を進める捜査機関からの法令に基づく要請に応じて，総務の担当者が提供した。

ア a　**イ** a, c　**ウ** b, c　**エ** c

正解 イ

解説 個人情報取扱事業者は通常、第三者への個人情報提供に本人の同意が必要です。一方で特定の状況（法令遵守、緊急時の保護、公衆衛生・児童育成、公的機関協力、学術研究目的）においては同意不要とされています。

a. 本人の生命に関わる「緊急時の保護」に該当するため、同意不要です。

b. 上記の状況に該当せず、個人情報が勧誘（営業活動、販促活動）に利用されることから、本人の同意が必要です。

c. 捜査機関からの「法令に基づく要請」（法令遵守）とあるため、同意不要です。

ストラテジ系

Chapter 4

企業会計

本章の学習ポイント

- 企業会計は、主に管理会計と財務会計に分類される。
- 損益分岐点売上高は、売上高と費用が一致するときの売上金額。
- 貸借対照表(B/S)は、資産・負債・純資産が分かる財務諸表。
- 損益計算書(P/L)は、売上高・費用・利益が分かる財務諸表。
- キャッシュフロー計算書は、現金の増減が分かる財務諸表。

ストラテジ系　15分　★★★

Chapter 4

01 企業会計

解説動画▶ 

企業における会計の概要

- 管理会計は、自社の経営方針を決定するために利用する。
- 財務会計は、企業の経営情報をステークホルダに提供する。
- 上場企業となるには、売上規模や株式の時価総額などの条件を満たす。

企業会計の種類

企業における会計、すなわち（**企業会計**）とは、社内で利用するための**管理会計**、社外に向けて情報提供する**財務会計**、税務当局に向けた**税務会計**に分類されます。ITパスポート試験では、企業会計のうち**管理会計**と**財務会計**について主に問われます。

分類	説明	例
管理会計	**社内**に向けた会計情報	・損益分岐点を調べる ・予算と実績の管理、原価管理　など
財務会計	**社外**（ステークホルダ：p.112）に向けた会計情報	・貸借対照表（B/S） ・損益計算書（P/L） ・キャッシュフロー計算書　など
税務会計	**税務当局**（国税庁 / 税務署）に向けた税法に沿った会計情報	・企業の収益 ・課税・控除の対象費用 ・納税額の算出　など

管理会計

管理会計とは、自社の経営分析や事業方針の決定のためにまとめる**社内向け**の会計形式です。企業では、支出・売上・利益を正確に把握したうえで将来を見据えた決定をする必要があります。

管理会計のうち、企業経営のための重要な観点が、**何にいくら使って、どのくらい売上を上げるのか**という**収支計画**です。もしも収支計画が不十分だった場合、後々、本来投資すべきだったプロジェクトへの予算が足りず、**機会損失**を起こしたり、最悪の場合は**経営破綻**（はたん）を起こしたりしかねません。そのため、企業の収支計画は正確に立てる必要があります。

財務会計

財務会計とは、企業の経営情報を**ステークホルダ**（投資家や銀行、取引先など、企業の利害関係者）に提供するための会計形式です。**社外に共有されることが目的**のため、財務会計の書類（**財務諸表**）は決められた形式で作成されます。**貸借対照表**（B/S）、**損益計算書**（P/L）、**キャッシュフロー計算書**が代表的なものです。

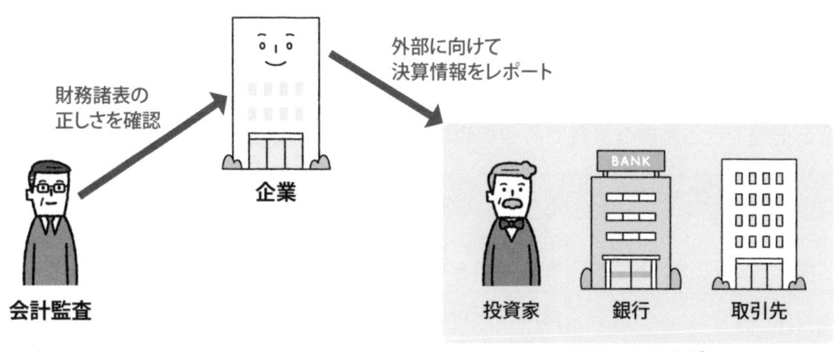

会計期間

企業にとっての**期初から期末までの１年間**を**会計期間**といいます。日本の義務教育（小・中学校）で毎年４月に新学期が始まり３月末で学期が終わるように、企業にも年に一度の期の区切りがあります。

企業は、**期初に立てた計画に対して、売上高や利益の結果を期末の決算で評価し**

ます。決算では、会計期間で何にいくら使い、どのくらい売上高・利益があったのか、いくら納税するのかなどの情報を財務諸表として公開します。

企業によって何月になるかは異なる
決算

1月	2月	3月	4月
12月	日本の義務教育の 1年間		5月
11月			6月
10月	9月	8月	7月

		期末	期初
	企業の 会計期間		

ニュースで目にしたこともある「決算書」とは？

財務諸表のうち貸借対照表（B/S）、損益計算書（P/L）、キャッシュフロー計算書は、企業の決算時期に公開されるため「決算書」と総称されることがあります。
日本の法律（金融商品取引法）では決算書という報告書類は存在せず、有価証券報告書と呼ばれます。

財務諸表とステークホルダ

財務諸表は、ステークホルダが最も注目する企業の報告書類です。企業の経営状況を把握できる重要な資料であるため、**企業の健康診断書**といわれます。

ステークホルダ	財務諸表の利用目的
投資家 （株主、投資ファンドなど）	企業財務の健康状態や、収益性・成長性を評価し、投資判断の材料とする。
取引先	企業が安定した取引相手であるか、支払い能力があるのかを評価する。
貸主（銀行など）	企業にお金を借しても良いか、返済能力があるのか、融資の判定材料とする。また、企業の財務健全性をもとに利子率も決定する。
政府機関	企業が税法などの規制に適合しているかを確認する。

会計監査

会計監査とは、**企業の財務諸表が正確で信頼性があるかを評価する業務**です。会計監査では、監査人（通常は公認会計士）が企業の財務諸表を調べます。

会計監査の業務の例

- 書類の検証：企業会計情報や帳簿の記録をもとに、取引の正確性を確認。
- 内部統制（p.187）の評価：企業の会計システムと業務手順が適切に設計され、機能しているかを評価。
- サンプルテスト：財務取引の一部をランダムに選び、記録の正確性を確認。
- 監査意見の提出：監査人は「監査意見」を提出し、企業の財務諸表が真実かつ公正であるかの考えを示す。

ディスクロージャー

ディスクロージャー（Disclosure：開示）とは、企業の財務諸表や企業活動情報を公（おおやけ）にすることです。会計年度ごとに作成され、会計監査を経てステークホルダに公開されます。

上場企業

上場企業は、企業の株式が証券取引所（株式や債券などの有価証券が自由に売買される場所）で取引される企業です。**公開市場で企業の株式を取引できるようにすることを上場**といいます。上場するためには、売上規模や株式の時価総額などの厳しい条件を満たす必要がありますが、より多くの投資家から資金を集めやすくなります。

上場企業のディスクロージャー

通常、企業の財務諸表は、年に一度のディスクロージャーが基本ですが、**上場企業**の場合は証券取引所の規則に従い、年に4回（四半期ごと）のディスクロージャーが必要です。

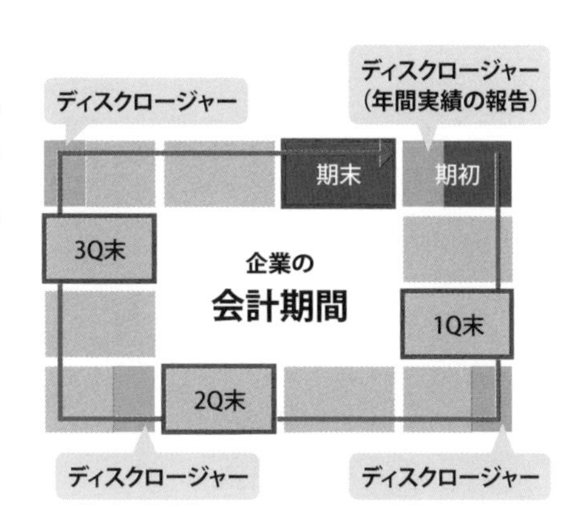

企業が設立から上場するまでの概略

企業は設立当初、企業の許可なく株式を売買できない状態（**未公開会社**）からスタートします。証券取引所に上場することを**株式公開**（**IPO**：Initial Public Offering）といいます。起業から上場までの概略は、次のような流れです。

段階	内容
起業	・起業家がアイデアを持ち、法人設立・ビジネスプラン策定を行う ・この時点で株式市場から資金調達はできず、株式を保有できる人は制限される
資金調達	・起業に必要な資金を、投資家や銀行などから調達する
経営の安定化	・資金調達後、ビジネスモデルを確立し、経営の安定化を図る
上場申請	・証券取引所に対して、上場申請書を提出する
上場承認	・上場要件を満たすことが証券取引所に承認されると、上場が認められる
上場	・上場日になり、証券取引所（公開市場）で株式の取引が開始される

TOB

TOB（Tender Offer BidまたはTake-Over Bid：株式公開買付け）とは、**ある企業が別の企業の株式を一定期間内に一定の価格で大規模に買い取ると公に宣言**することです。企業が他の企業を買収する際の手法の１つで、企業の経営権を取得して、**技術やノウハウを自社企業に取り入れることが目的**です。

TOBが成功すると、買い手の企業は売り手の企業の株の過半数を取得することになり、その企業の経営権を取得し、支配できるようになります。逆に、TOBが失敗すると買収は行われません。

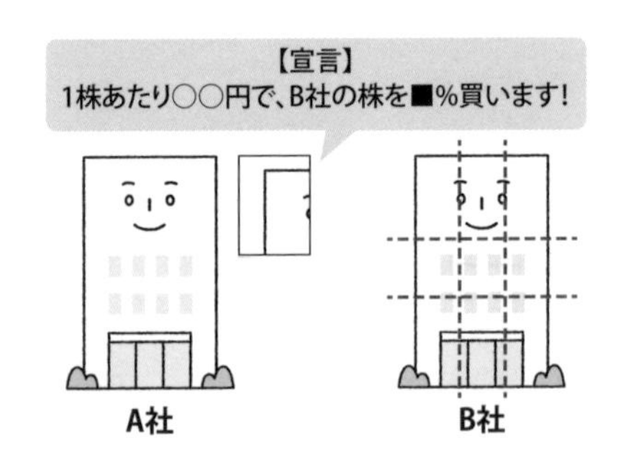

小テストはコチラ

Chapter 4

ストラテジ系　15分　★★★

02 損益分岐点売上高

解説動画▶ 

どこから利益が出せるかを把握する

- 企業が扱うお金は主に、売上・費用・利益の３つに分類できる。
- 損益分岐点売上高とは、売上と費用が一致する売上高のこと。

企業のお金の基礎知識

企業の成長性・持続性を評価できる重要な指標がお金です。企業が扱うお金は主に、売上・費用・利益の３つに分類できます。

- 売上：主に、顧客に商品を販売することで得られるお金の総額
- 費用：商品の材料費などの原価のほか、社員の給料やオフィスの家賃・光熱費、インターネットの通信費用など、事業を運営するために必要な費用
- 利益：売上高から費用を引いて、手元に残るお金

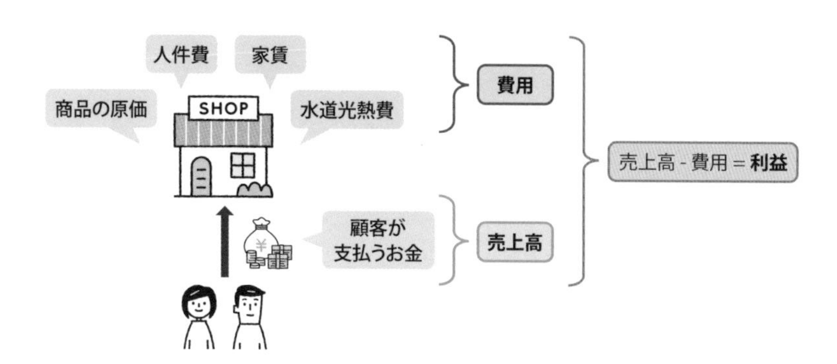

企業活動の重要指標は「利益」

もし企業の売上高が1億円だったとしても、費用が9,999万円かかっていた場合、利益はたったの1万円です。これでは、資本を増やして企業が成長していくことは難しくなります。どれだけ売上が大きくても、それ以上に費用が高くなると、企業は損失による倒産の危機に直面します。

損益分岐点売上高

損益分岐点とは損失と利益が分岐する点のことです。そして**損益分岐点売上高は、売上高から費用を差し引いた利益が0（ゼロ）となる売上高のこと**です。損益分岐点売上高が明らかになることで、利益がいつ・いくら生み出されるのかが予測できます。

損益分岐点売上高を求める際には、費用を固定費と変動費に分けて考えます。

- 固定費：商品が売れる量に関わらず常に一定でかかるお金です。（例：光熱費、人件費、家賃、システムの基本料金など）
- 変動費：商品の売れた数に応じてかかる金額です。（例：商品の原価や従量課金システムの利用料など）

売上高と費用を可視化する

損益分岐点売上高を求めるには、**売上高と費用の値が一致する地点を求めます。** 売上高は、販売量が増えるほど増加し、費用は固定費と変動費を合計したものです。

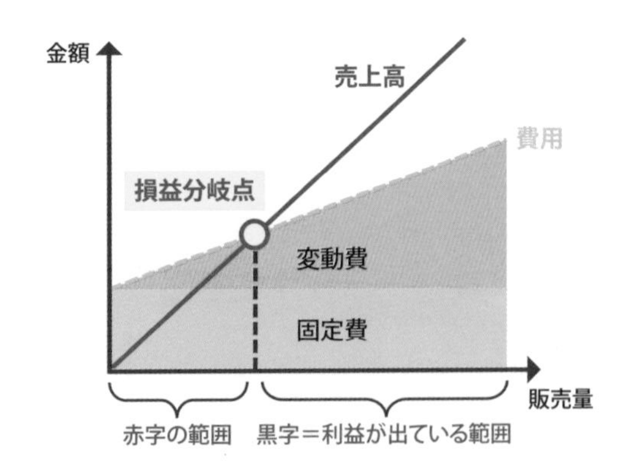

上記のグラフ上で売上高と費用の2つの線が重なった点（○）が、**損益分岐点**で

す。

売上高の推移が損益分岐点を超えるまでは赤字事業ですが、超えてからは黒字化します。損益分岐点売上高は利益が0のときの売上高になるので**「売上高 - 費用=0」、つまり売上高＝費用**となる分岐点を求めます。

損益分岐点売上高の計算例

ここでは、①公式を暗記する方法と、②数学的に解く方法の２パターンを紹介します。数学に自信がない方や暗記が得意な方は①、それ以外の方は②による計算がおすすめです。

問題

あなたは、お花屋さんを経営することになりました。
お店の家賃などの固定費は毎月30万円、お花の原価などの変動費はお花1本あたり150円かかります。
お花の販売価格が一律300円だったとき、このお店の損益分岐点売上高はいくらでしょうか？

最初に、問題を解くために必要な数値を整理しておきます。

- 変動費（お花の原価）：１本あたり150円
- 固定費（お店の家賃）：30万円
- お花の値段：１本あたり300円

①公式による解法

損益分岐点売上高は、次の公式で求めることができます。

公式

$$\textbf{変動費率} = \frac{\text{変動費}}{\text{売上高}}$$

$$\textbf{損益分岐点売上高} = \frac{\text{固定費}}{(1-\text{変動費率})}$$

例題の場合、次のような計算で損益分岐点売上高が求められます。

例題の場合

$$変動費率 = \frac{(150円 \times 花の本数)}{(300円 \times 花の本数)}$$

$$= 0.5$$

$$損益分岐点売上高 = \frac{30万円}{(1-0.5)}$$

$$= 60万円$$

答え：60万円

②数学的解法

数学的解法では、売上高と費用の式を考え、それらが一致する点を求めます。売上高は、販売数量と販売価格で、費用は変動費＋固定費で表します。売上高をy、販売数量をxとし、それぞれ次の式で表します。

$$\begin{cases} y = 300x & \cdots①売上高の式 \\ y = 150x + 300{,}000 & \cdots②費用（変動費+固定費）の式 \end{cases}$$

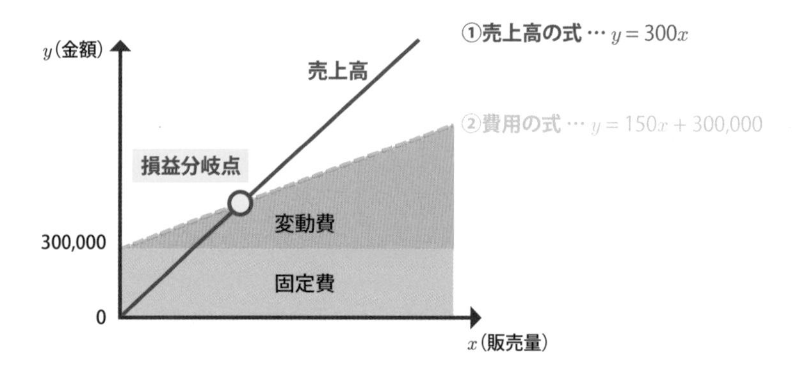

損益分岐点売上高は**売上高＝費用**となる点のため、次のように計算します。

$$① = ②$$
$$300x = 150x + 300{,}000$$
$$150x = 300{,}000$$
$$x = 2{,}000（個）$$

①に代入

$y = 300（円） \times 2{,}000（個） = 60万（円）$

答え：60万円

Chapter 4 ストラテジ系 15分 ★★★

03 貸借対照表

解説動画▶

資産の状況を表す貸借対照表

- 貸借対照表（B/S）とは、企業の資産と負債・資本が読み取れる財務諸表。
- 企業の財務健全性と資本構造を評価するために利用される。

貸借対照表

貸借対照表（Balance Sheet：B/S）とは、企業の資産と負債・純資産を表した財務諸表です。資産と負債＋純資産は常に同じ値となります。左右のブロックの値を釣り合わせる（＝バランスさせる）ことから、バランスシートといいます。

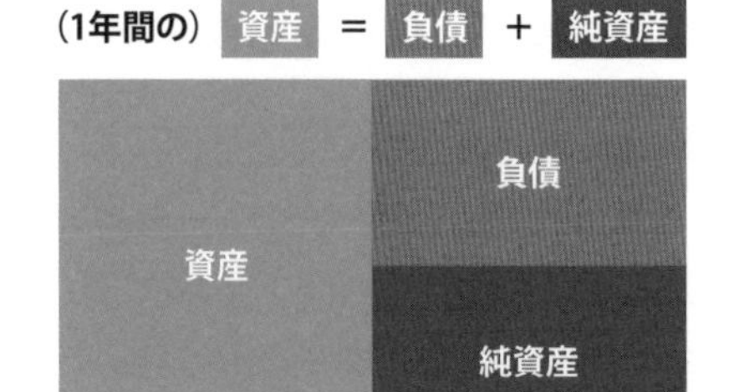

- 資産：直接的または間接的に、将来お金を生み出すことが期待されるもの。例：現金や債権、建物や土地などの固定資産、ソフトウェア、減価償却累計額など。
- 負債：将来お金の減少をもたらし、いずれ返却する必要があるもの。例：銀行などからの借入金で、返済が必要なお金。
- 純資産：株主から出資を受けたお金など、返済する義務のない資産。

貸借対照表の項目

ここで、**銀行に1億円の預金があるA社とB社**を比較してみましょう。どちらも保有する現金（流動資産）が同じであっても、下図のように流動資産に大きな違いがあります。

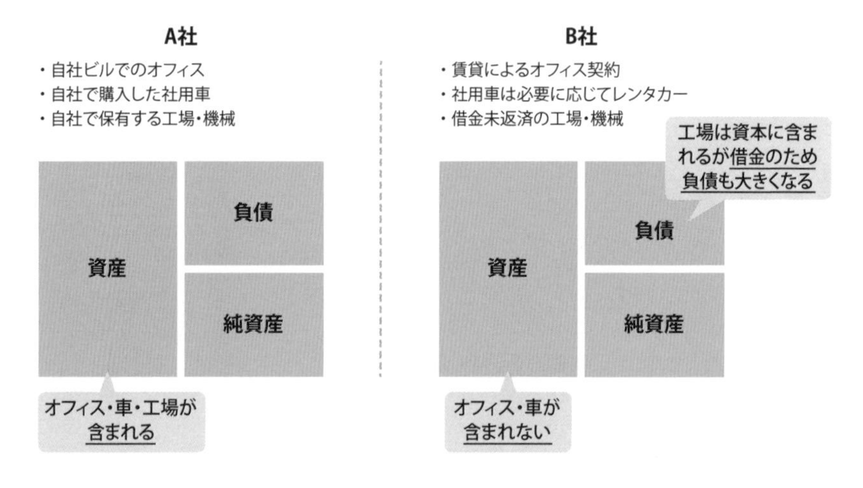

B社の場合、借りたものは資産ではなく負債になるため、貸借対照表上では資産が小さくなります。また、工場の機械を購入したものの、借金が未返済の場合は資本（純資産）と共に負債も増えます。

資産はお金に換えることができるものです。オフィスや社用車の場合、購入時とは同じ値段が付かなくとも、一定価格でお金に換えられます。こうしたことから、**資産が潤沢にある企業は、投資家からの評価も高い**傾向にあります。

負債の部に計上する「借入金」

企業活動における借入金は、一般的な資金調達の方法です。「借入金」と聞くと、借金地獄の悲惨な状況を思い浮かべる方もいるかも知れませんが、必ずしも悪いことではありません。**企業の場合、借りたお金を元手により大きく資本を成長させることを目指せます。**

とはいえ、お金を借りた企業は、利子付きで期限までに返済する義務があります。借金をしても事業が上手くいかず返済が困難な場合、企業の社会的信用は落ちるため借金を重ねることは困難になります（資金繰りの悪化）。

一方、お金を貸す金融機関（銀行など）には、貸したお金が返済されない債務不履行のリスクがあるため、お金を貸す前に、財務諸表などを参考に企業の返済能力を厳しく審査します。企業の返済能力などは、流動比率・当座比率（p.132）などで確認します。

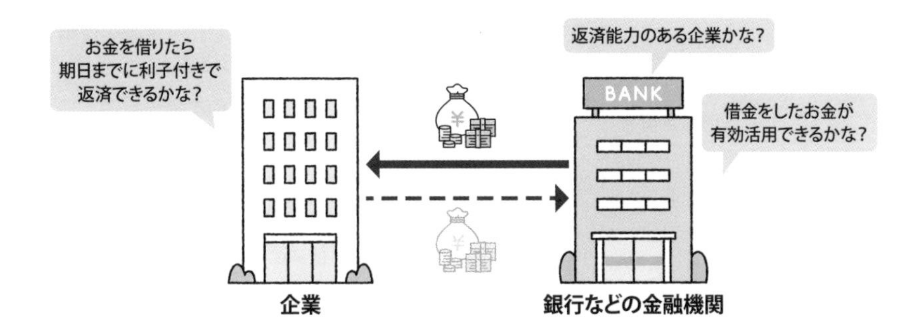

貸借対照表の詳細項目

企業が提出する実際の貸借対照表は、より細かい項目で情報をレポートしています。次の企業の貸借対照表では、1,500万円の負債、1,500万円の純資産、合計3,000万円分の資産があることが読み取れます。

単位：万円

【資産の部】		【負債の部】	
流動資産	1,500	流動負債	500
		固定負債	1,000
固定資産	1,400		
有形固定資産	1,000		
無形固形資産	400		
		【純資産の部】	
繰延資産	100		
		株主資本	1,500
合計	3,000	合計	3,000

分類	項目	説明
資産の部	流動資産	1年以内に現金化できる資産のこと。現金、預金、売掛金、商品などが該当する。
	固定資産	長期間（通常1年以上）使用するための資産。建物、機械、車両などが該当する。
	有形固定資産	固定資産のうち、目に見え、形状を持ち、一定期間使用できる資産。建物や土地、機械などが該当する。
	無形固定資産	固定資産のうち、形状を持たないが価値を持つ資産。特許権、商標権、ソフトウェアなどが該当する。
	繰延資産	支出効果が1年以上に及ぶ資産のこと。創立費、開業費、株式交付費、社債発行費、研究開発費の5つが該当する。
負債の部	流動負債	1年以内の支払い期限がある債務のこと。仕入債務、未払い金、短期借入金などが該当する。
	固定負債	1年以上先に支払うことができる債務のこと。長期借入金、社債、退職給付負債などが該当する。
純資産の部	株主資本	株主から投資を受けた資産額のこと。

貸借対照表に関連する用語

自己資本比率

自己資本比率とは、企業の資産のうち、自社が保持するお金が何％かを示すものです。総資本（総資産）に対する自己資本の比率であるため、下記のように求めます。

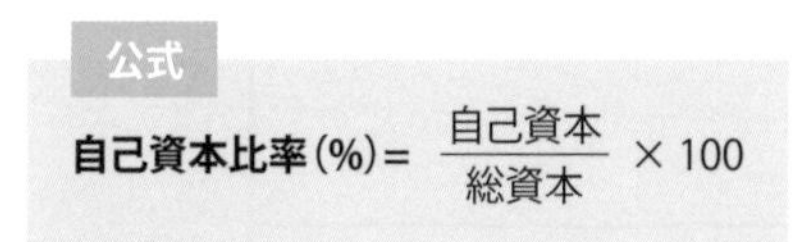

$$\text{自己資本比率}(\%) = \frac{\text{自己資本}}{\text{総資本}} \times 100$$

例 ある企業の自己資本が100万円、総資本が200万円の場合

$$\text{自己資本比率} = \frac{100\text{万}}{200\text{万}} \times 100 = 50(\%)$$

与信限度額

与信限度額は、企業が特定の取引先と売買する際の上限額です。与信限度額を設定することで、**無理のない取引額の範囲内で、比較的安全に売買**が可能です。

企業の業種・業態によっては、一定期間に何度も取引が発生することがあります。頻繁な入金処理の度（たび）に確認作業が発生することは、企業間の業務にとって非効率です。そのため**与信限度額を設け、一定頻度の売買はまとめて取引**します。

類似例にクレジットカードがあります。クレジットカード会社はカード利用者に対して「与信限度額」を設定し、**取引できる上限額**をあらかじめ決めています。この金額は、カード利用者の収入や信用情報などに基づいて定められ、1か月間にクレジットカードで利用できる最大額が取り決められます。

●債権額

債権額とは、**未回収分の売上**です。その限度額のことが**与信限度額**、債権としてさらに積み上げ可能な金額が**与信余力**となります。

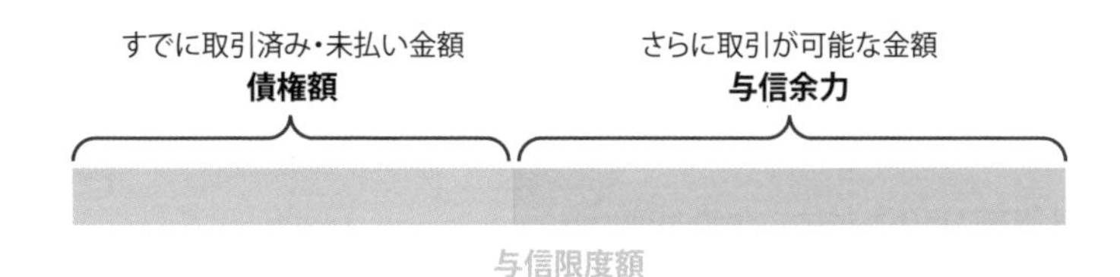

Chapter 4 ストラテジ系 15分 ★★★

04 損益計算書

解説動画▶ 

費用と利益を示す損益計算書

- 損益計算書（P/L）とは、企業が使った費用と生み出した利益が分かる財務諸表。
- 減価償却とは、使用期間にわたって費用を分割して計上する手続き。

損益計算書

損益計算書（Profit and Loss statement：P/L）とは、**企業が年間で営業活動などに使った費用と、生み出した利益が分かる財務諸表**です。特に、株主は損益計算書によって企業の経営実績を確認し、将来性を品定めします。費用と利益の総額が、売上高と等しくなります。

費用 ＋ 利益 ＝ 売上高

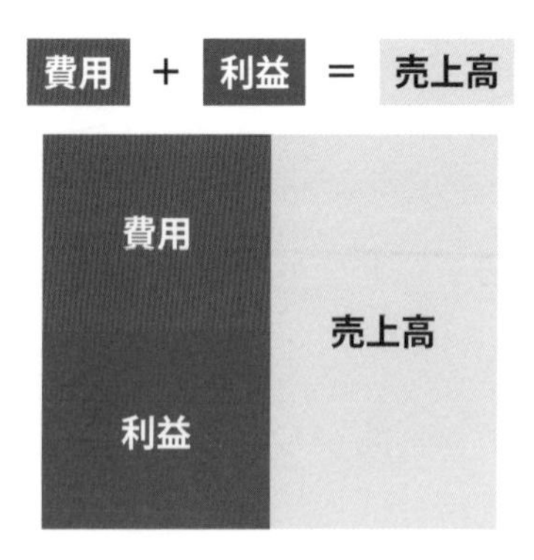

減価償却とは

減価償却とは、使用期間にわたって費用を分割して計上する手続きです。企業が長期的に使用する**資産（例：建物、機械など）は、時間と共に古くなり価値が減少するため、財務諸表上でもそれを加味**します。減価償却は、貸借対照表と損益計算書とで記述の仕方が異なります。

事例：企業が30万円のコンピュータを購入し、5年で減価償却する

貸借対照表（B/S）において、コンピュータを購入した年は資産として30万円を計上します。価値は5年で均等に償却されるため、毎年6万円ずつ減少し、償却期間が過ぎると0（ゼロ）となります。

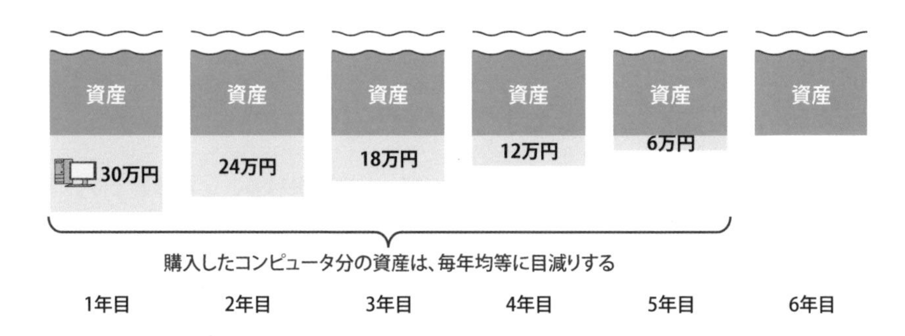

損益計算書（P/L）では、費用に含まれます。資産価値の減少を、資産となる期間にわたって等分し、費用として計上します。

コンピュータの減価償却事例では、毎年6万円の減価償却による費用が発生します。初年度、現金では30万円分の支払いが発生していますが、財務諸表上では、5年かけて年間6万円分の費用として計上されます。なお、減価償却の期間は、購入する物や耐用年数などに応じて異なります。

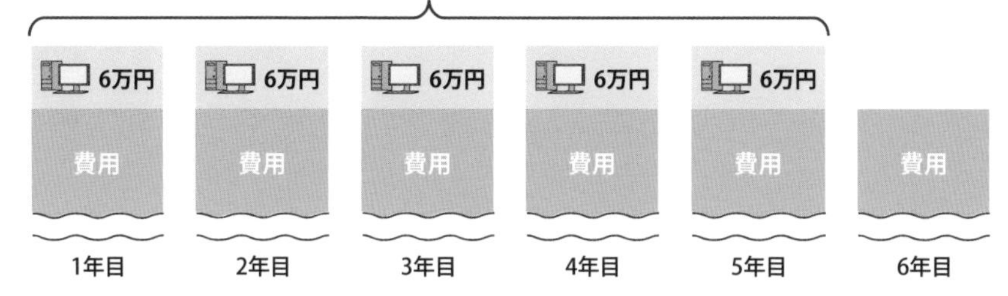

損益計算書から見える経営状況

実際に企業が公開する損益計算書（P/L）では、企業の年間の売上高のうち、どういった費用を使い、結果的にいくら利益が残ったのか、さらに詳細な項目で示されます。

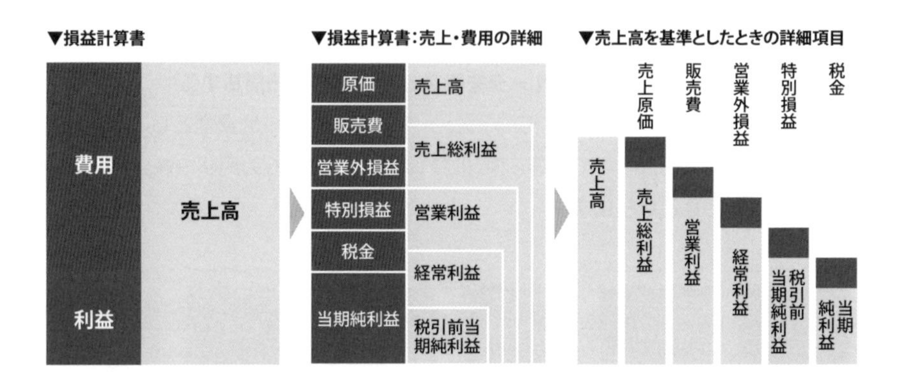

損益計算書の詳細では、**何が費用で、何が利益か**を見分けることが重要です。下右図のように各費用が配分される宛先を知っておくと、お金の使い道をより把握しやすくなります。

売上高	3,000
売上原価	△1,000
売上総利益	2,000
販管費	△500
営業利益	1,500
営業外収益	+100
営業外費用	△150
経常利益	1,450
特別利益	+50
特別損失	△300
税引前当期純利益	1,200
法人税	△360
当期純利益	840

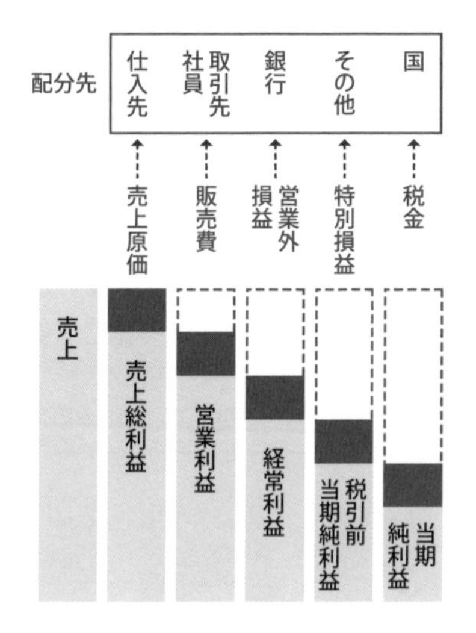

項目	説明
売上高	商品を売って得たお金。利益や原価、人件費もすべてここに含まれている。
売上原価	商品をつくるためにかかる費用。
売上総利益（粗利益）	売上高から原価を引いた金額。商品によってどの程度稼ぐことができたかが分かる。
販売費及び一般管理費（販管費）	商品を販売・管理するための費用。 ・販売費…マーケティング予算（広告宣伝費）　など ・管理費…人件費、関連会社に支払う手数料　など
営業利益	営利活動を通して業務を行った結果の利益（企業の本業で得た損益）。
営業外損益	営業活動以外の経常的（定常的）に発生する利益・費用。 ・営業外利益…有価証券利息、不動産賃貸料、雑収入　など ・営業外費用…銀行への為替や社債利息の支払い　など
経常利益	経常的（定常的）な企業活動の結果による利益。ステークホルダはこの数値に最も注目する。
特別損益	臨時的、偶発的に、企業の業務内容とは関係ない部分で発生した利益・費用の総称。 ・特別損失… 固定資産売却や災害損失　など ・特別利益…不動産などの固定資産売却益、前期の損益を修正することで発生した前期損益修正益　など
税引前当期純利益	法人税などの税金を支払う前の、特別な事情（特別損益で発生した金額）を加味したときの利益。
法人税	税金が記述される項目。
当期純利益	売上高からすべての費用を差し引いた金額。

損益計算書（P/L）を読んでみよう

営業利益が占める比率を読み取る

損益計算書のうち、売上から売上原価と販管費を引いたときの金額が営業利益です。営業利益では、**その企業が本業によってどれだけの利益を出したか**が分かります。

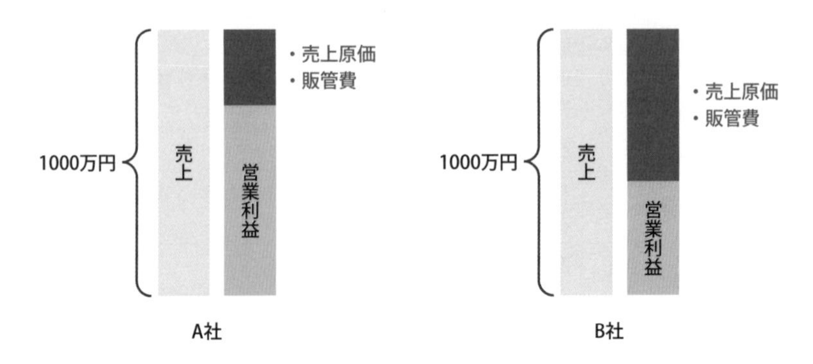

経常利益の比率を読み取る

経常利益とは、経常的（定常的）な企業活動の結果による利益です。事業活動だけでなく、投資活動や財務活動などの営業外収益・費用も含んでおり、企業の全体的な収益性を把握できます。**1年間でどれくらいの利益（または損失）が出たか**が分かるため、投資家はこの数値に最も注目しています。

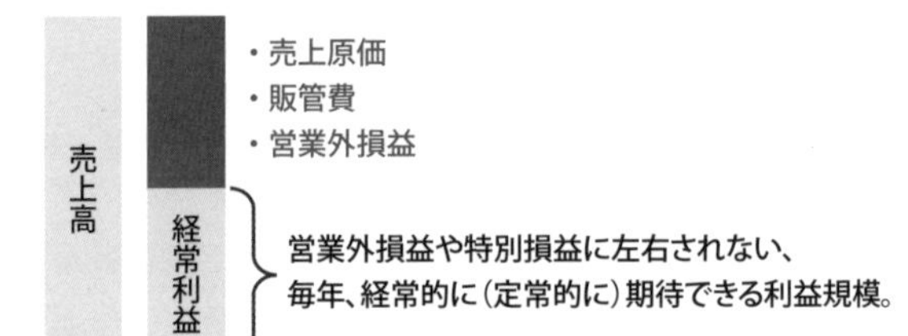

デジタルマーケティングがトレンドである理由

営業外損益と特別損益は、損益計算書上で常に表示されるものではありません。特別なケースで発生した支出であるため、投資家は一過性の数字（当てにしていない損益）として判断します。

- **営業外損益**…企業の本来の事業活動に直接関係しない取引により生じる損益です。例として、金融商品や不動産の売却損益・子会社や関連会社の売却による利益などが挙げられます。
- **特別損益**…特別な事情によって生じる損益です。自然災害による損失・訴訟による損失・倒産処理による損失・退職給付費用などが挙げられます。

Chapter 4

05 キャッシュフロー計算書

ストラテジ系 15分 ★★★

解説動画▶

Chapter 4 企業会計

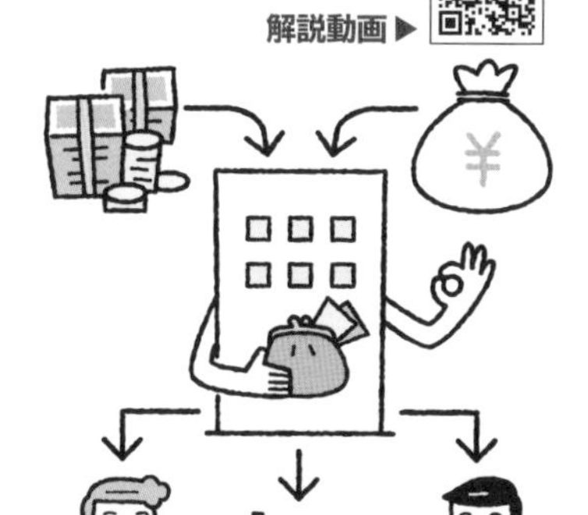

現金の収支を表すキャッシュフロー計算書

- キャッシュフロー計算書とは、企業の現金の増減（収支）を確認できる財務諸表。
- 企業の資金繰りと支払い能力が把握できる。

キャッシュフロー計算書

キャッシュフロー計算書とは、会社の現金の増減（収支）を確認できる財務諸表です。**キャッシュ（Cash：現金）**と、**フロー（Flow：流入・流出）**を組み合わせた言葉です。企業の「家計簿」といわれることもあります。

キャッシュフロー計算書では、企業の活動が営業活動・投資活動・財務活動の3つに区分され、それぞれの現金の流れは、企業財務のプラス（収入）となるキャッシュインフローと、マイナス（支出）となるキャッシュアウトフローに分類されます。

キャッシュフロー計算書の項目

キャッシュフロー計算書では、次表のように現金の出入りを分類します。

区分	説明	キャッシュインフローの例	キャッシュアウトフローの例
営業活動	会社の本業である事業活動のこと。キャッシュインフローが多い状態が理想的。	・商品の売上 ・減価償却の処理 ・利息の受け取り	・商品の仕入れ ・社員の給料 ・法人税などの支払い
投資活動	会社の将来の利益獲得に期待した活動のこと。キャッシュアウトフローが多い状態が理想的。	・固定資産の売却 ・有価証券の売却	・固定資産の取得（建物などの設備投資） ・有価証券の取得
財務活動	会社の資金調達に関する活動。簡単にいうと、「営業活動」と「投資活動」によって生まれた資金不足を補う活動。	・株式の発行 ・銀行からの借入金 ・社債の発行	・自己株式の取得 ・社債の償還 ・配当金の支払い

キャッシュフロー計算書を読み解く

キャッシュフロー計算書は、**企業の資金創出能力や借金返済能力**、配当支払能力などを評価するために利用されます。企業が新規事業を始めるときや事業拡大に取り組む際は、必ず新しい資金が必要です。このときの資金繰りの能力は、キャッシュフロー計算書から読み取ることができます。

●資金面が安定している状態のキャッシュフロー計算書

事業が好調で本業で資金が入っており、将来に向けた投資も積極的に行い、株主への還元や借金の返済もできている場合、キャッシュフロー計算書は次のようになります。この状態は、**資金面が安定**しているといえます。

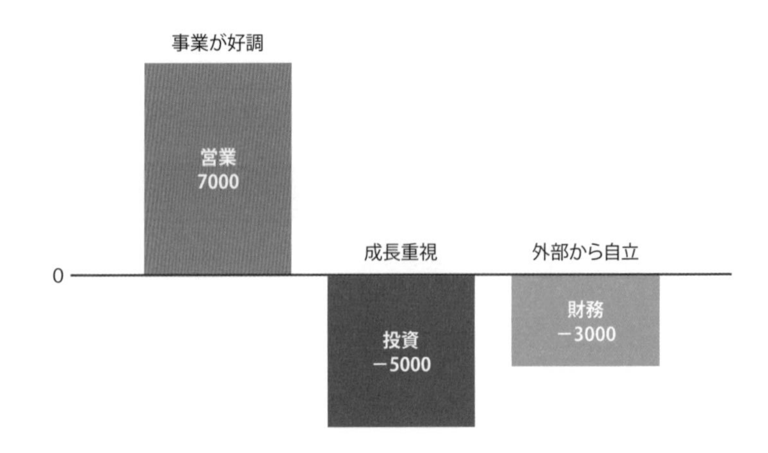

成長に向けて力を蓄えている状態のキャッシュフロー計算書

事業が好調で資金が入っているものの、株式などの売却で手元の資金を増やし、その資金を銀行への返済に当てている場合、キャッシュフロー計算書は次のようになります。この状態は、**次の成長に向けて力を蓄えている状態**と見ることができます。

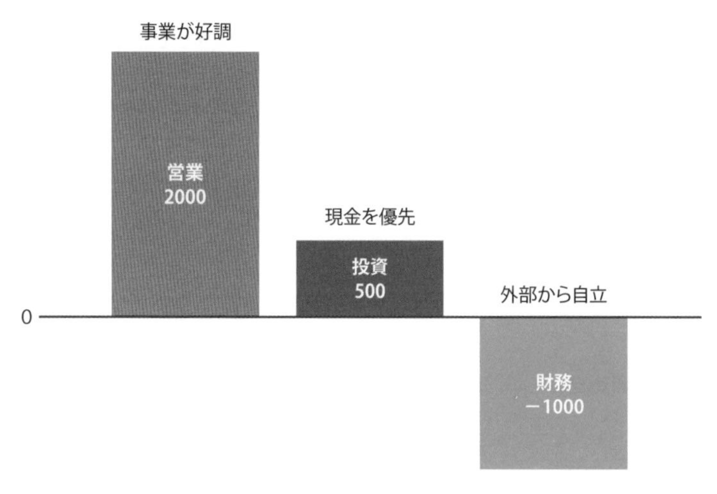

資金繰りが苦しい状態のキャッシュフロー計算書

本業では商品の仕入れにより、現金の支出が多くなる一方で、固定資産を売却したり借金をしたりして現金を増やしている場合、キャッシュフロー計算書は次のようになります。この状態は、**現金に困っており資金繰りが苦しい**と判断できます。

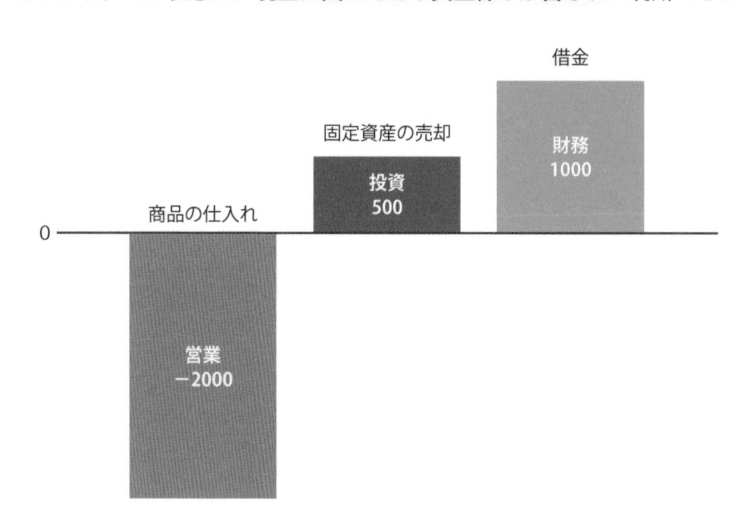

キャッシュフロー計算書に関連する用語

流動比率

流動比率は、**企業の短期的な支払い能力**を測る指標の一つであり、流動資産を流動負債で割って算出します。流動比率が100％以上であれば、流動負債を流動資産で賄うことができるとされ、企業の短期的な健全性が高いと評価されます。

公式

$$\text{流動比率(\%)} = \frac{\text{流動資産}}{\text{流動負債}} \times 100$$

例　ある企業の流動資産が1,000万円、流動負債が800万円の場合

$$\text{流動比率(\%)} = \frac{1{,}000\text{万}}{800\text{万}} \times 100 = 125\%$$

当座比率

当座比率は、**企業の非常に短期間の支払い能力**を測る指標の一つであり、当座資産を流動負債で割って算出します。当座資産は、現金、預金、売掛金など、すぐに現金化できる資産を指します。当座比率が100％以上であれば、流動負債を当座資産で賄うことができるとされ、企業の非常に短期的な健全性が高いと評価されます。

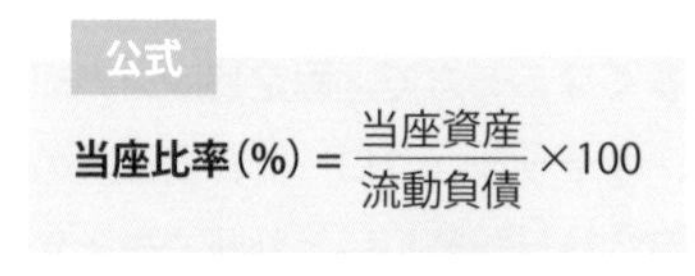

例　ある企業の当座資産が600万円、流動負債が400万円の場合

$$\text{当座比率(\%)} = \frac{600\text{万}}{400\text{万}} \times 100 = 150\%$$

試験問題にチャレンジ

問題❶ R5-問13

ある製品の今月の売上高と費用は表のとおりであった。販売単価を1,000円から800円に変更するとき，赤字にならないためには少なくとも毎月何個を販売する必要があるか。ここで，固定費及び製品1個当たりの変動費は変化しないものとする。

売上高	2,000,000円
販売単価	1,000円
販売個数	2,000個
固定費	600,000円
1個当たりの変動費	700円

ア 2,400　**イ** 2,500　**ウ** 4,800　**エ** 6,000

正解　エ

解説 損益分岐点売上高に関する問題です。この問題で与えられた数値を整理します。

・販売単価（売上）：800円
・変動費：700円
・固定費：60万円/月間

p.118より、毎月販売する製品工数をxと置き、数学的解法で式を立てます。

$800x = 700x + 600,000$
$800x - 700x = 600,000$
$x = 6,000$

問題❷ R5-問28

AIを開発するベンチャー企業のA社が，資金調達を目的に，金融商品取引所に初めて上場することになった。このように，企業の未公開の株式を，新たに公開することを表す用語として，最も適切なものはどれか。

ア IPO　**イ** LBO　**ウ** TOB　**エ** VC

正解　ア

解説 p.114より、株式譲渡が起業家や株主などに制限されている状態（未公開会社）から、証券取引所に上場させることをIPOといいます。

問題③ R3-問28

次の当期末損益計算資料から求められる経常利益は何百万円か。

単位　百万

売上高	3,000
売上原価	1,500
販売費及び一般管理費	500
営業外費用	15
特別損失	300
法人税	300

ア 385　**イ** 685　**ウ** 985　**エ** 1,000

正解　ウ

解説 p.126より、経常利益は、企業の普段の利益を表す指標で、営業利益から営業外損益をマイナスすることで求められます。

（求め方）経常利益＝営業利益＋営業外収益－営業外費用

営業利益は「売上総利益－販売費及び一般管理費」、売上総利益は「売上高－売上原価」となるため、次の手順で算出します。

売上総利益＝3,000－1,500＝1,500

営業利益＝1,500－500＝1,000

経常利益＝1,000－15＝985(百万円)

問題④ R6-問20

A社では，1千万円を投資して営業支援システムを再構築することを検討している。現状の営業支援システムの運用費が5百万円／年，再構築後の営業支援システムの運用費が4百万円／年，再構築による新たな利益の増加が2百万円／年であるとき，この投資の回収期間は何年か。ここで，これら以外の効果，費用などは考慮しないものとし，計算結果は小数点以下第2位を四捨五入するものとする。

ア 2.5　**イ** 3.3　**ウ** 5.0　**エ** 10.0

正解　イ

解説 この問題では、投資によって発生した費用（コスト）から得られる収益によって、完全に費用分の金額が回収されるまでの期間が問われています。この指標は、投資のリスクを評価するためによく使われます。
回収期間が短いほど、その投資は早く元が取れるため、リスクが低いと判断できます。
A社が1000万円のシステム投資により回収できる金額を整理すると、次のようになります。
・初期投資額：1,000万円
・現状の年間運用費：500万円　→　再構築後の年間運用費：400万円
・年間利益増加：200万円
「回収」できる金額については、次のように考えます。
①システムを再構築することで節約できた年間金額：500万円 - 400万円 = 100万円
②年間で得られる利益：200万円
→①+②の合計：100万円　+　200万円　=　300万円
初期投資費用は1,000万円のため、これを年間で捻出できた金額で割ることで算出できます。
1,000万円 ÷ 300万円 ≒ 3.33 （問題文より答えは小数点以下第2位を四捨五入のため）

問題⑤　R4-問28

A社のある期の資産，負債及び純資産が次のとおりであるとき，経営の安全性指標の一つで，短期の支払能力を示す流動比率は何％か。

単位　百万円

資産の部	負債の部
流動資産　3,000 固定資産　4,500	流動負債　1,500 固定負債　4,000
	純資産の部
	株主資本　2,000

ア 50　**イ** 100　**ウ** 150　**エ** 200

正解　エ

解説 貸借対照表より流動資産は3,000百万円、流動負債は1,500百万円であることが分かります。そのため、次のように求められます。
3,000÷1,500×100＝200%

問題❻ R5-問52

会計監査の目的として，最も適切なものはどれか。

ア 経理システムを含め，利用しているITに関するリスクをコントロールし，ITガバナンスが実現されていることを確認する。

イ 経理部門が保有しているPCの利用方法をはじめとして，情報のセキュリティに係るリスクマネジメントが効果的に実施されていることを確認する。

ウ 組織内の会計業務などを含む諸業務が組織の方針に従って，合理的かつ効率的な運用が実現されていることを確認する。

エ 日常の各種取引の発生から決算報告書への集計に至るまで，不正や誤りのない処理が行われていることを確認する。

正解　エ

解説 選択肢アは、システム監査の説明。選択肢イは、情報セキュリティ担当者の説明。選択肢ウは業務監査の説明。選択肢エが適切です。

問題❼ H28秋-問11

キャッシュフロー計算書において，キャッシュフローの減少要因となるものはどれか。

ア 売掛金の増加　**イ** 減価償却費の増加

ウ 在庫の減少　**エ** 短期借入金の増加

正解　ア

解説

イ 減価償却費の増加は、キャッシュフローに直接的な影響を及ぼすものではありません。減価償却費は非現金の経費であり、キャッシュフロー計算書での調整項目として扱われます。

ウ 在庫の減少は、商品を売ったり、不要な在庫を減らしたりすることでキャッシュが増加することを意味します。したがって、キャッシュフローの増加要因となります。

エ 企業が短期間で資金を借り入れたことを意味します。この借り入れにより、企業は現金を手に入れることができるため、キャッシュフローは増加します。この借り入れは将来的に返済する必要がありますが、キャッシュフロー計算書は、その時点でのキャッシュの増減を示すものなので、増加要因です。

ストラテジ系

Chapter

5

技術開発戦略・システム戦略

本章の学習ポイント

- ビジネスは、技術力を大きな武器にすることができる。
- AIには、機械学習やディープラーニングといった技術がある。
- IoTは、データ収集やデバイス操作を自動化できる。
- DXにより、業務効率向上やコスト削減を実現する。
- 金融業界のIT活用は、マネーロンダリング対策が重要。
- 製造業界のIT・データ活用により、生産効率が向上する。

ストラテジ系　15分　★★★

Chapter 5

01 技術力をビジネスに取り入れる

解説動画▶

技術力はビジネスの強み

- 企業の競争環境での優れた能力をコアコンピタンスという。
- 技術力は企業活動の武器となるが、技術をビジネス化するには大きな労力がかかる。
- 第４次産業革命やSociety5.0など、技術変遷は私たちの生活に影響する。

イノベーションの強み

●コアコンピタンス

コアコンピタンス（Core Competence：中核となる能力）とは、企業の競争環境での優れた強みや能力のことです。**競争優位性を高く保てる・高い収益性が期待できる・企業が長期的に生き残る手段となる（持続可能性）**など、さまざまなメリットをもたらします。

Apple独自のOSによる使い勝手の良さ

Googleが無償提供する各種サービス

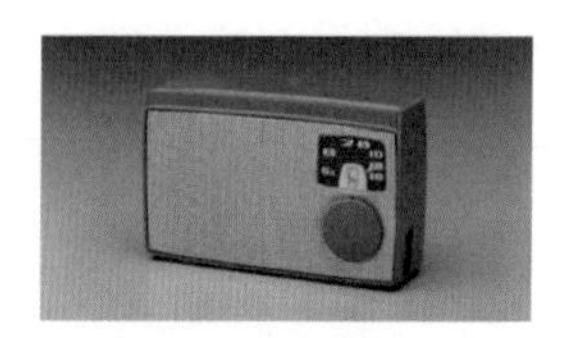

ソニーの小型化技術

MOT

MOT（Management of Technology：技術経営）とは、研究開発の成果を商品に結びつけ、技術力によって事業利益を伸ばす経営のことです。イノベーションの創出を推進し、技術資産を蓄えることで、競争環境において自社を強化します。

オープンイノベーション

オープンイノベーションとは、企業が自社内だけでなく外部の知識・技術を活用して新しいアイデアや商品を開発することです。共同研究や提携、技術のライセンス化、ベンチャーキャピタルへの投資など、さまざまな形態があります。

イノベーションとビジネスの課題

魔の川、死の谷、ダーウィンの海

研究開発から事業化までのプロセスの中で、乗り越えなければならない障壁（関門）を象徴する用語です。研究開発から産業化に至るまでに残る案件は10％程度、さらに市場に浸透するまでには年単位の長い時間がかかるといわれています。

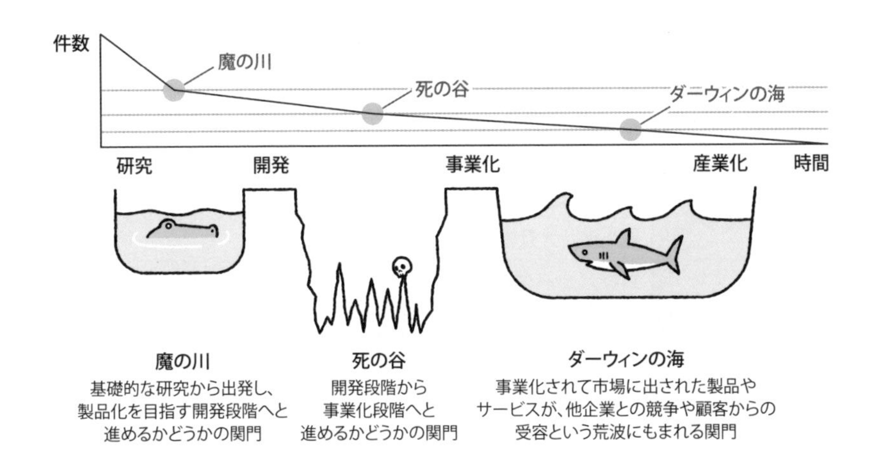

イノベーションのジレンマ

大企業が新たなアイデアで新しい収入源を生み出そうとイノベーションを起こすとき、大きな落とし穴があると指摘される経営理論です。新しい技術が、既存のビジネスモデルを脅かすことで、企業がジレンマに陥る（どちらか一方を選択すると、もう一方がマイナスの結果となる）状況を表します。

音楽業界の事例：CDとストリーミングサービス

昔の音楽業界はCD販売が主流でしたが、時代と共に音楽ストリーミングサービスが登場し、ユーザーは直接インターネット経由で音楽を楽しめるようになりました。このとき生じる下図のような状態をイノベーションのジレンマといいます。

音楽ストリーミング事業を始めた場合、それまでのビジネスモデル（CD販売事業）が壊れる可能性

新しいストリーミングサービスを無視すれば、市場から取り残されるリスク

技術と社会

技術進化の過程を知ることで、現代の技術進歩と、その課題を理解できます。

第４次産業革命

第４次産業革命（Industry 4.0）とは、主に製造プロセスに焦点をあてたデジタル化や自動化、IoTの導入、AI（人工知能）による製造産業の最適化を目指したものです。現在は、広い意味での企業活動全体にも適用されます。

次表は技術の進展による産業や社会構造の変遷です。

第１次産業革命（18世紀後半～）	元々、農業・林業・水産業などの自然の資源を直接利用する産業であったところから、蒸気・石炭を動力源とする軽工業中心の経済発展・社会構造に変革する。
第２次産業革命（19世紀後半～）	電気・石油を動力源とする重工業中心の経済発展および社会構造の変革。鉱工業・製造業・建設業・電気ガス業が盛んになり、大量生産、大量輸送、大量消費の時代が到来。
第３次産業革命（20世紀後半）	コンピュータなどの電子技術やロボット技術を活用したマイクロエレクトロニクス革命による自動化の時代。サービス・通信・小売・金融や保険など、目に見えないサービスを提供する無形財の産業が特徴。日本でも電化製品・自動車産業の発展などが象徴的。
第４次産業革命（2010年代～現在）	デジタル技術やインターネット技術が発展。人工知能、IoT、ロボット工学、3Dプリンティング、遺伝子編集などに高い注目が集まっている。

Society5.0

Society5.0は、内閣府が推進する社会ビジョンで、ITや人工知能（AI）を活用して社会課題を解決し、より快適で豊かな社会を実現するという考え方です。

Society1.0 （狩猟社会）	食物を得るために狩猟や採集を行う。 技術は原始的で、コミュニケーションは直接的な対面や口頭。
Society2.0 （農耕社会）	人々は**農業**により食料を生産し、定住生活を開始。**文字**の発明により情報の記録と伝達が可能になり、組織や法律が発展した。
Society3.0 （工業社会）	**工業化**により大量生産が可能となり、物質的な豊かさが追求された。労働力の分業化が発展し、社会のスケールが拡大した。
Society4.0 （情報社会）	コンピュータの普及により、**情報**が財産となり、情報の共有と利用が重要となる。仮想空間が現実世界と同等の価値を持ち始める。
Society5.0 （超知識社会）	AI・IoT・ビッグデータなど、**先進技術**により社会全体の課題を解決し快適な社会を目指す。 物質的な豊かさだけでなく精神的な豊かさが追求され始める。

● ITリテラシー

ITリテラシーとは、IT知識や技術を理解し、それを活用できる能力を指します。ITリテラシーが高いことで、情報検索や問題解決を効率よく実現でき、学習・業務・日常生活により優位に働きます。

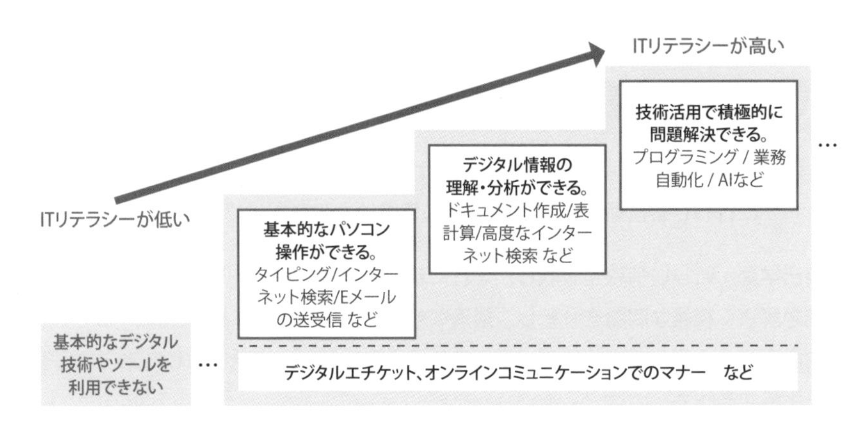

ICT（情報通信技術：ITの概念を拡張した通信技術全般）を**活用できる人と、できない人の間に生じる格差**のことをデジタルディバイド（Digital Divide：デジタル格差）といいます。ICTが活用できず、適切な情報にアクセスできないことで、学習不足や社会的孤立、貧困に陥ってしまい、さらに格差が広がるという悪循環が発生します。

Chapter 5

ストラテジ系　15分

02 AI(人工知能)

解説動画▶

AIでできることと技術活用

- AIは、知的活動を人間に代わってコンピュータが行う技術の総称。
- AIは、ビジネス・社会・教育などの変革が期待されつつも、適正な活用に懸念も残る。

AI(人工知能)

AI（Artificial Intelligence：人工知能）は、人間のような知的活動をコンピュータに行わせる技術の総称です。AIの特徴は次のとおりです。

- **自己学習**：新しい情報を吸収し、それに基づいて自ら進化する能力
- **問題解決**：複雑な問題を分析し、最適な解決策を見つけ出す能力
- **言語理解**：人間が日常的に使用する自然言語を理解し、文脈に応じた適切な応答を生成する能力

● AI・機械学習・ディープラーニングの違い

AI・機械学習・ディープラーニングは、明確に定義することは難しく、境界は曖昧なことがあります。ここでは、AIを広義の技術として捉えて、その一部となる機械学習、ディープラーニングについて違いを学びます。

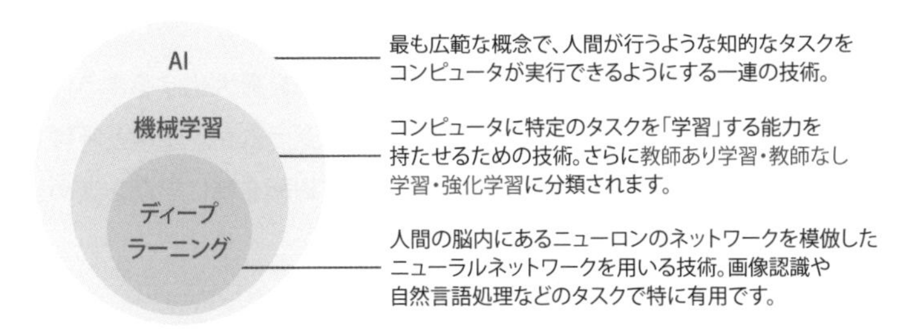

機械学習の分類

機械学習（Machine Learning）は、明示的なプログラミングなしに、コンピュータにデータから学習させ、パターンやルールを見つけ出すことで、予測や判断などを行う技術です。教師あり学習・教師なし学習・強化学習の３つに分類できます。

教師あり学習

教師あり学習は、入力データと正解データのペアを投入することで、説明変数（入力データ）と目的変数（正解データ）のパターンを学習します（例：回帰分析 p.448）。これにより、新しい説明変数が与えられたときの目的変数を予測します。**正解を教えることから、**教師ありと呼ばれます。

文字認識での事例

コンピュータで手書き文字を識別するため、多様な手書き文字画像と正解データを投入し、新しい文字画像を正確に識別します。

教師なし学習

教師なし学習は、与えられた入力データからパターンを分類、構造を分析する学習手法です。入力データのグルーピングや情報集約に適します。**正解データは提供されず、コンピュータ自身が大量のデータから特徴を見つけ出します。**

ECサイトでの事例

Amazonの商品レコメンド機能は、膨大なユーザーデータ（購入・閲覧履歴、類似ユーザーの行動など）から傾向を探り、ユーザーの嗜好を予測します。

●強化学習

強化学習は、試行錯誤を通じて、行動に対する**報酬を最大化**するように学習する機械学習の一種です。**エージェント**と呼ばれるプログラムが、**環境**と呼ばれる仮想空間や現実世界で行動し、その結果として得られる報酬を基に学習を進めます。

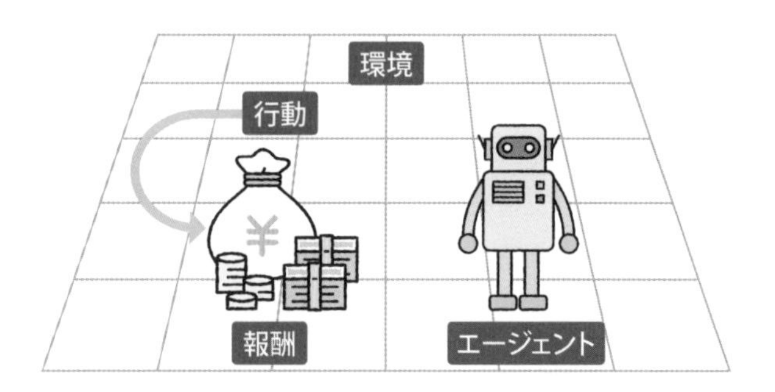

AlphaGoの強化学習事例

AlphaGoは、囲碁プレイヤーとして設計された強化学習AIで、初期は基本的な囲碁ルールだけが教えられます。そこから何回ものゲームを試行錯誤し、どの手を打つと有利になるかを学習します。AlphaGoが人間の世界チャンピオンである李世乭(イ・セドル)九段に勝利した事例は、AIと強化学習の可能性を示すものとして世界中から注目が集まりました。

ディープラーニング

ディープラーニング(Deep Learning)は、人間の脳の神経回路を模倣した**人工ニューラルネットワーク**を多層に組み合わせて学習させる手法です。"ディープ"とはこの多層的な構造を表しています。

自然言語処理	文章を的確に理解し、翻訳やレスポンスを生成する。Google翻訳、ChatGPTなど
画像認識	高精度な画像の理解・傾向判定を行う。人の顔からの個人判定や、医療画像からの病気検出など
音声認識	人間の会話内容を理解したり、声で人物を識別したりする。スマートスピーカー、テーマに合わせた音楽の生成など
生成AI	保有するデータから新しいパターンを生成できる。ChatGPT、Midjourneyなど

ニューラルネットワーク

ニューラルネットワークは、人間の脳内の神経回路のつながりを再現した数理モデルです。ニューロン（神経細胞）という単位で情報を処理し、その結果を次のニューロンへ伝えます。ディープラーニングでは、この**ニューラルネットワークの中間の層を深く（ディープ）・多重につくり込み、複雑な問題を解く**ことが可能です。

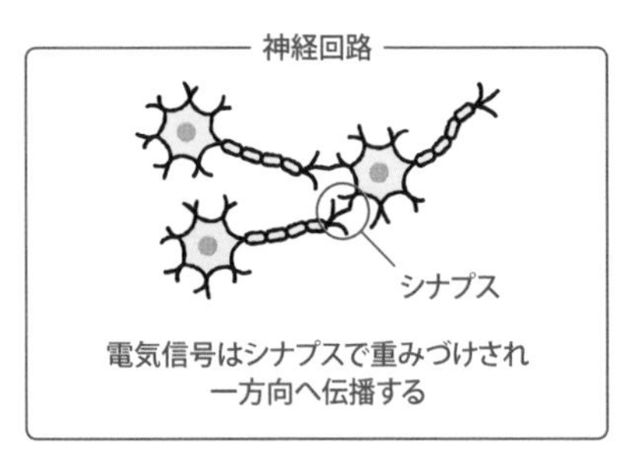

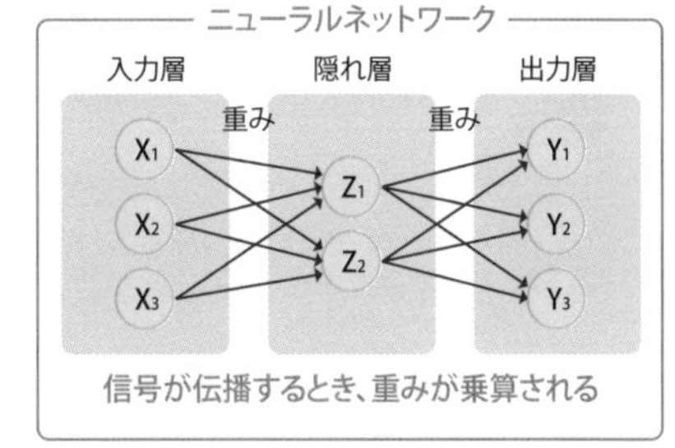

画像認識の事例

画像認識では、初期層で色・形などの基本特徴を認識し、次の層へ進むごとにより複雑な特徴を抽出します。例えば顔認識の場合、初めの層では線や色、次の層では目や鼻、さらに進むと顔全体を認識する……というイメージです。

AIにおける基盤モデル

基盤モデルとは、大規模な事前学習モデルのことです。大量のデータで事前に学習訓練され、特定のタスクに適応させるためにチューニングされます。

例えば、文章生成AIの場合、基盤モデルは多くのテキストデータで訓練され、文法的に正確な文章を生成する能力を持っています。

生成AI

生成AI（Generative AI）は、**文章や画像などの新しいデータを生成するAI技術**です。通常のAIがデータを分析して答えを出すのに対し、生成AIは新しいもの（コンテンツ）を生み出します。

文章の添削・要約、アイデアの提案、科学論文の執筆、プログラミング、画像生成など、多くの可能性を持つことから注目・期待されています。

●プロンプト

プロンプト（Prompt）とは、生成AIに対して何を生成してほしいのかを指示するためのテキスト命令です。例えば、ChatGPTのような文章生成AIに「生成AIの特徴について、箇条書きで教えてください。」というプロンプトを与えると、AIは以下のように指示に基づいた文章を生成します。

生成AIの特徴について、箇条書きで教えてください。

生成AI（Generative Artificial Intelligence）は、データから新しいコンテンツや情報を生成するAIの一分野です。以下は、その主な特徴です。

- **データ駆動**：既存のデータセットからパターンを学習し、新しいデータを生成します。
- **創造性**：音楽、画像、テキストなど、多岐にわたる創造的なコンテンツの生成が可能です。
- **自動化**：手動での作業を減らし、自動的にコンテンツを生成することができます。

●ハルシネーション

ハルシネーション（Hallucination：幻覚）とは、生成AIが誤った情報（または存在しない情報）を生成する現象です。例えば、文章生成AIが事実に基づいていない情報を出力したり、画像生成AIが存在しないオブジェクトを画像に追加したりする現象などがあります。

ハルシネーションはAIの信頼性に悪影響を与えるため、その防止や修正が研究されています。特に、医療診断や重要な意思決定プロセスにAIが関与する場合、ハルシネーションは避けるべき重大な問題です。

AI導入における懸念点

AIにおけるトロッコ問題

AI倫理の議論において、自動運転車などのAIシステムが、事故などの緊急事態に直面した際に、どのような判断を下すべきかという問題を「トロッコ問題」と呼びます。これは、AIの倫理的な判断能力、責任の所在、社会への影響など、さまざまな課題を提起するものです。

倫理学におけるトロッコ問題

トロッコ問題とは、「ある人を助けるために別の人を犠牲にするのは許されるか?」を問う、倫理学の有名な問題です。
ブレーキの壊れたトロッコが、そのまま直進すると線路上の5人がひかれるが、分岐器を切り替えて進路を変えれば5人は助かり、曲がった先の別の1人がひかれてしまう。その判断を問うものです。

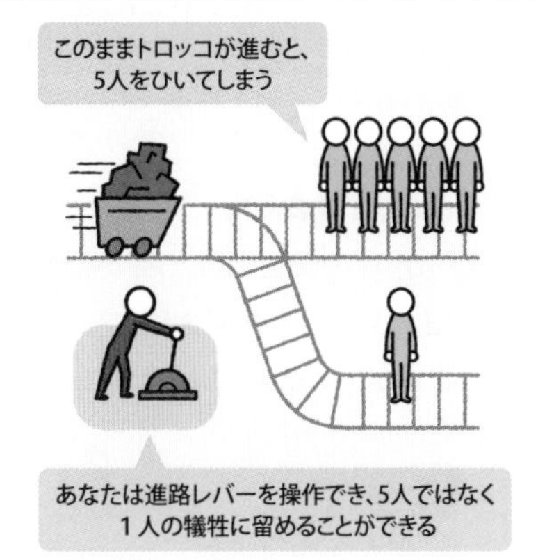

自動運転における事例

自動運転車のブレーキが故障し、このまま進むと歩行者に突っ込み、5人が犠牲になる。一方で、ハンドルを切れば、運転手1人だけが犠牲となる。こうした判定・採用ロジックは、AIをつくる人間に依存するため、メーカーの責任が問われやすくなります。

信頼できるAI開発のための倫理ガイドライン

欧州連合（EU）が策定した「信頼できるAI開発のための倫理ガイドライン」では、人工知能（AI）の開発と利用を促進するにあたって、開発者や利用者が遵守すべき倫理的な原則を7つにまとめています。

人の監督	AIは人間を誤った方向に導くことなく、人の基本的権利を支持して平等な社会を実現する。
堅固な安全性	エラーや矛盾に対応できるよう、安全性・信頼性・堅牢性に優れたアルゴリズムを採用する。
プライバシーとデータのガバナンス	人間が個人情報（データ）を完全に管理できること。また、個人へ害を及ぼしたり、悪用したりしてはならない。
透明性	AIの透明性（いつ、どこで、誰によってつくられたのか）を担保する。
多様性、非差別、公平性	人間の能力・スキル・要件に配慮し、アクセシビリティを保証する。
社会および環境の幸福	AIは、社会に良い変化をもたらし、持続可能性と環境保護責任を強化するために活用する。
説明責任	AIと結果への説明責任を明確にする仕組みを整える。

●人間中心のAI社会原則

社会全体がAIの便益を最大限に受けるためには、AIに対する社会不安を解消しながら、AIのメリットを最大限に引き出す必要があります。人間中心のAI社会原則は、内閣府が定めたAIの社会実装のために理解すべき基本原則です。

人間中心の原則
・AIは人間の能力を拡張
・AI利用に関わる最終判断は人が行う

教育・リテラシーの原則
・リテラシーを育む教育環境をすべての人々に平等に提供

プライバシー確保の原則
・パーソナルデータの利用において、個人の自由・尊厳・平等が侵害されないこと

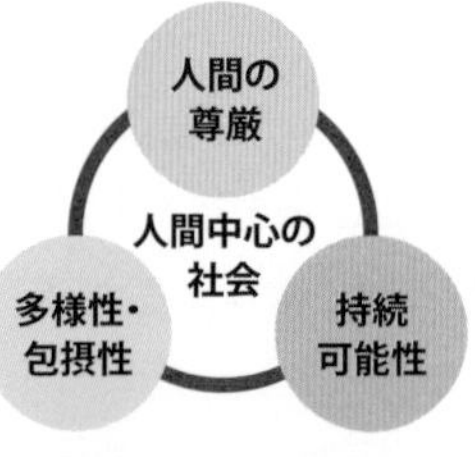

公正競争確保の原則
・支配的な地位を利用した不当なデータ収集や主権の侵害があってはならない

セキュリティ確保の原則
・利便性とリスクのバランス
・社会の安全性と持続可能性の確保

公平性、説明責任及び透明性の原則
・不当な差別をされない
・適切な説明の提供
・AI利用などについて、開かれた対話の場を持つ

イノベーションの原則
・データ利用環境の整備
・阻害となる規制の改革

内閣府資料：「AI戦略2019」の概要と取組状況

ストラテジ系　10分＼★★★

Chapter 5

03 IoT

解説動画▶

IoTによるビジネス革新

- IoTは物理的なデバイスがインターネットに接続し、情報をやりとりできる技術。
- IoTにより、測定・検知・制御などさまざまな自動化が実現できる。

IoT

IoT（Internet of Things：モノのインターネット）は、従来インターネットに接続されていなかったさまざまな「モノ」に通信機能を持たせ、インターネットに接続することで、データの収集や機器の制御などを可能にする技術です。

IoTが画期的なポイント

従来、身の回りでインターネットに接続するものはコンピュータが主流でした。IoTの登場で、インターネットに接続が可能な範囲は工場・農業・人体などで利用するモノ（アイテム）にまで飛躍し、人間が介在しなくてもデータをリアルタイムに自動収集・制御できるようになりました。
ここで、ITパスポート試験で扱うIoTとは、個人のニーズに応えるためのIoTではなく、**業務で利用するIoT**であると理解して読み進めましょう。

△個人のニーズに応えるためのIoT

- Apple Watchなどのウェアラブルデバイス
- Google Home、Alexaなどのスマートスピーカー

○大規模なシステムとして稼働する業務のためのIoT

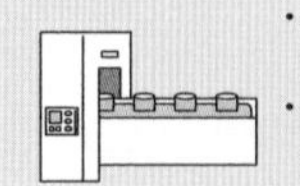

- 製造業での品質管理のためのセンサーや画像認識
- 農業で効率的に作物生産するため環境情報を取得・制御

IoTで実現できること

IoTで実現できることは、データの取得だけではありません。データの監視から分析に至るまで、人間の手間を減らして業務全体のタスクを実行できます。

モニタリング	デバイスやセンサーで、環境や機器の状態をリアルタイムで監視する。
監視・検知	監視データから変化などをとらえ、異常や効率低下を早期に察知する。
制御	察知した情報をもとに、機器やシステムの動作を自動的に制御する。
分析	収集したデータを分析し、パターンの発見、予測、最適化などに使用する。
予測	AIなどと組み合せ、リアルタイムデータから異常検知や潜在問題を予測する。

次の図は、食品製造工場でIoTが活用される事例です。

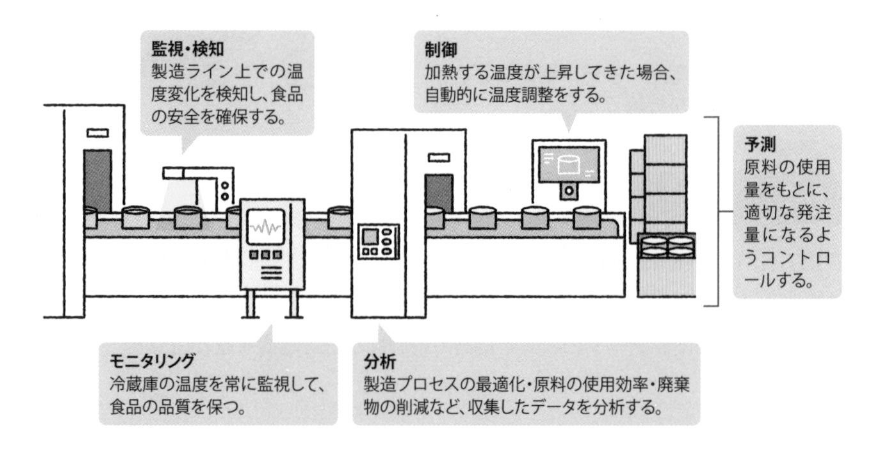

他にも、IoT技術により現実とデジタル世界をつなぐデジタルツイン（Digital Twin）の技術にも期待が寄せられています。**仮想的なレプリカとして現実世界と同じように動作**させ、リアルタイムでデータを共有できます。製造工場、エネルギー管理、医療行為などでの使用が進められています。

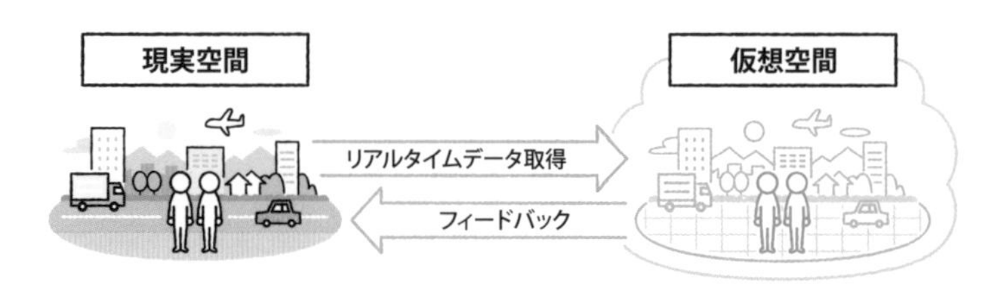

IoTセンサー

IoTセンサーは、環境から物理的なデータを収集し、インターネット経由で他のデバイスやシステムと共有できるデバイスです。次のようなセンサーがあります。

取得したい情報	センサー例
位置情報	GPS、RFID (p.290)、ビーコン
動作	加速度センサー 、ジャイロセンサー
画像・映像	カメラ
音声	マイク、スピーカー
環境	温度センサー、湿度センサー、CO_2センサー、日射センサー、電熱センサー、紫外線センサー
人体	心拍数センサー、血圧センサー

次の表は、代表的なセンサーの仕組みと用途です。

センサー	説明
ビーコン	特定の場所に設置し、その近くを通るとスマホが検知する。アプリ通知で近隣の店舗を告知するなど、マーケティング活動に利用できる。
加速度センサー	加速度を測定するデバイス。スマホやゲームコントローラーなどで使用され、デバイスの傾きや振動を感知する。
GPSセンサー	移動体（スマホ、カーナビ、船など）に搭載される受信機。複数の人工衛星から送られる信号をもとに自身の位置を計算する。

IoTの関連技術

LPWA

LPWA（Low Power、Wide Area）は、低電力で遠距離通信を実現する通信方式です。同じ低電力通信では、Bluetoothの通信可能範囲が10mほどであるのに対し、LPWAでは10km以上離れた山間部や海上でも、一度の充電で大量デバイスの同時通信が可能です。

BLE

BLE（Bluetooth Low Energy）は、小型デバイスがデータを低電力かつ無線で送受信する技術です。ビーコン、ウェアラブルデバイス、ホームオートメーションシステム（照明、温度調節など）、ヘルスケアデバイス（心拍数モニター、血圧計など）など、エネルギー効率を重視する場面で広く利用されます。

エッジコンピューティング

エッジコンピューティングは、データ処理を中央のデータセンターやクラウドではなくデータソースに近いエッジ（Edge：縁）側で行います。データが即時に処理され、必要な情報だけが中央のサーバで記録されます。これにより、データ遅延の解消・セキュリティの強化が図られます。

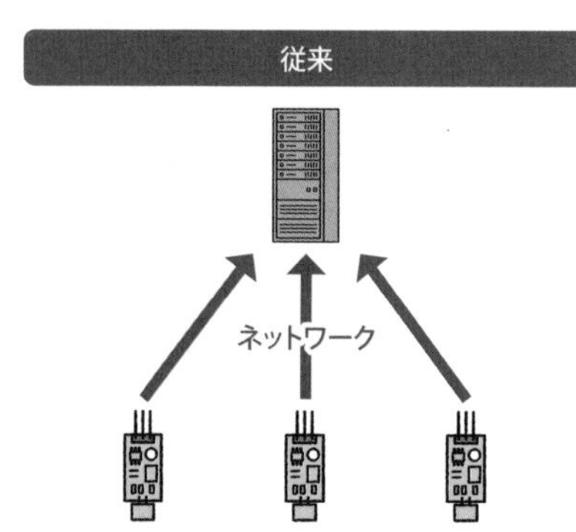

IoT機器で収集したデータをサーバに送ってから処理することになるため、データ・ネットワークのリソースを大きく消費する。データ送信時のセキュリティ処理がない。

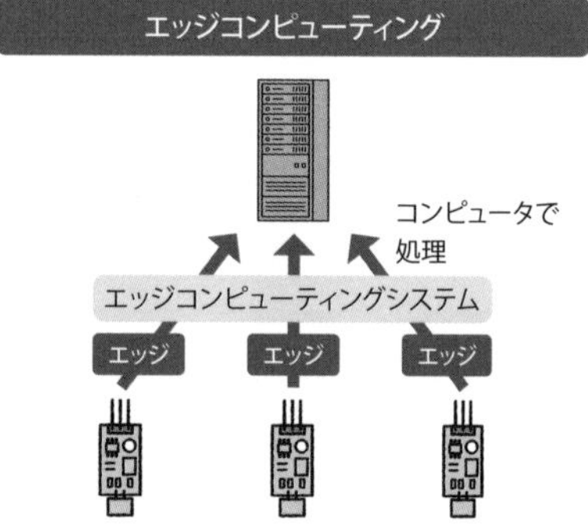

IoT機器から近距離に置いたコンピュータで処理した後にデータを送るため、データを安全に送付でき、リソースの消費も少ない。適切なデータ送信が可能となる。

アクチュエーター

アクチュエーターは、コントロールシステムからの信号を物理的な動作に変換するデバイスです。信号は、機械の動き・音・光などに変換されます。ロボット、自動車エンジンなど、IoTシステムで検知した情報をもとにシステムの制御が可能となります。

ストラテジ系　15分　★★★

Chapter 5

04 DX / 業務のデジタル化

解説動画▶ 

ビジネスシーンで注目される技術

- DXにより、企業は業務効率の向上や市場競争力の拡大が期待できる。
- 業務プロセスを見直し、効率化や価値創造を目的として大幅に再設計する手法をBPRという。

DX

DX（Digital Transformation：デジタル・トランスフォーメーション）とは、企業がデジタル技術を活用してビジネスプロセスを変革する取り組み全般です。

DXは、従来紙で作業していた業務をコンピュータに移し替えるだけではありません。AIやIoTを導入するなど、広義での業務改革を示し、**新たなビジネスを構築、レガシーシステムからの脱却**を目指します。

BPR

BPR（Business Process Re-engineering）とは、業務プロセスを抜本的に見直し改善することで、コスト・品質・サービスなどを再構築することです。業務での無駄な手順を削減する、システム導入で業務を効率化する、などが該当します。

エンタープライズ・アーキテクチャ

エンタープライズ・アーキテクチャ（Enterprise Architecture：EA）は、ビジネス戦略とIT戦略を一致させるためのフレームワークです。業務と情報システムの全体像を可視化し、最適化する目的を持ちます。

エンタープライズ・アーキテクチャ 4つの領域

検討の順序 ↓

領域	内容
ビジネス・アーキテクチャ（業務体系）	組織の基本的なビジネス目標と戦略を定める。実現すべき政策、業務内容などの構造を明らかにする。
データ・アーキテクチャ（データ体系）	ビジネス戦略を実現するため、システム上のデータ、データ間の関連性を設計する。
アプリケーション・アーキテクチャ（適応処理体系）	ビジネスプロセスを効率化するために必要なソフトウェアアプリケーションのフレームワークを構築する。
テクノロジ・アーキテクチャ（技術体系）	システムを構築するためのソフトウェア・ハードウェアを含めたすべての技術を設計する。

● RPA

RPA（Robotic Process Automation）とは、これまで人間が処理していた**ソフトウェア上の作業**をソフトウェアのロボットが代替するシステムです。コンピュータ上のデータの転記・加工・ファイルの移動・検索など、膨大な量のルーチンワーク（定型的な作業）をソフトウェアが処理し、人手不足解消やヒューマンエラーの抑制（よくせい）を目指します。

● SFA

SFA（Sales Force Automation）は、営業活動を可視化するツールです。顧客情報の管理、営業活動・商談の記録など、営業関連のタスクを効果的にサポートします。従来の営業活動では、営業担当者個人ごとに情報管理されていましたが、**営業にまつわる情報を組織のデータツールで共有・一元管理**できる利点があります。

DX関連の用語紹介

● エンタープライズサーチ

エンタープライズサーチとは、社内外のデータを統合検索できるシステムです。

端的にいえば、企業で働く従業員向けの検索システムです。人事情報や社内手続き・申請フローなど、社内情報をデジタル化し、社内の膨大な情報が埋没するのを防ぐことで、従業員が効率よく取得できるようにします。

MDM

MDM (Mobile Device Management) は、業務用のモバイル機器などの端末を管理できるシステムです。

MDMでできること

例えば、**市販のiPadに企業が端末を管理**するためのMDMソフトをインストールすると、端末の紛失時に遠隔操作でロック、データの一括削除、業務用アプリケーションの一括管理、OSアップデート、利用者とひもづく端末の識別などが実現できます。

BYOD

BYOD (Bring Your Own Device：私物デバイスの活用) とは、従業員が個人で保有するパソコン、スマートフォン、タブレット端末などのIT機器を業務に使用することです。

BYODの登場により、オフィス以外の場所でも、使い慣れたデバイスで作業を済ませることができ、従業員の利便性の向上が期待されます。

シャドーIT

シャドーITとは、LINEの個人アカウントで仕事の連絡を行うなど、企業組織で公式な承認・監督を受けずに、個人や部署が独自にITシステムを導入することです。セキュリティリスクが懸念されています。

技術イノベーション

ASP

ASP (Application Service Provider) は、インターネットを介したサービスやその提供事業者のことです。

ASPの一例としては「Googleフォーム」があります。Web上で「フォーム」をゼロからプログラミングをして制作するには開発・運用コストがかさみますが、ASPの活用で簡単に導入できます。

API

API (Application Programming Interface) とは、ソフトウェアの一部を外部に向けて公開することで、第三者が別のソフトウェアを開発する際に、その機能を利用できるようにした仕組みです。

グルメ情報アプリや天気予報アプリなど、**地図情報を自社で調査・開発するとなると、情報収集と開発に膨大な工数**がかかるため、Googleマップのapiがよく利用されます。

このように、APIの公開によって、自社・他社共にサービスが活用され、経済圏が広がっていくことをAPIエコノミー (APIによる経済圏) の拡大といいます。APIがビジネス同士をつなぎ、企業の新しい価値創出に繋がります。

映像技術

さまざまな映像技術が、ビジネスで活用されています。

VR (Virtual Reality) 仮想現実	AR (Augmented Reality) 拡張現実	MR (Mixed Reality) 複合現実
CG などにより人工的な仮想世界をつくり出す技術。ヘッドセットや専用のデバイスを装着して動くと、仮想世界で行動できます。 ゲームやデジタルアートの世界で行動する。 危険エリアなど実地研修が困難な教育活動、など。	スマートフォンなどのデバイスをかざすと、現実世界にデジタル情報を重ね合わせ、情報を拡張できる技術。 バーチャル試着や、工事現場に設計図面を重ねて作業する、など。	透過型デバイスを通じてユーザーの位置や動きに合わせてデジタル情報を表示したり、直接ユーザーがデジタル情報を触って操作したりできる技術。 遠隔手術、教育・訓練、エンタメなど。

05 金融とIT

解説動画▶

金融業界とマネーロンダリング

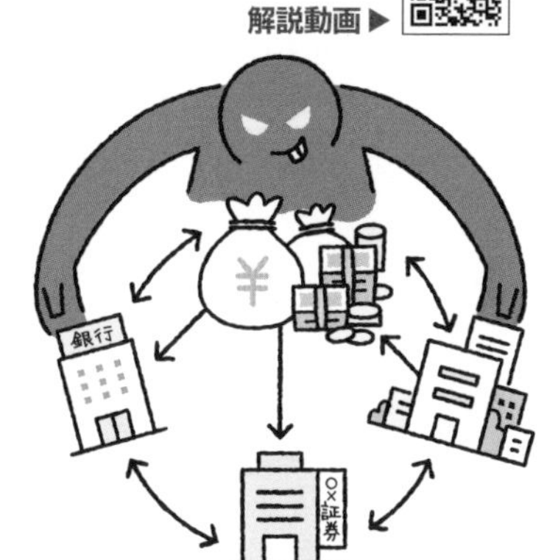

- 金融業界の情報技術（FinTech）は、マネーロンダリングのリスクや法規制・責任の大きさなどを加味して技術推進する。
- マネーロンダリングとは、不正を働いて得た金銭を合法的に得たものに見せかける犯罪行為。

金融とIT

フィンテック

フィンテック（FinTech）とは、金融（Finance）と技術（Technology）を組み合わせた造語です。金融サービスと情報技術を結び付ける技術全般を示し、身近な事例では、キャッシュレス決済、暗号資産などがあります。

金融業界とITビジネスの複雑性

ビジネス向けの技術開発戦略のなかでも、金融業界に特化した技術はより複雑性を高めます。これは、金融業界が犯罪に悪用されるリスクが高いこと、法規制が厳しく柔軟に動きづらいこと、過失時の責任が大きいことなど、特殊性の高い領域であることが理由です。

電子商取引

電子商取引（Electric Commerce：EC）とは、商品の売買にインターネットを通じた電子的手段（キャッシュレス決済など）を用いた商取引です。

電子商取引ではオンラインで商品が購入されるため、キャッシュレス決済（クレジットカード、電子マネー、モバイル決済など）が用いられます。オンラインでの取引を安全に行うため、強固なセキュリティが必要です。

EDI

EDI（Electronic Data Interchange:電子データ交換）とは、企業間における契約書などを通信回線を用いてやりとりする仕組みです。自社・取引先の両社にとってデータ管理の手間や経費を削減できるメリットがあります。

アカウントアグリゲーション

アカウントアグリゲーション（Account aggregation：口座集計）とは、複数の金融アカウント（銀行口座やクレジットカード、投資口座など）の情報を１つのプラットフォームで一元管理できるサービスです。

金融ITのリスクと法規

マネーロンダリング

マネーロンダリング（Money Laundering：資金洗浄）とは、犯罪行為（脱税、粉飾決算、詐欺行為、麻薬取引など）によって得た金銭を、出どころを分かりにくくして合法的に得たように見せる行為です。捜査機関による摘発を逃れる行為であり、マネーロンダリング自体が刑罰の対象です。

マネーロンダリングの手口

- 架空（または他人）の金融機関の口座を利用して、送金を繰り返す。
- 株や債券による売買や配当と見せかけて、金銭を得る。
- 特定の事業投資を行い、ビジネスからの収入であるように見せかける。

AML・CFTソリューション

AML（Anti-Money Laundering：マネーロンダリング防止）・CFT（Countering the Financing of Terrorism：テロ資金供与対策）ソリューションとは、マネーロンダリングやテロ資金供与を防止するソフトウェアサービスです。

- 銀行などの金融機関が、お金の出入りを監視し、怪しい取引を検出する。
- 海外からの送金をモニタリングし、テロリストへの資金供与に該当するものをブロックする。
- フィルタリング機能により企業の顧客リストと反社会勢力を照合する。

eKYC

eKYC（electronic Know Your Customer）とは、**免許証やマイナンバーカードの画像をもとに、本人確認をオンラインで行う**仕組みです。主にスマートフォンを利用して、本人確認書類（免許証やマイナンバーカード）と本人自身をさまざまな角度で撮影するよう指示し、書類や本人の真正性を確認します。

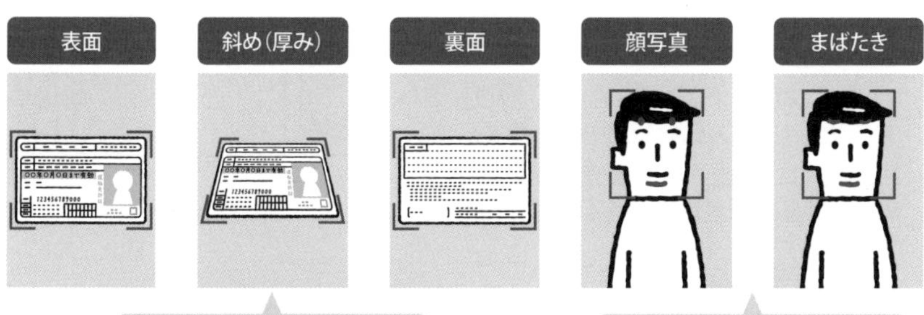

資金決済法

資金決済に関する法律（資金決済法）は、資金決済に関する規制を設け、**消費者保護と市場の健全な発展を図る法律**です。現代の多様な資金決済システムをめぐる環境の変化に対応するために施行され、前払式支払手段（プリペイドカードやSuicaなどの電子マネーなど）や仮想通貨などに適用されます。また、資金移動事業者（顧客から資金を受け取り、送金する事業者）に対しても、登録・認可・適切な業務運営のための規制を設けています。

ストラテジ系　10分　★★★

Chapter 5

06 製造業とIT

製造業で活用されるIT技術

- 基本の製造方式として、ライン生産方式とセル生産方式がある。
- エンジニアリングシステムのうち、ソフトウェアとしてCAD/CAMの役割を理解する。
- PL法では、製造業者や販売業者が責任を負う製品の安全性に関する法規が定められる。

製造業とIT

私たちの身近にある**モノ**は、製造業により支えられています。次の表は、さまざまな業界と製造業の間にある関わりの一例です。

業界	関わり
交通業界	自動車、バス、電車、飛行機などの乗り物・インフラ
食品業界	大量の食品加工、食品保存のための高度な技術
医療業界	医薬品の製造、医療機器の生産
情報通信業界	スマホ、コンピュータなど生活・業務の情報通信機器
エネルギー業界	電力プラント、石油精製所などのエネルギー製造

基本の生産方式

生産方式とは、製品製造・組み立ての方法論です。それぞれの製品や市場のニーズに応じて、効率的に高品質な製品を生産するための手順が定められます。

ライン生産方式とセル生産方式

- ライン生産方式：**製造プロセスを一連の作業ラインに沿って順序立てて**行う方法。同一製品の大量生産に適しますが、柔軟性に欠けるデメリットがあります。
- セル生産方式：**製造プロセスを小さなグループ（セル）に分割**する方法。柔軟性が高く、受注生産やカスタマイズ製品などの多種少量生産に適しています。

OEM

OEM（Original Equipment Manufacturer：オリジナルの製品製造業者）は、自社で製造した製品を、自社ブランドではなく、他社のブランドで販売する製造業社です。製品や部品を他社に供給し、**OEM製品を発注した企業が自社のブランド名で販売**します。

供給と生産計画

リーン生産方式

リーン生産方式は、製造プロセスから無駄を取り除き、効率を上げる方法です。「無駄」とは、在庫保持コストや過剰な在庫を意味します。リーン生産方式は、次のような目的を持ちます。

- 無駄の削減：在庫を最小限に抑え、必要なものだけに集中します。
- 顧客価値への柔軟性：需要予測から生産計画まで、効率よく取り組めます。
- 持続的な改善：常により良い方法を探し、少しずつ改善していきます。

リーン生産方式のコンセプトの１つに、**必要な部品を必要な時に必要な量だけ供給するという**ジャストインタイム（Just In Time：JIT）の考え方があります。不要な作業を省くことから、製造から検品までのリードタイムを短縮します。また、それを実現するための手法として、かんばん方式があります。かんばん（看板）には、ある作業から次の作業に情報を伝える役割があります。

ERP

ERP（Enterprise Resource Planning：企業資源計画）とは、企業のすべての部門で情報を共有し、統合管理できるソフトウェアシステムです。販売、製造、在庫管理、顧客関係管理（CRM）、財務、人事など、企業の各部門の業務プロセスを連携させ、効率的な運用を可能にします。

定量発注方式と定期発注方式

企業が在庫を効率的に管理し、材料を適切なタイミングと量で発注するための戦略です。

在庫と購買を適切に管理することで、過剰発注や在庫ロスなどの機会損失を防ぎます。

定量発注方式

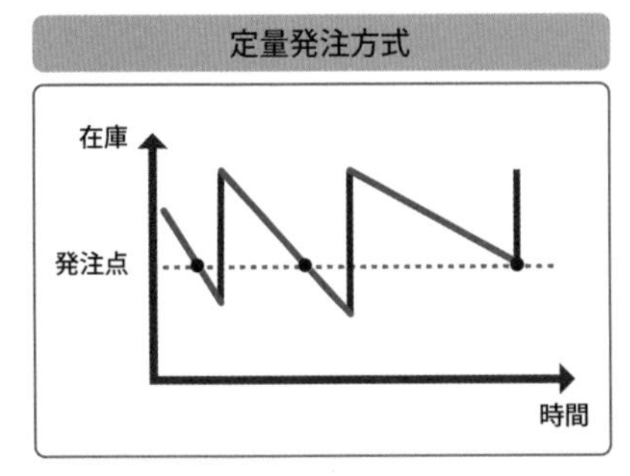

一定の量が在庫から減った時点で、あらかじめ決められた数量を発注する方法

定期発注方式

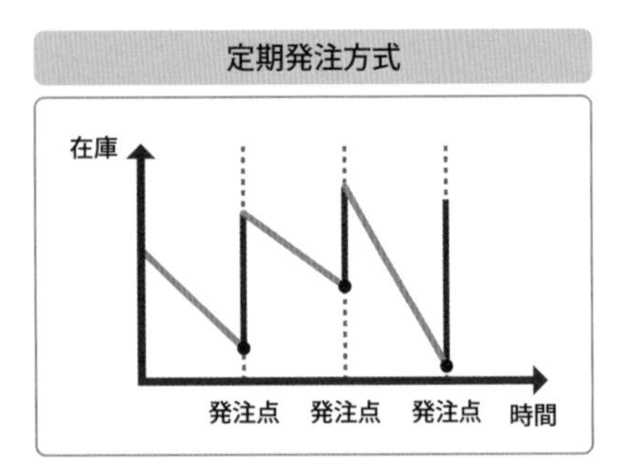

一定の期間ごとに発注する方法。周期ごとの消費量に基づいて発注量を調整する方法

PL法

PL法（製造物責任法：Product Liability Law）は、製造業者が責任を負う、製品の安全性に関する法律です。この法律では、**製品が原因で人が怪我をしたり、財産が損害を受けたりした場合、製造業者がその責任を負う**ことを明確にしています。

製品設計・開発

コンカレントエンジニアリング

コンカレントエンジニアリング（Concurrent Engineering）は、製品の設計と製造プロセスを同時並行的に進めるアプローチです。

従来の逐次的なプロセスと異なり、**設計・テスト・製造などの異なるフェーズが同時**に行われ、開発サイクルの短縮やコスト削減が可能になります。

エンジニアリングシステム

エンジニアリングシステムは、製品の設計・開発・製造プロセスを統合的に管理するためのシステムです。立体造形物を設計・製造する際は、次のツールを利用することが一般的です。

CAD (Computer-Aided Design)	CAM (Computer-Aided Manufacturing)	CAE (Computer-Aided Engineering)
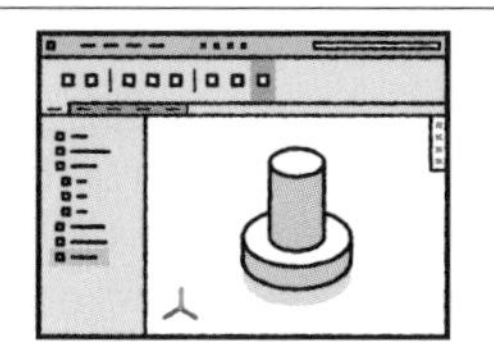	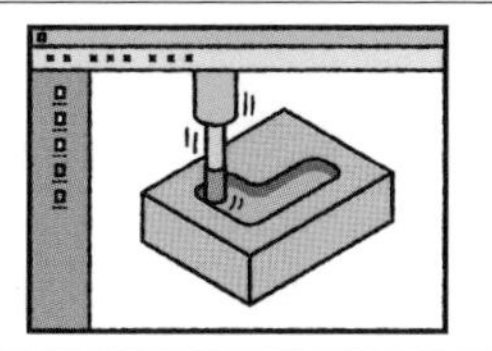	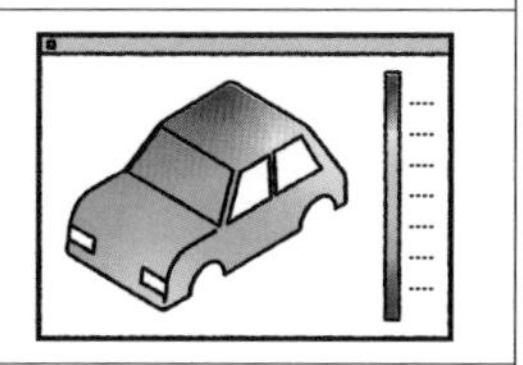
コンピュータ支援設計。製品の設計図を描くための製図ツール。	コンピュータ支援製造。CADで制作した図面をもとに、工作機械のプログラムを作成するシステム。	コンピュータ支援工学。強度解析・機構解析・流体解析などができるシステム。

歩留まり率

歩留まり率は、品質基準を満たす製品の割合を示す値です。製造ラインでは、常に正しい品質が担保されるわけではないため、製造途中の失敗を除いたものの割合を確認します。**歩留まり率が高い場合、製造プロセスの効率が良く、無駄が少ない**ことを意味します。

公式

$$\textbf{歩留まり率 (\%)} = \frac{\text{良品数}}{\text{生産数}} \times 100$$

例 ある工場で、100個の部品を製造しました。そのうち、90個が良品で、残りの10個が不良品でした。この工場の歩留まり率を求めてください。

歩留まり率は、良品の数を全体の生産数で割り、100をかけた値で求めることができます。

良品の数：90、全体の生産数：100なので、

歩留まり率＝(90 / 100)×100=90%

小テストはコチラ

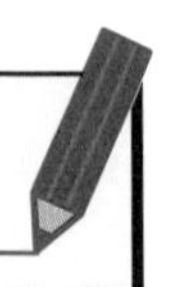

試験問題にチャレンジ

問題❶　R4-問97

水田の水位を計測することによって，水田の水門を自動的に開閉するIoTシステムがある。図中のa，bに入れる字句の適切な組合せはどれか。

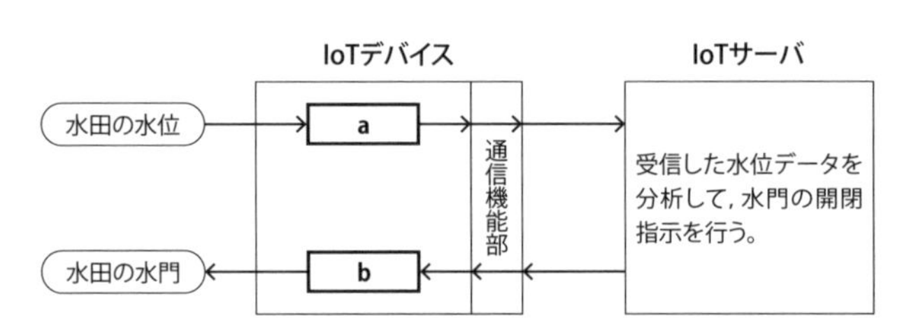

	a	b
ア	アクチュエータ	IoTゲートウェイ
イ	アクチュエータ	センサ
ウ	センサ	IoTゲートウェイ
エ	センサ	アクチュエータ

正解　エ

解説　aでは、水田の推移のデータを計測し、その情報をIoTサーバに送付しているため、センサが適切です。IoTサーバから受け取った開閉指示（制御情報）をもとに制御対象に物理的な動作をさせるbは、アクチュエータが適切です。

問題❷　R5-問26

組立製造販売業A社では経営効率化の戦略として，部品在庫を極限まで削減するためにかんばん方式を導入することにした。この戦略実現のために，A社が在庫管理システムとオンラインで連携させる情報システムとして，最も適切なものはどれか。なお，A社では在庫管理システムで部品在庫も管理している。また，現在は他のどのシステムも在庫管理システムと連携していないものとする。

ア 会計システム　**イ** 部品購買システム
ウ 顧客管理システム　**エ** 販売管理システム

正解　イ

解説 この問題では、部品在庫の管理をオンラインシステムと連携することを考慮するため、消去法で部品とは関係が薄いア、ウ、エが除外されます。かんばん方式の部品在庫を減らすために適切な連携すべきシステムは部品購買システムとなります。

問題❸　R5-問71

IoTシステムにおけるエッジコンピューティングに関する記述として，最も適切なものはどれか。

ア IoTデバイスの増加によるIoTサーバの負荷を軽減するために，IoTデバイスに近いところで可能な限りのデータ処理を行う。
イ 一定時間ごとに複数の取引をまとめたデータを作成し，そのデータに直前のデータのハッシュ値を埋め込むことによって，データを相互に関連付け，改ざんすることを困難にすることによって，データの信頼性を高める。
ウ ネットワークの先にあるデータセンター上に集約されたコンピュータ資源を，ネットワークを介して遠隔地から利用する。
エ 明示的にプログラミングすることなく，入力されたデータからコンピュータが新たな知識やルールを獲得できるようにする。

正解　ア

解説 選択肢イは、ブロックチェーンの説明です。選択肢ウは、クラウドコンピューティングの説明です。選択肢エは、機械学習のうち教師なし学習の説明です。

問題❹　R5-問74

ニューラルネットワークに関する記述として，最も適切なものはどれか。

ア PC，携帯電話，情報家電などの様々な情報機器が，社会の至る所に存在し，いつでもどこでもネットワークに接続できる環境
イ 国立情報学研究所が運用している，大学や研究機関などを結ぶ学術研究用途のネットワーク
ウ 全国の自治体が，氏名，生年月日，性別，住所などの情報を居住地以外の自治体から引き出せるようにネットワーク化したシステム
エ ディープラーニングなどで用いられる，脳神経系の仕組みをコンピュータで模したモデル

正解　エ

解説 p.144より、ディープラーニングでは、人間や動物の脳神経網の特性を計算機上のシミュレーションによって表現することを目指した「ニューラルネットワーク」の仕組みを採用しています。

問題❺

R4-問7

業務と情報システムを最適にすることを目的に，例えばビジネス，データ，アプリケーション及び技術の四つの階層において，まず現状を把握し，目標とする理想像を設定する。次に現状と理想との乖離を明確にし，目標とする理想像に向けた改善活動を移行計画として定義する。このような最適化の手法として，最も適切なものはどれか。

ア BI(Business Intelligence)
イ EA(Enterprise Architecture)
ウ MOT(Management of Technology)
エ SOA(Service Oriented Architecture)

正解　イ

解説

BI（Business Intelligence）：データ分析や情報の可視化を通じて、ビジネスの意思決定をサポートする技術や手法。過去のデータからの洞察や将来の予測を行います。
EA（Enterprise Architecture）：組織全体のIT戦略を検討する際、ビジネス、データ、アプリケーション、技術のプロセスと構造を整理・最適化するフレームワーク。
MOT（Management of Technology）：技術の開発、導入、適用を経営戦略の観点から管理・最適化するための学問や手法。
SOA（Service Oriented Architecture）：サービスとして提供される独立した機能やコンポーネントを組み合わせてシステムを構築・運用するアーキテクチャ。異なるシステムやアプリケーション間の連携を容易にします。

問題❻

R3-問35

ある製造業では，後工程から前工程への生産指示や，前工程から後工程への部品を引き渡す際の納品書として，部品の品番などを記録した電子式タグを用いる生産方式を採用している。サプライチェーンや内製におけるジャストインタイム生産方式の一つであるこのような生産方式として，最も適切なものはどれか。

ア　かんばん方式　　**イ** クラフト生産方式
ウ　セル生産方式　　**エ** 見込み生産方式

正解　ア

解説

クラフト生産方式：個別の職人が手作業で製品を一つずつ作成する伝統的な生産方法。特定の顧客の要求に合わせてカスタマイズされた製品を提供できます。

セル生産方式：製品や部品の製造工程を一連の作業セルに分割し、各セル内で連続的に作業を行う方式。

見込み生産方式：予測される需要に基づいて製品を生産する方法。注文が入る前に製品を生産し、在庫として保持します。

問題⑦

R2秋-問3

技術経営における新事業創出のプロセスを，研究，開発，事業化，産業化の四つに分類したとき，事業化から産業化を達成し，企業の業績に貢献するためには，新市場の立上げや競合製品の登場などの障壁がある。この障壁を意味する用語として，最も適切なものはどれか。

ア　囚人のジレンマ　　**イ**　ダーウィンの海

ウ　ファイアウォール　　**エ**　ファイブフォース

正解　イ

解説　p.139より、事業化から産業化を達成したあとの障壁は、「ダーウィンの海」とされます。

問題⑧

ITパスポート試験 生成AIに関するサンプル問題

生成AIの特徴を踏まえて，システム開発に生成AIを活用する事例はどれか。

ア　開発環境から別の環境へのプログラムのリリースや定義済みのテストプログラムの実行，テスト結果の出力などの一連の処理を生成AIに自動実行させる。

イ　システム要件を与えずに，GUI上の設定や簡易な数式を示すことによって，システム全体を生成AIに開発させる。

ウ　対象業務や出力形式などを自然言語で指示し，その指示に基づいてE-R図やシステムの処理フローなどの図を描画するコードを生成AIに出力させる。

エ　プログラムが動作するのに必要な性能条件をクラウドサービス上で選択して，プログラムが動作する複数台のサーバを生成AIに構築させる。

正解　ウ

解説

ア 生成AIを使って開発プロセスを自動化する説明です。必ずしも「生成」を伴わず、通常のDevOpsツールで実現できます。

イ GUI上の設定や数式によりシステム全体を生成することを述べています。生成AIがシステム全体を開発するには、より具体的な要件やコンテキストが必要であり、現在のAI技術では非常に困難です。

エ 生成AIがクラウドサービス上でサーバを構築する説明です。AIが環境を自動でセットアップすることは可能ですが、「生成AI」の概念とは異なります。

問題❾ R6-問4

従来の金融情報システムは堅ろう性が高い一方，柔軟性に欠け，モバイル技術などの情報革新に追従したサービスの迅速な提供が難しかった。これを踏まえて，インターネット関連技術の取込みやそれらを活用するベンチャー企業と組むなどして，新たな価値や革新的なサービスを提供していく潮流を表す用語として，最も適切なものはどれか。

ア オムニチャネル　　**イ** フィンテック

ウ ブロックチェーン　　**エ** ワントゥワンマーケティング

正解　イ

解説

ア オムニチャネル：複数の販売チャネルをシームレスに利用できるようにする販売手法。(p.58)

ウ ブロックチェーン：デジタル台帳技術。各ブロックに複数のトランザクションが記録され、一度記録されたデータは改ざんが非常に困難。

エ 1to1 マーケティング：顧客個別にパーソナライズされたマーケティング活動を展開する手法。(p.57)

マネジメント系

Chapter 6

システム企画～要件定義プロセス

本章の学習ポイント

- システム企画～廃棄までの一連の流れをSLCPという。
- 開発スケジュールは人件費をはじめとしたコストに影響する。
- プロジェクト推進は、予測できるリスクに備える。
- システム監査は、適切な情報システム設計・運用を監督する業務。
- 要件定義プロセスは、ビジネスと開発の齟齬をなくす業務。
- 調達業務ではベンダー企業の適切な選定が重要。

マネジメント系 15分 ★★★

Chapter 6

01 マネジメント系を学ぶ前の知識

解説動画▶

システム関連業務を管理する

- マネジメント系では、企業組織でシステム開発を行うための業務を学習する。
- ソフトウェアライフサイクルプロセスは、ソフトウェアの企画段階からシステム廃棄に至るまでの業務工程。

ITパスポート試験のマネジメント系分野

Chapter6・7はマネジメント系分野です。ITパスポートのマネジメント系分野は、**ストラテジ系とテクノロジ系が目指す次の2つを実現するための業務知識**が問われます。

- 企業が利益を伸ばすための**戦略**を立てる（ストラテジ系分野）
- 実現したいことを**技術**によって解決する（テクノロジ系分野）

ITパスポートでいうマネジメントとは？

ITパスポート試験のマネジメント系分野では、**システム開発に関連する業務をマネジメントする知識**が問われます。「マネジメント」という言葉から、部長職となる「マネージャ」業務をイメージする方も多いですが、人材を管理する「マネージャ」業務の知識範囲ではないため注意しましょう。

マネジメント系分野の登場人物

ストラテジ系分野（Chapter1～5）では、企業の利益最大化について学習しました。マネジメント系分野（Chapter6、7）では、**利益最大化のための手段**としてシステムをつくる**発注元企業**と**ベンダー企業**の業務のやりとりを学習します。この２つの企業を混同しないように学習を進めましょう。

- **発注元企業**：つくりたいシステムの方針を決定し、システム開発を発注する。
- **ベンダー企業**：システム開発を中心に行う。

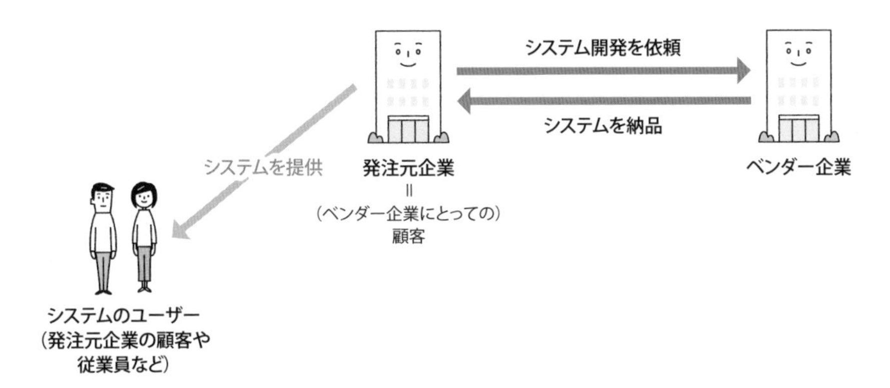

発注元企業は、ベンダー企業にシステム開発を発注し、**ベンダー企業**は、発注元企業からの依頼でシステム開発をします。開発が完了すると、システムは発注元企業に**納品**されます。納品後は、発注元企業がシステムを**運用**します。

開発されたシステムは、**発注元企業の従業員がユーザーとなるケース**や、**発注元企業の顧客となる一般消費者がユーザーとなるケース**など、さまざまです。

ソフトウェアライフサイクルプロセス

ソフトウェアライフサイクルプロセス（Software Life Cycle Process：SLCP）とは、ソフトウェアの**企画**から、**要件定義**、**システム開発**、**保守・運用**を経て、**システム廃棄**に至るまでの一連の工程を示します。

本書では、ソフトウェアの品質を保ちつつ、効率的に業務を進行するための知識として、次のプロセスごとに学習します。

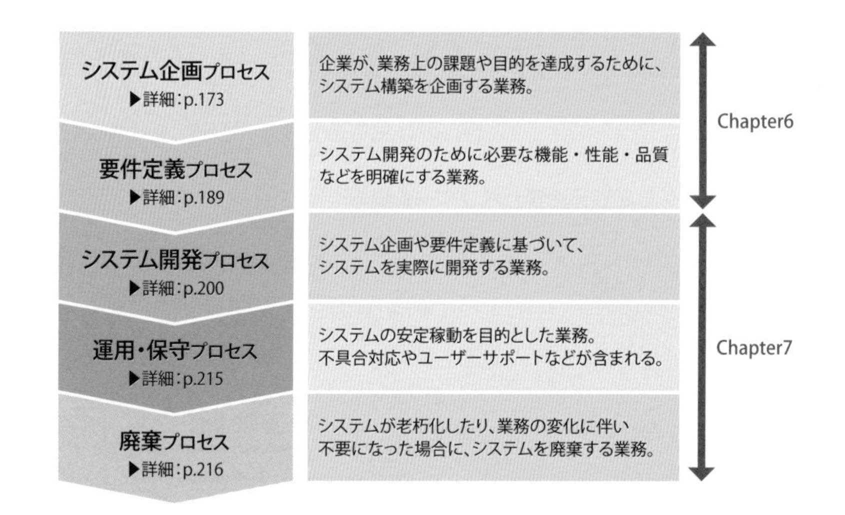

マネジメント系分野で学習するさまざまなプロセス

マネジメント系分野では、ソフトウェアライフサイクルプロセス（SLCP）の順に業務の全体像をつかみます。学習を進める際、次表を参考に**自分がどのプロセスを学習しているのか**迷子にならないよう業務知識を深めましょう。

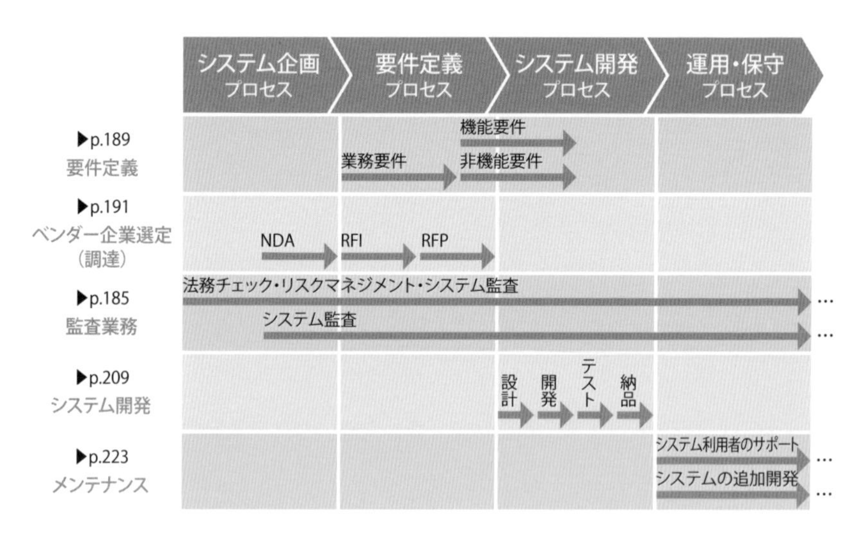

02 企画プロセスとは

プロジェクト進行のためのプロセス

- プロジェクトは企業の目的を達成するため、開始〜終了までを定義した期限ありの業務。
- 企画プロセスでは、システム化構想プロセスとシステム化計画プロセスに分けて検討を進める。

企画プロセスで押さえること

ITパスポートは、企業の情報システムの開発について、基本的な知識があるかが問われる試験です。企画プロセスでは、企業組織内の関係者全員が合意してシステム開発に進めるよう、次の業務に取り組みます。

- プロジェクトの立ち上げ・推進
- リソース配分（QCD / 開発計画）（p.177）
- リスクの先読み・回避（p.184）
- 監査による法律・セキュリティ・品質の適応確認（p.185）

プロジェクトとは

プロジェクトとは、企業組織の目的を達成するために取り組む、開始〜終了までが明確に定義された業務の1単位です。

PMBOK

プロジェクトマネジメントのガイドブックとして、実務事例をまとめた知識集にPMBOK（Project Management Body of Knowledge）があります。PMBOKでは、**10個の基本知識を活用し、5つのプロセス**を管理することが明示されています。

10個の知識エリア	**スコープ、スケジュール（時間）、費用（コスト）、品質、調達、人的資源、コミュニケーション、リスク、ステークホルダ**など、これらを**統合**して、プロジェクト全体を調整・管理します。
5つのプロセス	プロジェクト推進のための **開始 → 計画 → 実行 → 監視・制御 → 終了** の主要な活動の過程を示す。

プロジェクトマネージャ

プロジェクトの進行・管理を行う人です。企業組織の上層部から任命されるケースや、社内で企画を立案した人がプロジェクトマネージャになるケースもあります。

プロジェクトの組織体制

プロジェクトの推進において、組織体制（業務の役割分担）を明確にし、伝達経路を整えることは非常に重要です。**誰が・何をするべきか、情報伝達をどうするか、**などプロジェクトの役割分担や情報を整理・管理することは、プロジェクトの成功を大きく左右します。一般的には次の図のように、プロジェクトマネージャを中心とした組織体制をつくります。

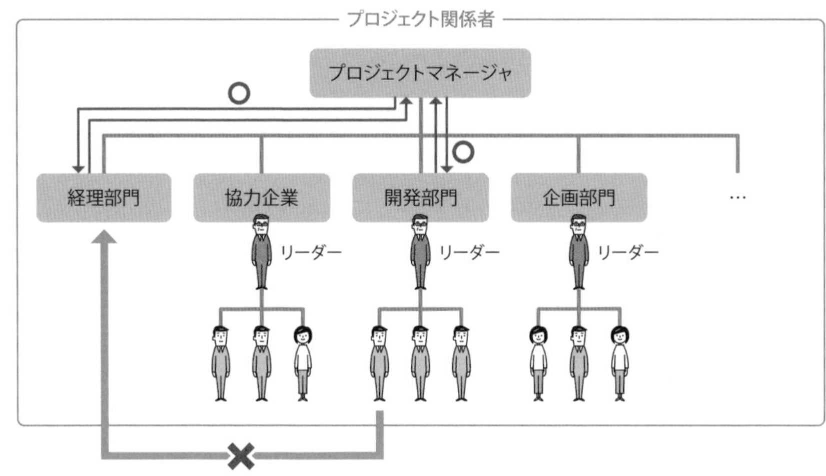

企画段階で重視すること

企画プロセスで最も重要視されることは、システム企画から完成までにかけた金額よりも、売上は高くなるのか、利益が増えるのかという点です。
企業活動の目的は利益の最大化です。システムを稼働させるためにかかるコスト総額を、**TCO**（**Total Cost of Ownership**）といい、システムの**ROI**（投資対効果/p.72）の見立てはシステム開発を実行する上で重要な観点です。

企画プロセスで重要な2つのプロセス

企画プロセスは、新しいシステムを開発・導入する際のシステム化の方針と実施計画をまとめる業務です。**システム化構想プロセス**と**システム化計画プロセス**の2つからなります。

システム化構想プロセス

市場・競合などの事業環境を分析し、経営上のニーズや課題を解決するために、新たな業務の全体像とそれを実現するシステムの構想、推進体制を立案します。具体的には、目的・課題整理、市場・競合分析などを行います。

企業Aの新規ビジネスの例

ゲームアプリを開発することが企画された場合、次のようなことを決めます。

- すでに市場にある競合しそうなゲームアプリを調査する。
- 競合と差別化できるアプリやビジネスの特徴を決定する。
- ゲームの対象年齢のうち、年間何人がプレイしてくれるのか、市場規模から調査する。
- 年間のプレイ人数のうち、何%が課金ユーザーとして遊んでくれるのか調査する。

システム化計画プロセス

システム化計画とプロジェクト計画を明らかにしてステークホルダの合意を得ます。企画の全体像を明らかにすることで、企業にとっての企画の**有効性や投資効果**を明確にします。具体的には、全体スケジュール、開発体制、予算、費用対効果、リスク分析などを行います。

企業Aの新規企画の例

投資予算が5,000万円と決定された場合、次のようなことを決めます。

- 5,000万円に収まる開発スケジュールや人員配置を決定する。
- 年間の課金ユーザー数や課金金額から、売上見込みを予測する。
- 売上見込みから、投資予算5,000万円の回収見込みが何年後になるかを見立てる。

Chapter 6

03 スケジュールを見積もる

解説動画▶ 

スケジュールは開発費用に直結する

- スケジュールの正確な見積もりは、費用・品質に影響する。
- 開発工数とは、システム開発にかかる人数や時間のこと。
- アローダイアグラムは、作業計画の手順を可視化したもの。

プロジェクトとスケジュール

スケジュールの正確な見積もり・管理は、プロジェクトの成功に大きく影響します。その理由はスケジュール（納期）が、システムの費用・品質に結びつくためです。

QCD

プロジェクトマネジメントのQCDとは、次ページの3つの頭文字をとった指標です。

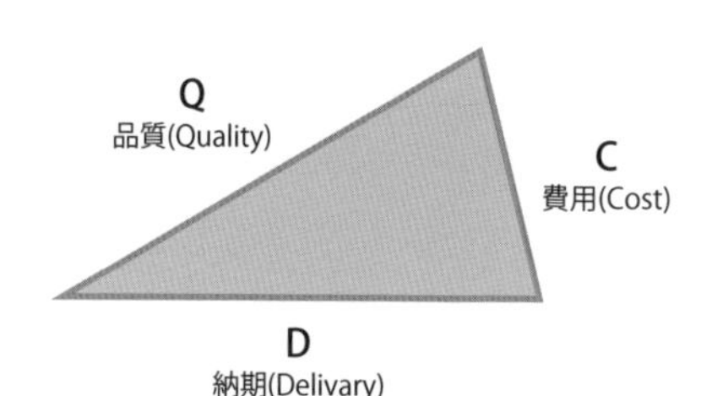

- 品質（Quality）は高く
- 費用（Cost）は安く
- 納期（Delivery）は早く

通常、品質を高くつくるほど、費用や納期はかさんでゆき、反対に、費用を抑えようとすると、品質は下がる、といった傾向があります。

システム開発でも牛丼屋さんの定番文句でも**「旨い！安い！早い！」**のQCDの観点が重要視されますが、どれか1つの指標を優先すると、他の指標に影響するトレードオフの関係にあります。プロジェクトマネージャは、これらのリソースに無駄がないよう、システム開発計画を綿密に行います。

スケジュールを見積もる手法

スケジュールを見積もるには、開発工数（開発に必要な人数と時間）と開発規模（作成するシステムの複雑さ）の2つの要素を検討します。

開発工数

開発工数とは、システム開発作業にかかる人数と時間のことです。エンジニア1人が1か月稼働することを1人月といいます。主に**何人でどのくらいの時間をかければシステムが完成するか**を測る指標に使用されます。

4人で20［人月］の工数がかかると見積もられたシステムの一例

4人 × 5か月 = 20［人月］

ファンクションポイント法

ファンクションポイント法とは、ソフトウェアの開発規模を測定する一手法で、ソフトウェアの機能や技術的難易度をもとに開発工数を見積もります。1,000行規模のソースコードを記述することを1,000ステップといいます。

システム規模が5万ステップのシステムをエンジニア10人で開発する一例

500［ステップ/人月］×エンジニア10人 x 10ヶ月 = 50,000ステップ

アローダイアグラム

アローダイアグラム（Arrow Diagram）とは、**作業計画を立てるときに利用する**手順を可視化した図です。

プロジェクトマネジメントにおいて、タスク（ノード：作業点）同士の依存関係を示し、どのタスクをいつまでに開始（または終了）するべきかを視覚的に整理できます。

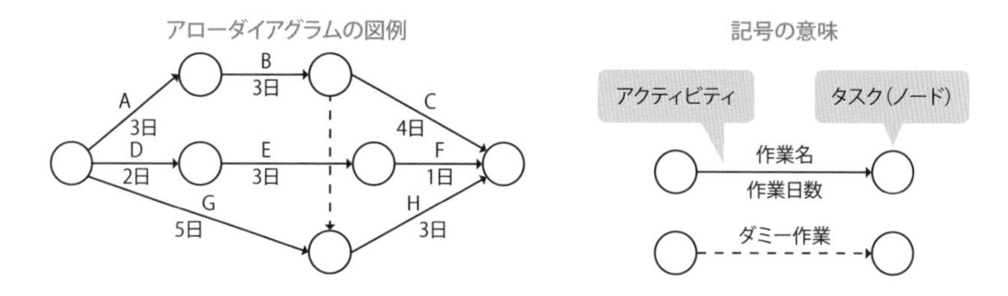

記述方法

- タスクを結ぶ矢印をアクティビティといいます。作業名と作業日数を記載します。上左図でA〜Hが作業名です。
- 点線の矢印をダミー作業といいます。作業としては何も行わない経路ですが、タスク同士の依存関係（順序）を示すために使われます。上左図の場合、作業Gが終わっても、作業Bが終わっていなければ、作業Hには進めません。

上図の場合、作業の流れとして、次の３つの工程に分けて考えることかができます。

- 経路1：A→B→C＝（3+3+4）日＝合計10日
- 経路2：D→E→F＝（2+3+1）日＝合計6日
- 経路3：G → H　＝（5+1+3）日＝合計9日（ダミー作業待ちを含む）

クリティカルパス

クリティカルパスとは、プロジェクト全体を最も長くする経路のことです。先の例では、経路１がクリティカルパスです。作業全体を完結させるために、最もクリティカル（致命的）な作業経路を表し、クリティカルパスのどこかが遅延するとプロジェクト全体のスケジュールが遅れることになります。

スケジュール管理の手法

WBS

WBS(Work Breakdown Structure:ワークブレークダウンストラクチャー)作業（タスク）を分解して構造化した図を意味します。プロジェクトを**実行可能な小さな単位に分解して、１つひとつの作業を管理**しやすくします。

下図の左側がWBSとして示され、担当者やスケジュールなどを明記します。

ガントチャート

ガントチャートとは作業計画を可視化した図表です。プロジェクトを推進するために、「いつ」「誰が」「何を」作業するかを図示することで**遅延とその原因を特定**しやすくなります。

下図の右側部分がガントチャートとして示されます。

	担当者	開始日	終了日	1	2	3	4	5	6	7	8	9	10	11
企画の要件定義														
市場調査・分析を行う	石井	5/10	6/20											
企画のビジネス要件を定義	鈴木	6/21	7/30											
予算とスケジュールの見立て	鈴木	7/31	8/10											
社長決裁	鈴木	8/11	8/15											
サービスの要件定義														
業務要件を定義	山田	8/20	9/20											
機能要件・非機能要件を定義	山田	9/1	9/20											
システム開発														
開発要件・仕様を決定する	伊藤	9/21	9/30											
画面デザインをつくる	斎藤	10/1	10/20											
テストケースを決定する	伊藤	10/1	10/20											
ソフトウェアの実装														
コーディング・単体テスト	田中	10/21	12/1											
コーディング・結合テスト	山田	11/15	12/31											
テスト	伊藤	1/5	1/20											
本番環境に反映（リリース）	伊藤	1/20	1/23											
ユーザーサポート体制をつくる														
SLAの策定・FAQページの準備	寺田	11/1	1/20											
ユーザー問い合わせ受付開始	寺田	1/23	1/23											

WBSでのタスク　　ガントチャートによる作業計画

04 リスクマネジメント

解説動画▶

問題を最小限に抑える行動

- リスクとは、日本語で「危険や悪い事象が起こる恐れ」という意味。
- リスクマネジメント業務では、リスクを予測・管理する。リスクを最小限に抑え、予期せぬ問題が発生した場合も迅速に対応する。

リスクマネジメントとは

リスクマネジメントは、プロジェクトに発生する予期せぬ問題や困難（リスク）の影響を最小限に抑える活動です。

プロジェクトでは、すべての業務が計画通りに進むとは限りません。技術的な課題、要件や仕様変更、予算オーバー、作業遅延など、プロジェクトの成果物に直接影響するリスクに対応する準備が必要です。

リスクマネジメントでは、**悲観的に準備して、楽観的に対処する**という、重要な考え方があります。この世に未来予知能力がある人はいないため、可能な限りのリスクを想定・対策することで、問題が発生しても、焦ってミスをするといったマイナス行動を予防できます。

リスクマネジメントの出題分野

リスクマネジメントは、マネジメント系分野だけではなく、テクノロジ系の情報セキュリティ分野（p.403）にも関係します。データ漏洩、システムのダウンタイム、サイバー攻撃など、情報資産の保護にも共通する考え方です。

リスクマネジメントの全体像

リスクマネジメントは、国際規格ISO（31000）でも組織が参照すべき枠組みとして提供されます。

問題が起きる前に、リスクのパターンと影響を予測します（リスクアセスメント）。実際に問題が起きた場合には、リスク対応策により対処します。

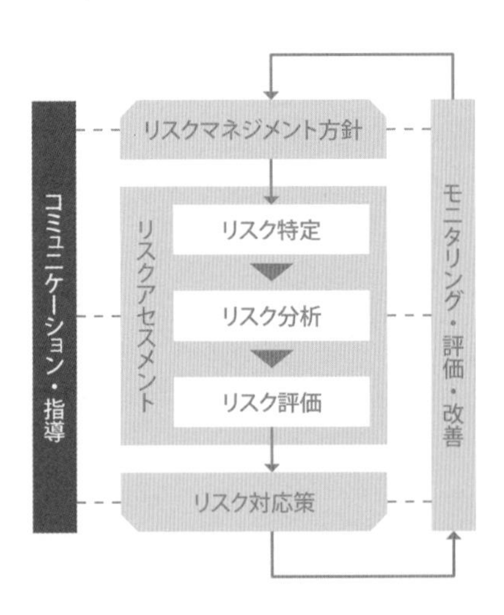

リスクアセスメント

リスクアセスメント（risk assessment：リスク査定）とは、リスクを特定し、潜在的な影響と発生確率を評価することです。

リスクアセスメント	説明
リスク特定	リスクによって、どんな事象が起きるかを把握する。
リスク分析	リスクの性質を理解し、起きたときの規模を想定する。
リスク評価	リスク分析の結果から、損害発生時の対応基準や優先順位を定める。

● リスクアセスメントの事例

例えば、新型の業務システムを導入するというプロジェクトのリスクアセスメントは、次のようになります。

	リスク・事例1	リスク・事例2	リスク・事例3
リスク特定	新型システムの導入で業務フローが大きく変わり、**一時的に業務遅延**が生じるかもしれない。	新型システムにスタッフが慣れないことで、**作業ミス**が増えるかもしれない。	新型システムが想定通りの**性能（効果）を発揮しない**かもしれない。
リスク分析	業務遅延が生じた場合、影響は大きいが発生確率は中程度。	作業ミスが増えた場合、その影響は中程度で発生確率も中程度。	システムが想定を下回る性能だった場合、その影響は非常に大きい。
リスク評価	導入初期の業務遅延は、運用開始1か月以内と見積もり、それ以降も遅延が見受けられる場合は詳細な原因調査を行う。	導入開始前から、スタッフへの新型システムの運用勉強会を開催する。	事業の運営に大きな影響を及ぼす可能性がある。 その場合は、従来利用していたシステムに切り戻して対応できるように準備する。

リスク対応策

リスク対応策では、リスクアセスメントで明確にしたリスクに対してどのように対応するのかを決定します。リスク対応策は4項目あり、影響度の大小・発生確率の大小で方針を決定します。

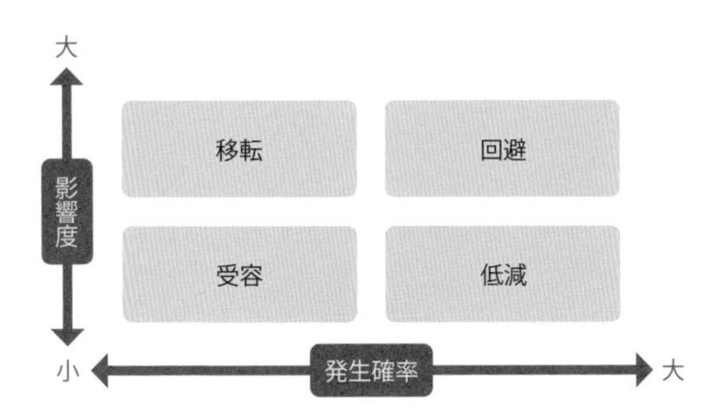

対応策	説明	事例
リスク回避	リスクが発生する原因を排除すること	最先端のAIシステムの導入により業務改善を検討したが、AIの精度に左右され、業務内容によってうまく機能しないリスクがあったため導入を見送った。回避により、問題が起きないように**安全を優先**できるが、**本来得たかったリターンも得られなくなる**。
リスク低減	リスク対策を講じることにより、脅威発生の可能性を下げること	あるシステムで、個人情報の漏えいリスクが特定されたため、データを暗号化する対応で**リスクを低減**した。万が一、データ漏洩しても、暗号化されていれば、本質的な情報を守ることができる。
リスク移転	リスクを他者に移転すること	リスク移転の代表例は、**損害保険**。もしも、火災でオフィスが無くなるリスクがあるならば、毎月一定金額の保険料を負担して、将来のリスクに備える。事業運営のリカバリーを金銭で解決するため、損害に対して保険金を受け取り、リスクを移転する。
リスク受容	リスクのもつ影響が小さいため、対策せずに**許容範囲として受容**すること	企業が管理するWebサイトの１つが、古くから存在していて、一定の脆弱性があった。サイトの更新作業にはコストも時間もかかり、現在はアクセス件数も非常にわずかであることから、サイト更新は見送る判断をした。

05 システム監査とは

情報システムを監視・審査する業務

- 監査とは、企業組織のビジネスが適切に機能しているか、専門家（監査人）が評価すること。
- レピュテーションリスクとは、企業組織の評判が悪化することで生じる潜在的な経営リスクのこと。

監査とは

監査とは、企業組織のビジネスが適切に機能しているかを専門家（監査人）が評価することです。法律に即した業務運用、改善のためのフィードバック、信頼性の確保などが目的となります。

業務監査	ビジネスの業務が効果的に機能しているか、リスク管理が適切に行われているかを評価します。業務改善、コスト削減、リスク管理・緩和を行います。
会計監査	企業の財務情報が会計基準や法律に適合しているかを評価します。ステークホルダに向けて、企業の財務情報が正確であることを保証します。
システム監査	システムの設計・開発・運用が、組織にとって適切に機能するかを評価します。セキュリティ、データ保護、システムのパフォーマンス、法令遵守などを検証します。

このうち、ITパスポート試験のマネジメント系分野で主に問われるものは、システム監査です。

システム監査が必要な理由

プロジェクトの進行はプロジェクトマネージャにより推進されます。一方、プロジェクトが問題なく進行していることを**プロジェクトマネージャ自身が証明し続けることには限界**があります。
そこで、システム監査という第三者の目線を借ります。監査によってプロジェクト全体の調査・評価を受けることは、企業の透明性や信頼性を高める有効な手段とされています。

監査人とは

監査人は、企業活動に法律やセキュリティの観点で問題がないかを監視・審査する業務をする人です。監査人にとっても完璧な正しさを証明することは不可能なため、正しさの「お墨付きを与える」のみにとどまります。

システム監査人の場合、システム開発プロジェクトに関連しない専門家がシステムを客観的に調査・評価します。システムに何らかの問題が発見された場合は、問題が指摘されます。企業組織は指摘を受けて、システムを適切に修正します。

システム監査の役割

ITガバナンス

ITガバナンス（IT Governance：ITの統制）とは、企業が組織の価値を高めるために情報システム戦略の策定と実現に必要な組織能力のことです。

レピュテーションリスク

レピュテーション（Reputation：評価・評判）リスクとは、企業組織の評判が悪化することで生じる潜在的な経営リスクのことです。

例えば、システム障害が起きた場合、システムが使えない期間はユーザー（顧客）に迷惑をかけることになり、障害発生による企業の評価・評判も下がる事態に陥（おちい）ります。これにより、新規受注が激減し、業績が悪化するというリスクが考えられます。

システム監査は、こうした観点からも、企業やシステムを適正に評価し、是正に導きます。

システム監査の業務

システム監査基準

システム監査基準は、システム監査の品質を確保し、有効な監査を行うためのシステム監査人の行為規範です。

外観上の独立性	第三者から見ても監査対象企業や関係者との間に利害関係がないことが求められる。 **NG例：**監査人が、監査対象企業の株を大量に保有する。この場合、監査人の独立性に疑問が持たれる可能性がある。
精神上の独立性	システム監査を行う際に、偏った判断をせず、常に公正かつ客観的に監査判断を行わなければならない。 **NG例：**監査対象企業の社長が過去に女性スキャンダルを起こしため、通常より厳しい監査報告書を作成した。
職業倫理と誠実性	高い職業倫理を持ち、誠実に業務を行う。次のような点が求められる。 ・真実を歪めることなく、公正かつ正確に監査業務を行う ・不正や違法行為を見逃さない **NG例：**監査人は、ソフトウェアベンダーから「不正使用が見つかった場合の報奨金」の提案を受けた。監査人は、報奨金を受け取るために、監査企業で不正があったと虚偽の報告をし、企業に高額な罰金を支払わせる結果をもたらした。

内部監査・外部監査

監査業務は、業務やプロジェクトとは直接関係のない第三者の専門家が行います。企業組織の担当者と、外部の担当者の2種類に分類されます。

内部監査	企業組織の社内の独立した部署で行われる監査。企業組織を熟知した担当者が、業務効率・リスク評価・内部統制の確認・コンプライアンス遵守などに焦点を当てて監査する。
外部監査	外部の専門家によって行われる監査。企業組織から業務を依頼され、監査する。法律を守っているか、社会から見て問題ないかを評価し、結果をステークホルダに向けて公開する。

内部統制

内部統制とは、企業組織が自身で設定した適正に業務を行うためのルール・仕組みのことです。**業務効率・法令遵守・資産の保全**など、企業を動かす基準となります。

内部統制は、4つの目的と6つの基本要素にまとめられます。

4つの目的

業務の有効性及び効率性	業務にあたり、時間・ヒト・モノの効率を考え、コストを軽減する。
財務報告の信頼性	多数のステークホルダに、企業の財務状況を正しく報告する。
事業活動に関わる法令等の遵守	会社や社会に損害を与えないため、法令遵守・コンプライアンスに適応した行動をする。
資産の保全	会社の資産の入手・管理は、適正に行う。

6つの基本要素

統制環境	「組織内のすべての者の統制」を意味する。経営者や従業員の中に**ルールを守る意思がない者がいれば、優れた仕組みの効果が損なわれる。** 例：売上への強いプレッシャーを従業員に与えると、内部で不正・虚偽の報告が起こりやすくなる。
リスクの評価と対応	企業組織の**目標達成に影響を与える事象（リスク）**について、要因を識別し、分析・評価する。 例：世の中でSDGsの活動が盛んになり、競合劣位を避けるために、自社でも取り組みをアピールすることで顧客の信頼を厚くする。
統制活動	経営者の**命令・指示が適切に実行されるよう、仕組み**をつくる。 例：従業員の横領を防止する仕組みとして、パソコンを持ち出す際は、総務に申請し、許可された期間内だけ利用できる仕組みを用意する。
情報と伝達	必要な情報が識別、把握及び処理され、組織内外及び関係者相互に正しく伝えられる環境を確保する。 例:経営者の考え方が、すべての従業員に正しく伝達されるようにする。
モニタリング	内部統制が常に機能しているか、定期的にチェックする。 例：上司・部下間で業務報告が適切にされているかを正しく評価する。
ITへの対応	IT化されている業務・作業であっても、**システムに不備があれば不適切な処理**をされる恐れがある。これを避けるため、IT化した業務にも内部統制を適用する。 例：経理部が新しく導入する会計ソフトについて、効率的かつ有効に活用可能か社内で検証を行ってから実運用する。

06 要件定義プロセス

解説動画▶ 

システムが満たすべき要求や条件

- 要件定義プロセスでは、業務要件を明確にし、機能要件・非機能要件を決定する。
- システム要件とは、システムが業務をこなすために必要な仕様を詳細に記述したもの。

要件定義プロセスの手順

要件定義プロセスでは、業務要件を明確にした後、これに沿ってシステム要件（機能要件・非機能要件）を決定します。

業務要件
ユーザーがシステムで実現したい業務を明確にする。

システム要件
業務要件で定められた内容を実現するため、システムに求められる機能・性能を明確にする。

機能要件
システムが持つべき機能を決定する。

非機能要件
システムが持つべき品質や性能の要件を決定する。

業務要件

業務要件は、システム化の対象となる業務の要件を明確にしたものです。システムで実現すべき要件を洗い出すため、ユーザーが実際に業務で利用するシーン・流れ・情報を整理します。また、システム化する範囲としない範囲も定めます。

システム要件

システム要件は、業務要件を満たすシステムの仕様を細かく記述したものです。

機能要件（Functional Requirements）

機能要件は、システムが具体的に持つ機能を明確にしたものです。ECサイトであれば、アカウント管理や商品管理、購入手続きなどの機能を持ち、そのために必要な画面やデータの流れなどを決めていきます。

非機能要件（Non-Functional Requirements）

非機能要件は、システムの品質・性能に関わる要件のことです。機能面以外にシステムに求める要件となり、稼働率・効率性・セキュリティなどを決定します。システム利用者には認知されづらい機能以外の要件であるため、非機能要件に分類されます。

共通フレーム

システム開発は、複雑かつ多くの手順が必要であるため、共通フレームを利用して、手順や業務を標準化します。共通フレームとは、国際規格ISO/IEC 12207を日本独自に拡張したガイドラインで、効率的よくシステム開発を行うための「共通の枠組み」として利用できます。

マネジメント系 15分 ★★★

Chapter 6

07 調達業務

解説動画▶

必要なシステムなどを取得する活動

- システム調達業務は、必要となるITシステムや関連サービスを外部企業から取得する業務。
- RFIは「ベンダーが提供する製品・技術」を知るための作業であり、RFPは「具体的なニーズへの提案」を求める作業である。

調達

システムを調達する業務とは、企業組織が必要とするITシステムや関連サービスを外部企業から取得するための活動です。ITパスポート試験のマネジメント系分野では主に、ベンダー企業のリソースを調達し、システム開発する業務について問われます。

「調達」が示す業務の事例

- 企業組織が必要とするITシステムや関連サービスを外部企業から取得すること
- サーバやストレージ、ネットワーク機器などシステム構築機器を用意すること
- クラウドサービスを利用契約し、システム構築すること（Chapter13で説明）
- その他システム開発か否かに関わらず、必要な部品やサービス、専門知識を外部の専門家から購入すること

● システム開発での調達業務

システム開発での調達業務は、システムの発注元企業が、システム開発が可能な企業を選定・契約し、**外部からシステムを導入するまでの流れ**を示します。

調達業務が発生するタイミングは、システム発注元企業で、ある程度の企画が固まった段階です。システム発注元企業が内部に開発組織を持たない限り、次のプロセスを経てベンダー企業にシステム開発業務を発注します。

企画	企画プロセスの内容を固める。 ビジネスモデルの設計、業務ニーズの検討、予算の決定など
市場調査	市場に公開されたベンダーの製品・サービス情報を収集する。 候補となるベンダー企業とNDAを締結し、企画情報を共有する。
RFI/RFP	システムを企画した企業は、ベンター企業の候補にRFI/RFPを送付する。 ベンダー企業候補は、これに応じた資料提供・プレゼンを行う。
提案・評価	ベンダー企業候補の提案資料などを評価し、適切なベンダー企業を選定する。
契約	システムを企画した企業と、ベンダー企業の双方が合意できるよう 契約を締結する。双方の権利・義務、役割分担などが決定される。

業種業態や契約内容により、順番が前後したり、上記の項目と異なったりするケースもあります。

調達業務はなぜ重要？

企業が決めたシステム企画・要件を実際に具現化するのはベンダー企業です。このとき「ベンダー企業なんてどこも一緒でしょ？」と考えて、テキトウに担当企業を決めるのはNGです。

- **お願いしたのに、全然違うものができあがった**（スキル不足・コミュニケーション不足）
- **高い金額を払っているのに、何度もスケジュール延期になる**（リソースや計画力がない）

など、ベンダー選びは、システムの品質にはじまり、企業の命運も左右します。また、ここで選んだベンダー企業は、その先にある保守・運用プロセスの体制に組み込まれるケースもあり、長期間のお付き合いとなることが前提です。そのため、調達業務におけるベンダー企業の決定は、基準や根拠を明確に、慎重に行われます。

NDA

NDA（Non-Disclosure Agreement：機密保持契約）とは、事業上の秘密を漏らさないよう法的な約束を交わす契約書のことです。**企業間で提案を受け渡す際、互いに知り得た情報を外部に漏らさないよう、書面によって締結します。**

NDAは、発注元企業からベンダー企業に出すだけのものではありません。ベンダー企業も自社の大切な情報を提供する立場となるため、ベンダー企業にとっても、自社の提供情報は漏らさないでほしいものとなります。

そのため、NDAは発注元企業側だけではなく、ベンダー企業側にとっても重要です。

RFI・RFP

RFIとRFPは、発注元企業がベンダー企業から情報を得るために渡す文書です。**RFI**はベンダーが保有する製品・技術を知るためのものとなり、**RFP**は具体的なニーズに対する提案を求めるものです。適切なベンダー企業の選定のために、重要なステップとなります。

	RFI	RFP
目的	ベンダーが保有する製品・技術の情報収集	具体的な提案や見積もりの収集
内容	一般的な企業情報、ベンダーの能力、技術の概要	詳細なプロジェクト内容、予算やスケジュール
使用時期	初期の情報収集段階	具体的なソリューションや提案が必要な段階
決めること	ベンダーの選定	詳細な提案、見積もり、技術仕様

RFI

RFI（Request for Information：情報提供依頼書）とは、**ベンダー企業への仕事の依頼を検討する初期段階**で、発注元企業がベンダー企業に提出する文書です。RFIは、発注元企業がベンダー企業の基本情報、技術情報、製品情報などの詳細情報を収集する目的で提出します。

RFP

RFP（Request For Proposal：提案依頼書）は、**発注元企業がベンダー企業に対し、システムの具体的な提案や、予算・スケジュールなど**についての提案をしてもらうための文書です。

システム化を実現してくれそうなベンダー企業をある程度絞ったのち、発注元企業は発注先候補のベンダー企業に、より詳細な希望を伝えます。

この段階で発注条件を明確にすることで、納品後のシステムの品質などに影響するトラブルがあった場合の証拠として利用できます。

ベンダー企業決定後の契約締結

ベンダー企業の決定後は、次のような契約を結ぶことになります。Chapter3でも学習したように、業務の範囲などを契約書によってあらかじめ決定し、認識の違いがないようにしておきます。

契約の種類	説明
業務委託契約 （またはサービス契約）	特定の業務やサービスをベンダーに委託する際に締結される。契約には、業務の内容、報酬、納期、品質基準などが明記される。
システム開発契約	システムの設計、開発、テスト、導入などの一連の業務をベンダーに依頼する際に締結される。開発の範囲、仕様、納期、コスト、品質基準、変更管理手順などが詳細に記載される。

試験問題にチャレンジ

問題❶ H26秋-問26

監査役の役割の説明として，適切なものはどれか。

ア 公認会計士の資格を有して，会社の計算書類を監査すること
イ 財務部門の最高責任者として職務を執行すること
ウ 特定の事業に関する責任と権限を有して，職務を執行すること
エ 取締役の職務執行を監査すること

正解 エ

解説 監査役は、取締役の職務執行を監査し、株主の利益を守る役割を担います。取り扱う情報の信頼性を確保し、ステークホルダ（投資家、取引先、従業員など）に対する透明性を高めます。また、不正行為や誤りを発見し、企業のガバナンスや内部統制の向上を促進します。

問題❷ H30秋-問21

X社では，現在開発中である新商品Yの発売が遅れる可能性と，遅れた場合における今後の業績に与える影響の大きさについて，分析と評価を行った。この取組みに該当するものとして，適切なものはどれか。

ア ABC分析　　**イ** SWOT分析
ウ 環境アセスメント　　**エ** リスクアセスメント

正解 エ

解説 リスクアセスメントは、将来起こりうるリスクを特定し、そのリスクの発生確率と影響度を評価・分析して、対応策を検討するプロセスです。X社では、新商品Yの発売遅延というリスクを特定し、その影響度を分析・評価しているため、リスクアセスメントに該当します。

問題❸ R5-問37

システム監査人の行動規範に関して，次の記述中のa，bに入れる字句の適切な組合せはどれか。

システム監査人は，監査対象となる組織と同一の指揮命令系統に属していないなど，[　a　]上の独立性が確保されている必要がある。また，システム監査人は[　b　]立場で公正な判断をおこなうという精神的な態度が求められる。

	a	b
ア	外観	客観的な
イ	経営	被監査側の
ウ	契約	経営者側の
エ	取引	良心的な

正解　ア

解説 システム監査を行う上で、監査対象となる組織と利害関係がない状態であることが求められます。そのため、システム監査人は、監査対象となる組織と同一の指揮命令系統に属していないなど、外観上の独立性が確保されている必要があり、システム監査人は客観的な立場で公正な判断を行うという精神的な態度が求められます。

問題❹　R5-問41

次のアローダイアグラムに基づき作業を行った結果，作業Dが２日遅延し，作業Fが３日前倒しで完了した。作業全体の所要日数は予定と比べてどれくらい変化したか。

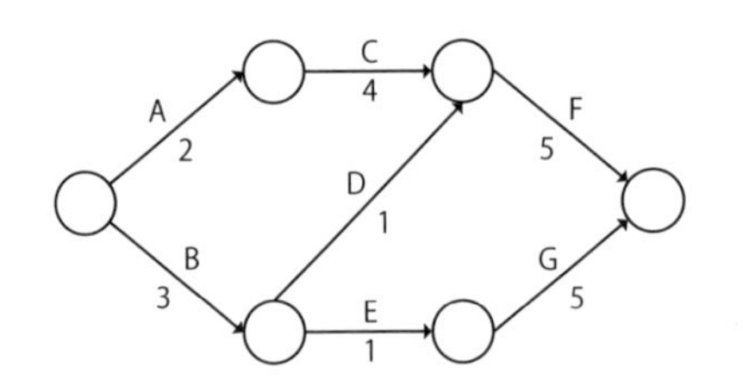

ア　３日遅延　　**イ**　１日前倒し
ウ　２日前倒し　　**エ**　３日前倒し

正解　ウ

解説 すべてのパスを挙げると、A→C→F、B→D→F 、B→E→G の３つとなります。これらはそれぞれ、所要日数を調べると次のようになります。

A→C→F … 2＋4＋5＝11日
B→D→F … 3＋1＋5＝9日

B→E→G … 3＋1＋5＝9日

当初予定の所要日数は、所要期間が最も多くなるパスです。そのため、11日で作業全体が完了するA→C→Fとなります。

作業Dが2日遅れ、作業Fが3日前倒しで完了すると、次のように所要日数が変わります。

A→C→F … 2＋4＋2＝8日

B→D→F … 3＋3＋2＝8日

B→E→G … 3＋1＋5＝9日

作業全体が終了するのはB→E→Gが終了する9日目です。そのため、当初予定の所要日数11日と比較して「2日前倒し」となることが分かります。

問題⑤ R5-問45

プロジェクトマネジメントでは，スケジュール，コスト，品質といった競合する制約条件のバランスをとることが求められる。計画していた開発スケジュールを短縮することになった場合の対応として，適切なものはどれか。

ア 資源追加によってコストを増加させてもスケジュールを遵守することを検討する。

イ 提供するシステムの高機能化を図ってスケジュールを遵守することを検討する。

ウ プロジェクトの対象スコープを拡大してスケジュールを遵守することを検討する。

エ プロジェクトメンバーを削減してスケジュールを遵守することを検討する。

正解 ア

解説 スケジュールの制約が短くなった場合、追加の資源を投入する（コストを増やす）ことで対応します。

問題⑥ R5-問50

内部統制において，不正防止を目的とした職務分掌に関する事例として，最も適切なものはどれか。

ア 申請者は自身の申請を承認できないようにする。

イ 申請部署と承認部署の役員を兼務させる。

ウ 一つの業務を複数の担当者が手分けしておこなう。

エ 一つの業務を複数の部署で分散しておこなう。

正解 ア

解説 内部統制での職務分掌とは、業務が適切に行われるよう業務担当者ごとに職責と権限を切り分けることです。申請者自身が承認できる場合、不正発生のリスクがあります。

問題❼ R5-問55

ソフトウェア開発の仕事に対し，10名が15日間で完了する計画を立てた。しかし，仕事開始日から5日間は，8名しか要員を確保できないことが分かった。計画どおり15日間で仕事を完了させるためには，6日目以降は何名の要員が必要か。ここで，各要員の生産性は同じものとする。

ア 10　　**イ** 11　　**ウ** 12　　**エ** 14

正解　イ

解説 10名が15日間かけて完成させる仕事なので、工数は次のように求められます。
10人×15日＝150人日　…①
8人が仕事開始日から5日間で終了できる工数は、8人×5日＝40人日　…②
5日目終了時点で残る工数を①-②として求めます。　150人日－40人日＝110人日
110人日を10日間で完成させるための必要人数は、次のとおりです。
110人日÷10日＝11人

問題❽ R6-問33

次の記述のうち，業務要件定義が曖昧なことが原因で起こり得る問題だけを全て挙げたものはどれか。

a. 企画プロセスでシステム化構想がまとまらず，システム化の承認を得られない。
b. コーディングのミスによって，システムが意図したものと違う動作をする。
c. システムの開発中に仕様変更による手戻りが頻発する。
d. システムを受け入れるための適切な受入れテストを設計できない。

ア a，b　　**イ** b，c　　**ウ** b，d　　**エ** c，d

正解　エ

解説 業務要件定義は、システムで実現すべき要件（操作や利用シーンのイメージ）が明確になっている必要があります。
a：不適切。企画プロセスの後に業務要件定義を決定する。
b：不適切。コーディングのミスはシステム設計の誤りが大きく影響する。
c：正しい。業務要件定義が定まっていないと、仕様変更が発生し後工程に影響する。
d：正しい。受け入れテストでは要件定義で決定したことが実現できているかも確認対象。

マネジメント系

Chapter 7

システム開発～運用・保守プロセス

本章の学習ポイント

- システム開発プロセスでは、プログラムを組むため外部設計や内部設計などを行う。
- テスト工程では、システムが要件どおりの仕様となっているかを確認する。
- 運用・保守プロセスは、開発完了後のシステム業務のこと。
- 「使い続けられる」システムを念頭に、サポートについて学ぶ。
- ファシリティマネジメントは、システムを維持・管理する業務のこと。

マネジメント系　15分　★★★

Chapter 7

01 システム開発プロセス

解説動画▶

システム開発のための情報設計

超効率ポイント

- システム開発は、システム設計→実装→テスト→納品の順に進む。
- 要件定義の後、システムの実装の前に行われる設計が外部設計と内部設計。
- システム設計時、UMLによりソフトウェア設計を行う手順を視覚的な情報とする。

システム開発の流れ

システム開発プロセスは、システム設計→プログラミング（実装）→テスト→納品の順に進みます。このプロセスを経て完了すると、ようやくシステムはユーザーに使われるものとして稼働します。

要件定義プロセス

工程	内容
システム設計 ▶本セクション	必要な機能や動作を明確にし、システムの全体像を設計します。
プログラミング（実装） ▶詳細：p.209	設計に基づき、コードを書いてシステムを実際に作成します。
テスト ▶詳細：p.212	作成したシステムが正しく動作するかを確認し、問題点を修正します。
納品 ▶詳細：p.214	システムが完成し、クライアントやユーザーに提供されます。

システム設計

システム設計とは、要件定義プロセスで決定した要件を満たすため、システムの構築や実装に移る前に設計図を作成することです。インタフェースの設計、アルゴリズムの設計、データベースの設計、アーキテクチャの設計など、多岐にわたります。

外部設計と内部設計

システム設計には、外部設計と内部設計があります。

外部設計（基本設計）

システムのハードウェア構成や操作画面、データの入出力情報などユーザーから見える部分を設計します。画面のレイアウト、ボタンの配置、エラーメッセージの表示方法など、システムがどのようなインタフェース（画面）を持ち、どのように操作されるかを明確にします。

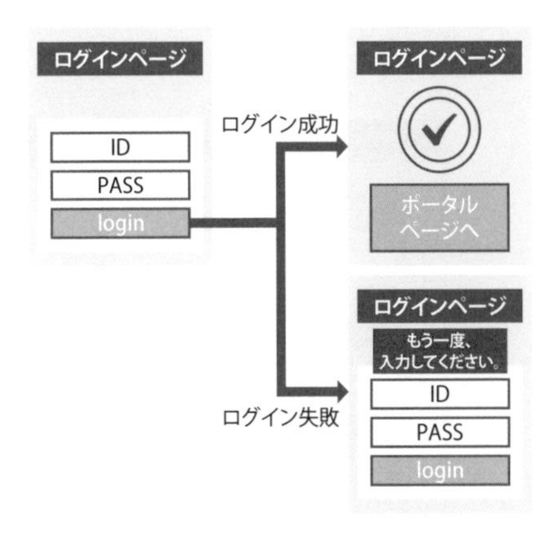

内部設計（詳細設計）

物理データの設計、プログラムの構造、プログラムのパーツ名決定、データ処理のフローなど、システムの動作情報を決定する段階です。

内部設計においては、右図のようにさまざまなドキュメントで情報を管理することがあります。

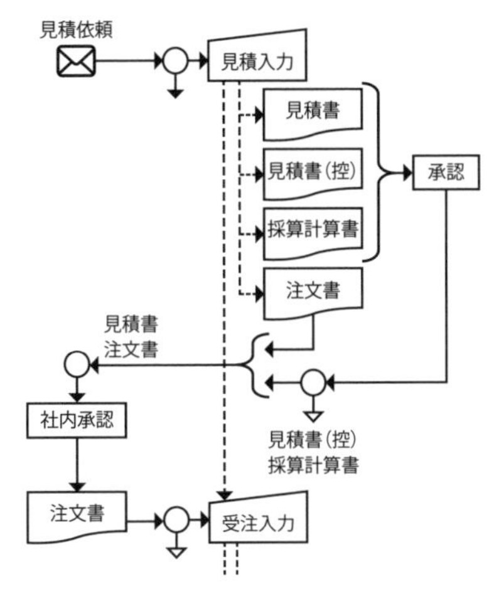

UML

UML（Unified Modeling Language：統一モデリング言語）とは、ソフトウェアを設計するとき、視覚的に構造や情報の流れを表現するための表現方法です。開発に関わる全員が共通のルール（統一）として、システム設計情報を共有するために開発されました。UMLには多様な記述方法がありますが、ここではITパスポート試験でも特に重要な３点を紹介します。

アクティビティ図

アクティビティ図は、システム設計・分析を行うときに、対象者・役割・手順を可視化するための図法です。次の図では、顧客とATMシステムの処理の手順を可視化しています。

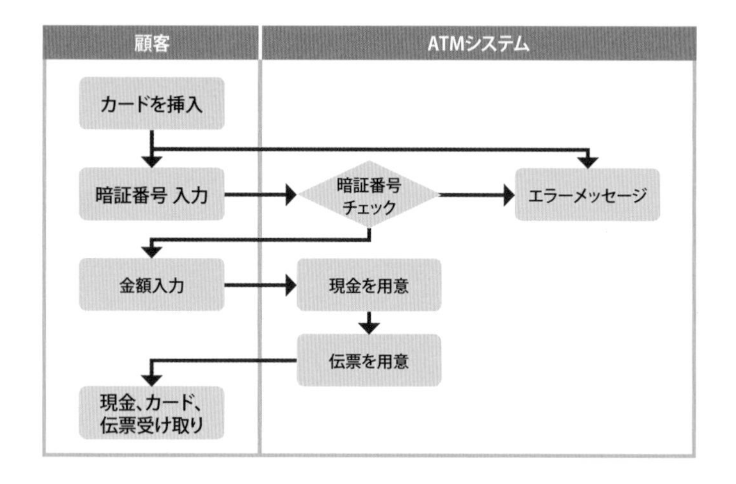

クラス図

クラス図は、ソフトウェアを構成する部品のリストです。車を例に取ると、タイヤやエンジン、ドアなどの部品と、それらの部品がどのように組み合わさっているかを示す設計図に似ています。

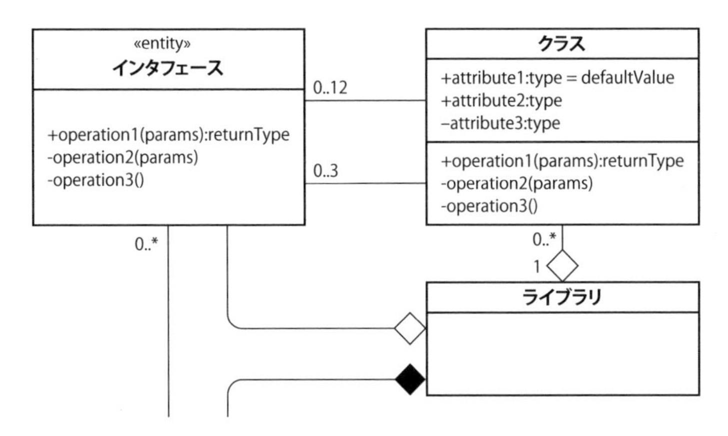

シーケンス図

シーケンス図は、ソフトウェアの動きの手順を示すものです。システムの動的な振る舞いや処理の流れを理解するのに役立ちます。例えば次のシーケンス図は、「予約システム」でユーザーのアクションをきっかけに、認証処理を経て、予約可能であるかをカレンダーでチェックする場合の事例です。

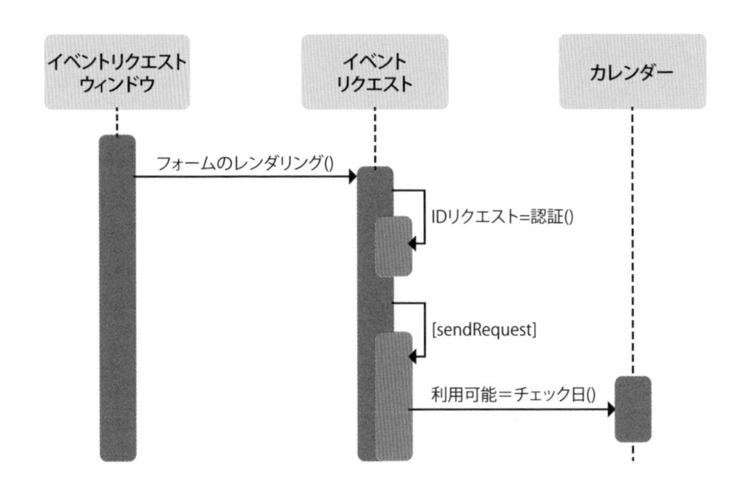

データベースとの連携

システムは、データの受け渡しにより処理が進みます。このとき、データの流れや関連性を視覚的にとらえることができると、効率的なシステム開発に役立ちます。情報を図表として可視化することで、システムの全体像を捉えることができ、正確な設計・実装に進むことができます。

DFD

DFD（Data Flow Diagram）は、システム内のデータの流れをモデル化した図です。システムのどの手順で、どのデータを参照するのかが可視化され、データの移動や変換を視覚的に確認できます。

DFD／ECサイトでの処理事例

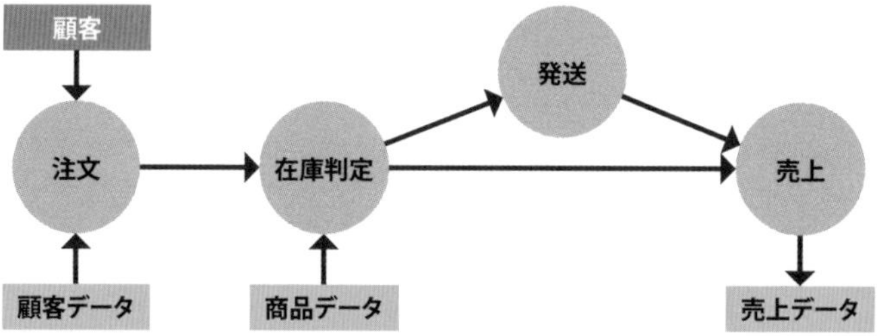

顧客
注文
在庫判定
発送
売上
顧客データ
商品データ
売上データ

E-R図

E-R図（Entity-Relationship Diagram）は、データベースの構造をモデル化する手法です。システム内での**データの受け渡し**は、すべてデータベース（p.455）により処理されます。そのため、システム設計の段階で必要なデータベースを洗い出し、データ同士の関係が分かりやすいようにE-R図で管理します。

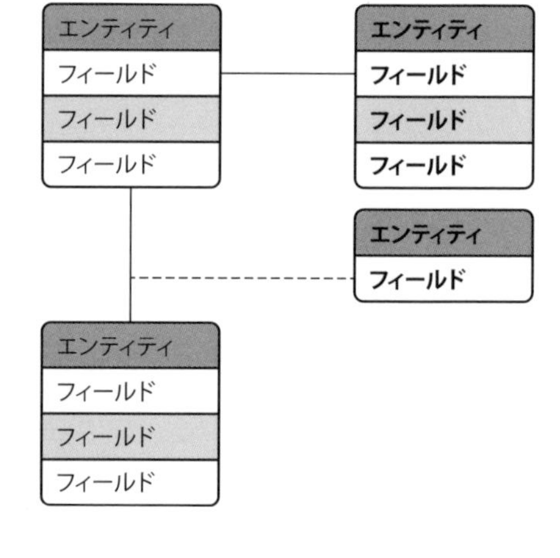

E-R図の詳細は、データベース分野で学習します。

02 情報デザイン

解説動画▶

ユーザーが使いやすいデザイン(設計)

- アクセシビリティは、年齢や障害に関わらず情報にアクセスしやすいこと。
- 人間中心設計は、利用者のニーズ・操作性を重視した設計手法。
- UIはユーザーとの接点、UXはユーザーがシステムを利用するときの全体的な体験のこと。

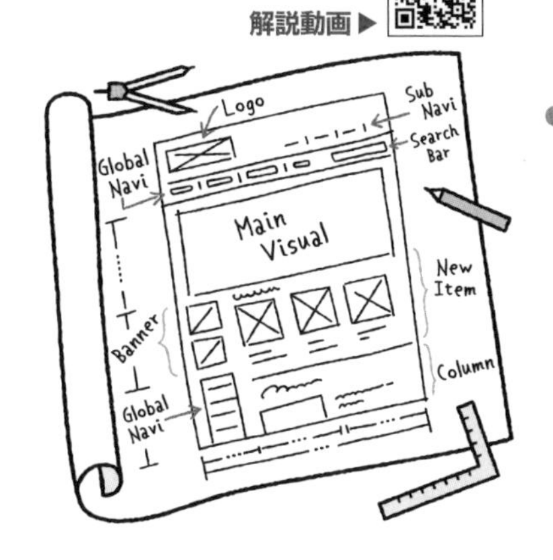

システム開発と情報デザイン

システム設計では、データの受け渡しや機能面の情報だけではなく、ユーザーが操作する画面も具体的に決定する必要があります。

システムの画面設計と、ビジネス成功の関連性

- 初めてでも使いやすい画面は、継続してそのシステムを使いたくなる。
- 誤解を生みにくい画面は、ユーザーのミスや操作エラーを減らすことができる。
- 分かりやすい画面は、サポート(p.217)での対応工数を減らすことができる。

情報デザイン

情報デザインとは、ユーザーのシステム利便性を向上するため、情報をわかりやすく効果的に伝える設計手法です。

アクセシビリティ

アクセシビリティ(Accessibility)とは、システムの利用しやすさのことです。特に、障害や年齢、技能などの個々の事情によって制約を受けるユーザー(視覚・聴覚・運動・認知などの機能に多様性を持つユーザー)にとっても、不自由なく情報やサービスにアクセスできるようにすることが重要です。

アクセシビリティの向上のための配慮

- **Webサイトで、グラデーションなど区別しづらい色使いを避ける→色覚多様性を持った人にも視認性の高いWebサイト**
- **段差など、介助が必要な建造物をつくらない→車椅子の人でも利用可能な施設**

ユニバーサルデザイン

ユニバーサルデザイン(Universal Design)とは、国籍や年齢、障がいの有無に関わらず、誰もが使いやすい設計のことです。

この設計思想は、障害者だったロナルド・メイス氏が、バリアフリー設備の「障害者だけの特別扱い」に嫌気がさしたことをきっかけに、最初から多くの人にとって使いやすい設計をする手法として発明しました。

身近な例としては、シャンプーとコンディショナーを区別するために、シャンプーのボトルやノズル部分に複数の突起を付けて、視覚障がいを持つ人にも区別がつきやすくしています。

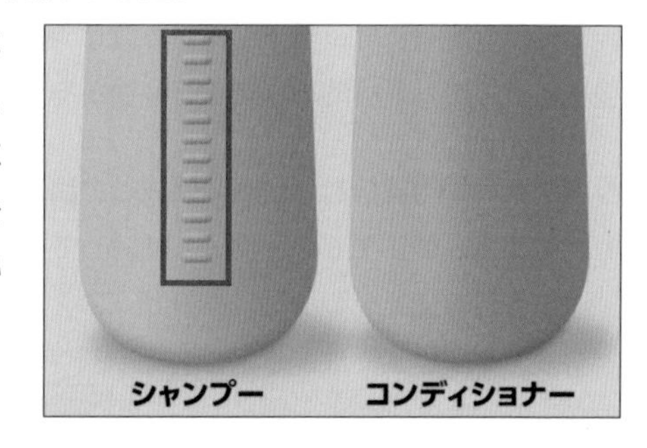

人間中心設計

人間中心設計(Human-Centered Design:HCD)とは、システム設計時にユーザーのニーズ・能力・制約を考慮した、操作性を重視する設計手法です。

従来のシステムは、「技術ありき」で設計・開発が進みがちな面があり、開発者にとっての「システムのつくりやすさ」が重視されがちでした。**しかし現在では、技術が人間に合わせる**人間中心設計の考え方が重要視されます。

UI/UX

UI/UXは、製品やサービスの設計においても重要な要素です。

UI

UI（User Interface）は、ユーザーと製品やサービスとの接点（インタフェース）のことで、直感的な配置やデザインのことを示します。次の画面の場合、右側の方が直感的に操作しやすいです。

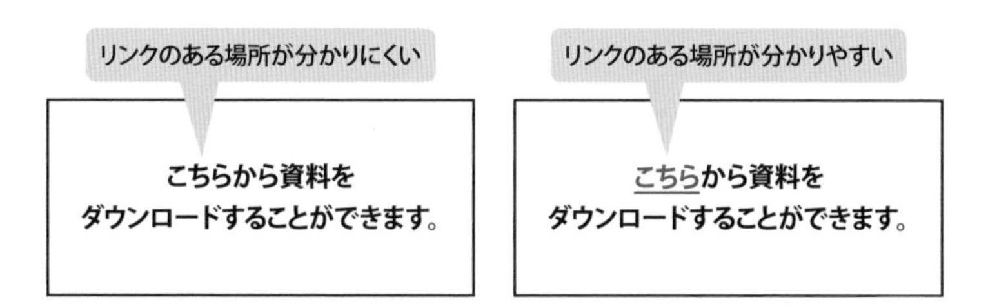

UX

UX（User Experience）とは、ユーザーがシステム（製品やサービスを含む）を使用するときの全体的な体験のことです。システムの使いやすさ・効果性・満足度などが含まれます。例えばウーバーイーツを利用する際、サービスを利用する前後も含めてUXといいます。

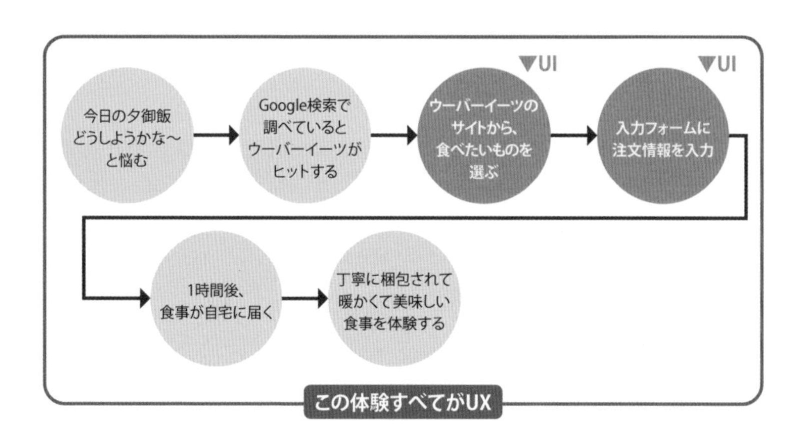

操作画面のデザインパーツ

システム設計段階では、ユーザーにどのようにシステムを操作してもらうのか、画面に使用するパーツも決定します。次の表は、ユーザーが実際に利用する画面デザインのパーツの例です。

ラジオボタン	どれか1つ選んでください。 ○ あか ○ あお ◉ みどり	選択肢のうち、どれか1つを選択するときに利用します。
チェックボックス	好きなものをすべて選んでください。 □ あか ☑ あお ☑ みどり	選択肢のうち、複数の項目を選択可能にするときに利用します。
プルダウンメニュー	A B C 1 2 選択してください ▼ 3 りんご バナナ 4 みかん 5	選択肢のうち、どれか1つ選択するときに利用します。ラジオボタンとの違いは、選択肢が多いとき、画面上の領域を選択肢で埋めてしまうことを防ぎ、サイト全体の視認性を向上させることができる点です。
ポップアップメニュー	なにかWebサイト.com この画面を終了しますか? はい いいえ	画面から浮き出るように選択画面が表示されます。ユーザーが次の操作をする前に、確認を促す意味で入れることが多くあります(しつこい広告などでも使われたりします…)。

ピクトグラム

ピクトグラムは、文字を使わない情報伝達を目的とした、単純化されたイラスト(絵文字)のことです。

右図のように、国籍や年齢に関係なく情報が伝わりやすいデザインが特徴です。

▼4ヵ国語で書くと読みづらい

- 非常口
- EXIT
- 緊急出口
- 비상구

▼ピクトグラムにすると一目で誰もが分かりやすい

小テストはコチラ

03 システム開発手法

システム開発手法の分類を知る

- ウォーターフォールモデルとは、最も古典的な技法で現在も広く普及する開発手法。
- アジャイル開発は、常に改善を重ね、仕様変更にも柔軟に対応できる開発手法。

システム開発業務

システム開発プロセス全体を見たとき、プログラミング（実装）工程は、業務全体のほんの一部でしかありません。

ですが、開発は、企画されたアイデアや要件を実際の機能に変換する重要な業務です。このプロセスの取り組みが、最終的なシステムの性能と信頼性を大きく左右します。

ここでは、プログラミング（実装）工程により、**ここまで学習した企画・要件定義・システム開発プロセス（システム設計）で決定してきたことを形にする手法**を学習します。

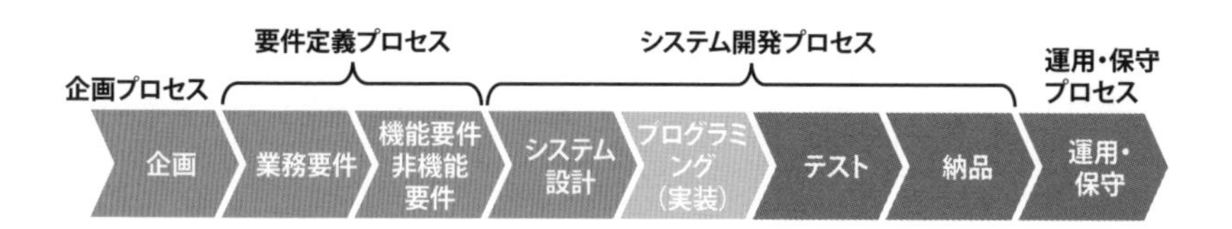

システム開発手法の種類

システム開発の手法のうち代表的な、ウォーターフォールモデルとアジャイル開発を取り上げます。

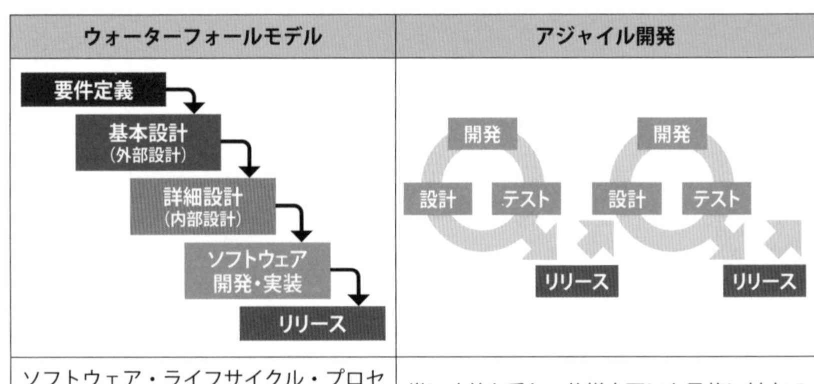

ウォーターフォールモデル	アジャイル開発
ソフトウェア・ライフサイクル・プロセスを忠実に守った古典的な開発技法で、現在も広く普及しています。一度着手すると手戻りが難しくなりますが、開発進行が明確で、慎重にシステムをつくり込めることから、**大規模なシステム開発**に向いています。	常に改善を重ね、仕様変更にも柔軟に対応できる開発技法です。「顧客が本当に欲しいものは、予見できず、常に変化する」という思想から、**ユーザーの反応を見ながらシステム開発を行いたい組織や現場**に向いた技法です。

アジャイル開発の種類

アジャイル開発のうち、XPとユーザー機能駆動開発は出題されやすい傾向があります。その他、アジャイル開発にはスクラム開発、リーン開発、アダプティブ開発などの種類があります。

- XP(エクストリームプログラミング):要求の変更に柔軟に対応できる開発手法
- ユーザー機能駆動開発:システムのユーザー目線で価値ある機能を中心に開発を進める手法
- スクラム開発:短期間で開発を繰り返す手法
- リーン開発:無駄をなくし、顧客に価値を届けることに集中する手法
- アダプティブ開発:計画に重点を置くのではなく、変化に柔軟に対応する手法

開発への取り組み方法

システム開発のアプローチ方法として、リバースエンジニアリング、プロトタイプ開発、DevOpsについても学習しましょう。

リバースエンジニアリング

既存のプログラムを解析し、設計や仕様・構成要素を明らかにして開発する技法です。次のようなケースで利用されます。

- 過去のシステムに長年手を入れられておらず仕様書なども残っていないとき
- 既存システムのセキュリティが要件を十分に満たしているかを確かめるとき
- 異なるシステムと連携させるため、互換性を確かめるとき

プロトタイプ開発

試作品（プロトタイプ）をつくり、発注元の意図どおりにシステムが構築できているか、確認しながら開発を進める技法です。プロトタイプ版のシステムは、一連の操作の流れが成立していなかったり、セキュリティ要件が満たされていなかったりするため、「閉じた検証環境の中で動作させる」という制約があります。リリースされるシステムと、明確に差があることを知っておきましょう。

DevOps

これまで開発（Development）と運用（Operations）で分かれていた組織が、互いに協力し合う開発体制のことです。ここでの「運用」とは、サポートデスクへの問い合わせを受ける体制も含み、発注元のユーザーに近い立場も含みます。ユーザーの意見をベースにシステム開発を行うため、ビジネス上の価値向上に直結する可能性が高まります。

マネジメント系 10分 ★★★

Chapter 7

04 システム開発のテスト工程

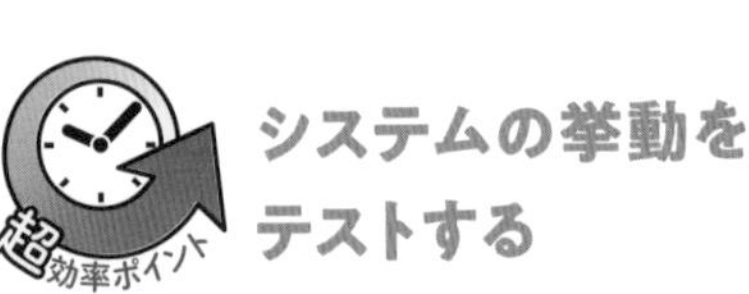

システムの挙動をテストする

- テスト工程では、システムの機能や安全性などが要件どおりかを確認する。
- 単体テスト、結合テスト、システムテスト、運用テストなどがある。

テスト工程

システム開発におけるテスト工程とは、**開発されたシステムやアプリケーションが正しく機能するか、性能や安全性などが要件に沿っているかを確認するための工程**です。システム開発プロセスの一部であり、システムの品質を保証するために重要な役割を果たします。

QA (Quality Assurance)

QA (Quality Assurance：品質保証) は、**製品やサービスの品質を確保・向上させるプロセス**です。システム開発プロセス全体にわたり、要件定義・設計・コーディング・テストなどの各段階での品質を監視し、評価します。

QAは、定期的なレビューにより**問題を早期発見、修正することなどを目的としています。**QAは、単にバグを見つけるだけでなく、プロセス自体の改善を通じて、最終的な製品の品質を高める役割を持っています。

システムテストのプロセス

テストのプロセス	イメージ図	説明
単体テスト	単体テスト	プログラムの部品（**モジュール**）を単体でテストします。プログラムの**最小単位**で誤りがないことを検証します。
結合テスト	単体テスト → 単体テスト	単体テストが完了した部品（モジュール）を結合し、**データ連携**がうまくいくかを検証します。システム全体で十分に機能するかを確認するために行います。
システムテスト	単体テスト → 単体テスト / 単体テスト → 単体テスト / 単体テスト → 単体テスト	システム要件に沿った動作をするか、一連の流れを検証します。データの入力から出力までが想定どおり処理されているかなど、納品しても問題ないかを確認します。システムテストまでは**検品環境**（開発関係者しかアクセスできない環境）を利用します。
運用テスト（運用受入れテスト）		**本番環境**と同じ条件下でシステムを稼働し、要件どおりにシステムが動作することを検証します。運用テストで設計どおりに安定して動作できれば、いよいよシステムをユーザーに届けられる状態となります。

ホワイトボックステスト / ブラックボックステスト

プログラムが**設計どおりに動作するかを確認するためのテスト手法**です。

ホワイトボックステスト

主に単体テストのプロセスで実施されます。**内部構造**に着目し、システムの内部でプログラムが意図したとおりに動くか（プログラムの構造、エンジニアが作成したロジックや制御）などの検証を行います。

ブラックボックステスト

主に結合テストのプロセスで実施されます。内部構造ではなく、システム自体が仕様を満たしているかを確認するテストで、入力に対して期待どおりの出力が得られるかに着目します。

テスト完了後の「納品」業務

システム開発が完了した後、ベンダー企業は**システムを納品**します。ベンダー企業が開発したシステムをクライアントに引き渡した後、システムがクライアントの要件に適合していることを確認し、適切な運用を開始します。

納品時の業務

納品後の業務システムのインストール・構築、開発関連ドキュメントの提供、研修・トレーニングの実施、受入れテストのサポート　など

受入れテスト

システム開発プロセスの最終段階で行われるテストです。**ベンダー企業から納品されたシステムが、定められた要件・品質基準を満たしているかを発注元企業が確認**します。受入れテストで問題がないことが確認されると、システムは正式にクライアントに引き渡され、運用が開始されます。仮に問題が発見された場合は、ベンダー企業が修正を行い、再度テストを行います。

受入れテストの概要は次のようになります。

機能テスト	システムが提供する機能が正しく動作するかを確認します。
性能テスト	システムの応答速度や処理能力が要件を満たしているかを検証します。
信頼性・安全性テスト	システムが安定して動作し、セキュリティ要件も満たしているかをチェックします。

マネジメント系　10分　★★★

Chapter 7

05 運用・保守プロセス～廃棄プロセス

使い続けられるシステム

- 運用プロセスとは、ユーザーからの問い合わせに対応するなどの業務。
- 保守プロセスとは、稼働中に見つかったバグの修正や、ソフトウェアへの新機能の追加などの業務。

運用・保守プロセス

システム開発プロセスが完了すると、本番環境でシステムを稼働するプロセスに入ります。この業務を運用・保守プロセスといいます。

- 運用：システムの管理・監視。システムを利用するユーザーのサポート
- 保守：システムの不具合、修正対応

システムは「つくって完成！？」

システム開発・テストが完了し、納品まで完了すれば、業務はこれで終了なのか？というと、そうではありません。システムはユーザーに利用されてはじめて、ようやく役割を果たします。企業の「利益最大化」にも影響するため、システムをユーザーに使い続けてもらえるように、企業は裏側では運用・保守業務によるシステム維持に取り組みます。

運用プロセス

運用プロセスとは、システムが稼働していく中で、**ユーザーからの問い合わせに対応するなど、**継続的に利用してもらえるように対応する業務です。次のような業務があります。

- システム監視：システムの稼働状況やリソース使用状況を監視
- 顧客サポート：顧客からの問い合わせやトラブルシューティング対応
- 運用マニュアル・ドキュメントの管理：システム運用のための業務を支援

保守プロセス

保守プロセスとは、**稼働中に見つかったバグの修正や、ソフトウェアへの新機能の追加などを行う工程**です。次のような事例があります。

- 障害対応：システムに発生した障害やバグを修正
- システム改善：セキュリティ強化など、システム性能向上のための改良
- 機能追加・改善：業務要件や環境の変化に対応するため、システムに新機能を追加したり、既存機能を改善・最適化したりする

廃棄プロセス

システムの老朽化や事業環境の変化に伴い不要になった場合など、システムが使われなくなった後の対応としてシステムを廃棄する作業です。

例：廃棄プロセスで行うこと

- システムが使われなくなった後の対応（データのバックアップや削除、ハードウェアの処分）
- セキュリティをケアする情報廃棄やユーザーへの告知・金銭面の対応など

06 顧客サポート

ユーザーの困り事に対応する

- サービスデスクでは、システムトラブルや、ソフトウェアの使い方、技術的な疑問など、広範囲な顧客対応を行う。
- SLAは、システムの品質をサービス提供者（企業）と利用者との間で一定の条件以上に保つという合意のこと。

顧客のサポート

運用・保守プロセスの観点となるユーザーへのサポートについて見てみましょう。システム開発後、作ったものを世の中に広げていくのがストラテジ系の経営分野でしたが、**マネジメント系の顧客サポート分野では、システムのユーザーに「継続して」利用してもらう手法**を学習します。

サービスデスク（ヘルプデスク）

サービスデスクは、システムの操作や技術への問い合わせに対応する業務です。サービス（システム）利用者全体の**顧客満足度を高めることが目的**です。サービスデスクで解決される問題は、日常業務で生じるシステムトラブルや、ソフトウェアの使い方、新しい技術の導入で生じる疑問など、非常に広範囲です。

事例：サービスデスクへの問い合わせ

- ソフトをダウンロードしたが、ログインできない。
- 使っていたら、機能面のトラブルが発生した。
- もっとこんな機能が欲しい。

サービスデスクは、より大きな**IT戦略の一部として機能**することもあります。

例えば、サービスデスクがユーザーの意見(フィードバック)を受け、システムの問題点を特定・改善するための提案を行うことで、より良いシステムが構築できるようになります。

「サービスデスク」には多様な表現がある

「トラブルが起きたから、コールセンターに電話しよう…!」という経験がある人も、多いのではないかと思います。
サービスデスク、サポートデスク、サポートセンター、ヘルプデスク、コールセンターなどの言い回しがありますが、これらは試験ではサービスデスク(ヘルプデスク)と表記されます。どの表現も、示す内容は同じです。

サービスデスクのさまざまなサポート体制

システムやサービスは、ユーザーの困りごとを解決できなかった場合、顧客から見捨てられ、使われないサービスとなってしまいます。

「顧客」のシステム利用をサポートする手法には種類があります。下図のように、**顧客の問題解決のために最適な手法を考える**必要があります。

利用者すべてに対応するのは大変… ▶ サービスデスクの人員を増やすとコスト(主に人件費)がかかる ▶ 顧客自身が自力で答えにたどり着ける状態をつくる

ここではサービスデスク(電話・メール、CTI)、チャットボット、FAQ、ナレッジコミュニティの4つの手法と使い分けを学習しましょう。

電話・メールを利用した個別サポート

電話・メールを利用した個別サポートは、問い合わせを個別に受け付け、対応する組織体制です。技術的な問題や要求に対応する顧客接点となります。

メリット	デメリット
電話やメールを利用して、担当者に個別で困りごとを解決してもらえるのでユーザーの迷いは的確に対応される。	サービスデスクの担当者が問い合わせに対応するには限界がある。この場合、即座に問題解決されず、待ち時間が発生する。

・IVR

IVR (Interactive Voice Response) は、電話で問い合わせた人に自動の音声メッセージを発信し、音声入力にしたがってサービスデスクの担当窓口を振り分ける電話システムの技術です。IVRにより、**問い合わせ内容の専任者に直接振り分けられるため、人的リソースを有効に活用**できます。

例えば、大量の電話トラフィックを処理するコールセンター、24時間365日のサービスを提供する企業（例：銀行、航空会社など）などで導入されています。

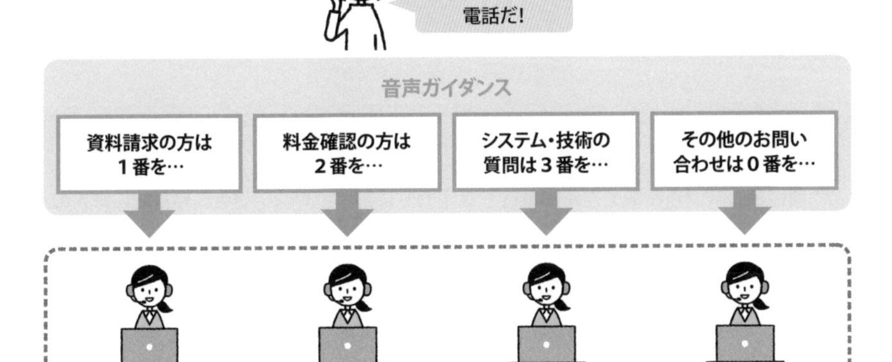

・CTI

CTI (Computer Telephony Integration) は、**コンピュータと電話システム**を統合する技術です。例えば、次のような利用ケースがあります。

・かかってきた電話番号をもとに、コンピュータの画面上に自動的に関連する顧客情報やデータベースのレコードを表示する。
・顧客との対話履歴をコンピュータ上のデータベースで保持し、システムが保有する顧客データと連携。分析やフォローアップに使用する。　など

チャットボット

会話形式で自動的に問い合わせに対応するシステムです。チャットボットの中には、AIを利用して問い合わせに回答するものもありますが、すべての問い合わせに完璧に回答できるものは、世の中にはありません。

一定レベルのよくある問い合わせにチャット形式で回答するか、解決しない場合は有人サービスデスクに誘導する形になります。

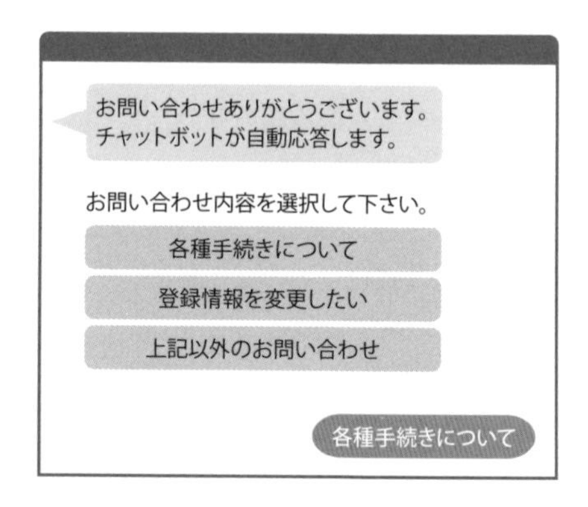

メリット	デメリット
有人サービスデスクのようなリソースの限界（問い合わせ受付時間や対応順番待ちなど）がないため、早期解決につながる。	導入コストがかかる。一定レベルの問い合わせに対応できない場合、結果的に有人のサービスデスクに誘導される。

FAQ

FAQは「Frequently Asked Questions」の略で、日本語では「よくある質問」と訳されます。システムに関連して、**ユーザーから多く寄せられる質問と、それに対する回答をまとめたWebページです。**

メリット	デメリット
ユーザー自身で解決する手段のため、早期解決につながる。	FAQに掲載されていない場合、結果的に有人のサービスデスクに誘導される。

ナレッジコミュニティ

ナレッジコミュニティ（Knowledge Community）は、特定の知識・情報を共有するための専用サイトのことです。同じような疑問を持ったユーザーは、過去の質問を検索することで問題解決につなげることができます。

例として、「Yahoo!知恵袋」をイメージしてみてください。Yahoo!知恵袋では、サイトのユーザーが質問を投げかけ、それに回答するのは知識のある他のユーザーです。ただし、利用者の一定以上の情報リテラシーが必要です。

メリット	デメリット
ユーザー自身で問題解決できる手段のため、早期解決につながる。	情報が古かったり、個人の経験に基づく内容により回答が誤っていたりするケースもある。

SLA

SLA（Service Level Agreement）とは、サービス提供者（企業）と利用者との間でサービス品質を一定の条件以上に保つことに合意した品質定義のことです。SLAでは通常、**品質・応答時間・問題解決時間**などを定義します。

事例：SLAで合意される内容

- システム障害の発生から回復に至るまで、24時間以内で解決する。
- サービスデスクの営業時間は、平日朝10時から夜19時までとする。
- データのバックアップ期間は、最終ログインから10年間までとする。 など

有料システムのSLAが満たされないケース

有料システムを提供する企業におけるSLAの基準が満たされない事例を見てみましょう。
例えば、クラウドサービス事業社（p.382）や通信事業者（p.289）などは、システムを利用するためにユーザーがお金を支払っています。システムが利用できない期間が発生すると、企業が返金対応をしたり、賠償金を支払ったりすることになるケースもあり、企業には大きな経済的損失が発生します。

インシデント管理

インシデント管理とは、**利用者に正常なシステムを使い続けてもらうために、インシデント（Incident：サービス利用に影響するできごと）に対応すること**です。システム上で発生した問題や障害に適切に対応し、早期解決できるようにします。

システムにインシデント（システム障害）が発覚した場合、インシデントの重さはユーザー業務への影響度と緊急度の観点から評価されます。恒久対応に時間がかかり複雑な手順が必要とされる場合は、暫定対応により一時的な影響緩和を目指します。

	暫定対応	恒久対応
説明	障害の根本原因を解決するまでの一時的な対応。	障害の根本原因を特定し、完全に解決するための対応。
目的	システムを迅速に稼働状態に戻すことや、影響を最小限に抑えること。	同じ障害が再発しないようにすること。
対応例	特定の機能を一時的に無効化する、代替の方法で業務を継続する。	ソフトウェアのバグを修正して新しいバージョンをリリースする。

エスカレーション

運用業務の中では、サービスデスク部署だけでは**インシデントに対応しきれず、外部組織（エンジニア組織など）の協力が必要**となることがあります。問題や障害の解決が困難な場合や特定の条件を満たす場合に、その問題や障害への対応をサービスデスク担当者が上位者に依頼することをエスカレーションといいます。

エスカレーション

ITIL

ITIL（Information Technology Infrastructure Library）とは、ITサービスの管理者に向けてITサービスの品質を効率的に管理するベストプラクティス（有益な経験則やルール）を体系的にまとめたノウハウ集です。

07 設備維持と故障対策

解説動画▶

トラブルを未然に防ぐ業務

- ファシリティマネジメントとは、建物・設備・システムなどを維持・管理するための業務。
- 障害の発生やその予防戦略として、システムの信頼性を保つ手法を学ぶ。

ファシリティマネジメント

ファシリティマネジメント（Facility Management：設備管理）とは、**システムの継続稼働を目的として建物・設備などを維持・管理**するための業務です。特に、p.380で学習するオンプレミスによるシステム運用では必須の知識です。

事例：ファシリティマネジメント業務（FM業務）

- 故障や障害の対応：故障や障害が発生した際の迅速な対応により、ダウンタイム（停止時間）を最小限に抑え、企業の損失を減らす。
- 定期的なメンテナンス：システムのアップデート、バックアップの実施などにより、システム性能や安全性を維持し、問題発生のリスクを減らす。
- システムの最適化：電力消費の抑制、システムの効率向上のための機器の導入作業など、運用コストの削減を目指す。
- 環境管理：サーバルームの温度や湿度を適切に保ち、機器の劣化や故障を防ぐ。災害対策や冗長化（じょうちょうか）により、安定運用に寄与する。

バスタブ曲線

システム開発プロセスのテストをどれだけ徹底しても、**システムに「バグ・故障」は付きもの**です。それを示すように、システム開発後のバグ発生件数はバスタブ曲線によって示されています。

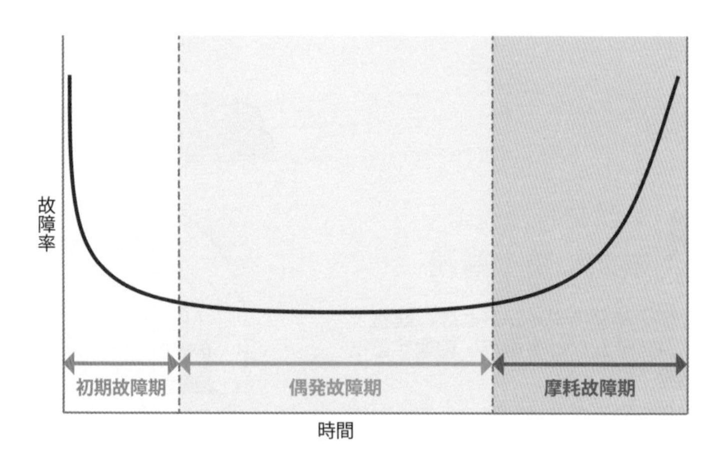

初期故障期	システムリリース直後の「初期故障期」は、設計の不備などでバグが多く出る傾向がある。
偶発故障期	バグの発生が落ち着く「偶発故障期」には、定期的な予防保守(＝システムメンテナンス)により発生件数は落ち着きを見せる。
摩耗故障期	「磨耗故障期」を迎えると、機械やシステムの長期間稼働により経年劣化が進み、故障したり十分な稼働ができなくなったりする。

皆さんが普段利用しているシステムは、一度しっかりと開発してしまえば、その後は永久に動作するように思うかもしれません。

しかしシステム稼働の裏側では、さまざまな変化（経年劣化）が起きています。**ファシリティマネジメントや故障対策は、こうした突発的なトラブルを未然に防ぐための活動です。**実は、日常の私たちには見えていない部分で、専門家がシステムの健康状態をチェックし、必要なアップデートやメンテナンスを行っています。

BCP

BCP（Business Continuity Plan：事業継続計画）とは、テロや災害、システム障害や不祥事といった危機的状況下に置かれた場合でも、企業の重要な業務が継続できる方策を用意し、生き延びられるようにする戦略を記述した計画書です。

コンティンジェンシープラン

コンティンジェンシープラン(Contingency Plan)とは、災害やシステム障害などのように、企業にとって重大な事態が発生した場合の行動指針や対応計画です。

BEMS

BEMS(Building Energy Management System)とは、ビル(オフィス)内で使用する電力の使用量を計測して「見える化」し、制御するシステムです。空調や照明設備などを最適化することで、環境に優しいビル運用を実現します。

BEMSが適用された建物をスマートビルディングということがあります。

IoTとBEMSの組み合わせ	IoTデバイス(p.149)を利用して、建物のエネルギー消費データをリアルタイムで収集し、エネルギーを最適化する。
エネルギー最適化とAI	AIをBEMSに組み込むことで、建物のエネルギー消費を最適化できる。AIは天候や時間帯、建物の利用状況などのデータを分析し、エアコンや照明などの設備動作を制御する。

HEMS

BEMSと関連し、HEMS(Home Energy Management System)は、家庭内のエネルギー消費を効率的に管理・制御するシステムです。家庭でのエネルギー使用量をモニタリングし、節約方法を提案します。

安定したファシリティマネジメントのための技術

無停電電源装置(Uninterruptible Power Supply:UPS)	電力供給が途絶える、電圧が不安定になる、などの状況下で、一時的に電力供給する装置。突然の停電からシステムを守るために使用される。
サージプロテクター	雷や電力供給の不安定などにより発生する電圧の急上昇(過電流/サージ)による電子機器の損傷を防ぐ。
データのバックアップ	システム障害対応策として、バックアップの保持、リリースの切り戻し、システム停止などを行う。
システムの多重化構造	一部が故障しても、他の機器で代替できる構造とする(p.393)。

システムの信頼性を保つ手法

システムが予期せぬ障害に直面したときの対応方法だけでなく、障害が発生しないようにするための予防的な戦略も含めて学びましょう。

フォールトトレランス

フォールトトレランスとは**システムが故障しても機能を停止（または制限）することなく**、システムを動作させる考え方です。故障（fault）に 耐性（tolerance）があるという意味です。

システムが故障した場合

予備の装置に切り替えて、機能を縮小せずにシステムを継続して稼働させます。

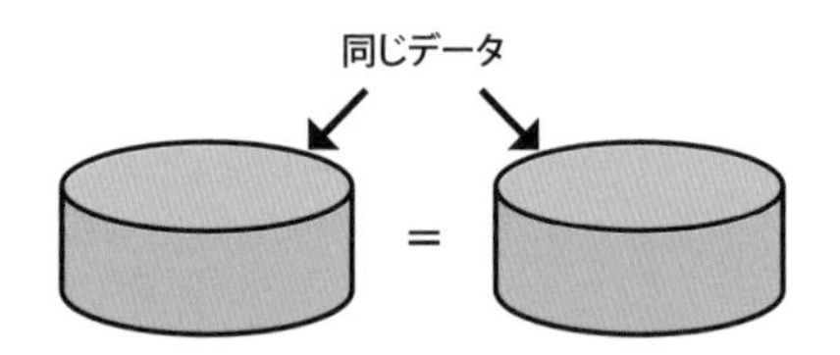

フェールソフト

フェールソフトとは、**システムが故障したとき、機能を制限して稼働することを優先する設計**のことです。失敗（fail）に柔軟（soft）に対応するという意味です。

飛行機のエンジンの例

飛行機は、もしも１つのエンジンが完全に停止してしまったとしても別のエンジンで飛行できるように、フェールソフトの思想で設計されています。**故障したエンジンには燃料を供給せず、故障していないエンジンだけで飛行**できます。

フェールセーフ

フェールセーフとは、システムが故障したとき、**安全を優先するためにシステムを安全な状態に移行する設計**です。失敗（fail）しても安全（safe）を優先させるという意味です。

信号機のシステム

信号機は、故障を検知すると、赤色が点灯したまま停止する仕様です。もしも、青色が点灯したまま止まってしまうと、交通事故の原因となります。

フールプルーフ

フールプルーフは、**人間が誤った使い方をしても、システム制御によって異常が起こらないようにする設計**です。まぬけ（fool）を通さない（proof）ようにする、と直訳されます。

電子レンジの例

電子レンジは、ドアを閉め忘れてしまうと加熱できません。冷蔵庫や洗濯機といった家電製品にも、フールプルーフの処理が多く施されています。

フォールトアボイダンス

フォールトアボイダンスとは、**そもそも不具合や故障が起きないようにする設計**です。障害（fault）を回避（avoidance）する、と直訳されます。

機械のボタン

機械のボタンは、すぐに壊れないよう、10万回押しても壊れないことを耐久テストで証明したパーツを使います。

試験問題にチャレンジ

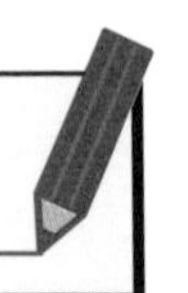

問題❶ R5-問36

サービスデスクの業務改善に関する記述のうち，最も適切なものはどれか。

ア サービスデスクが受け付けた問合せの内容や回答，費やした時間などを記録して分析をおこなう。

イ 障害の問合せに対して一時的な回避策は提示せず，根本原因及び解決策の検討に注力する体制を組む。

ウ 利用者が問合せを速やかに実施できるように，問合せ窓口は問合せの種別ごとにできるだけ細かく分ける。

エ 利用者に対して公平性を保つように，問合せ内容の重要度にかかわらず受付順に回答を実施するように徹底する。

正解　ア

解説 サービスデスクでは、問い合わせに的確に回答し、より多くの問い合わせを受け付けるため迅速に対応することが求められます。そのため、過去の問い合わせ内容や回答、所要時間などを記録し、共有することが重要になります。したがって、最も適切なものは選択肢アとなります。

問題❷ R5-問39

運用中のソフトウェアの仕様書がないので，ソースコードを解析してプログラムの仕様書を作成した。この手法を何というか。

ア コードレビュー　　**イ** デザインレビュー

ウ リバースエンジニアリング　　**エ** リファクタリング

正解　ウ

解説 既存のソフトウェアの動作を解析するなどして、製造方法や動作原理、設計図、ソースコードなどを調査する技法はリバースエンジニアリングといいます。

問題❸ R5-問93

フールプルーフの考え方を適用した例として，適切なものはどれか。

ア HDDをRAIDで構成する。

イ システムに障害が発生しても，最低限の機能を維持して処理を継続する。

ウ システムを二重化して障害に備える。

エ 利用者がファイルの削除操作をしたときに，"削除してよいか"の確認メッセージを表示する。

正解　エ

解説 選択肢**ア**と**ウ**は、フォールトトレランスの説明、選択肢**イ**は、フェールソフトの説明です。

問題❹ R4-問15

業務プロセスを，例示するUMLのアクティビティ図を使ってモデリングしたとき，表現できるものはどれか。

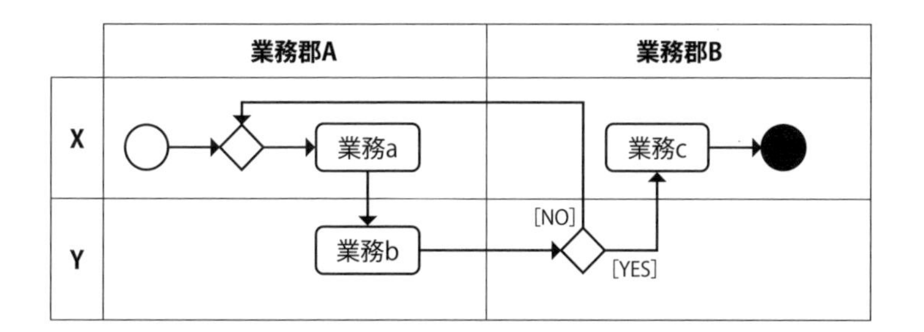

ア 業務で必要となるコスト

イ 業務で必要となる時間

ウ 業務で必要となる成果物の品質指標

エ 業務で必要となる人の役割

正解　エ

解説 アクティビティ図は、ビジネスプロセスやプログラムのフローのなどの一連の手続きを可視化できる図です。業務a～cをXとYで受け渡すことから、選択肢のうち最も適切なものは「業務で必要となる人の役割」となります。

問題❺ R4-問38

XP（エクストリームプログラミング）の説明として，最も適切なものはどれか。

ア テストプログラムを先に作成し，そのテストに合格するようにコードを記述する開発手法のことである。

イ 一つのプログラムを２人のプログラマが，１台のコンピュータに向かって共同で開発する方法のことである。

ウ プログラムの振る舞いを変えずに，プログラムの内部構造を改善することである。

エ 要求の変化に対応した高品質のソフトウェアを短いサイクルでリリースする，アジャイル開発のアプローチの一つである。

正解　エ

解説

ア 「テスト駆動開発」の説明で、XP全体の説明としては不完全です。

イ 「ペアプログラミング」の説明で、XP全体の説明としては不完全です。

ウ 「リファクタリング」の説明で、XP全体の説明としては不完全です。

問題❻ R4-問46

a～dのうち，ファシリティマネジメントに関する実施事項として，適切なものだけを全て挙げたものはどれか。

a. コンピュータを設置した建物への入退館の管理

b. 社内のPCへのマルウェア対策ソフトの導入と更新管理

c. 情報システムを構成するソフトウェアのライセンス管理

d. 停電時のデータ消失防止のための無停電電源装置の設置

ア a，c　**イ** a，d　**ウ** b，d　**エ** c，d

正解　イ

解説

b. 情報セキュリティやIT管理の領域に関連する活動であり、物理的な施設や環境の管理とは直接関係ありません。

c. ソフトウェア資産管理やIT管理の領域に関連する活動であり、物理的な施設や環境の管理とは直接関係ありません。

テクノロジ系

Chapter

8

ハードウェア

本章の学習ポイント

- コンピュータは、ハードウェアとソフトウェアで構成される。
- ハードウェアは、制御装置・演算装置・記憶装置・入力装置・出力装置の5つの装置から成る。
- コンピュータは、入力→処理→出力 の3ステップで動作する。
- コアやクロック周波数はコンピュータの性能を左右する。
- コンピュータは、データを主記憶装置で一時保存し、補助記憶装置で長期保管する。

Chapter 8

01 テクノロジ系を学ぶ前の知識

解説動画▶

テクノロジ系に進むときのポイント

- テクノロジ系分野では、コンピュータの基礎知識やプログラムの構成について学習する。
- 企業の一員として、ITを活用してサービス提供するときの知識を身につける。

ITパスポート試験のテクノロジ系分野

テクノロジ系分野では、**コンピュータの基礎知識やプログラムの構成など、多様な技術・仕組み**について学習します。ビジネスで新しい企画・技術を取り入れるときや、業務中にパソコンでトラブルが起きたときの対処など、知っておくと役に立つ基礎知識となります。

ハードウェアとソフトウェア

コンピュータは、ハードウェアとソフトウェアに大別できます。ハードウェアは、物理的に触れられるキーボードやマウス、タッチパネルなどを指します。ソフトウェアは、コンピュータに特定のタスクを指示するためのプログラムで、物理的にではなく電子的な情報として保存・実行されます。

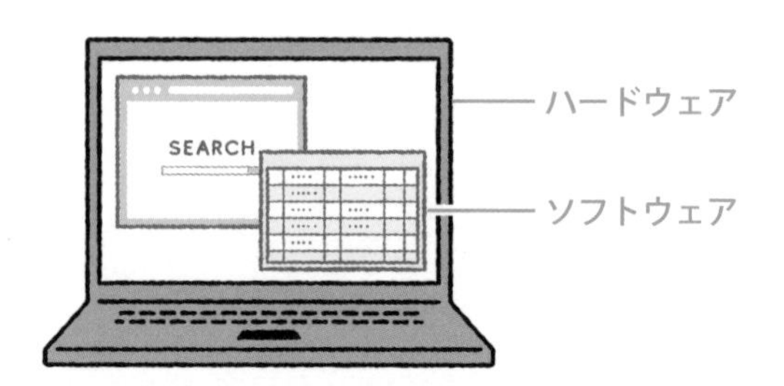

ハードウェアとソフトウェア

ハードウェアとソフトウェアの違いは、コンピュータをどれだけ柔軟に変更可能かという相対的な特性によります。固い（hard）・柔らかい（soft）が示す意味は、以下のようにいわれています。

- **ハードウェア（本章）：**
  一度製造されたハードウェアは、物理的に交換しない限り変更できない（固い）
- **ソフトウェア（第9章）：**
  アップデートやプログラムの書き換えで振る舞いが変わる（柔らかい）

「データ」が指す粒度を柔軟に理解する

テクノロジ系を学ぶとき、学習分野によって「データ」が指す粒度は大きく変わります。次に挙げる例は、すべて「データ」と呼ばれますが、示す内容はすべて異なります。

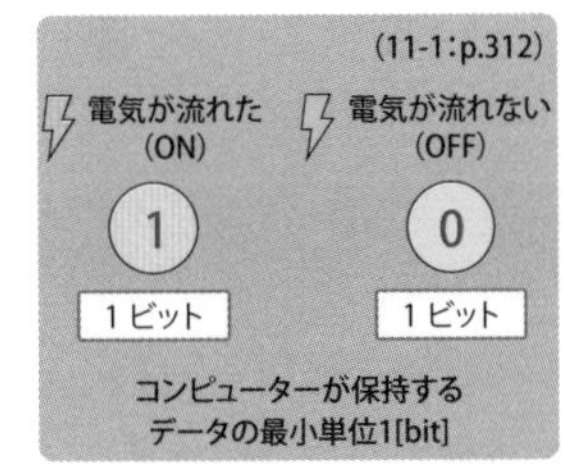

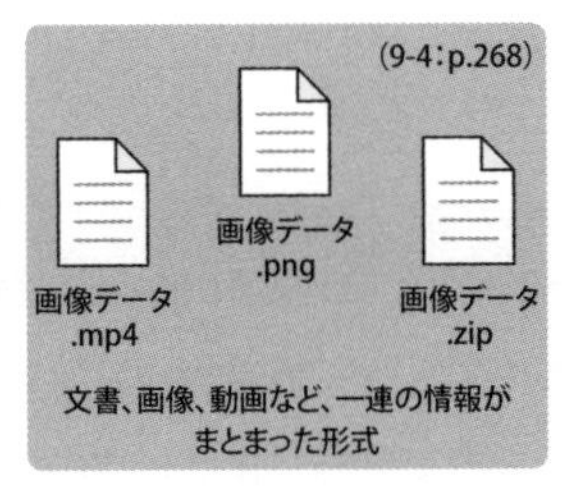

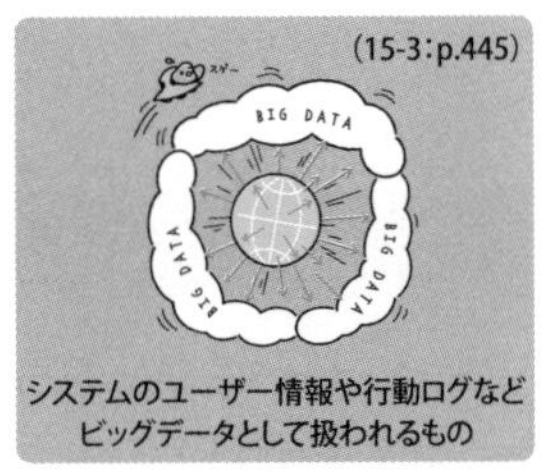

テクノロジ系分野を学ぶときの視点

私たちは普段、スマホやパソコンでWebサイトを閲覧したり、ECサイトで買い物をしたりと、企業が提供するITサービスを**ユーザー**として利用しています。一方、ITパスポート試験では**企業の役に立つシステムを扱えるようになること**が問われます。そのためユーザーの立場から、**企業**としてITサービスを提供する立場へと視点を変えて学習を進めることが大切です。

テクノロジ系で問われる「技術」関連の知識は、**企業の一員として商品を提供する企業（社員）の立場の思考**が求められることを覚えておきましょう。

企業の目的は、利益最大化です。「企業の利益最大化が狙える商品、サービス、アプリケーションをつくる」ことや、「業務効率化のため自動処理システムを導入する」ための専門的な知識を身に着けましょう。

小テストはコチラ

テクノロジ系　15分　★★★

Chapter 8

02 コンピュータとは

解説動画▶

コンピュータのハードウェア

- コンピュータの五大装置は、制御装置・演算装置・記憶装置・入力装置・出力装置。
- クライアントとサーバの役割を理解する。

コンピュータの分類

コンピュータとは、プログラムに従って複雑な計算を行う機械の総称で、主に**入力→処理→出力**という３ステップで動作します。次のような機器が代表例です。

機器	概要
パソコン	個人向けのコンピュータ。インターネット閲覧、メール、プログラミング、ゲームなど、幅広く利用できる。
スマホ・タブレット	携帯性が高く、タッチスクリーンを主なインタフェースとする。アプリをダウンロードして多用途に使える。
サーバ	ネットワーク上でデータやリソースを他のコンピュータ（クライアント：p.236）に提供する。高い処理能力と大容量のストレージを持つ。
スーパーコンピュータ	気象予報を出すための複雑な計算など、科学技術分野などにおける計算を目的として利用されるコンピュータ。
組み込みコンピュータ（マイクロコンピュータ）	車のエンジン制御システムや家電など、特定の機能を実行するために設計された組み込み用コンピュータ。

コンピュータの五大装置

コンピュータを構成するハードウェアは主要な5つの装置（五大装置）が動くことで成り立ちます。**制御装置・演算装置・記憶装置・入力装置・出力装置**の5つの装置が該当します。これは、スマホ、パソコン、タブレット、サーバなどのすべてのコンピュータに共通します。

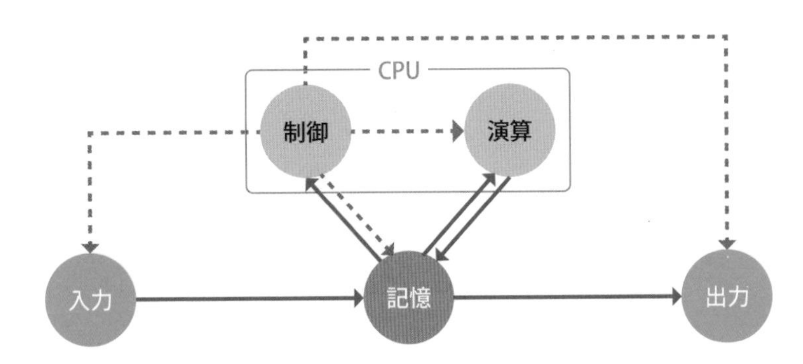

装置	説明
制御装置	コンピュータの司令塔として、プログラムに基づく処理を制御（p.239）。
演算装置	データを受け取り、コンピュータのすべての演算を行う（p.239）。
記憶装置	CPUで処理するためのデータを記憶する装置で、主記憶装置と補助記憶装置に大別される（p.242）。
入力装置	情報をインプット（入力）する装置（p.247）。
出力装置	処理された情報をアウトプット（出力）する装置（p.248）。

コンピュータ装置と人間の体に共通する役割

コンピュータ装置と人間の体に共通する役割を、対応付けて理解しましょう。

- 制御装置：全体に指示をする
- 演算装置：情報を理解・考える
- 記憶装置：情報を記憶する

（以上3つ）― 脳

- 入力装置：情報を取り入れる…目、耳、皮膚の触覚　など
- 出力装置：情報を表現する…口（声）、身振り手振り　など

コンピュータのやりとり

コンピュータは1台だけだと、業務上の処理には不十分です。複数の種類のコンピュータがどのように動作しているかを見てみましょう。

●コンピュータがやりとりするときの役割分担

コンピュータは、機器同士で情報のやりとりをすることでWebサイトを閲覧したり、メールを送受信したり、動画を視聴したりすることができています。このときにコンピュータが担う役割という観点で分類すると、次のようになります。

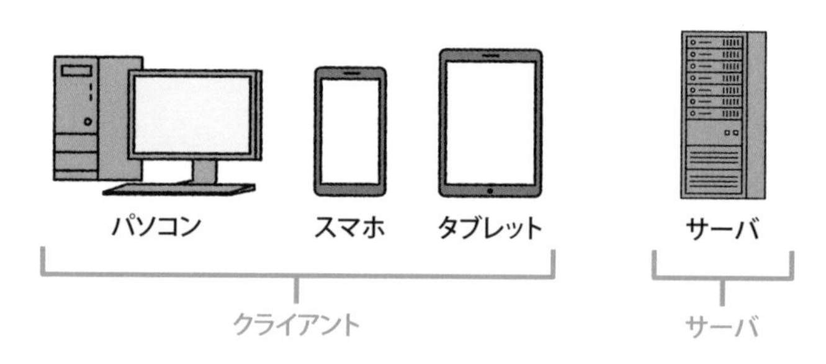

クライアント	サーバ
情報を閲覧するために利用するスマホやパソコンなどのコンピュータ。サーバに対してリクエスト（要求）を出す。サーバからの情報提供を受けるお客さんの立場なのでクライアント端末（client）と呼ぶ。	要求を受けて情報を提供するコンピュータ。クライアント端末のリクエスト（要求）に答えるために設置する。情報を提供する立場（serve）のため、サーバと呼ぶ。

●パソコンでWebサイトが見られるようになるまで

私たちが**Webサイトを閲覧するとき**は、クライアント端末（パソコンやスマホ）からサーバへリクエストを送り、サーバからのレスポンスを受けて、情報をやりとりします。このとき、Webサイト情報を提供するサーバをWebサーバといいます。

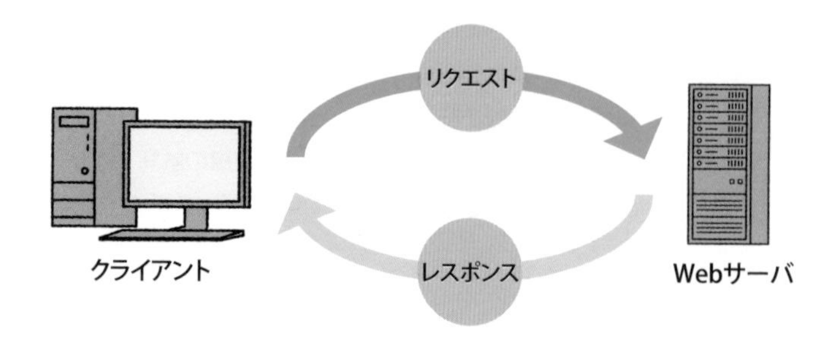

例として、「ITすきま教室」(https://it-sukima.com/) のWebサイトをパソコンから閲覧する場合、次のような順番でやり取りが行われます。

1. Webサイトを閲覧したいとき、パソコン (クライアント端末) からサーバに「ITすきま教室のWebサイトを見せて!」とリクエストを送ります。
2. Webサーバは、リクエストを受け取ると、サーバからクライアントに情報を渡す対応をします。これをレスポンスといいます。
3. パソコンは、サーバから受け取った情報を解読 (デコード) し、画面に表示します。

パソコンでメールを送受信するまで

では、**白ウサギのパソコンから、黒ウサギのパソコンへメールが届くまで**の情報の流れの例を見てみましょう。

メールのやりとりでは、コンピュータ4台 (クライアント端末2台+サーバ2台) が必要となる点がポイントです。このとき、メール情報の受信・送信の役割を持つサーバのことをメールサーバといいます。

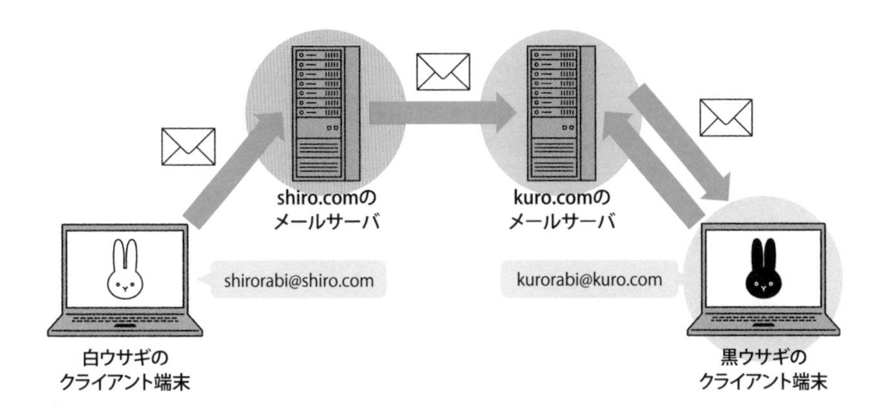

次のメールアドレスを使って、白ウサギから黒ウサギに1通のメールを送ります。

- 白ウサギのメールアドレス:shirorabi@shiro.com
- 黒ウサギのメールアドレス:kurorabi@kuro.com

1. 白ウサギは、自身のクライアント端末でメールを作成します。送信ボタンを押し、白ウサギのクライアント端末が、メールサーバ（@shiro.com）に情報を送ります。
2. 白ウサギが利用するサーバ（@shiro.com）でメールの宛先を確認し、宛先である黒ウサギが利用するサーバ（@kuro.com）を特定して情報を送ります。
3. 黒ウサギが利用するサーバ（@kuro.com）がメールを受け取ると、黒ウサギのクライアント（メール専用のソフトウェア）に情報が転送されます。クライアント端末からサーバ（@kuro.com）にアクセスすることで、黒ウサギはメールを閲覧できます。

サーバの種類

サーバは用途に応じてさまざまな種類があります。

サーバの種類	説明
Webサーバ	クライアント（通常はWebブラウザ）からのリクエストに応じてWebページを提供します。
メールサーバ	電子メールの送受信を管理します。
ファイルサーバ（FTPサーバ）	ネットワーク上でファイルを共有するためのサーバです。複数のユーザーが同じファイルにアクセスすることも可能です。
IoTサーバ	センサーなどから受け取ったデータを分析・処理・保存します。デバイスに指示を送る役割も持ちます。
データベースサーバ	データを保存する役割を持ちます。データベースサーバの管理者は、データベースの検索・編集などの操作をします。

Chapter 8

03 CPU

解説動画▶ 

コンピュータの処理を決定する

- CPUは、計算処理や動作を指示するパーツ。演算装置と制御装置で構成される。
- コア・クロック周波数・レジスタは、いずれもCPUの処理性能に関わる。
- GPUは大量の画像データの並列処理を可能とする装置。

CPUの役割

CPU（Central Processing Unit：中央処理装置）は、計算処理やコンピュータの動作を指示する装置です。コンピュータの「脳みそ」の役割を果たす部分で、コンピュータの処理性能（処理速度や同時タスクの実行数など）を大きく左右します。CPUは制御装置と演算装置で構成されています。

制御装置	演算装置
プログラムの命令を解釈し、コンピュータの動作を「制御」する装置。コンピュータ全体への司令塔ともいわれます。	情報を「演算」する装置。演算とは、足し算や引き算など、コンピュータが行う計算処理のことです。

次に説明するコア・クロック周波数・レジスタは、いずれもCPUの処理性能に関わる重要な用語です。また、GPUは大量の画像データの並列処理を行う装置として押さえましょう。

コア

コア（Core）とは、**データ処理の基本的な作業を行う演算回路**です。それぞれが個別のタスクを処理できる機能を持ちます。

CPUの作業能力は、コアの数によって変わります。複数のコアは、独立して異なる処理を同時並行で処理するため、より多くのコアを持つコンピュータほど、高速に処理を実行できます。CPUが複数のコアを持つことをマルチコアプロセッサといい、次のようなものがあります。デュアル（2つ）、クアッド（4つ）は、いずれもラテン語由来の英語です。

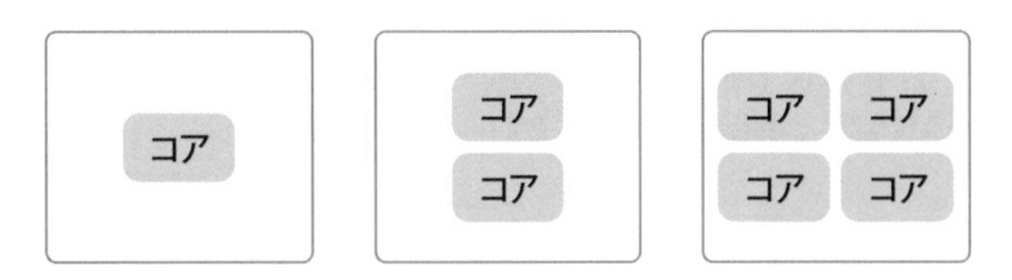

複数のコアを持つマルチコアプロセッサ

- シングルコアプロセッサ：1つのコアを持つCPU
- デュアルコアプロセッサ：2つのコアを持つCPU
- クアッドコアプロセッサ：4つのコアを持つCPU

クロック周波数

クロック周波数とは、1秒間あたりのCPUの動作回数のことです（単位：Hz（ヘルツ））。クロック周波数が高いほど、CPUは短時間で多くのデータ処理を実行できます。クロック周波数は通常、ギガヘルツ（GHz）で表示されます。1GHzは、1秒間に10億回の処理が可能なことを意味します。

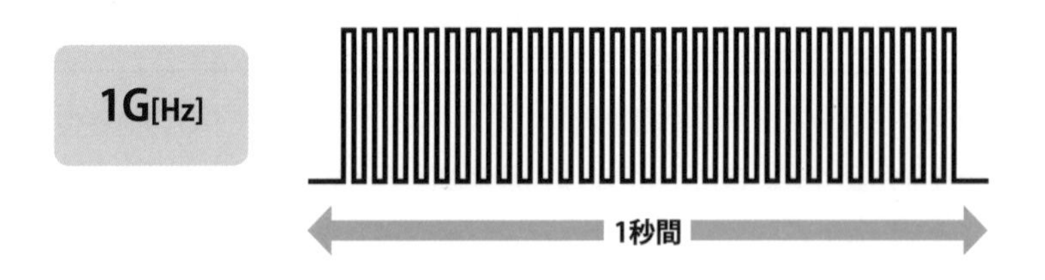

GPU(Graphics Processing Unit)

GPU（Graphics Processing Unit）は、コンピュータで画像や動画の処理を専門的に行うパーツです。CPUが複雑な計算処理を実行するのに対し、GPUは画像などの大量のデータの並列処理を得意とします。

例：GPUの役割

- 映像クリエイティブ系：映像編集ソフトウェアや3Dアニメーションは、GPUによる画像データの効率的な処理が求められます。
- ゲームやVR（仮想現実）：リアルタイムでの高解像度グラフィックと物理シミュレーションでは、GPUによる高性能な処理を必要とします。

映像関連のデザインツールは、GPUの処理性能が高いほど、サクサクと思いどおりの画像編集をコンピュータ上で実行できます。反対に、GPUの性能が低いと、画面がカクカクと遅く重くなり、デザイン作業がしづらくなります。

また、この高度な並列処理能力を活かして、グラフィック以外の計算処理（科学計算や機械学習、暗号資産のマイニングなど）の分野でも、膨大なデータ量と複雑な計算を高速に処理するためにGPUが活用されます。

レジスタ

レジスタ（Register）とは、CPUに存在する極めて小さく高速な記憶領域です。普段、私たちが使うパソコンのハードディスクなどと比べると、レジスタの容量は極めて小さいです。CPUがデータを処理するために、一時的にデータや命令を保管しておく場所です。

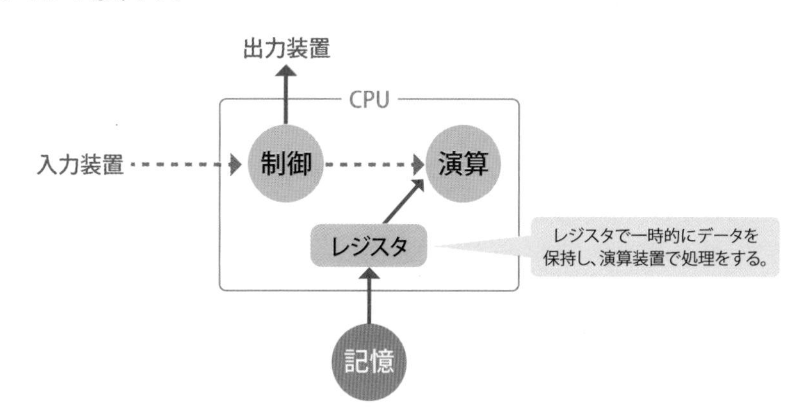

テクノロジ系 15分 ★★★

Chapter 8
04 記憶装置

解説動画▶

データを保持するための装置

超効率ポイント

- **コンピュータの記憶装置は、主記憶装置と補助記憶装置の2つに大別される。**
- **補助記憶装置のうち、ハードディスクとSSDの特徴を理解する。**

CPUと記憶装置

コンピュータの五大装置のうち、**記憶装置**について学習していきましょう。CPUと記憶装置は、どちらも人間の体に例えると「脳みそ」の役割を持つため相互に連動しますが、次のように役割が異なります。

- **CPU**：人間からの指示を受けて演算や制御を行う。→脳みその**考える**役割
- **記憶装置**：CPUで処理するための情報を保持する。→脳みその**記憶する**役割

●記憶装置

コンピュータの記憶装置は、主記憶装置と補助記憶装置の2つに大別されます。主記憶装置（メインメモリ）は、CPUが処理するデータを一時的に保管する役割を持ち、補助記憶装置（ストレージ）は長期的に大容量のデータを保持します。

CPUと記憶装置のデータ処理

コンピュータによる情報処理の流れは、**補助記憶装置→主記憶装置→CPU**の順です。処理ができると、その逆にもデータが移動し保存されます。

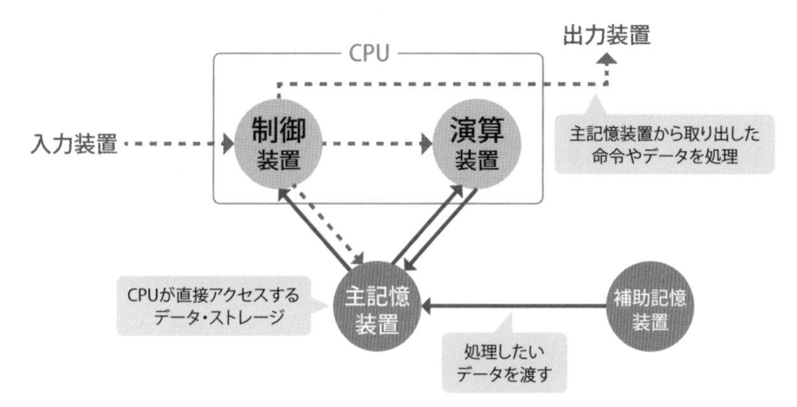

記憶装置とCPUの役割分担

- **補助記憶装置は、ファイルやプログラムなど、コンピュータが永続的に保存するデータを保持します。補助記憶装置では直接データ処理ができないため、一度主記憶装置に読み込ませる必要があります。**
- **主記憶装置は、CPUが直接アクセスしてデータを読み書きできる高速なストレージ領域です。一時的なデータや実行中のプログラムを保存します。**
- **CPUは、主記憶装置から取り出した命令やデータを処理します。処理結果は再び主記憶装置に戻されます。一連の処理が終わると必要に応じて、処理したデータは補助記憶装置で保存されます。**

主記憶装置と補助記憶装置の役割

主記憶装置（メインメモリ）は、**データを一時的に保存**します。**CPUから直接アクセス**でき、データ処理が可能です。一方、補助記憶装置（ストレージ）は、**データの長期保管が可能**ですが、CPUからは直接アクセスできません。

主記憶装置は、よく机の広さに例えられます。人間が机で作業するとき、机は広いほど作業しやすく、狭いと捗りづらいです。

補助記憶装置は、よく本棚の大きさに例えられます。本棚は大きいほど、たくさんの本を保管できます。

主記憶装置

コンピュータの記憶領域

実際にコンピュータ上でデータ処理を行うとき、より細かい部位に分けて処理を実行しています。**コンピュータの記憶領域は、容量が小さいパーツほど処理速度は高速になり、価格も高くなる**傾向にあります。

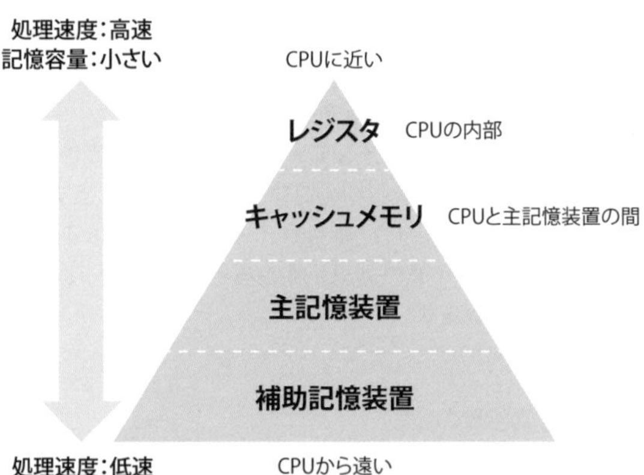

キャッシュメモリ

キャッシュメモリは、CPUと主記憶装置の中間に位置し、一時的な処理データを保持します。主記憶装置よりも高速なアクセスを可能とします。

キャッシュメモリは1次キャッシュ、2次キャッシュ、3次キャッシュと階層で区別され、CPUの演算装置と主記憶装置との間に存在する「速度のギャップ」を埋めるために存在します。

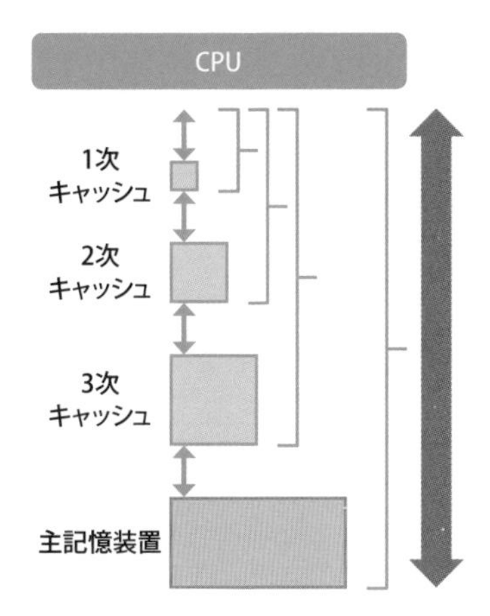

RAMとROM

RAMとROMは、コンピュータの主記憶装置の一部で、作業領域や保存領域として使用されます。

	RAM（Random Access Memory）	ROM（Read-Only Memory）
説明	RAMは、コンピュータの電源がオンの状態である間、データを保持する。データは、**電源が切れると消える。** プログラムの実行やデータを保持する役割。	ROMは、読み取り専用のメモリ。コンピュータの電源がONでもOFFでも、データを保持する。ROMに格納されたデータやプログラムは変更できず、**一度書き込まれると消去や修正ができない。**
特徴	コンピュータの電源が切れると、情報が消える**揮発性メモリ**	コンピュータの電源が切れても、情報が消えない**不揮発性メモリ**
具体例	・**DRAM**（Dynamic Random Access Memory） 主記憶装置に使われ、SRAMよりも情報保持にコストがかかりにくい。 ・**SRAM**（Static Random Access Memory） キャッシュメモリに使われ、DRAMと比べて高速かつ高コストとなる。	・**読み出し専用メモリ** 主にファームウェア（p.258）に使われる。プログラムが格納されたチップなど、読み出し専用メモリの内容は製造時に書き込まれ、基本的に手元で書き換えることはできない。

補助記憶装置

補助記憶装置は、データやプログラムを**長期的に保管**する装置です。電源を切っても記憶内容は消えず、記憶できる容量も大きいです。

ハードディスク

ハードディスク (Hard Disk Drive：HDD) は、磁気を利用してデータを読み書きする補助記憶装置です。ハードディスクのデータは、ディスクのセクタという単位ごとに、ランダムに高速に記録されます。

SSD

SSD (Solid State Drive) は、半導体を利用してデータを高速に読み書きできる補助記憶装置です。ハードディスクよりも高速にデータの読み書きができます。ハードディスクと比べると高価ですが、SSDは比較的衝撃に耐性があります。

NAS

NAS (Network Attached Storage) は、ネットワークに接続して使用する補助記憶装置です。自宅やオフィスのネットワークに接続して、複数のパソコンやスマホからデータにアクセスできます。また、セキュリティ強度やハードディスクの冗長性を高めるRAID (p.395) を設定できます。

フラグメンテーション

フラグメンテーション (Fragmentation) とは、補助記憶装置でデータが非連続的な場所に分散して保存される現象です。主にハードディスクで発生します。ハードディスクではセクタごとにランダムにデータが記録され、ファイルの書込み・消去を繰り返すうちに、データがディスク上の**バラバラな場所**に保存され、フラグメンテーションが発生します。

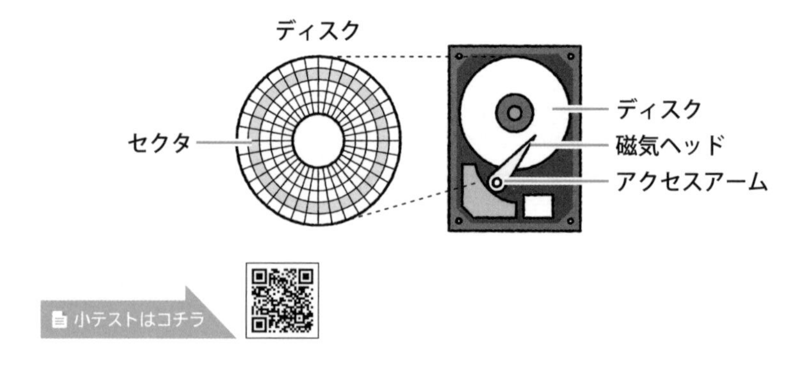

05 入力装置・出力装置

解説動画▶

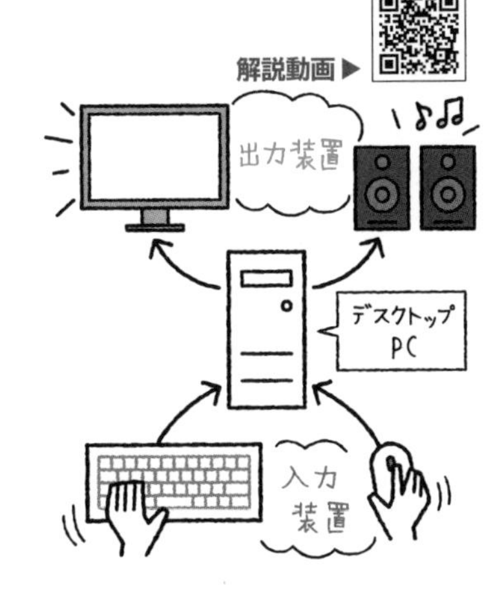

人間とコンピュータのインタフェース

- 入力装置の代表例は、キーボード、マウス、タッチスクリーン、スキャナーなどがある。
- 出力装置の代表例は、ディスプレイ、プリンター、スピーカーなどがある。

入力装置

入力装置は、ユーザーがデータや指示をコンピュータに入力するための機器です。キーボード、マウス、タッチスクリーン、スキャナーなどがあります。

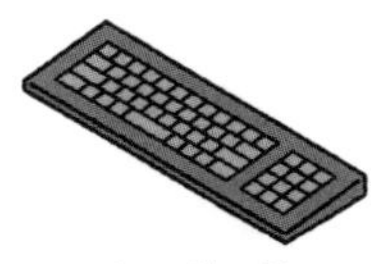
キーボード

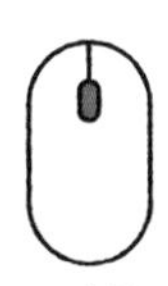
マウス

タッチスクリーン

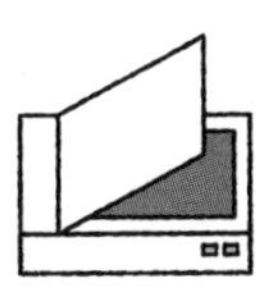
スキャナー

キーボードの配列

一般的にキーボードの配列に使用されるアルファベットの順序を**QWERTY（クワーティ）配列**といいます。配列の名前はキーボード上の左上の6文字に由来しています。

出力装置

出力装置は、コンピュータシステムからユーザーに情報や結果を表示するための機器です。ディスプレイ、プリンター、スピーカーなどがあります。

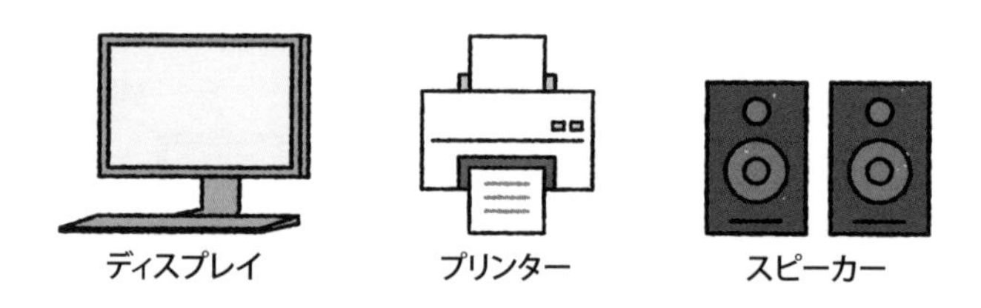

ディスプレイ

ディスプレイは、コンピュータが解釈した情報を人間に伝えるために「映すもの」です。ディスプレイを接続して利用することもあれば、ノートパソコンやスマホのようにディスプレイとコンピュータが一体となっていることもあります。

解像度

解像度とは、ディスプレイ表示の細かさや鮮明さを表し、**ある範囲にどれだけの詳細情報（点やピクセル）が含まれているか**を示す尺度です。解像度の単位は、DPI（dots per inch）です。DPIは、画面上の画素数を示すもので、**1インチあたりで表示できるドット数を単位**としたものです。DPIの数値が高いほど、よりなめらかな文字や精細な写真、動画をディスプレイ上に表示できます。

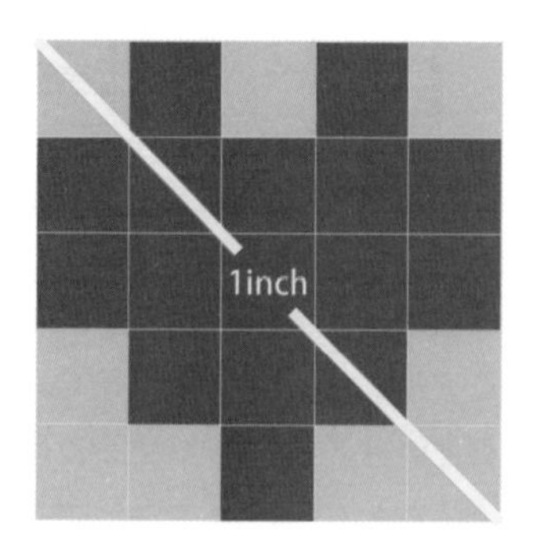

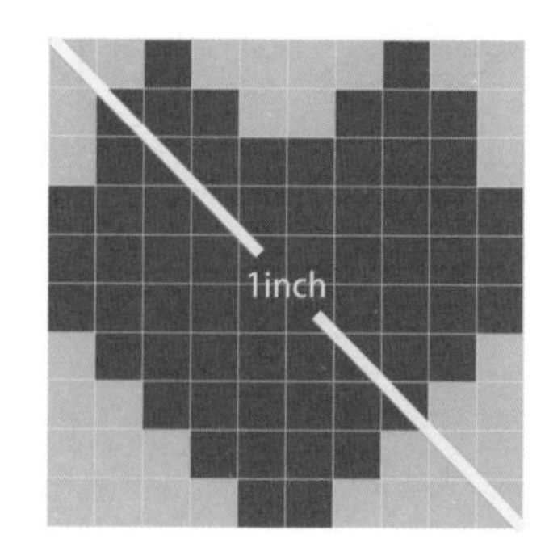

プリンター

プリンターにはさまざまな種類があります。代表的な例を紹介します。

インクジェットプリンター

微細なインクの滴を吹き出して紙に直接印刷します。CMYK(シアン、マゼンタ、イエロー、ブラック)の4色のインクを組み合わせて多くの色を再現します。プリンターは、これらの**基本色を微細なドットとして紙に吹き付け、それらが重なり合うことでさまざまな色をつくり出します。**家庭や小規模オフィスでの使用、写真やカラー画像の印刷に適しています。

レーザープリンター

静電気とレーザー光線を使用してトナー(粉末のインク)を紙に定着させます。オフィスやビジネスでの大量印刷、高速印刷が必要な場面に適しています。

感熱式プリンター

熱に反応する紙(感熱紙)に印刷をするプリンターです。熱を受けた箇所のみが印字されるため、単色刷りの簡易的で素早い印刷に適しています。コンビニなどで買い物したときにもらうレシートなどに、この技術が使われています。

3Dプリンター

3次元の設計データから、立体物をつくり出す装置です。CAD/CAM(p.163)で作ったデータをアウトプットするときにも使います。印刷物の材料にはフィラメント状の樹脂が利用されることが多く、この樹脂は、加熱すると柔らかくなり、冷めると固まる特性があります。

入出力インタフェース

多様なデバイス間でデータをやりとりするためのインタフェース(端末同士をつなげるための接続口)について見てみましょう。入出力のインタフェースは基本的に標準化規格(p.101)が採用され、さまざまなメーカーが世界基準のルールに合わせて互換性を保っています。これにより、どのメーカーのコンピュータや周辺機器を購入しても、機器同士をスムーズに接続できます。

USB

USBは、パソコンと周辺機器を接続する入出力インタフェースの規格です。

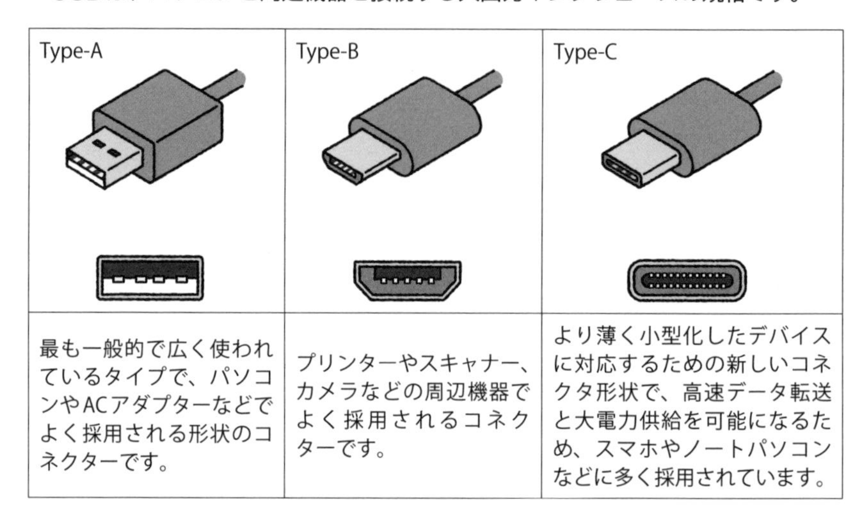

Type-A	Type-B	Type-C
最も一般的で広く使われているタイプで、パソコンやACアダプターなどでよく採用される形状のコネクターです。	プリンターやスキャナー、カメラなどの周辺機器でよく採用されるコネクターです。	より薄く小型化したデバイスに対応するための新しいコネクタ形状で、高速データ転送と大電力供給を可能になるため、スマホやノートパソコンなどに多く採用されています。

USBはバスパワーという方式により、USB接続によってデバイスに電力を供給することができます。USBメモリや、マウス、キーボード、USBヘッドフォンなどは、**コンピュータにUSB接続するだけで電力を得て動作**します。

USBのバージョンは、**USB規格のデータ転送速度と機能**を示しています。USB 3.0は、最大5Gbpsのデータ転送速度を提供します。2024年時点で最新のバージョンはUSB4で、最大40Gbpsのデータ転送速度を提供します。

HDMI

HDMI（High-Definition Multimedia Interface）は、映像や音声をデジタルで伝送するためのインタフェースです。HDMIポートは高品質な映像・音声の伝送が可能で、ディスプレイやテレビなどの映像出力機器に使用されます。

試験問題にチャレンジ

問題❶ R5-問81

HDDを廃棄するときに，HDDからの情報漏えい防止策として，適切なものだけをすべて挙げたものはどれか。

a. データ消去用ソフトウェアを利用し，ランダムなデータをHDDのすべての領域に複数回書き込む。
b. ドリルやメディアシュレッダーなどを用いてHDDを物理的に破壊する。
c. ファイルを消去した後，HDDの論理フォーマットを行う。

ア a，b
イ a，b，c
ウ a，c
エ b，c

正解　ア

解説

c 論理フォーマットは、実際にはハードディスク内に書き込まれたデータは残ったままであるため、不適切です。

問題❷ R4-問81

CPUの性能に関する記述のうち，適切なものはどれか。

ア 32ビットCPUと64ビットCPUでは，64ビットCPUの方が一度に処理するデータ長を大きくできる。
イ CPU内のキャッシュメモリの容量は，少ないほどCPUの処理速度が向上する。
ウ 同じ構造のCPUにおいて，クロック周波数を下げると処理速度が向上する。
エ デュアルコアCPUとクアッドコアCPUでは，デュアルコアCPUの方が同時に実行する処理の数を多くできる。

正解　ア

解説

イ キャッシュメモリはCPUが高速にアクセスできるメモリです。容量が大きいほど多くのデータや命令を高速に取得できるため、CPUの処理速度が向上します。

ウ クロック周波数はCPUの動作速度を示す指標であり、一般的にクロック周波数が高いほどCPUの処理速度も向上します。したがって、クロック周波数を下げると処理速度は低下することが一般的です。

エ デュアルコアCPUは2つのコアを持ち、クアッドコアCPUは4つのコアを持っています。クアッドコアCPUの方が同時に実行できる処理の数が多くなります。

問題❸ R3-問90

CPUのクロックに関する説明のうち，適切なものはどれか。

ア USB接続された周辺機器とCPUの間のデータ転送速度は，クロックの周波数によって決まる。

イ クロックの間隔が短いほど命令実行に時間が掛かる。

ウ クロックは，次に実行すべき命令の格納位置を記録する。

エ クロックは，命令実行のタイミングを調整する。

正解 エ

解説

ア データ転送速度は、USBの規格に影響されます。クロック周波数はCPUの処理速度に影響しますが、USBデバイスとのデータ転送速度を直接決定しません。

イ クロックの間隔が短いということは、クロック周波数が高いことを意味します。クロック周波数が高いほど、1秒間により多くの命令を処理できるため、命令実行にかかる時間は短くなります。

ウ クロックは命令の実行タイミングを制御するものであり、命令の格納位置を記録するものではありません。命令の格納位置は、プログラムカウンタなどのレジスタによって管理されます。

問題❹ R1秋-問60

コンピュータの記憶階層におけるキャッシュメモリ，主記憶及び補助記憶と，それぞれに用いられる記憶装置の組合せとして，適切なものはどれか。

	キャッシュメモリ	主記憶	補助記憶
ア	DRAM	HDD	DVD
イ	DRAM	SSD	SRAM
ウ	SRAM	DRAM	SSD
エ	SRAM	HDD	DRAM

正解　ウ

解説 p.245より、キャッシュメモリはSRAM、主記憶装置はDRAMが利用されます。また、p.246より、補助記憶装置として適切なものは、SSDが該当します。

問題⑤　R1秋-問95

プロセッサに関する次の記述中のa，bに入れる字句の適切な組合せはどれか。

[a]は[b]処理用に開発されたプロセッサである。CPUに内蔵されている場合も多いが，より高度なb処理を行う場合には，高性能な[a]を搭載した拡張ボードを用いることもある。

	a	b
ア	GPU	暗号化
イ	GPU	画像
ウ	VGA	暗号化
エ	VGA	画像

正解　イ

解説 プロセッサ（p.379）とは、コンピュータの中心的な部分であり、指示された命令を実行するための電子回路です。
設問はGPUに関する説明です。VGA（Video Graphics Array）とは、コンピュータのディスプレイ技術の歴史の中で、過去には標準的なコネクタでした。しかし、技術の進化とともに、より高解像度で高品質なディスプレイインタフェースの標準（例：DVI、HDMI、DisplayPortなど）が登場したため、現在はVGAはあまり見られません。

問題❻

R3-問64

CPU内部にある高速小容量の記憶回路であり，演算や制御に関わるデータを一時的に記憶するのに用いられるものはどれか。

ア GPU　　**イ** SSD　　**ウ** 主記憶　　**エ** レジスタ

正解　エ

解説

ア GPU（Graphics Processing Unit）：コンピュータのグラフィックス処理を担当する専用のプロセッサです。3Dゲームや映像編集、最近ではAI計算などにも使用されます。

イ SSD（Solid State Drive）：従来のハードディスクとは異なり、機械的な部分を持たないフラッシュメモリを使用した高速な記憶装置です。

ウ 主記憶：コンピュータの中心部であるCPUが直接アクセスできる記憶領域です。RAM（Random Access Memory）とも呼ばれ、電源を切ると中のデータは消えます。

エ レジスタ：CPU内部に存在する、非常に高速にアクセス可能な小さな記憶領域です。計算やデータ転送の際の一時的なデータ保持に使用されます。

問題❼

R6-問56

PCにおいて，電力供給を断つと記憶内容が失われるメモリ又は記憶媒体はどれか。

ア DVD-RAM　　**イ** DRAM

ウ ROM　　**エ** フラッシュメモリ

正解　イ

解説

ア DVD-RAM：書き換えが可能なディスク型の光学ストレージ。

イ DRAM：主に、主記憶装置で利用されるメモリ。

ウ ROM：非揮発性の読み出し専用メモリ。一度プログラムされると内容を変更できない。

エ フラッシュメモリ：電源が切れてもデータを保持できる非揮発性のメモリ。（USBメモリ、SSDなどで利用）

テクノロジ系

Chapter 9

ソフトウェア

本章の学習ポイント

- ソフトウェアは、応用ソフトウェア、基本ソフトウェアの２つに区別される。
- OSSは、ソースコードが公開されていて、自由に改変・再配布できるソフトウェアのこと。
- コンピュータ画面は、GUIとCUIに分類できる。
- コンピュータのファイルは、ディレクトリ構造で管理される。
- HTMLやCSSなどで記述されたページをWebブラウザで適切に表示するには、ファイルパスを指定してデータを呼び出す。

Chapter 9

01 ソフトウェアとは

解説動画▶

ソフトウェアの分類と役割を覚える

- コンピュータは、ソフトウェアとハードウェアが相互に動作してデータを処理している。
- ソフトウェアは、応用ソフトウェア・基本ソフトウェアの２つに区別される。

ソフトウェア

ソフトウェアは、コンピュータが特定のタスクを実行するための指示を記述したコードやデータの集合です。ハードウェア（物理的な機器）が行う作業を制御・調整する役割も果たします。

ハードウェアとソフトウェアの区別

コンピュータは、ハードウェアとソフトウェアが相互に動作してデータを処理します。ハードウェアがなければソフトウェアは動作せず、ソフトウェアがなければハードウェアはただの物理的な機械部品です。

私たちはソフトウェアを操作することで、ハードウェアに指示を送りコンピュータ上のタスクを処理しています。

ソフトウェアの分類

ソフトウェアは、応用ソフトウェア、基本ソフトウェアの２つに区別されます。

応用ソフトウェア（アプリケーションソフトウェア）

人間が直接操作をして、コンピュータに特定の機能を実行させるソフトウェアです。応用ソフトウェアは、**アプリケーションソフトウェア**や**アプリケーション（アプリ）**などと呼ばれます。

スマートフォン上でYouTubeアプリから動画を視聴したり、パソコン上でメールソフトを開いてメールを送ったりするときなどは、応用ソフトウェアを操作していることになります。

基本ソフトウェア（OS：Operating System）

コンピュータのハードウェアリソース（CPU、メモリ、ストレージなど）を管理し、応用ソフトウェアがハードウェアリソースを効果的に使用できるようにするソフトウェアです。例えば、WindowsやmacOS、Linuxなどが該当します。

OSの役割

基本ソフトウェア（OS：Operating System：オペレーティングシステム）はコンピュータの心臓部ともいえるソフトウェアで、ハードウェアとの間で情報をやりとりし、コンピュータ全体を管理します。OSの重要な役割として、タスク管理・リソース管理・ファイル管理の３つを理解しましょう。

タスク管理	OSは、複数のソフトウェアの同時実行を管理します。これにより、ユーザーは複数のアプリケーションを同時に開いて作業することが可能となります。OSは各プロセスにCPU時間を適切に割り振るスケジューリング機能を持ち、プロセスが正しく並行して実行されるようにします。
リソース管理	コンピュータのリソース（CPU、メモリ、ストレージなど）には、限りがあります。OSは、このリソースの配分・割り当てを管理します。
ファイル管理	OSは、コンピュータ上のファイル（p.268）を格納し、アクセスできるよう管理します。

ハードウェアとソフトウェアの対応

ハードウェアとソフトウェアは相互に動作してコンピュータシステムを制御します。スマホ・パソコン・サーバで比較したときの一般的な使い分けの事例を見てみましょう。

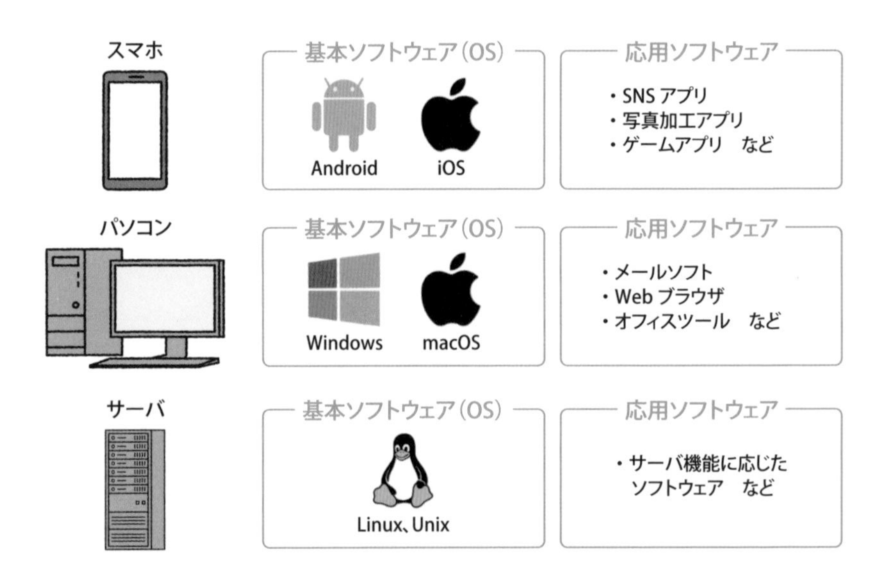

ファームウェア

ファームウェア（Firmware）は、**ハードウェアとソフトウェアの中間に位置する制御のためのソフトウェア**です。通常、情報はハードウェアに直接書き込まれるため、ユーザーが認識することはほぼありません。

ハードウェアデバイス（ディスプレイへの表示など）・IoT・組み込みシステムなどに利用されます。

デバイスドライバ

デバイスドライバ（Device Driver）は、パソコンに接続されたハードウェアをOSに組み込んで利用し、直接制御できるようにするソフトウェアです。外部の周辺機器（ハードディスク、SSD、プリンター、マウス、イーサネットボード、拡張カードなど）と接続する際に利用されます。

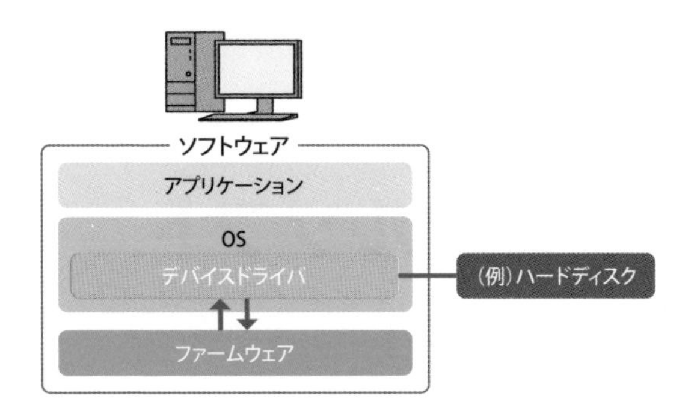

特定の外部デバイスをOSが適切に認識し、制御できるようにする役割を果たすことから、ハードウェアとOSの間の「翻訳者」ともいわれます。

プラグアンドプレイ

パソコンに周辺機器や拡張カードを接続すると、**OSが自動的に必要な設定を行い、適切なデバイスドライバを読み込む仕組み**をプラグアンドプレイといいます。「差し込んで使う」という意味を持ちます。

これによりユーザーは、スムーズにハードディスクやマウスなどのハードウェアをパソコンに追加できます。

テクノロジ系　10分　★★★

Chapter 9

02 Webブラウザとメールソフト

解説動画▶

身近なソフトウェアの役割を知る

- Webブラウザは、サーバからWebサイトのデータを受け取り、人間が理解できる形に変換している。
- メールの送受信には、電子メールクライアント（メールソフト）が利用される。

Webブラウザ

Webブラウザとは、検索やURLの指定によりWebサイトを閲覧できるソフトウェアです。

Chapter8-2で紹介したように、私たちがWebサイトを閲覧できるのは、クライアントとサーバの情報の受け渡しによるものです。クライアント端末を介してWebサイトの情報を取得していますが、**単にWebサイトの情報を受け取っただけでは、端末上で正しく閲覧することはできません。**

ソフトウェアであるWebブラウザが、サーバから送られてくるデータ（HTML、CSS、JavaScriptなど：p.341）を解釈して組み立てて、人間が理解できる形で表示する役割を果たしています。

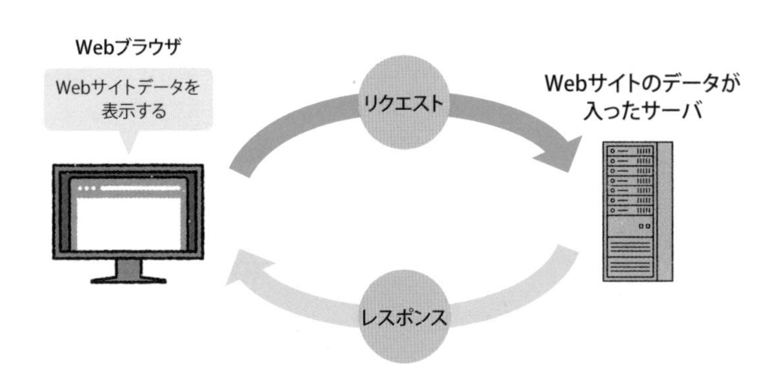

代表的なWebブラウザのソフトウェアとしては、次のようなものがあります。

キャッシュ

キャッシュ（Cache：貯蔵庫）とは、一度閲覧したWebサイトの情報（HTMLファイル、CSSファイル、画像、スクリプトなど）を一時的に保存するWebブラウザの機能です。再度同じデータにアクセスする際にキャッシュを活用することで、読み込み速度を向上させたり、サーバへのアクセス負荷を下げたりすることができます。

キャッシュにデータが貯まりすぎて動作が重くなったり、更新（Webサイトの読み込み）が進まなかったりするときは、キャッシュクリア（キャッシュの中身を削除する）により、データの読み込み速度を上げることができます。

Cookie

Cookieとは、Webサイトの閲覧時に、閲覧したWebサーバからユーザーのブラウザに送られ保存される情報のことです。Cookieは保持する情報の特性から、デジタルマーケティングでもよく利用されます（p.66）。

Cookieの活用は、ユーザーとWebサイトの保有者で役割が異なります。

Webサイトの利用者	Cookieの保存情報のうち、Webサイトのログイン情報を保持します。ユーザーは、ログインが必要なWebサイトで再ログインの操作をする必要がなくなり、スムーズにWebサイトを利用できます。
Webサイトの保有者（企業の場合）	Cookieの保存情報のうち、ユーザーがWebサイトに訪れた履歴を記録できます。企業がインターネット広告を出稿する際、Webサイトに訪れた人の行動履歴から、個別最適化された広告を表示することができます。

キャッシュとCookieの違い

	キャッシュ	Cookie
データ	Webページのロード時間を短縮するために、**一度訪れたWebページのデータを一時的に保存。**	Webサイトが**ユーザーを識別するために使用する小さなテキストファイル。**
特徴	Webサイトの表示スピードを速くしたり、サーバへのアクセス負荷を下げたりすることができる。	セッション管理やリターゲティング（p.75）などに利用できる。
プライバシー	ユーザーの識別やトラッキングには使用されない。	Webサイトによっては、ユーザーの行動を追跡するために使用されることがあり、個人情報保護に関わる場合がある。

電子メールクライアント

Webブラウザで利用する**URL**が誰でもアクセス可能なオープンな住所（場所）なら、**メールアドレス**は私たち個人が暮らすプライベートな家の住所に例えられます。

電子メールクライアント

電子メールクライアントとは、電子メールを送受信できるアプリケーションソフトウェアです。ユーザーがメールを送信すると、メールソフトはメールサーバに情報を送ります。メールを受信すると、人間が読みやすい形式で表示します。

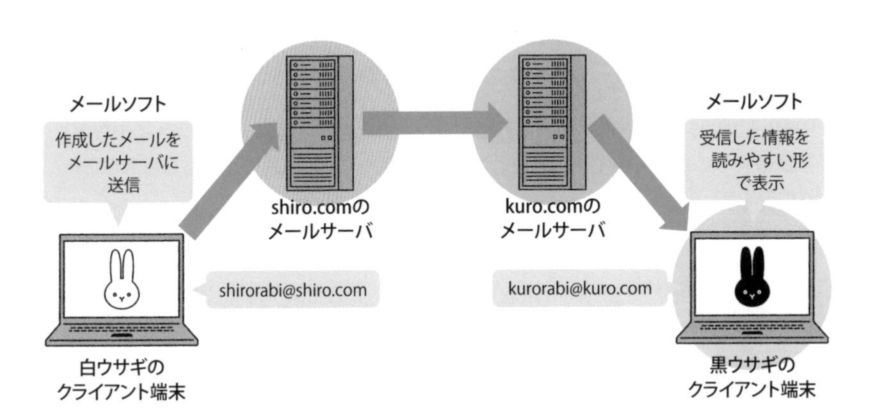

代表的なメールソフトとしては、次のようなものがあります。

Microsoft Outlook

Gmail

Apple Mail

メールの形式

メールには、HTMLメールとテキストメールの２つの形式があります。

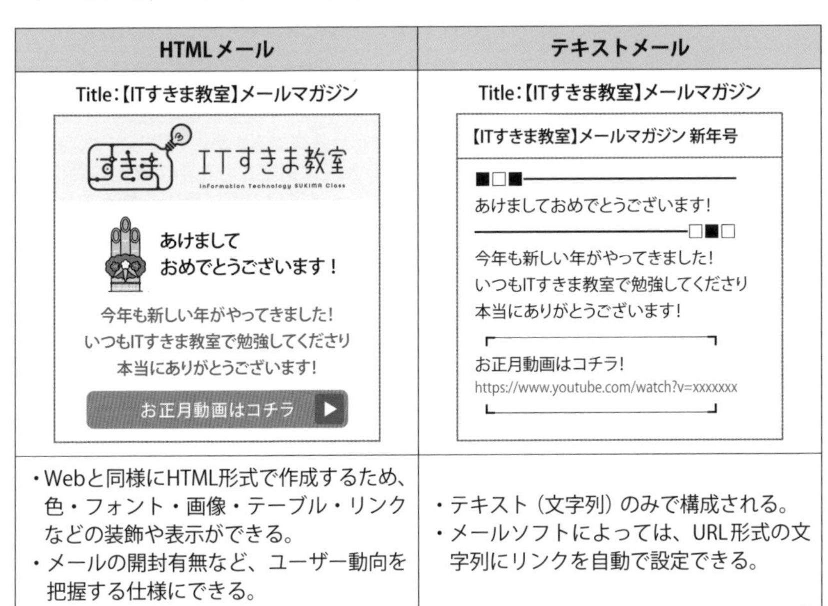

HTMLメール	テキストメール
Title：【ITすきま教室】メールマガジン ITすきま教室 Information Technology SUKIMA Class あけまして おめでとうございます！ 今年も新しい年がやってきました！ いつもITすきま教室で勉強してくださり 本当にありがとうございます！ お正月動画はコチラ	Title：【ITすきま教室】メールマガジン 【ITすきま教室】メールマガジン 新年号 ■□■―――――――――― あけましておめでとうございます！ ――――――――――□■□ 今年も新しい年がやってきました！ いつもITすきま教室で勉強してくださり 本当にありがとうございます！ お正月動画はコチラ！ https://www.youtube.com/watch?v=xxxxxxx
・Webと同様にHTML形式で作成するため、色・フォント・画像・テーブル・リンクなどの装飾や表示ができる。 ・メールの開封有無など、ユーザー動向を把握する仕様にできる。	・テキスト（文字列）のみで構成される。 ・メールソフトによっては、URL形式の文字列にリンクを自動で設定できる。

HTMLメールとテキストメールで共通してできること

HTML形式、テキスト形式のどちらも、ファイル（画像・音声・PDFファイルなど）を添付することは可能です。一方、本文内にファイルを挿入できるものはHTML形式のみです。

メールの送信先の種別

メールの宛先の指定方法にも種類があります。次の宛先指定画面のように、宛先・CC・BCCの３つがあります。

宛先:	eraihito@it-sukima.com
CC:	kyouyuu@it-sukima.com
BCC:	himitsu@it-sukima.com
件名:	【IT すきま教室】メールマガジン

宛先（TO）	誰に宛てたメールか分かるようにするため、「あなたに送っています」という意思表示として入力します。
CC（Carbon Copy:写し）	TOで送った人以外の関係者に、参考・情報共有できるように入力します。
BCC（Blind Carbon Copy:気づかれないよう、隠された写し）	他の受信者に伏せて連絡するために入力します。宛先とCCの人から、BCCに指定された相手は他の受信者に知られません。一斉送信の際に用いられることや、プライバシー保護やメールの転送防止などに利用されます。

Chapter 9

03 主なソフトウェアの種類

テクノロジ系　10分　★★★

ソフトウェアが担う役割を覚える

- オフィスツールやグループウェアなど、ビジネスシーンで利用されるソフトウェアを理解する。
- オープンソースソフトウェアは、ソースコードが公開されていて、改変や再配布が自由に行える。

オフィスツール

オフィスツールとは、オフィス環境やビジネスシーンで一般的に使用されるソフトウェアやアプリケーションの総称です。これには、多くの業務に関連する機能が含まれます。

文書作成ソフト	Microsoft Word、Google Docs	文書の作成、編集、フォーマットが可能。また、一連の操作手順を定義して実行できるマクロ機能などもある。
表計算ソフト	Microsoft Excel、Google Sheets	数値データの計算、分析、グラフの作成、マクロ機能の利用が可能（p.450）。
プレゼンテーションソフト	Microsoft PowerPoint、Google Slides	スライド形式でのプレゼンテーションの作成が可能。
メールクライアント	Microsoft Outlook、Gmail、Mozilla Thunderbird	メールの送受信、管理が可能。
スケジュール管理	Microsoft Outlook Calendar、Google Calendar	予定や会議のスケジュール管理が可能。

グループウェア

グループウェアは、組織内の情報のやりとりを促進するためのソフトウェアの総称です。チームや部門間での情報共有、プロジェクト管理、業務の効率化が目的です。代表的なグループウェアの例としては、Google Workspaceがあります。

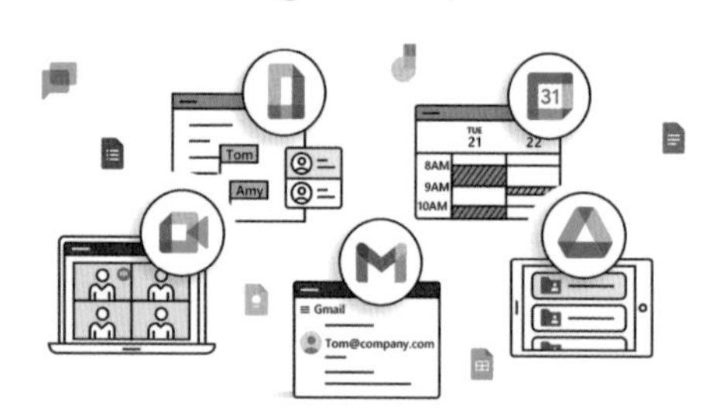

例：グループウェアでできること

- メンバー間でのファイル共有、ファイル内の共同作業
- スケジュール、連絡先などの一元的な管理
- 会議のスケジューリング、個人の予定管理、会議室・メンバーの予定の登録　など

グラフィックデザインのソフトウェア

グラフィックデザインのソフトウェアは、イラストなどを作成できます。

形式	ビットマップ（ラスター）画像	ベクター画像
画面上での表示		
特徴	拡大すると、カクカクと粗くなる。Web用データなどに使用される。	拡大しても、キレイな線のまま。印刷物などに使用される。
ソフトウェア例	Photoshop	Illustrator

ビットマップ画像は、ピクセルレベルでの高度なデザイン表現が可能です。ラスター画像ともいわれます。

ベクター画像は拡大・縮小しても品質が落ちないため、ロゴやアイコンなど、サイズ変更が頻繁に行われるデザインに適します。

オープンソースソフトウェア

オープンソースソフトウェア（Open Source Software：OSS）とは、**ソースコードが公開されていて、改変や再配布が自由に行えるソフトウェア**のことです。

- 改変：OSSのソースコードは、自由に改変（機能の強化など）が可能です。OSSでないものは、ソースコードが公開されておらず、改変できません。
- 再配布：OSSの改変によって付加価値を付けたのち、他のユーザーに公開できます。改変したソフトウェアを有料で販売することも可能です。

役割	OSSの代表例
Webブラウザ	Firefox
電子メール	Thunderbird
OS	Linux、Android
データベース	MySQL、PostgreSQL
Webサーバ	Apache
プログラム言語	PHP、Python、Rubyなど

OSSに分類されないソフトウェア

OSSに分類されないソフトウェアの場合、**著作権やライセンス契約などの権利関係により、改変や再配布は違法**とされています。こうした懸念なく利用できるOSSは、技術活用の機会を多くの人に平等に提供し、デジタルの民主化に貢献しています。
なお、ソフトウェアライセンスは通常、購入すると「利用すること」を許可してもらっていることになります。コピーしたり改変したりすることは原則禁止です（p.83：使用許諾契約）。

テクノロジ系 15分 ★★★

Chapter 9

04 ファイルとディレクトリ

解説動画▶

コンピュータ内の書類管理を知る

超効率ポイント

- ファイルは、コンピュータ上で保存されるデータやプログラムの単位。文書・写真・音楽・動画などを含む。
- 拡張子によってファイルの種類やどのソフトウェアで開くべきかを示す。
- コンピュータのインタフェースには、GUIとCUIがある。

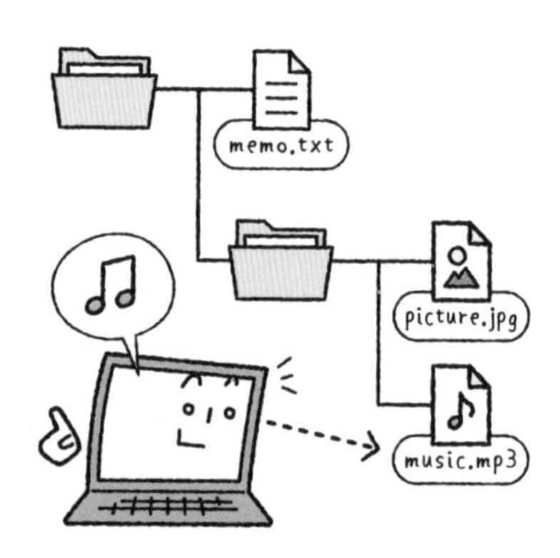

ファイルとは

コンピュータ内のファイルとは、データを保存するための基本的な単位で、コンピュータ上に保存される書類のようなものです。文書・写真・音楽・動画など、さまざまな種類があります。

パソコンやスマホは、情報をファイルにより管理します。

パソコン（Windows）のファイル管理	スマホの画像ファイル管理
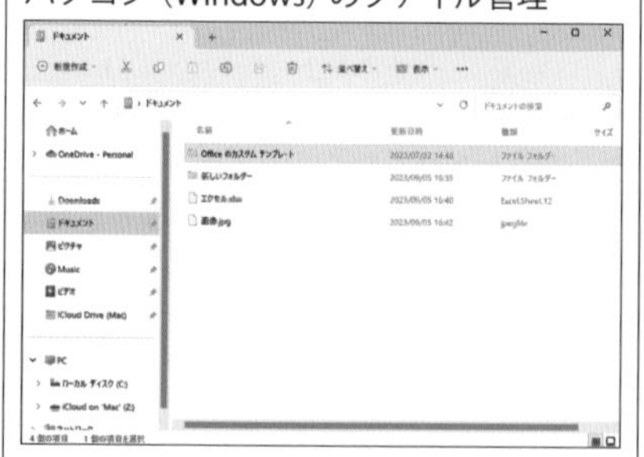	 動画や写真の1つ1つが**ファイル**
ファイルを扱うためのソフトウェアで管理される。	スマホのカメラロールアプリで写真を扱うときは、写真1つひとつが「写真ファイル」となります。

ファイルとフォルダ

フォルダは、コンピュータ上でファイルを管理するために利用されます。コンピュータ内のデータは階層構造（ツリー構造）のファイルシステムによって管理されています。

- ファイル：データの基本単位で、テキスト・画像・プログラムなどの形式がある。
- フォルダ：他のフォルダやファイルを含み、それらをひとまとめにする。

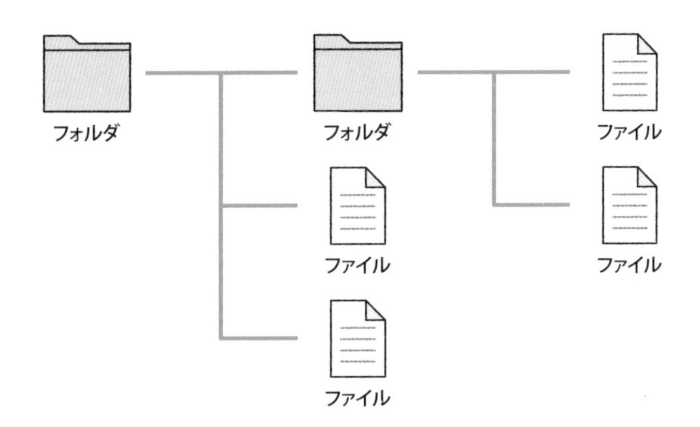

コンピュータ上でのファイルとフォルダの管理

WindowsやMacのパソコンを操作した経験があれば、**Windowsならエクスプローラー**、**MacならFinder**を利用したことがあると思います。これらはファイルとフォルダを管理するためのファイルマネージャーというソフトウェアに分類されます。

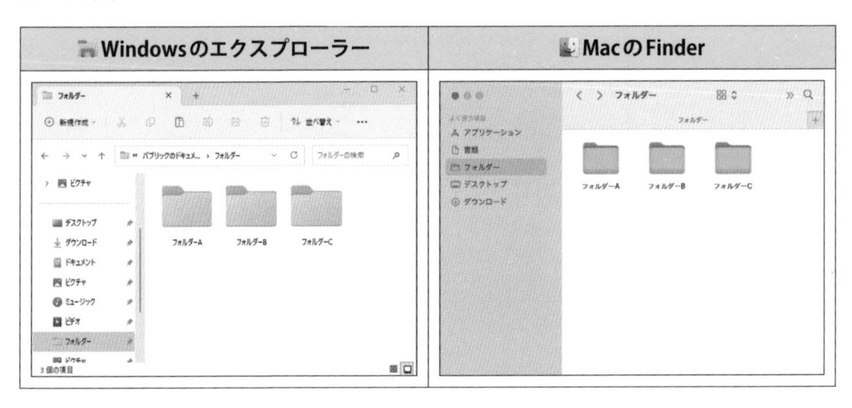

ディレクトリ

フォルダは、ファイルを分類・整理する役割を持つことから、それらの関係をたどってファイルの位置を示すことができます。

ファイルの位置を示したものをディレクトリ（Directory）と呼びます。

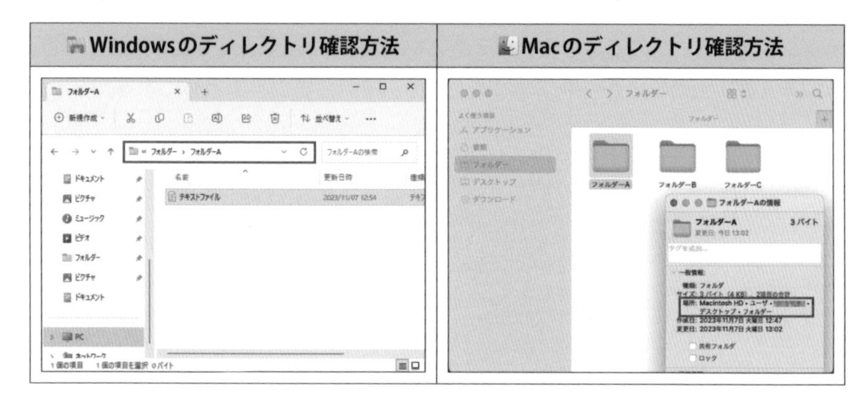

ルートディレクトリ

ファイルを管理するフォルダは階層構造で整理されます。この**階層構造の最上位となる部分をルートディレクトリといいます。**一般的なパソコンのディレクトリ構造を図で示すと、次のようになります。

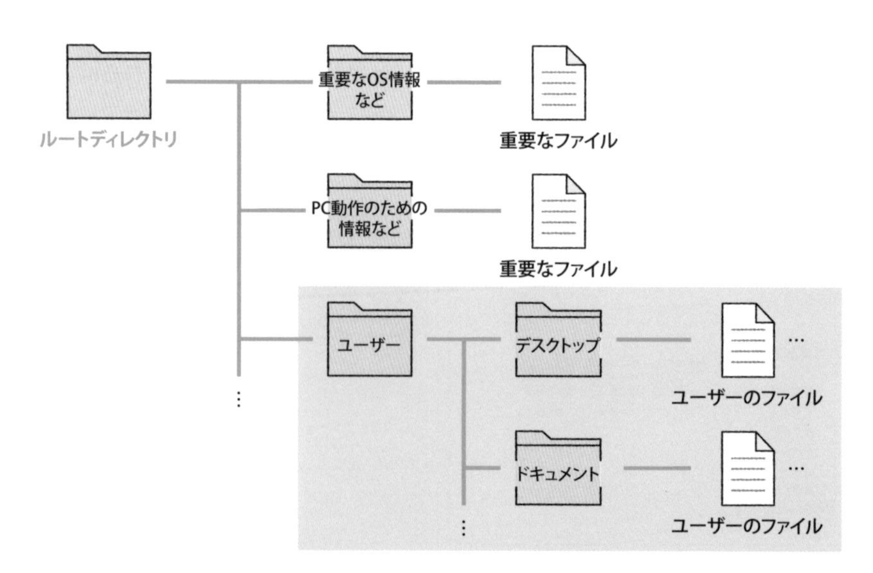

ファイルと拡張子

ファイルは通常、拡張子と呼ばれる短い文字列を持っています。

拡張子（例：.txt、.jpeg、.mp3など）は、そのファイルの種類が何であるか、どのソフトウェアで開くべきかを示しています。

mp3	音声データのファイル。
mp4	動画データのファイル。
jpeg	画像データのファイル。PNGよりも軽い形式でデータを扱う。非可逆圧縮（後述）により、画像のファイルサイズを小さくしている。
png	画像データを扱うファイル。可逆圧縮（後述）により、もとの画像の品質を維持してファイルサイズを小さくしている。
gif	8ビットカラーの静止画像（動画）を圧縮したファイル。色数を少なくし、データ量を抑えている。
pdf	主に印刷物での利用を目的とした文書やポスターなどに利用するファイル。テキスト・画像・リンクなど、多様な要素を1つのファイルに統合できる。どのデバイスで見ても、同じように表示できる。
zip	ZIP形式でデータを圧縮したファイル。

データ圧縮の種類

データの圧縮には、可逆圧縮（ロスレス圧縮）と非可逆圧縮（ロッシー圧縮）の2つのタイプがあります。この2つの圧縮の種類の違いにより、ファイルの種類を変換したときに、データの品質が変わってしまうことがあります。例えば可逆圧縮のPNG画像を非可逆圧縮のJPEGに変換すると、品質が低下します。

可逆圧縮	圧縮したデータを展開すると、もとのデータと完全に一致する。
非可逆圧縮	圧縮したデータを展開しても、もとのデータと完全には一致しない。ただし、人間が認識する上で支障のない範囲で情報を削除するため、品質の低下が気にならないケースが多い。

データの圧縮・展開の活用

データの圧縮では、複数のファイルをまとめて圧縮できます。また、元々大きなサイズのデータであっても、ある程度サイズを小さくできます。そのため、圧縮・展開をうまく使うことによって、大量・大容量のファイルのやりとりを効率的に行うことができます。

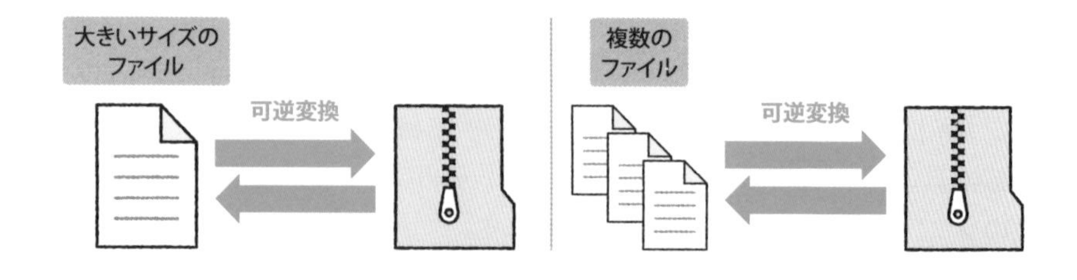

GUIとCUI

コンピュータと人間が情報をやりとりするインタフェースは、GUIとCUIの2種類があります。

GUI （Graphical User Interface： 図形などによる画面）	CUI （Character User Interface： 文字による画面）
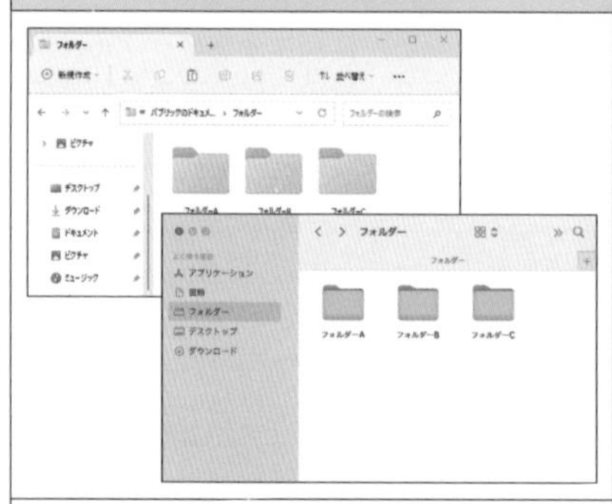	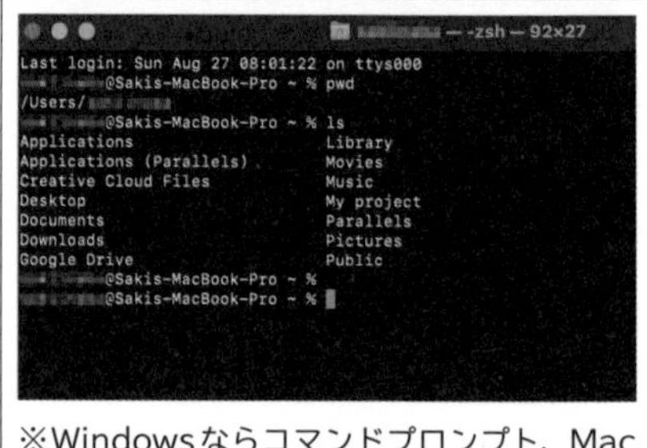 ※Windowsならコマンドプロンプト、Macならターミナルで CUI操作ができます。
グラフィカルな（視覚的な）画面表示によって操作が可能なインタフェースです。私たちが普段操作する画面です。情報の構成が視覚的に分かりやすく、マウスクリックやドラッグ＆ドロップによるファイルの移動、アイコンによるファイルやフォルダの認識など、直感的な操作が可能です。	テキスト情報のみで操作を行うインタフェースのことです。コマンド（操作命令）を入力することで、ファイルの作成、編集、削除などの操作を行います。専門的なコンピュータ制御を行う場合によく利用されます。GUIのようにグラフィカルな要素が少ないため、システムのリソースをほぼ消費しません。

テクノロジ系　15分　★★★

Chapter 9

05 Webサイトの構成ファイル

解説動画▶

ファイルとディレクトリの構造を覚える

- ファイルやフォルダによる階層的な管理は、サーバ側でも適用される。
- Webサイトを閲覧するときは、HTMLファイルがCSSファイルを呼び出すためにファイルパスを記述する。

Webサイトをつくるファイル

ファイルやフォルダによる階層的なファイル管理の方法は、クライアント側だけでなくサーバ側でも同様です。Chapter8-2で学習した「パソコンでWebサイトが見られるようになるまで」の事例をより深掘りして学習しましょう。

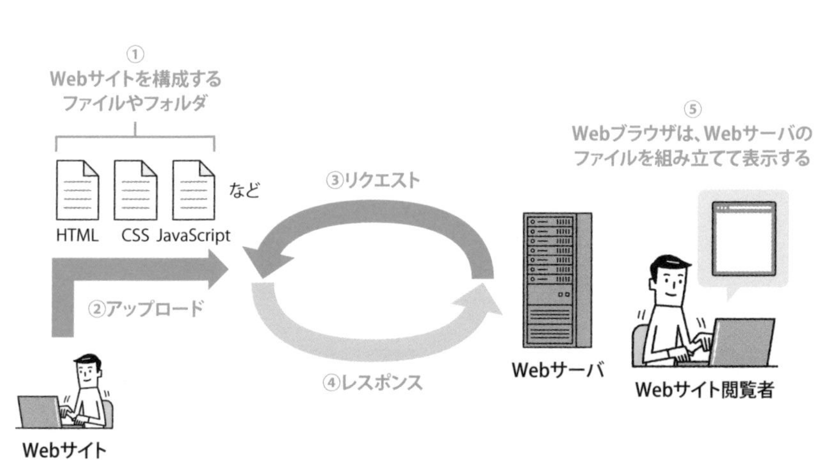

この図で示した**Webサーバ内のファイルやフォルダの構成は、私たちが操作する一般のパソコンと同じ階層構造**となっています。

Webサイト制作者と閲覧者がWebサーバに対して行っていること

1. Webサイトは、制作者によって作成されたHTML・CSS・JavaScript・画像など、さまざまなデータをもとに構成されています（HTML、CSS、JavaScriptなどは、プログラミング（p.340）でも学習します）。
2. Webサイト制作者は、Webサイトを構成するさまざまなファイルを、Webサーバ上にアップロードして公開します。
3. Webサイトの閲覧者は、Webブラウザを通じてWebサーバにリクエストを送り、WebサーバがHTMLやCSSなどのファイルをレスポンスします。
4. 人間は、HTMLやCSSファイルを直接受け取っても認識しづらいため、Webブラウザは受け取ったファイルをWebサイトの形式に組み立てる役割を持ちます。閲覧者は、Webブラウザに表示された情報を閲覧します。

コンピュータ内でのファイル呼び出し

WebサイトはHTMLやCSSなどのファイルとして、サイト管理者（サイト制作者）によってサーバにアップロードされています。このときHTMLやCSSなどのファイルは独立した存在ですが、**HTMLファイルがCSSファイルを呼び出すことで1つの情報のまとまりとなっています。**

呼び出しもとのファイル内で、呼び出し先のファイルを指定します。例えば、HTMLファイル内にファイルパスを記述し、CSSを呼び出します。

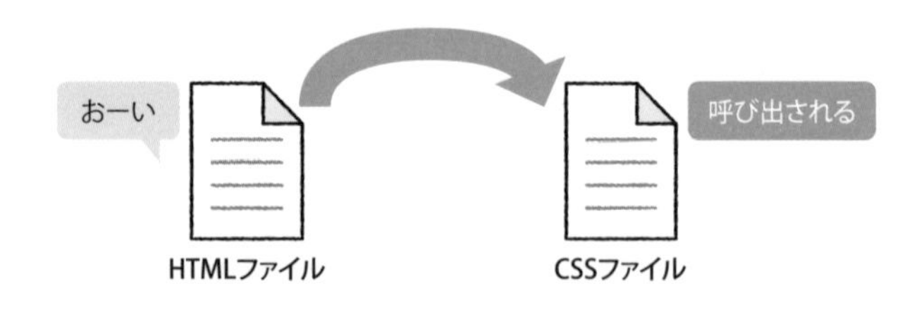

ファイルパスの記述

例えば、次のようなWebページは、どういったファイル構成でできているでしょうか。

このWebページは、以下のファイルで構成されます。

このWebページでは、HTMLファイルからCSSファイルや画像ファイルを呼び出し、装飾されたテキストや画像を表示しています。

●ディレクトリ構造

この**Webページのファイル**は、it-sukima.comのサーバにアップロードされています。このWebサイトのディレクトリ構造は、次の図のようになっています。

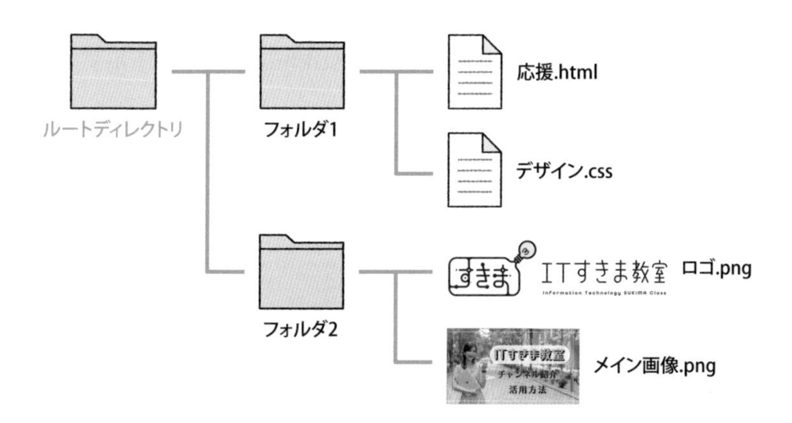

応援.htmlファイルは、関係しているファイルを呼び出すためにファイルディレクトリを指定します。その指定方法として、相対パスと絶対パスの２種類があります。

相対パス

あるファイルを起点として、相対的に他のファイルのディレクトリを記述する方法を相対パスといいます。

ファイルディレクトリの指定ルール

- １階層上のディレクトリは「..」で表す。
- ディレクトリ階層を表すときは「/」で表す。
- 現在、ファイル自身が配置されているディレクトリ（カレントディレクトリ）は「.」で表す。

例えば「応援.html」から「フォルダ２」内の「ロゴ.png」を指定するには「**../フォルダ２/ロゴ.png**」と記述します。

絶対パス

ルートディレクトリを起点として、指定したいファイルのディレクトリを記述する方法を絶対パスといいます。絶対パスでの記述例は、以下のイメージです（ルートディレクトリの指定方法は、OSや環境によって異なります）。

/ルートディレクトリ/フォルダ２/ロゴ.png

この絶対パスは、URLとほぼ同じといえます。例えば応援WebサイトのURLは、次のようにファイルディレクトリを指定することができます。

- サイト全体を表示する場合：**https://it-sukima.com/フォルダ１/応援.html**
- ロゴ.pngだけを呼び出す場合：**https://it-sukima.com/フォルダ２/ロゴ.png**

URLの構造

次のURL（Uniform Resource Locator）は、ITすきま教室のブログページを呼び出すURLです。

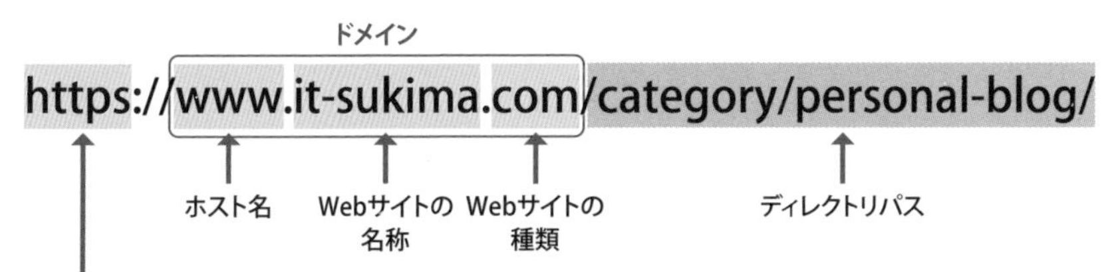

- https は通信プロトコル（p.296）を意味します。
- www はWebサイトにアクセスするためのホスト名。ドメイン内のコンピューター名となります。
- it-sukima はWebサイトの名称です。
- .com はトップレベルドメインで、Webサイトの種類を示します。
- it-sukima.com を**ドメイン**といいます。ネットワーク上のコンピュータを人間が理解しやすい言葉で識別するために使われます。
- /category/personal-blog/は、**サーバ内のディレクトリ**を示します。この記述の場合、「category」フォルダ内に「personal-blog」フォルダが存在します。

「.com」のようなトップレベルドメインにはいくつかの種類があります。

.com	最も一般的なトップレベルドメインです。全世界で使用可能であり、地域や国の制約はありません。commercialの略です。
.co.jp	日本の企業組織専用の国別トップレベルドメインです。commercial organization in Japanの略です。
.ac.jp	日本の教育機関（特に大学）が使用できるトップレベルドメインです。academic in Japanの略です。
.go.jp	日本の政府機関が公式情報を提供するために使用します。内閣府、国税庁、経済産業省など、日本政府の正式情報はすべて「.go.jp」で提供されます。government organization in Japanの略です。

小テストはコチラ

Chapter 9 ソフトウェア

試験問題にチャレンジ

問題❶ R5-問82

OSS(Open Source Software)に関する記述a～cのうち，適切なものだけをすべて挙げたものはどれか。

a. ソースコードに手を加えて再配布することができる。

b. ソースコードの入手は無償だが，有償の保守サポートを受けなければならない。

c. 著作権が放棄されており，無断で利用することができる。

ア a　　**イ** a，c　　**ウ** b　　**エ** c

正解 ア

解説

b. 有償サポートの提供は自由ですが、受けなければならないわけではありません。

c. 著作権は放棄されていません。

問題❷ R5-問92

電子メールに関する記述のうち，適切なものはどれか。

ア 電子メールのプロトコルには，受信にSMTP，送信にPOP3が使われる。

イ メーリングリストによる電子メールを受信すると，その宛先にはすべての登録メンバーのメールアドレスが記述されている。

ウ メールアドレスの"@"の左側部分に記述されているドメイン名に基づいて，電子メールが転送される。

エ メール転送サービスを利用すると，自分名義の複数のメールアドレス宛に届いた電子メールを一つのメールボックスに保存することができる。

正解 エ

解説

ア 受信にはPOPやIMAP、送信にはSMTPが使われます。

イ メーリングリストは、配信したいメールをメーリングリストサーバに送信し、メーリングリストサーバが各宛先にメールを送る仕組みです。宛先に他のメンバーのメールアドレスは記載されません。

ウ　メールアドレスは"ユーザー名@ドメイン名"の形式です。ドメイン名は"@"の右側です。

問題❸　R4-問3

ゲーム機，家電製品などに搭載されている，ハードウェアの基本的な制御を行うためのソフトウェアはどれか。

ア　グループウェア　　**イ**　シェアウェア
ウ　ファームウェア　　**エ**　ミドルウェア

正解　ウ

解説

グループウェア：チームや組織内のコミュニケーションや協力をサポートするソフトウェアです。タスク管理、スケジュール共有、文書管理などの機能を持ちます。

シェアウェア：初期は無料で提供され、全機能を利用するためには後から料金を支払う必要があるソフトウェアです。

ファームウェア：ハードウェアの制御や動作を指示する組み込みソフトウェアです。通常、ROMやフラッシュメモリに書き込まれています。

ミドルウェア：アプリケーションソフトウェアとオペレーティングシステムの間に位置するソフトウェアです。異なるシステムやアプリケーション間の連携や通信をサポートします。

問題❹　R4-問63

スマートフォンやタブレットなどの携帯端末に用いられている，OSS(Open Source Software)であるOSはどれか。

ア　Android　　**イ**　iOS　　**ウ**　Safari　　**エ**　Windows

正解　ア

解説　OSS（p.267）の表より、AndroidがOSSに該当します。iOSはスマートフォンのOSですがOSSではありません。

問題❺　R4-問90

ディレクトリ又はファイルがノードに対応する木構造で表現できるファイルシステムがある。ルートディレクトリを根として図のように表現したとき，中間ノードである節及び末端ノードである葉に対応するものの組合せとして，最も適切なものはどれか。ここで，空のディレクトリを許すものとする。

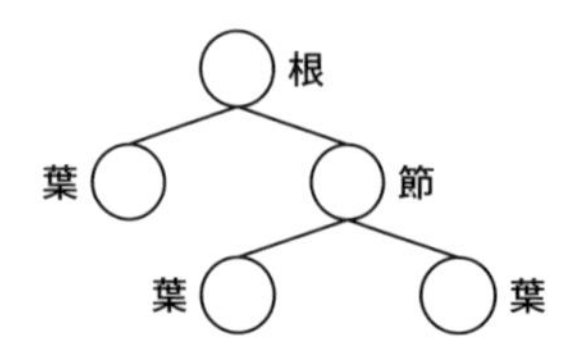

ア	ディレクトリ	ディレクトリ又はファイル
イ	ディレクトリ	ファイル
ウ	ファイル	ディレクトリ又はファイル
エ	ファイル	ディレクトリ

正解　ア

解説 「木構造」とは、データの整理方法の1つで、上から下へと枝分かれしていく形をしています（イメージ：家系図や組織図など）。一番上におおもととなる根、その下に葉や節が展開されます。このようにデータが階層的に整理されるものを「木構造」といいます。
この問では、木構造で表現されるファイルシステム（p.269）において、ルートディレクトリが根となる場合、中間ノード（節）はディレクトリ、末端ノード（葉）はディレクトリまたはファイルとなります。

問題❻　H31春-問96

Webサーバ上において，図のようにディレクトリd1及びd2が配置されているとき，ディレクトリd1(カレントディレクトリ)にあるWebページファイル f1.html の中から，別のディレクトリd2にあるWebページファイル f2.html の参照を指定する記述はどれか。ここで，ファイルの指定方法は次のとおりである。

〔指定方法〕

(1):ファイルは，"ディレクトリ名/…/ディレクトリ名/ファイル名"のように，経路上のディレクトリを順に"/"で区切って並べた後に"/"とファイル名を指定する。

(2):カレントディレクトリは"."で表す。

(3):1階層上のディレクトリは".."で表す。

(4):始まりが"/"のときは，左端のルートディレクトリが省略されているものとする。

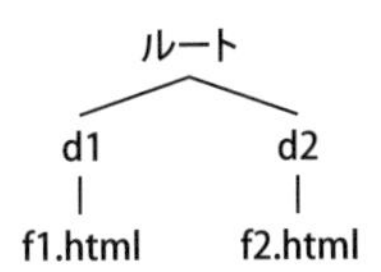

ア ./d2/f2.html　　**イ** ./f2.html
ウ ../d2/f2.html　　**エ** d2/../f2.html

正解　ウ

解説 f1.htmlファイルから、f2.htmlファイルを参照するときのパスについて考える問題です。
d1の配下にあるので、d1→ルート→d2 という経路でディレクトリをたどります。
d1から見るとルートは1階層上に位置するので、d1からルートを指定するパスは「../」、d2はルートの配下にあるので、d1からd2を指定するパスは、1.の「../」に"d2"を加えた「../d2」となります。

問題⑦ R6-問58

文書作成ソフトや表計算ソフトなどにおいて，一連の操作手順をあらかじめ定義しておき，実行する機能はどれか。

ア オートコンプリート　　**イ** ソースコード
ウ プラグアンドプレイ　　**エ** マクロ

正解　エ

解説

ア オートコンプリート：ユーザーがテキスト入力すると単語を自動的に提案・予測する機能。

イ ソースコード：コンピューターに命令するためのプログラム。

ウ プラグアンドプレイ：ハードウェアをコンピュータに接続するとき、自動でデバイスを認識・適切な設定をする技術。

エ マクロ：一連のコマンドや動作を1つの命令とし、単一のコマンドで実行できるようにすること。特にオフィスソフトウェア（Microsoft Excelなど）では、繰り返し行うタスクを自動化するために利用します。

問題❽ R6-問61

cookieを説明したものはどれか。

ア Webサイトが，Webブラウザを通じて訪問者のPCにデータを書き込んで保存する仕組み又は保存されるデータのこと

イ Webブラウザが，アクセスしたWebページをファイルとしてPCのハードディスクに一時的に保存する仕組み又は保存されるファイルのこと

ウ Webページ上で，Webサイトの紹介などを目的に掲載されている画像のこと

エ ブログの機能の一つで，リンクを張った相手に対してその旨を通知する仕組みのこと

正解 ア

解説

イ CookieはWebブラウザ側で保持する情報です。「PCのハードディスクに一時的に保存する仕組み」は誤りです。キャッシュの説明です。

ウ 「Webサイトの紹介などを目的に掲載されている画像」ではありません。バナーの説明です。

エ 「リンクを張った相手に対してその旨を通知」する仕組みは持ちません。トラックバックの説明です。

テクノロジ系

Chapter 10

ネットワーク

本章の学習ポイント

- ネットワークとは、デバイスが情報をやりとりするためのシステム。
- インターネットとは、世界中のデバイスを相互接続するネットワークシステム。
- ISPは、インターネット接続サービスを提供する事業者のこと。
- 通信回線は、情報をやりとりするための道のようなもの。
- IPアドレスとは、コンピュータの住所のようなもの。
- 通信プロトコルとは、ネットワーク上で情報を受け渡すときのルール。

テクノロジ系 08分 ★★★

Chapter 10

01 ネットワークとは

解説動画▶

ネットワークとインターネットの関係

超効率ポイント

- コンピュータネットワークには、LANとWANがある。
- ネットワークにより、デバイスが情報をやりとりする。
- インターネットは、世界中のネットワーク同士をつないだ集合体。

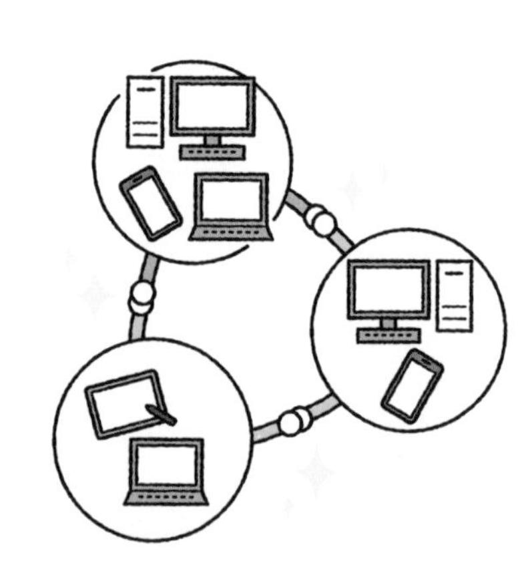

ネットワークとその形態

ネットワーク（Network：通信網）とは、デバイス同士が情報をやりとりするためのシステムです。ネットワークを利用することで、情報を共有したり、1つのデバイスから別のデバイスに情報を送ったりすることができます。

LAN（Local Area Network）とWAN（Wide Area Network）は、コンピュータネットワークの主要な接続方法で、どちらも複数のデバイスを接続してデータ通信を可能にします。主な違いは、接続する範囲と目的です。

LAN

家庭

家庭内でLANに接続する

企業

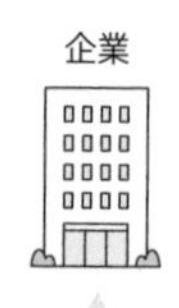

会社や学校内でLANに接続する

家庭や会社のオフィス内などの**狭い範囲**でコンピュータ間の通信を実現するネットワーク。

WAN

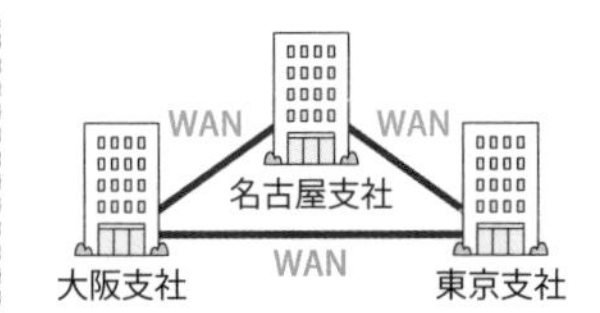

広い範囲でコンピュータや**LAN**同士を接続するネットワーク。広域にわたる通信を行う。

インターネット

インターネットとは、世界中のネットワーク同士をつないだ集合体です。個々の小さなネットワーク（例えば、家庭やオフィス、学校などのLAN）から、世界的な規模で情報をやりとりできます。

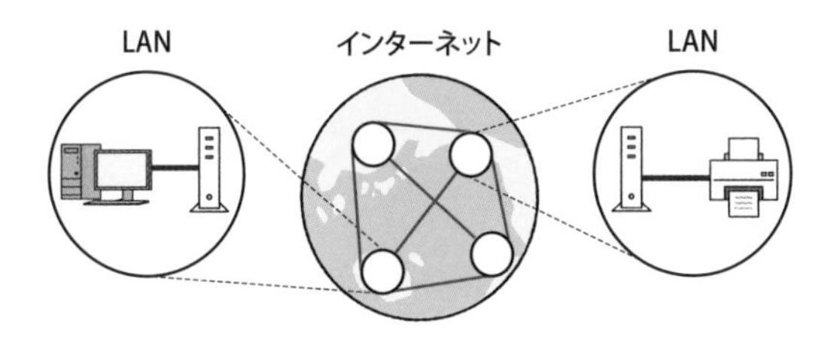

ネットワーク技術は、すべてが「インターネット」ではない！

例えば、企業や学校内のパソコンから同じエリア内のプリンターに接続するときには、インターネットは利用する必要がありません。このときは、デバイス同士が直接情報をやり取りするLANです。
すべてのネットワーク接続がインターネットを通じているわけではなく、目的や範囲により技術が異なります。

ネットワークに接続されない機器

スタンドアロンは、単独でも機能するネットワーク接続をしない独立システムです（例：ネット接続のない家電や高度なセキュリティシステム）。**完全に独立したシステム**のため、セキュリティ面では安全ですが、情報更新しづらいため安全性と利便性のトレードオフとなります。

ブロードキャスト方式通信は、情報が**一方向に流れ、受信側がそれを受け取ることで情報を得る方式の通信**です（例：テレビやラジオ）。一方、ネットワーク接続は双方向です。

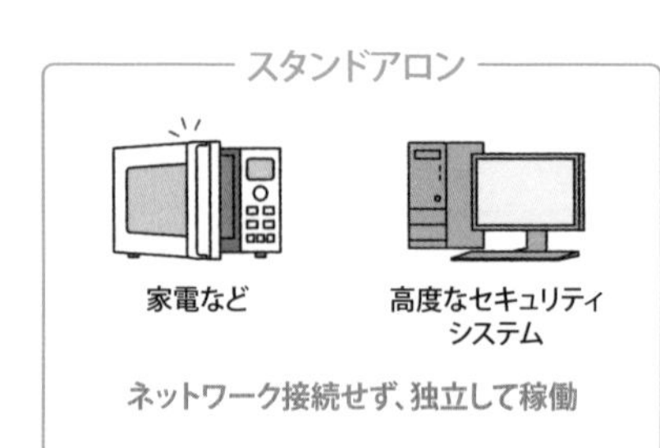
スタンドアロン
家電など
高度なセキュリティ
システム
ネットワーク接続せず、独立して稼働

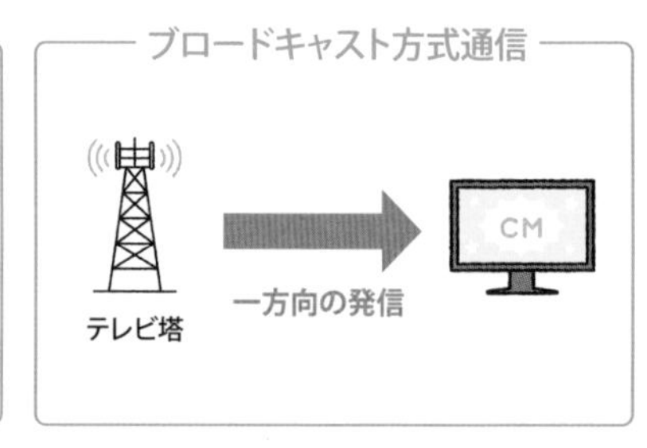
ブロードキャスト方式通信
テレビ塔
一方向の発信
CM

小テストはコチラ

Chapter 10

02 ネットワーク通信の実現

ネットワーク通信を実現する事業者を知る

- ISPは、インターネット接続サービスを提供する事業者。
- 回線事業者は、デバイスが情報をやりとりするための道を提供する事業者。
- MNOやMVNOの事業者により、スマートフォンなどの移動体通信が可能となっている。

ISP

ISP（インターネットサービスプロバイダ）は、インターネット接続サービスを提供する事業者です。家庭や企業にインターネット接続を提供し、**インターネットに接続するための入口の役割**を果たします。

インターネット接続では、回線事業者が作成した通信回線を利用しますが、そのままではユーザーはインターネットを利用できません。ISPがインターネットの「入口」をコントロールし、インターネットにアクセスできる人を許可することで、インターネット接続サービスが成立します。

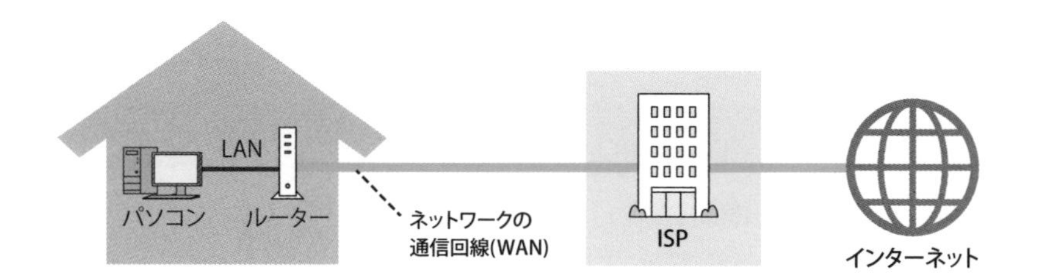

通信回線の種類

通信回線とは、コンピュータやスマホなどのデバイスがインターネットや他のデバイスと情報をやりとりするための道のようなものです。通信回線をつくる企業を回線事業者といいます。この回線を通じて、インターネット上のテキスト・画像・動画、音声などのデータが送受信されます。

FTTH	光ファイバー（透過率の高い石英ガラスなど）を使用した高速インターネット接続サービス。回線事業者が家庭や企業への接続サービスを提供します。
モバイル通信	携帯電話やスマホなどのモバイルデバイス用の通信サービス。移動体通信事業者が、音声通話・データ通信・SMSなどのサービスを提供します。
CATV	ケーブルテレビの事業者が、テレビ放送だけでなく、インターネット接続や電話サービスなどを提供します。ケーブルテレビの回線は、山間部などでも利用可能です。
衛星によるネットワーク通信	地球を周回する人工衛星を使用して通信を行う方式です。遠隔地、海上、航空機内、災害時など、地上の通信インフラが不十分な状況でも利用可能です。

そのほか押さえておきたい通信回線の種類には、LPWAがあります。IoT（p.149）などで利用される、**低消費電力で広範囲の通信を可能にする技術**です。10kmを超える長距離のデータ通信が可能で、消費電力も少ないため、IoTデバイスがオフラインになりづらく、容量の小さいデータを高頻度でやりとりすることに向いています。

トラフィック

トラフィックとは、ネットワーク通信回線でのデータの流れのことです。情報のやりとりの量や頻度を示す指標となります。トラフィックが過剰に発生すると、ネットワークの遅延や混雑が生じることがあります。

モバイルデバイスの通信技術

モバイル通信（移動体通信技術）

モバイル通信とは、無線技術により移動中のデバイス（スマホ、タブレットなど）から通信回線に接続し、データを送受信できるシステムです。

移動体の通信規格

移動体通信にはさまざまな規格があり、1G（第一世代）から5G（第五世代）までの通信規格が存在します。これらの規格は、世代を追うごとに通信速度や通信範囲、通信品質などが進化しています。

SIMカード

SIMカード（Subscriber Identity Module：加入者識別モジュール）とは、加入者の電話番号や通信キャリアの情報が記録されたカードです。モバイル端末（スマホなど）にSIMカードを挿入することで、通信キャリアのネットワークへの接続が可能です。

移動体通信事業者と仮想移動体通信事業者

MNO（Mobile Network Operator：移動体通信事業者）やMVNO（Mobile Virtual Network Operator：仮想移動体通信事業者）が提供する通信をまとめてキャリア通信といい、この２つは技術的な仕組みやサービスの提供価格が異なります。

MNOは、自社で通信網を所有し、ユーザーにサービスを提供する事業者です。設備投資やメンテナンスも自社で行うため、一般的にMVNOよりも利用価格は高いものの、安定した通信を利用できます。日本の大手通信事業者としては、au、NTTドコモ、ソフトバンク、楽天モバイルがあります。

一方で、自社で通信網を持たず、MNOの通信網を借りてサービスを提供する事業者がMVNOです。運用コストが抑えられるため低価格での通信を提供できます。MNOと比較して、通信速度・容量などに制限が設けられる場合があり、利用の多い時間帯（夕方など）には、通信が非常に遅くなることがあります。

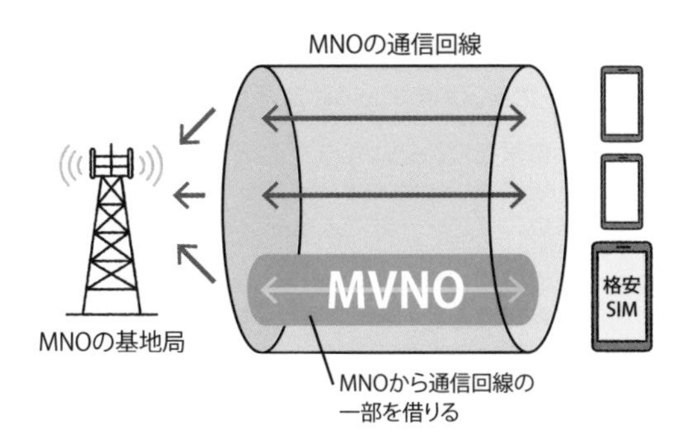

無線通信が国や地域中で自由に行われると、電波同士の干渉が発生し、ネットワークのパフォーマンスは著しく低下します。日本では電波を公平に利用するために、**総務省がMNO事業者に周波数ごとのライセンス認定を行っています。**MNO事業者は、特定の周波数帯域を専有して無線通信サービスを提供しています。

テザリング

テザリング（Tethering）とは、モバイルデータ通信ができる端末（スマホなど）を利用し、他の端末でもデータ通信を可能とする技術です。Wi-Fi環境がない場所でも、スマホのデータ通信を利用してパソコンや他のデバイスでインターネットを利用できます。

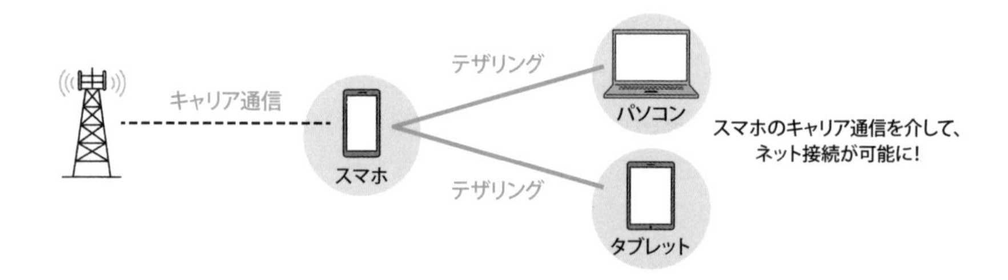

その他の無線通信技術

ケーブルなどによる物理的な配線ではなく、目には見えない「電波」を飛ばすことで端末同士をつなぐ、短距離無線通信の技術も見てみましょう。

Bluetooth	約10メートルの範囲内でデバイス間の通信が可能な規格です。スマホからイヤホンに音楽を流したり、画像データを送り合ったりなど、さまざまな用途で利用されます。
NFC（Near Field Communication）	非接触の無線通信の規格です。NFC搭載の端末と専用リーダの端末同士を近づけることで通信が可能で、電子マネー決済（JR東日本の「Suica」など）にも利用されます。
RFID（Radio Frequency IDentification）	情報を埋め込んだタグのデータを電波を用いて読み書きする規格です。例えばバーコード代わりにRFIDを導入すれば、複数のタグを一気にスキャンでき、棚卸しの効率化が可能です。
IrDA（Infrared Data Association）	赤外線（Infrared）を用いた通信規格です。近距離で使われ、消費電力が小さく、小型端末での通信に利用されます。

Chapter 10

03 コンピュータとIPアドレス

テクノロジ系　15分　★★★

解説動画 ▶

超効率ポイント ネットワーク通信とIPアドレス

- IPアドレスとは、デバイスがデータを送受信するための識別子。
- DNSサーバにより、ドメイン名とIPアドレスをひも付ける。
- IPアドレスには、グローバルIPアドレスとプライベートIPアドレスがある。

コンピュータとIPアドレス

GoogleのWebサイトにアクセスするときを思い出してみましょう。私たち人間が認識しているのは、次図のようなURLの形式です。

しかし、**コンピュータは人間が利用するURLの形式のままでは、アクセスする宛先を理解できません。**私たちが直接確認することはできませんが、私たちがGoogleのWebサイトを開くとき、コンピュータは別の形式の情報でアクセス先を認識しています。このときに利用されるのがIPアドレスです。

IPアドレスとは

IPアドレス（Internet Protocol Address）とは、インターネット上でコンピュータがデータを送受信するための一意の識別子で、人間が手紙を送るときに必要となる住所によく例えられます。

人間の住所
東京都千代田区丸の内1-1-1

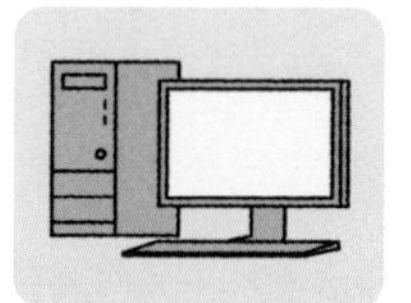

コンピュータの住所
202.210.8.134

IPアドレスの形式

一般的によく使われるのは、IPv4と呼ばれる形式です（p.321）。IPv4のIPアドレスは、4つの数字のグループで構成されています。各数字は0から255までの値の範囲で、ピリオド（.）で区切られます。

IPアドレスの形式例

- プライベートIPアドレス「192.168.1.1」
- グローバルIPアドレス「8.8.8.8」など

Webサイトにアクセス

閲覧したいWebサイトのURLをブラウザに入力します。URLにはWebサイトの**ドメイン名**が含まれるため、その情報をもとにWebサーバのIPアドレスにアクセスします。

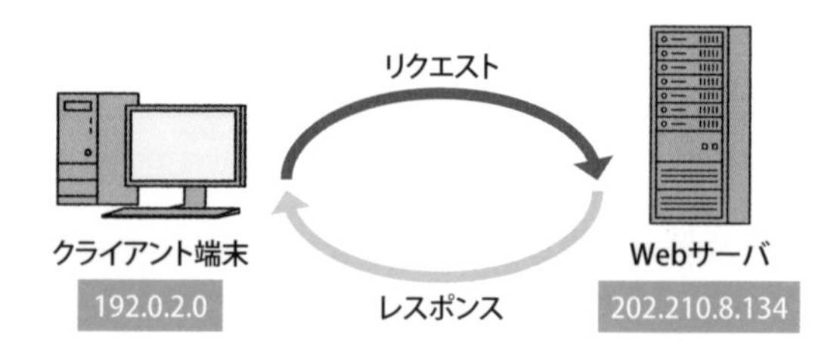

メールを送信

次ページの図のように、まず白ウサギが送信したメールは、送信元アドレスのメールサーバに送られます。そこで、受信者のメールアドレスのドメイン名をIP

アドレスに変換します。そして、受信者のメールサーバに情報が送られると、黒ウサギのクライアント端末にメールが送信されます。

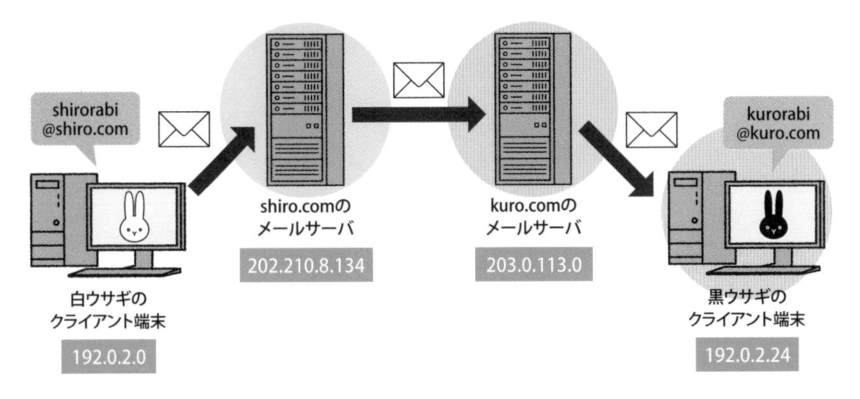

DNSサーバ

DNSサーバ（Domain Name System Server）は、専用のデータベースからIPアドレスを検索するシステムで、インターネット上でドメイン名とIPアドレスを対応付ける役割を持ちます。

例えばWebサイトを開くとき、ユーザーがURL（例：http://it-sukima.com）をブラウザに入力すると、DNSサーバが対応するIPアドレス（例：202.210.8.134）を検索してブラウザに返します。ブラウザはこのIPアドレス宛にサイト閲覧のリクエストを送り、Webサーバがレスポンスします。

IPアドレスの種類

グローバルIPアドレス

インターネット上の各デバイスに割り当てられる一意のIPアドレスです。グローバルIPアドレスを使えば、インターネット全体でデバイスを識別し、世界中のどのコンピュータからもアクセスできます。「公開された住所」ともいわれます。

プライベートIPアドレス

同一のLAN内（自宅やオフィスなど）でのみ使用されるIPアドレスで、LAN内のデバイス間でデータを送受信するために使用されます。インターネット全体で一意である必要はなく、異なるプライベートネットワークであれば同じプライベートIPアドレスを使用できます。

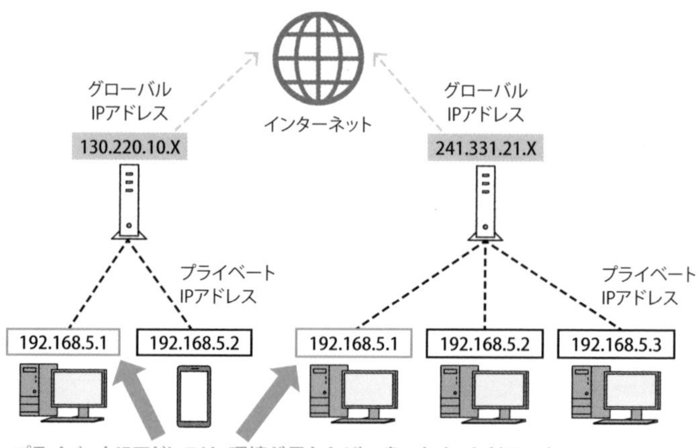

NAT

NAT（Network Address Translation）とは、グローバルIPアドレスとプライベートIPアドレスをひも付けて変換する技術です。データの送受信時に端末とネットワークをつなぐ道が1本線になるよう導くことで、データが行方不明になることを防ぎます。

MACアドレス

MACアドレス（Media Access Control Address）とは、デバイス（コンピュータ、プリンター、ルーターなど）が持つ一意の識別子です。デバイスがネットワーク上で通信するために使用されます。MACアドレスは、ハードウェアのネットワークインタフェースカード（NIC）に固定して設定され、製造時にデバイスに焼き付けられるため、全世界で一意であることが保証されます。主にLAN内でデバイスを一意に識別するために使用されます。

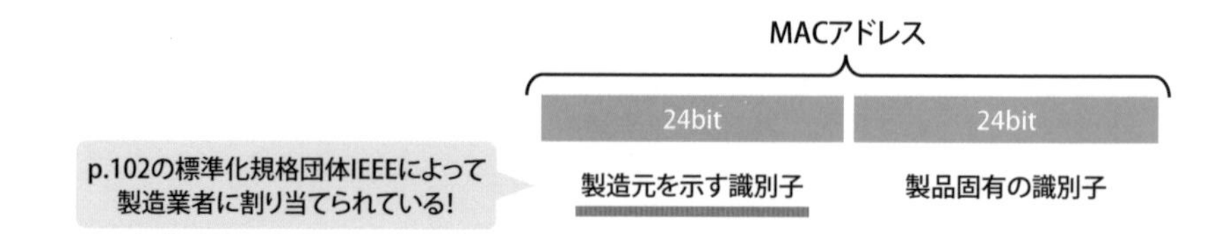

MACアドレスは、**48ビット**（p.314）の長さで、そのうち24ビットは製造元を表す識別子、残りの24ビットは製造元が管理する製品固有の識別子です。全世

界の製造元数が約1,677万個、1つの製造元がつくれるデバイスも約1,677万個となるため、理論的に約281兆個の一意のMACアドレスを生成できます。

DHCPサーバ

DHCP (Dynamic Host Configuration Protocol) サーバは、コンピュータがネットワークに接続するときのサーバの1つです。**DHCPサーバがIPアドレスを一時的に自動で割り当て**ます。

動的なIPアドレスの割当

インターネットの急速な拡大に伴い、1デバイスに固定されたIPアドレスを割り当てると、全体のIPアドレスが不足してしまいます。このことから、使用していないIPアドレスは他のデバイスが使用できるよう動的にIPアドレスは設定されます。
一般的に動的にIPアドレスが決定されるプロセスは、以下のとおりです。

- **グローバルIPアドレス…ISPが利用者ののルーターやモデムに動的に割り当て**
- **プライベートIPアドレス…DHCPサーバーがネットワーク内部のデバイスに動的に割り当て**

Webサイトを閲覧する際のサーバ接続に関するまとめ

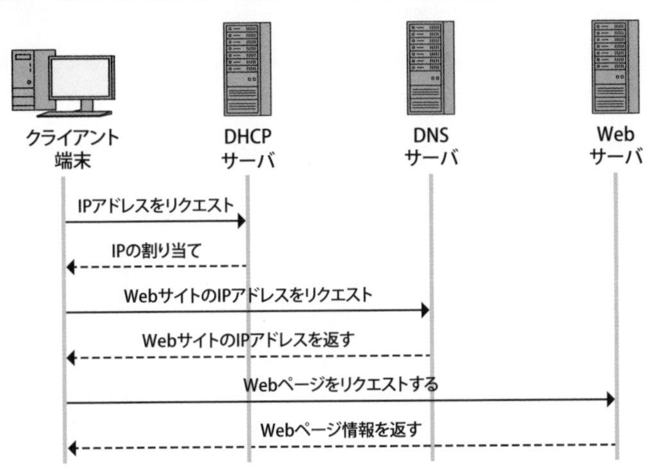

小テストはコチラ

Chapter 10

テクノロジ系　15分　★★★

04 通信プロトコルとは

解説動画▶ 

通信プロトコルの役割と対応機器を覚える

- 通信プロトコルは、ネットワーク上で情報をやりとりする際のルール。
- 通信プロトコルは階層をもち、情報を加工しながらネットワーク通信を行う。

通信プロトコルとは

通信プロトコル（Protocol：条約、約束事）は、コンピュータ同士がネットワーク上で通信するときの技術的なルール（約束事）です。メーカーやOSが異なる機器同士でも、同じ通信プロトコルを使えば互いに通信することができる技術です。

例えば次図のように、ぱそ太くんが摘んできたお花をぱそ子ちゃんへ贈ることを考えます。

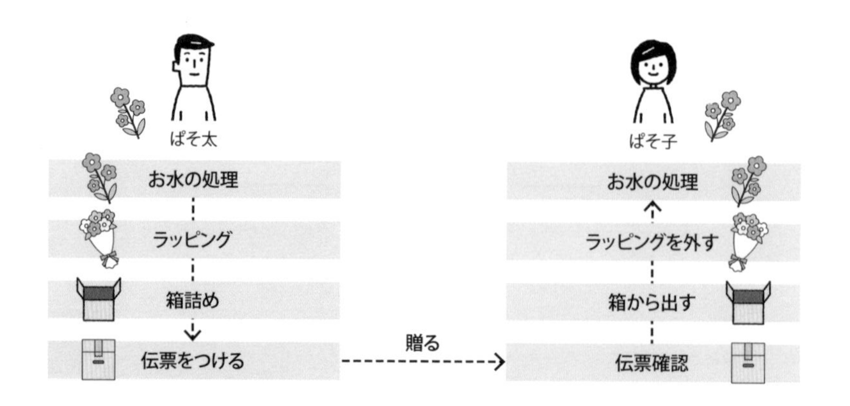

摘んだお花は、そのままの状態では配送業者も受け取ってくれず、枯れてしまいます。そのため、水の処理・ラッピング・箱詰め・伝票を付ける……など、一連の処理により、ようやく配送業者を手配することができます。配送後、ぱそ子ちゃんのもとで、伝票を確認・開封・ラッピングを外す・花瓶に移し替える、といった**逆の手順**を踏むことで、ようやくぱそ子ちゃんの手元にキレイなお花が届きます。

通信プロトコルにも、同様の役割があります。コンピュータ同士で**データをそのままやりとりすることはできない**ため、送信元のコンピュータでデータを手順通りに加工して送信し、宛先コンピュータに届いたら、逆の手順で復元します。

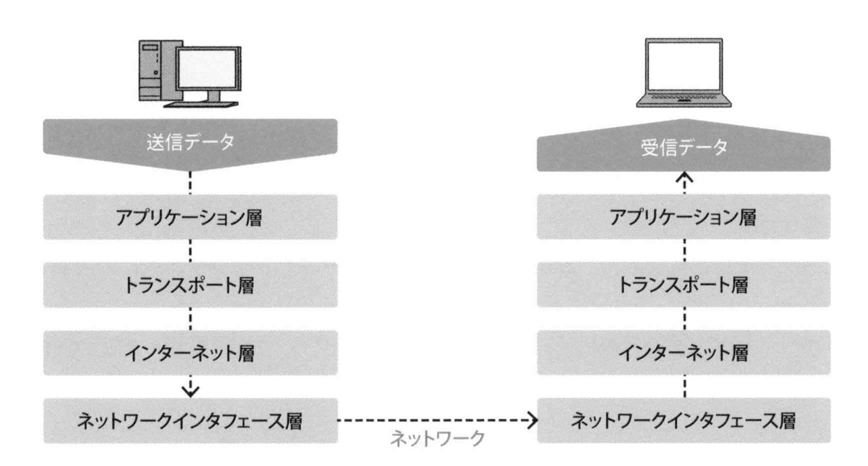

通信プロトコルの階層

通信プロトコルは、先ほどの図のように階層を持ちます。コンピュータ上でも、ネットワーク通信をするために**情報を階層ごとに加工処理**し、データが届くと逆の手順をとることでデータを復元できます。上の図の４階層はTCP/IPモデルにもとづく階層です。

TCP/IPモデル

TCP/IPモデルは、インターネットの基盤となる通信プロトコルで、データがネットワークを通じてどのように送受信されるかを理解するための重要なモデルです。それぞれの層の役割とプロセスを理解することで、ネットワーク通信の全体像を把握しましょう。

TCP/IPモデル以外の通信プロトコル

国際標準化機構（ISO）で定められている通信プロトコルは、**OSI参照モデル**で、7階層で構成されたモデルです。OSI参照モデルは、理論的なネットワークモデルの理解を深める際に登場します。
現在は、**TCP/IPモデル**が主流です。インターネットの普及と共に実用性が認められ、デファクトスタンダード（p.103）として広く採用されています。

アプリケーション層

アプリケーション層は、私たちが使っているWebブラウザやメールクライアントの通信処理など、ユーザーと最も近い層の処理を行います。

例

- Webサイトを閲覧する際に、HTTPプロトコルを使用してWebサーバとの通信を行う
- メールを送信する際に、SMTPプロトコルを使用してメールサーバとの通信を行う
- ファイル転送を行う際に、FTPプロトコルを使用してファイルサーバとの通信を行う

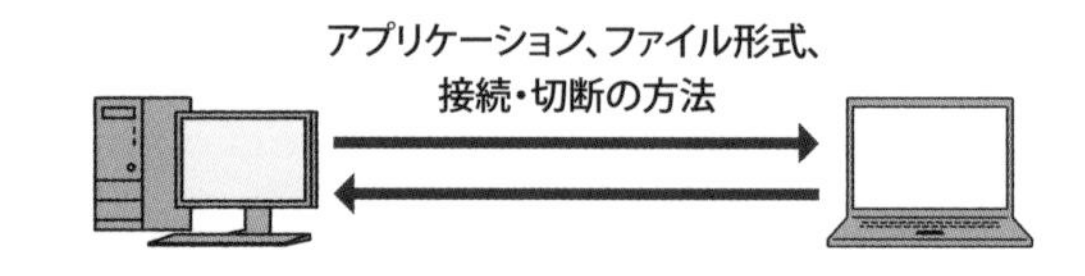

トランスポート層

トランスポート層では、データをパケットに分割し、パケットに送信元と送信先の情報を持たせます。このときTCPとUDPを用途によって使い分けます。

データの送受信において、**ネットワークエラーや再送制御など、通信の信頼性を確立する必要がある場合**、TCPを利用します。その一方で、**高速性と効率が求められる場合**（信頼性の高さが問われない、動画・音声ストリーミング、オンラインゲームなど）には、UDPを使用します。

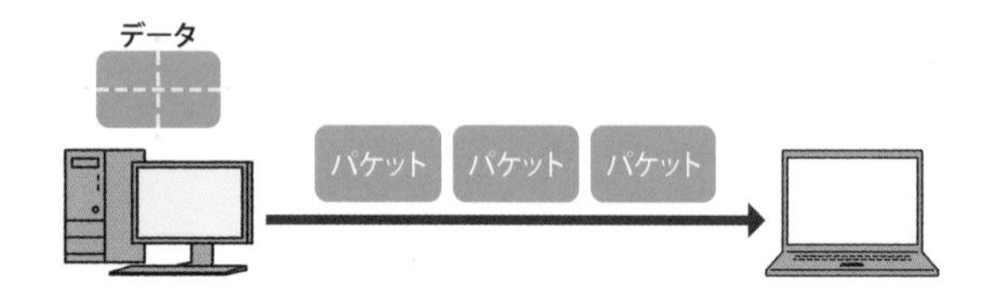

インターネット層

インターネット層は、パケットを目的地に到達させる経路を決定します。インターネットは非常に複雑なネットワークであり、送信元から目的地までの移動経路が複数あります。その中から**最適な経路を決定する**役割を持ちます。

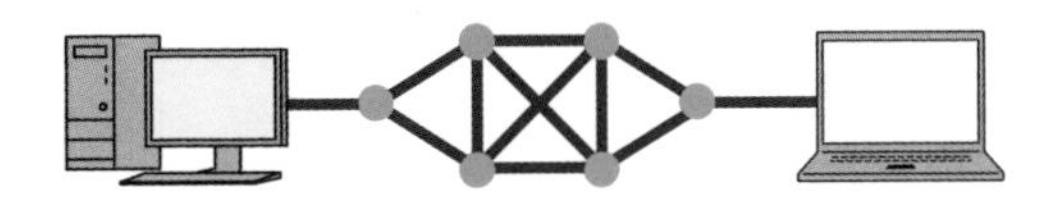

ネットワークインタフェース層

ネットワークインタフェース層は、物理的なネットワークを通じてデータを送受信する方法を管理する層です。**データを電気信号に変換**し、ネットワークケーブルや無線信号を通して送信します。

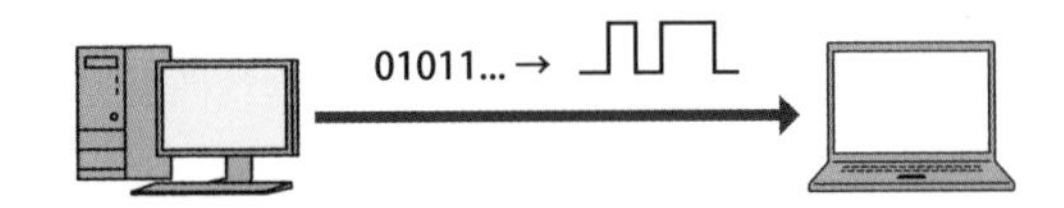

各階層の通信プロトコルの種類

TCP/IPモデルの階層構造になっており、次のような多種多様なプロトコルにより、ネットワーク通信の多様なニーズを満たします。

アプリケーション層	HTTP：Webサイトの閲覧 SMTP：メールの送信 POP / IMAP：メールの受信
トランスポート層	TCP：信頼性の高いデータ送信 UDP：高速なデータ送信
インターネット層	IP：データパケットの送受信
ネットワークインタフェース層	Ethernet：LANで広く使用され、デバイス間のデータ転送を可能にする PPP（Point-to-Point Protocol）：直接接続する2つのネットワーク間でデータ通信を行う

次の図は、よく出題される各通信プロトコルの利用例です。

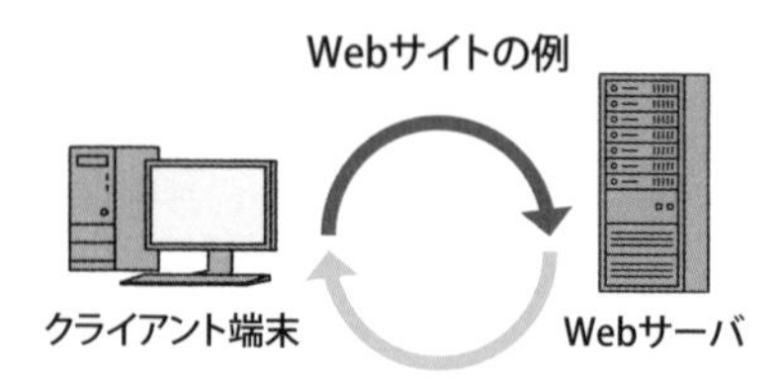

・Webサイトを見るとき：HTTP
・セキュアなWebコンテンツの転送：HTTPS
・ファイルをやりとりするとき：FTP

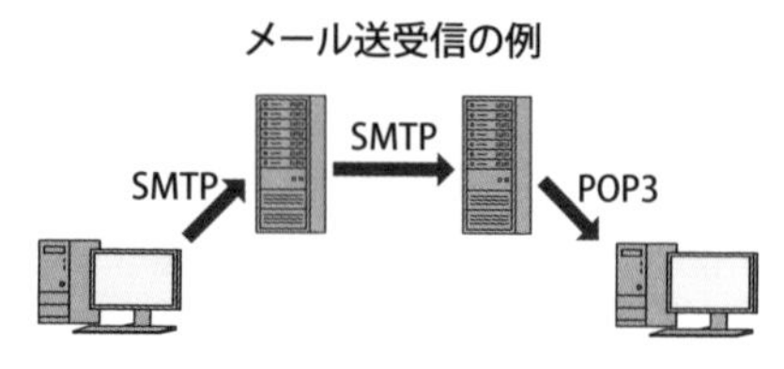

・サーバに送信するとき：SMTP
・クライアント側が受信するとき：POP3
・メールサーバ上にメールを保持し、クライアント端末上で閲覧する：IMAP
・音声や画像を送るとき：MIME

通信プロトコルに関連する機器

ここまで、通信プロトコルにおける**ルールや階層ごとの役割**を学習しました。次に学習する通信機器では、各通信プロトコルに従った処理を実行します。各機器がどのプロトコルを使用するかを理解できると、通信の全体像を把握できます。

ルーター

インターネット層での重要機器です。ルーターは、複数のネットワークを相互に接続し、パケットを宛先に転送するデバイスです。Route（道）が語源です。

ルーターの主な役割

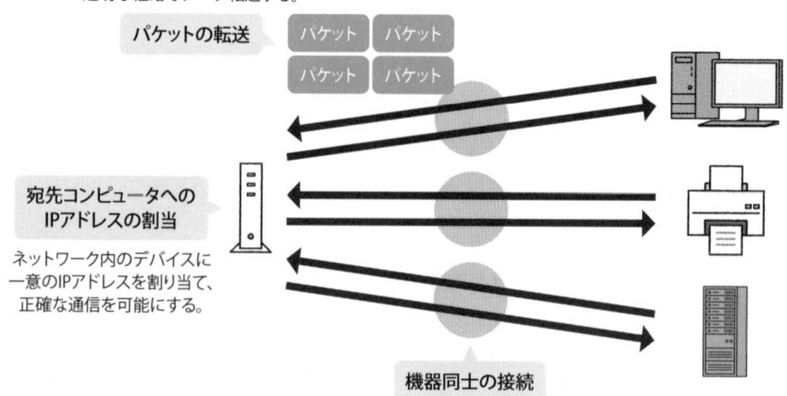

デフォルトゲートウェイ

デフォルトゲートウェイ（Default Gateway）は、LAN内の端末が、LANの外部（インターネットなどのネットワーク）へ接続する仕組みのことで、多くの場合はルーターに装備された機能です。LAN内の端末が、外部ネットワークと通信する際に、データパケットをルーターに転送するための経路情報を提供します。

ネットワークインタフェース層の重要機器

ネットワークインターフェース層は、ネットワーク通信のための物理的な接続を管理します。

MACアドレスは、ネットワーク上の各デバイスを一意に識別するためのハードウェアアドレスで、NICはコンピュータがネットワークに接続するためのこの層での重要な機器です。（p.294）

ネットワーク上でデータパケットが送信される際、MACアドレスは送信元と宛先のデバイスを特定するのに使用されます。これにより、正しいデバイス間でデータが確実に伝送されることを保証します。

まとめ

本セクションであつかった通信プロトコルの説明・種類・通信機器をまとめた表です。

階層	説明	主なプロトコル	機器
アプリケーション層	Webブラウザやメールクライアントなど、ユーザーと最も近い層。	HTTP・IMAPなど	コンピュータなどの端末
トランスポート層	データの送受信の信頼性を決める層。	TCP・UDP	
インターネット層	パケットを正しい目的地に到達させるための、適切な経路を決定する層。	IP	ルーター・デフォルトゲートウェイ
ネットワークインタフェース層	データを電気信号に変換し、ネットワークケーブルや無線信号を通して送信する層。	Ethernet・PPP	NIC

Chapter 10

05 伝送速度の計算問題

解説動画 ▶

データ通信の計算方法を覚える

- 伝送速度は[bps]という単位で表現され、1秒あたりに何ビットのデータが送れるかを示す。
- 事業者が示す伝送速度の値は理論値であるため、理論速度と実効速度の違いを理解する。

ネットワーク通信の速度

みなさんのスマホは、**通信環境が良好な場所**であれば、待ち時間はほとんどなく、サクサクとWebサイトを閲覧したり、動画を再生したりすることが可能です。一方で、**地下や山間部など通信環境が悪い場所**では、Webサイトの読み込みが遅くなったり、動画再生が途中で止まったりすることになります。

これは、データが送られてくるスピードを示す**伝送速度の違い**によるものです。

伝送速度とは

伝送速度とは、一定時間内に送受信できるデータ量を示すものです。データそのものが移動する速さではない点に、注意が必要です。

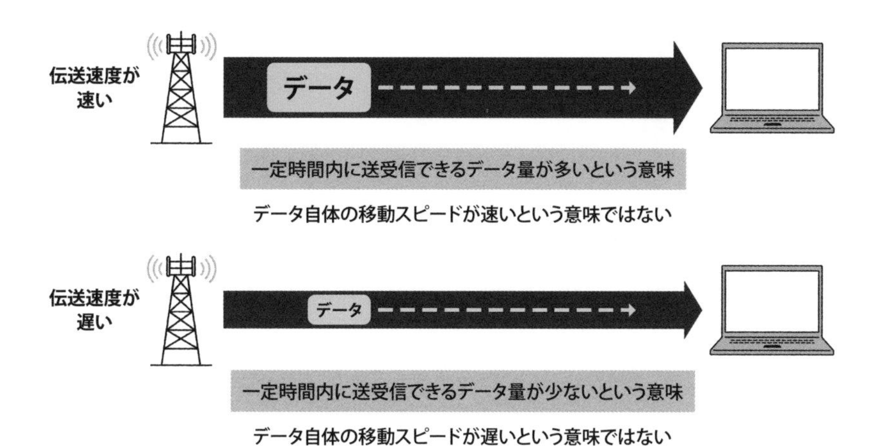

● 伝送速度を表す単位[bps]

伝送速度は、**[bps]** という単位で表現します。bits per secondの頭文字で、1秒あたり何ビットのデータが送れるかを示します。ビットはデータの最小単位であり、0と1のみで表現される情報です（bitやByteなど、データを表す単位はp.314でも説明します）。

例えば、**100bpsであれば、1秒間に100ビットのデータを送信できる**という意味です。

● 伝送速度の上りと下り

各移動体通信事業者（p.289）は伝送速度（通信速度）を提示しています。次の図は、SoftBankが提示する移動体通信の伝送速度です。

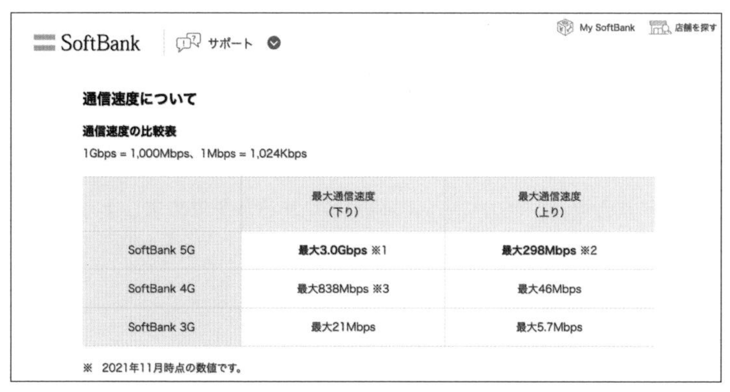
SoftBank　サポート　My SoftBank　店舗を探す

通信速度について

通信速度の比較表

1Gbps = 1,000Mbps、1Mbps = 1,024Kbps

	最大通信速度（下り）	最大通信速度（上り）
SoftBank 5G	**最大3.0Gbps** ※1	**最大298Mbps** ※2
SoftBank 4G	最大838Mbps ※3	最大46Mbps
SoftBank 3G	最大21Mbps	最大5.7Mbps

※ 2021年11月時点の数値です。

（参照）https://www.softbank.jp/support/faq/view/10993

上り（Upload）とは、ユーザーからデータがネットワーク上に送信される方向です。例えば、LINEで友人にメッセージを送るときの伝送速度は、上りの伝送速度に当てはまります。

下り（Download）とは、データをネットワークやインターネットからユーザーが受信する方向です。例えば、YouTubeで動画を視聴する場合の伝送速度は、下りの伝送速度に当てはまります。

一般的に**伝送速度は、下りの方が上りより高く設定されています**。これは、ユーザーがインターネット上のコンテンツを受け取る（ダウンロードする）ケースの方が多く、下りの方が高速な通信が必要とされることが多いためです。

理論速度と実効速度

回線事業者やプロバイダが示す伝送速度の値はあくまでも理論値です。ここで、理論速度と実効速度について理解しましょう。

理論速度	理論速度は、通信回線やネットワークの仕様に基づいて計算される最大速度です。上述の移動体通信業者が示す理論速度は、その回線の仕様により定義されます。**回線やネットワークの技術的な能力**を示します。
実効速度	実効速度は、実際にデータが伝送される速度です。**理論速度よりも低いことが一般的**で、この原因は具体的に次のようなものがあります。 ・データをやりとりするサーバ側の混雑具合 ・複数の通信機器を経由する際、回線設備での問題 ・信号のロス

伝送速度の計算問題

伝送速度の計算問題を解いてみましょう。

例題

あるインターネット接続サービスは、理論速度が100Mbpsであり、実効速度はその80%とされています。この接続サービスを利用して、100Mバイトのファイルをダウンロードする場合、どのくらいの時間がかかるかを求めましょう。

この問題は、以下のように順序立てて解いていきましょう。

1. 理論的な伝送速度から実効速度を求める。
2. ファイルのサイズをもとに、1. で求めた実効速度により伝送時間を求める。

また、接頭辞M（メガ）（10^6）についての詳細はp.316を参照しましょう。

解答

まずは、与えられた理論速度から実効速度を求めましょう。伝送速度の実効速度は理論速度の80%なので、実効速度は80Mbpsとなります。

```
100Mbps × 0.8 = 80 M [bps]
```

Mは10^6を表す接頭辞であるため、単位[bps]と区別して式をつくるのがポイントです。

次に、100Mバイトのサイズのファイルが実行速度80Mbpsで送られるときの時間を求めます。このときのポイントとして、まず、ビット（bit）とバイト（Byte）の単位の変換を行います。1バイトは8ビットであるため（p.314）、その点を加味します。

```
100M [Byte] × 8[bit / Byte] = 800 M [bit]
```

したがって、伝送速度が80Mbpsである場合、800Mビットのデータをダウンロードするのにかかる時間を求めることができます。

```
800M [bit] ÷ 80M [bps] = 10秒
```

よって、この接続サービスを利用して100Mバイトのファイルをダウンロードするのには、10秒かかります。

試験問題にチャレンジ

問題❶　R3-問71

移動体通信サービスのインフラを他社から借りて，自社ブランドのスマートフォンやSIMカードによる移動体通信サービスを提供する事業者を何と呼ぶか。

ア　ISP　**イ**　MNP　**ウ**　MVNO　**エ**　OSS

正解　ウ

解説

ア　ISP (Internet Service Provider)：インターネット接続サービスを提供する企業や組織です。

イ　MNP (Mobile Number Portability)：携帯電話のキャリアを変更しても、同じ電話番号を保持することができるサービスです。

ウ　MVNO (Mobile Virtual Network Operator)：自社の通信設備を持たず、ほかのキャリアのネットワークを利用して携帯電話サービスを提供する企業です。

エ　OSS (Open Source Software)：ソースコードが公開されており、誰でも自由に利用、変更、再配布することができるソフトウェアです。

問題❷　R3-問98

インターネットで用いるドメイン名に関する記述のうち，適切なものはどれか。

ア　ドメイン名には，アルファベット，数字，ハイフンを使うことができるが，漢字，平仮名を使うことはできない。

イ　ドメイン名は，Webサーバを指定するときのURLで使用されるものであり，電子メールアドレスには使用できない。

ウ　ドメイン名は，個人で取得することはできず，企業や団体だけが取得できる。

エ　ドメイン名は，接続先を人が識別しやすい文字列で表したものであり，IPアドレスの代わりに用いる。

正解　エ

解説

ア　ドメイン名には、アルファベット、数字、ハイフンを使用することができますが、IDN (Internationalized Domain Names) の導入により、漢字や平仮名などの非ラテン文字も使用することが可能となりました。

イ ドメイン名は、Webサーバのurlだけでなく、電子メールアドレスの一部としても使用されます。例：user@example.comの"example.com"がドメイン名です。

ウ ドメイン名は、個人も企業も団体も取得することができます。特定のトップレベルドメインには制限がある場合もありますが、一般的には個人でもドメイン名を取得することが可能です。

問題❸ R2秋-問70

LPWAの特徴として，適切なものはどれか。

ア AIに関する技術であり，ルールなどを明示的にプログラミングすることなく，入力されたデータからコンピュータが新たな知識やルールなどを獲得できる。

イ 低消費電力型の広域無線ネットワークであり，通信速度は携帯電話システムと比較して低速なものの，一般的な電池で数年以上の運用が可能な省電力性と，最大で数十kmの通信が可能な広域性を有している。

ウ 分散型台帳技術の一つであり，複数の取引記録をまとめたデータを順次作成し，直前のデータのハッシュ値を埋め込むことによって，データを相互に関連付け，矛盾なく改ざんすることを困難にして，データの信頼性を高めている。

エ 無線LANの暗号化方式であり，脆弱性が指摘されているWEPに代わって利用が推奨されている。

正解 イ

解説

ア AI（人工知能）に関する説明です。

ウ ブロックチェーン技術に関する説明です。

エ 無線LANの暗号化方式に関する説明です。

問題❹ R2秋-問95

伝送速度が20Mbps(ビット／秒)，伝送効率が80%である通信回線において，1Gバイトのデータを伝送するのにかかる時間は何秒か。ここで，1Gバイト＝10^3Mバイトとする。

ア 0.625　　**イ** 50　　**ウ** 62.5　　**エ** 500

正解 エ

解説 伝送速度20Mbpsは、理論値です。伝送効率をかけることで、実効伝送速度が求められます。

Chapter 10 ネットワーク

・実効伝送速度：20Mbps × 80% = 16Mbps
伝送するデータはバイト単位なので、計算しやすくするために実効伝送速度もバイト単位に直します。（1バイト＝8ビット）
・[バイト] 単位の速度：16Mビット÷8ビット＝2Mバイト／秒
1GB＝1,000MBのデータを2Mバイト／秒の速度で伝送する。
・伝送に要する時間：1,000Mバイト÷2Mバイト＝500秒

問題❺ R1秋-問65

NATに関する次の記述中のa，bに入れる字句の適切な組合せはどれか。

NATは，職場や家庭のLANをインターネットへ接続するときによく利用され，[a]と[b]を相互に変換する。

	a	b
ア	プライベートIPアドレス	MACアドレス
イ	プライベートIPアドレス	グローバルIPアドレス
ウ	ホスト名	MACアドレス
エ	ホスト名	グローバルIPアドレス

正解　イ

解説 p.294より、プライベートIPアドレスとグローバルIPアドレスとの間でアドレスを変換する技術であり、多数のデバイスが1つのグローバルIPアドレスを共有してインターネットにアクセスするのを可能にします。

問題❻ R1秋-問91

ネットワークにおけるDNSの役割として，適切なものはどれか。

ア クライアントからのIPアドレス割当て要求に対し，プールされたIPアドレスの中から未使用のIPアドレスを割り当てる。
イ クライアントからのファイル転送要求を受け付け，クライアントへファイルを転送したり，クライアントからのファイルを受け取って保管したりする。
ウ ドメイン名とIPアドレスの対応付けをおこなう。
エ メール受信者からの読出し要求に対して，メールサーバが受信したメールを転送する。

正解　ウ

解説

ア DHCP (Dynamic Host Configuration Protocol) の機能。

イ FTP (File Transfer Protocol) や他のファイル転送プロトコルの機能を指す。

エ メールサーバの機能の説明。DNSはドメイン名とIPアドレスの対応付けを行う。

問題❼ H31春-問58

PC1をインターネットに接続するための設定をおこないたい。PC1のネットワーク設定項目の一つである"デフォルトゲートウェイ"に設定するIPアドレスは，どの機器のものか。

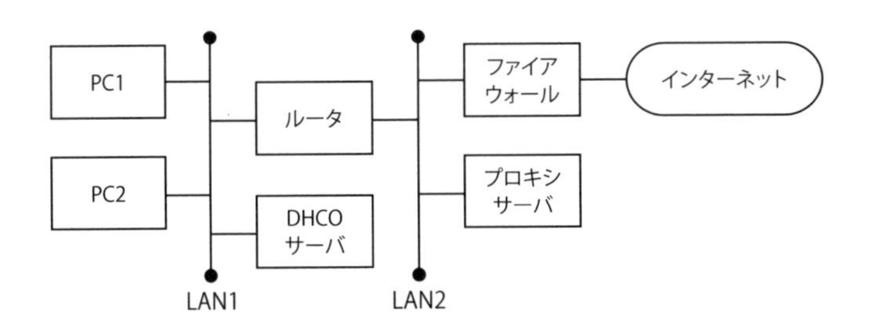

ア ルータ　　**イ** ファイアウォール

ウ DHCPサーバ　　**エ** プロキシサーバ

正解　ア

解説 デフォルトゲートウェイは、コンピュータやデバイスがローカルネットワーク外のほかのネットワークやインターネットにアクセスする際の入口となる仕組みなので、ルーターなどのデバイスのIPアドレスを設定します。LAN内での通信は直接行われますが、外部のネットワークと通信する場合、デフォルトゲートウェイとして設定されたルーターを経由します。このルーターは、適切な宛先へデータを転送する役割を果たします。

問題❽ H31春-問61

ネットワークに関する次の記述中のa～cに入れる字句の適切な組合せはどれか。

建物内などに設置される比較的狭いエリアのネットワークを[a]といい，地理的に離れた地点に設置されているa間を結ぶネットワークを[b]という。一般に，[a]に接続する機器に設定するIPアドレスには，組織内などに閉じたネットワークであれば自由に使うことができる[c]が使われる。

	a	b	c
ア	LAN	WAN	グローバルIPアドレス
イ	LAN	WAN	プライベートIPアドレス
ウ	WAN	LAN	グローバルIPアドレス
エ	WAN	LAN	プライベートIPアドレス

正解　イ

解説 LANとWANの違いは、p.284より、エリアの範囲で決定されます。また、組織内に閉じたIPアドレスを利用する場合はプライベートIPアドレスが適切となります。

問題❾　H31春-問82

PC1のメールクライアントからPC2のメールクライアントの利用者宛ての電子メールを送信するとき，①～③で使われているプロトコルの組合せとして，適切なものはどれか。

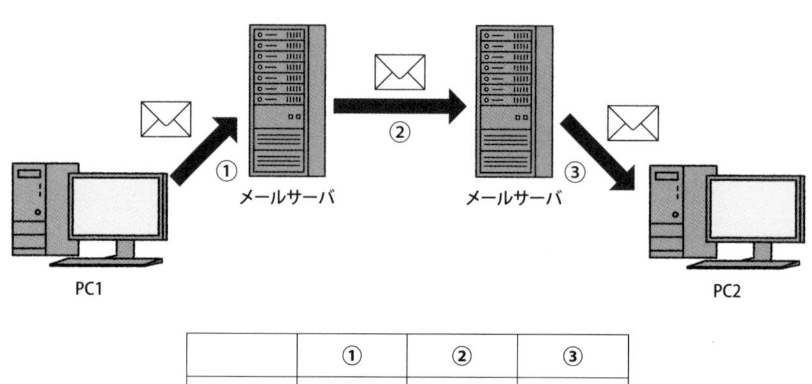

	①	②	③
ア	POP3	POP3	SMTP
イ	POP3	SMTP	SMTP
ウ	SMTP	POP3	POP3
エ	SMTP	SMTP	POP3

正解　エ

解説 p.300より、メールを送るときの通信プロトコルはSMTPとPOP3です。宛先がサーバまたはクライアントであるかを区別すると、選択肢エが正解となります。

テクノロジ系

Chapter 11

コンピュータとデジタル情報

本章の学習ポイント

- コンピュータは、2段階の電圧で動作するため、2進数について学ぶ。
- 基数とは、数を数えるときの「基準」となる数のこと。
- IPアドレスには、人間とコンピュータそれぞれが理解するための別の形がある。
- 2進数や16進数など、N進数への変換を基数変換という。
- コンピュータの電子回路は操作により出力が変わる。論理演算では、2つの入力値を操作し、出力値の結果を変える。

テクノロジ系　15分　★★★

Chapter 11

01 コンピュータと2進数

解説動画▶

基数の性質を学ぼう

超効率ポイント

- 基数とは、数を数えるときの「基準」。
- 2進数は0と1で値をつくり、16進数は0～9までの数字とA～Fまでのアルファベットで値をつくる。
- コンピュータは電気信号で動作するため、電圧が高いときを1、低いときを0、と解釈して動作する。

基数

基数とは、数を数えるときの「基準」のことです。例えば、普段私たちがお金を数えたり、物の数量を数えたりするときは、すべて10進数です。この場合、基数は10となり、0～9までの10個の数字を使ってすべての数を表現します。10進数を使うことが多いのは、私たち人間の指が10本であるからだといわれています。

実は、私たちは「1分」や「1日」といった時間を考えるときも、基数と似た考え方をしています。例えば、1分なら60秒間、1日なら24時間……といった形で、10以外の塊を1つの単位で扱うイメージです。

2進数と16進数

2進数とは

2進数は、0と1の2つの数字を使ってつくる数のことです。0と1以外を利用することはできないため、桁の値が1のとき最大となり、桁があふれると桁（位）が上がります。10進数で0～10まで数えたとき、2進数では、桁が3回上がります。

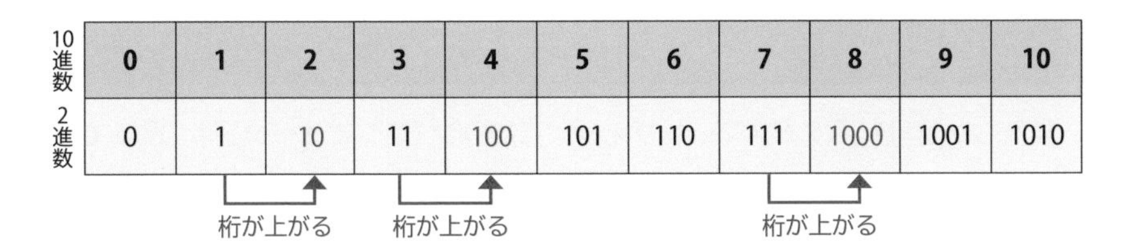

16進数とは

16進数では、0~9までの数字と、A~Fまでのアルファベットを利用して、16個の英数字で値をつくります。16進数は、10進数でいうと「16」になるときにようやく桁が1つ上がり、「10」となります。

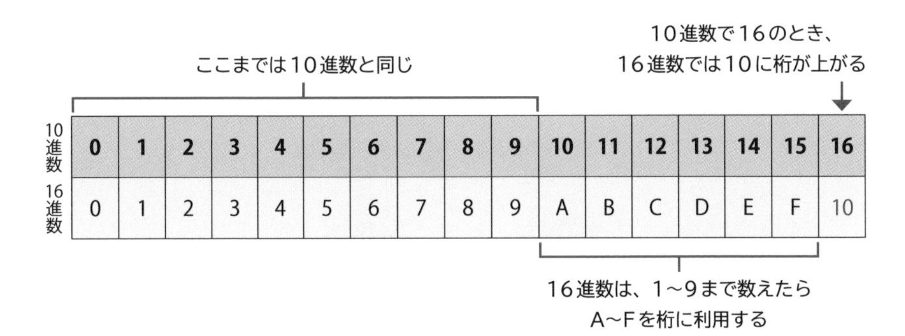

基数を表すルール

「10」という値があったとき、これだけでは10進数なのか、2進数なのか、16進数なのか、区別がつかず、数値の持つ意味は変わってしまいます。基数の表記ルールでは、括弧と添字により、N進数表記の値であることを示します(Nは何らかの自然数を表しています)。

表記例	意味
$(10)_N$	N進数表記での10
$(10)_{10}$	10進数表記での10
$(10)_2$	2進数表記での10(10進数にすると2)
$(10)_{16}$	16進数表記での10(10進数にすると16)

コンピュータと２進数

私たちが普段利用するスマートフォンやパソコン（コンピュータ）は、電気で動いています。コンピュータは電気信号により、**電圧が高いときを１、電圧が低いときを０**、と解釈して動作します。

これはコンピュータが、内蔵された電子回路に**電気が流れたか・流れていないかという信号（電気信号）**により、動作・制御されているためです。コンピュータは２進数で情報を解釈しています。

● bitとByte

コンピュータの世界で扱う「情報」の最小の単位をビット（bit）といいます。１ビットが８個集まった単位をバイト（Byte）といいます。

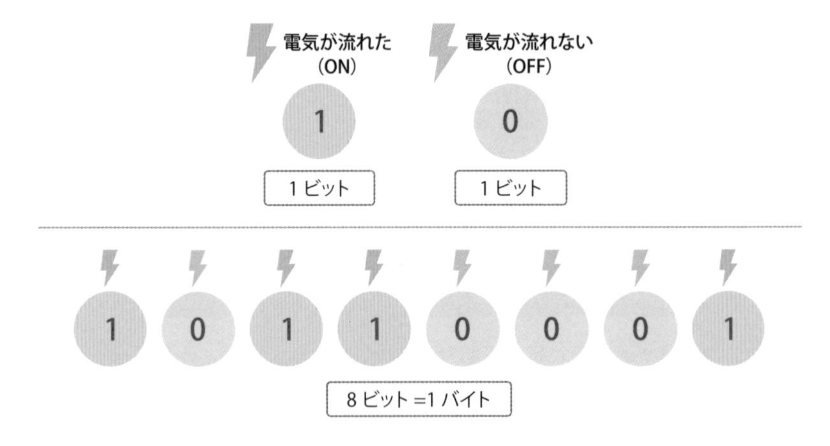

● 8bitの２進数

デジタル情報を扱うときは、２進数を8bitのまとまり（1Byte）で表現することが一般的です。例えば$(11)_2$という値の場合、8bitとなるように不足する桁を０で補い、00000011と表現します。

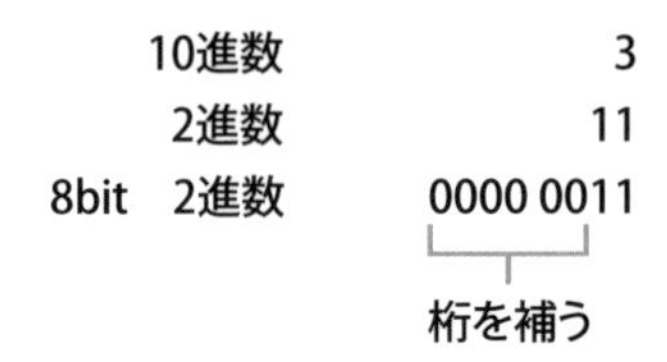

デジタルとアナログ

コンピュータが 0/1 で動作する利点

コンピュータが**ネットワーク上で情報を送信するとき、必ずノイズの影響**を受けてしまいます。ですが、情報を０と１のみのデジタル情報で表現することで、情報の一部が破損したとしても復元しやすく、情報を運ぶ観点でのメリットとなります。０と１の決められた値をとることをデジタル信号といいます。

デジタルデータとアナログデータ

キーボードなどでの入力データは電気信号として解釈されるため、デジタル信号として扱いやすいです。一方で、写真や動画、音声通話などによるデータは、現実世界からアナログの形でデータを取得（または出力）する必要があります。

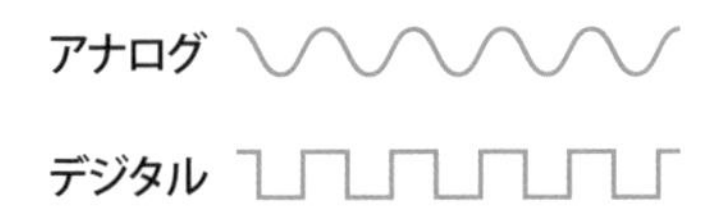

アナログデータを扱う場合は、**アナログ信号からデジタル信号へ変換する操作**が必要です。こうした操作をアナログ‐デジタル変換（A/D変換）といい、標本化→量子化→符号化のステップで行われます。

音声データをA/D変換する例

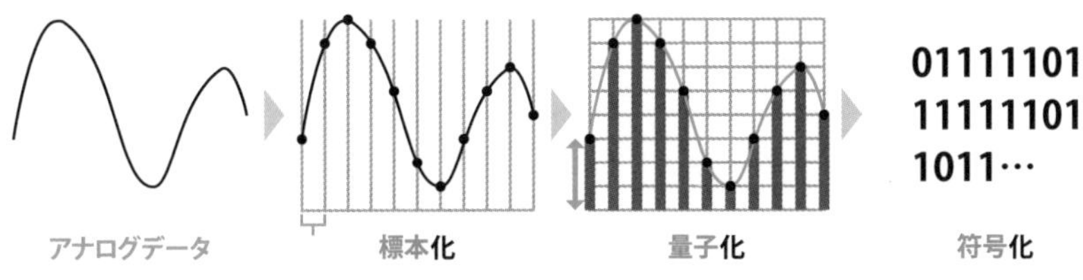

大きいデータ・小さいデータ

コンピュータの世界では、非常に大きい（または非常に小さい）値を扱うことがよく起こります。このとき、普段利用する「数字」を使ってそのまま表現すると、0の数が増えることで、読みづらく、ケアレスミスも発生しやすくなります。これを回避するため、接頭辞を利用して値をコンパクトに表現します。

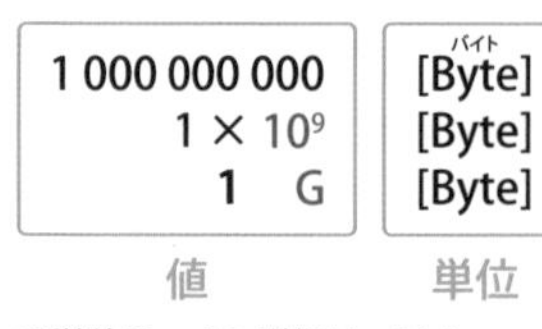

※単位[Byte]の詳細はp.314

接頭辞μで表す場合

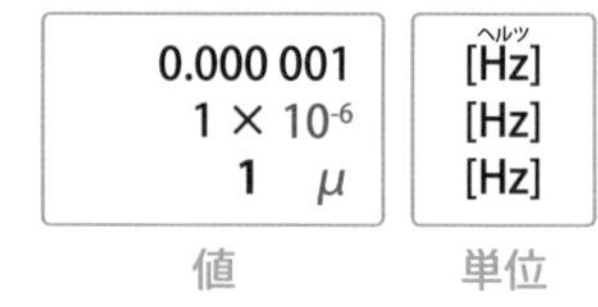

※単位[Hz]の詳細はp.240

値を示す接頭辞

次の接頭辞は、特に大きな値・小さな値を表現するために使われます。10^3の塊ごとに記号が変わります。

これらの接頭辞は国際単位系（SI）として広く採用されています。

大きい値		
記号	読み	数値
K	キロ	10^3
M	メガ	10^6
G	ギガ	10^9
T	テラ	10^{12}

小さい値		
記号	読み	数値
m	ミリ	10^{-3}
μ	マイクロ	10^{-6}
n	ナノ	10^{-9}
p	ピコ	10^{-12}

小テストはコチラ

02 2進数と16進数

超効率ポイント 2進数と16進数の関係を理解する

- 2進数と16進数は、コンピュータの多様な情報表現に利用される。
- 2進数と16進数には対応関係があり、相互に利用しやすい基数。

2進数とコンピュータの文字表記

アスキーコード（ASCII：American Standard Code for Information Interchange）は、2進数の組み合わせで英・数・記号などを表現する文字コードです。

	0000	0001	0010	0011	0100	0101	0110	0111
0000	NULL	DLE	(SP)	0	@	P	`	p
0001	SOH	DC1	!	1	A	Q	a	q
0010	STX	DC2	"	2	B	R	b	r
0011	ETX	DC3	#	3	C	S	c	s
0100	EOT	DC4	$	4	D	T	d	t
0101	ENG	NAK	%	5	E	U	e	u
0110	ACK	SYN	&	6	F	V	f	v
0111	BEL	ETB	'	7	G	W	g	w
1000	BS	CAN	(	8	H	X	h	x
1001	HT	EM	)	9	I	Y	i	y
1010	LF	SUB	*	:	J	Z	j	z
1011	VT	ESC	+	;	K	[	k	{
1100	FF	FS	,	<	L	＼	l	|
1101	CR	GS	-	=	M	]	m	}
1110	SO	RS	.	>	N	^	n	~
1111	SI	US	/	?	O	_	o	DEL

アスキーコード表は**上位の桁（列）**、**下位の桁（行）**の行列を組み合わせて文字を表現します。（例）Aという文字のASCIIコード２進数表記は0100 0001

アスキーコードは7桁

データは通常8ビットで1つの単位として扱われますが、アスキーコードは元々7ビットで構成されています。これは、アスキー文字をメモリ（p.379）に保存するとき、通常、8ビットのうちの7ビットをASCII文字の表現に使用し、残りの1ビットはエラーチェック用（パリティビット）として使用するためです。設計上は7bitですが、実装上は8bitとなり、全部で128種類の文字を表現できます。

２進数と16進数

２進数はコンピュータにとっては扱いやすい形式ですが、人間にとっては情報を認識しづらいです。そこで登場するのが16進数です。なぜ10進数を超えて16進数なのかというと、**２進数と16進数の変換が容易**なためです。この対応関係により、どんなに長い桁数の２進数でも**４桁（４ビット）ごとに区切って**、16進数１文字に変換できます。

例えば$(1111)_2$の場合、16進数が$(F)_{16}$となり、ちょうど桁の**0～最大値**までが一致します。このため、大量の２進数データが連なる場合、16進数で表現すると視認性が高まります。

※２進数や16進数を変換する計算方法は、Chapter11-4で紹介します。

10進数	2進数	16進数
0	0000	0
1	0001	1
2	0010	2
3	0011	3
4	0100	4
5	0101	5
6	0110	6
7	0111	7
8	1000	8
9	1001	9
10	1010	A

10進数	2進数	16進数
11	1011	B
12	1100	C
13	1101	D
14	1110	E
15	1111	F
16	0001 0000	10

16進数とカラーコード

光の３原色は赤（Red）、緑（Green）、青（Blue）で、これらをの頭文字を使ってRGBと呼びます。RGBの三色は、ディスプレイで色を表現する原理となり、色の重ね合わせが強くなるほど、白に近づきます。

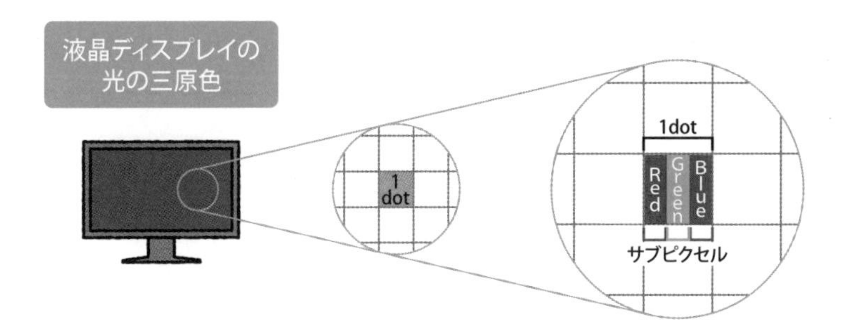

ディスプレイの画面最小単位を**ピクセル**といいます。ピクセルは、赤・緑・青の光の三原色で構成され、それぞれの色の強さを256段階（0～255）（2^8個＝全256色）で表現できます。RGB各色は8ビットで表現します。0はその色が全く含まれていないことを示し、255はその色の最大値を示します。

■ 最も強い赤 …（255, 0, 0） → #FF0000
■ 最も強い緑 …（0, 255, 0） → #00FF00
■ 最も強い青 …（0 ,0 ,255） → #0000FF
□ RGBの最大値＝白 …（255, 255, 255） → #FFFFFF
■ RGBの最小値＝黒 …（0 ,0 ,0） → #000000

ディスプレイ上のカラーコードは、よく16進数で表現されます。

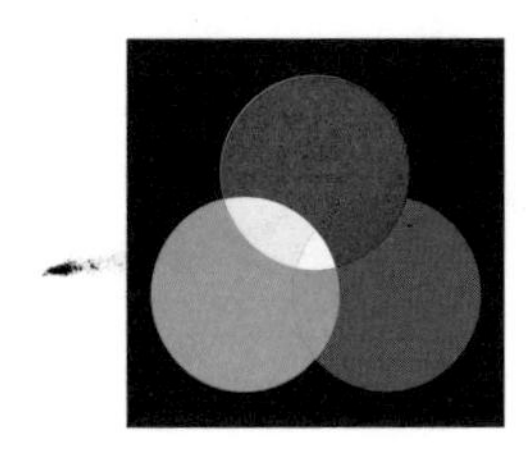

テクノロジ系　8分　★★★

Chapter 11

03 2進数とIPアドレス

IPアドレスの仕組みと枯渇問題を認識する

- IPアドレスは、人間には視認性の観点から10進数で表記されるが、コンピュータは2進数で認識する。
- インターネットの普及によりIPアドレスが不足する問題をIPアドレスの枯渇問題という。

IPアドレス

IPアドレスとは、インターネット上でネットワークやデバイスを識別するための番号です(p.291)。ここまでIPアドレスを、.(ドット)で区切られた10進数の形で紹介してきました。この形式は人間にとっての視認性を重視した表記ですが、IPアドレスをコンピュータが認識する際の目線で考えるには、8ビット2進数に置き換えます。コンピュータと同様に2進数でIPアドレスを理解しようとすると、次のように記述できます。

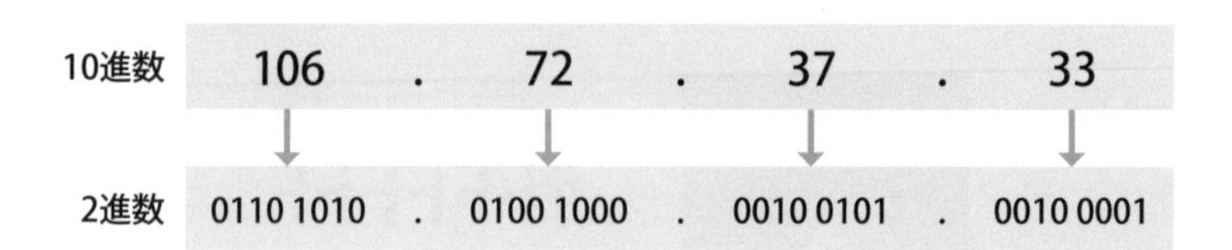

IPアドレスの利用制約と課題

IPアドレスのバージョンには、IPv4とIPv6があります。現在主流のIPv4は32ビットのアドレス空間を持っています。これは下記のように、8bit2進数を1つの塊とし、この塊を4つ組み合わせて表現されます。**0000 0000〜1111 1111までの値を記述できるため、全部で2^8個（0から数えて256個）の値を表現**できます。256通りの値を4つ組み合わせて表現できることから、IPv4は理論上、約43億個（2^{32}個＝42億9496万7296個）の一意のIPアドレスを提供できます。

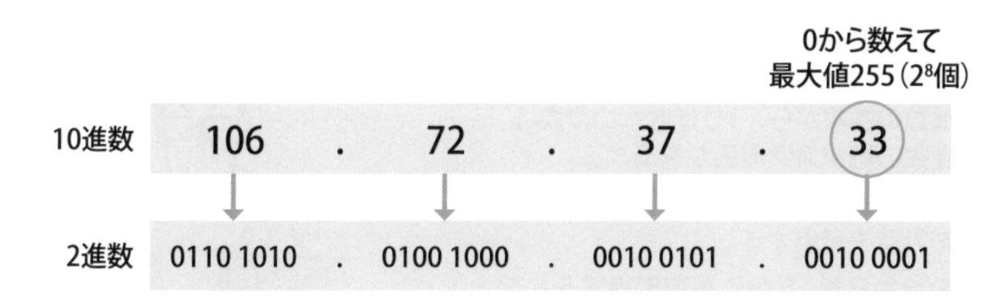

IPアドレスの枯渇問題

IPv4により最大約43億台のコンピュータがインターネットに接続可能ではありますが、一方、急速なインターネットの普及・デバイスやネットワークの増加でIPv4アドレスの需要が高まり、使用可能なIPアドレスが不足する問題が起きています。これをIPアドレスの枯渇問題といいます。

そこで、この**IPアドレスの枯渇問題に対応するため、IPv6（128bit制約のIPアドレス）が開発**されています。IPv6は理論上、約340澗（かん）個（3.4×10^{38}個）の一意のアドレスを持つことができます。IPv6への移行は現在も進行中であり、新しいデバイスやネットワークはIPv6に対応する必要があります。また、IPv6の普及促進やIPv4とIPv6の共存など、さまざまな取り組みがなされています。

テクノロジ系　20分　★★★

Chapter 11

04 基数変換の問題

解説動画▶

基数変換の計算方法を覚える

超効率ポイント

- N進数の基数から、10進数への変換は、N進数の桁が何個あるかを調べる。
- 10進数からN進数に変換するときは、すだれ算を利用する。
- N進数からN´進数に基数変換するときは、10進数を仲介させて計算できる。

基数の考え方

まずは、現金の数え方を例に、基数（10進数）の考え方を見ていきましょう。

step①：10の累乗で整理する

現金13,432円を次の表に整理しましょう。それぞれのお札・小銭は、10の累乗（10^n）で次のように表記できます。例えば、1,000円札は3枚あるため、10^3 ×3と表します。なお、**N^0（0乗）は常に1**です。

	10,000円札	1,000円札	100円玉	10円玉	1円玉
数	1枚	3枚	4枚	3枚	2枚
10の累乗	$10^4 \times 1$	$10^3 \times 3$	$10^2 \times 4$	$10^1 \times 3$	$10^0 \times 2$

step②：10の累乗で記述する

step①の表「10の累乗」の行より、この現金を表す計算式をつくりましょう。「13,432円」を構成する値は、次のように記述できます。

$$13432 = 10^4 \times 1 + 10^3 \times 3 + 10^2 \times 4 + 10^1 \times 3 + 10^0 \times 2$$

10の4乗が1個　10の3乗が3個　10の2乗が4個　10の1乗が3個　10の0乗が2個

上記より、各桁は10のN乗ごとに整理できます。桁ごとの累乗が何個あるのかを調べると、10進数での値を求められます。

基数変換の計算ポイント

基数変換は、次の2つのステップに分けることで多様な問題に対応できます。

①N進数→10進数に変換…Nの累乗の合計値で求める
②10進数→N'進数に変換…すだれ算の商と余りで求める

この2点の計算方法が分かると、「$(230)_5$を8進数に変換する」といった場合も、段階的に解答を求めることができます。

①5進数を10進数に基数変換… $(230)_5 \rightarrow (65)_{10}$
②10進数を8進数に基数変換… $(65)_{10} \rightarrow (101)_8$

N進数を10進数に変換する方法

まずは、**N進数を10進数に変換する方法**を見てみましょう。これは、桁ごとにNの累乗で整理した数の合計値で求めることができます。

例①：2進数の110を10進数に変換する

各桁が2の何乗 (2^N) で構成されていて、それぞれの桁に何個の値が入っているのかを下表で整理します。その後、表をもとに各桁に何個の数があるかを足し合わせます。計算の結果、$(110)_2=(6)_{10}$となります。

2^2	2^1	2^0
1	1	0

$$2^2 \times 1 + 2^1 \times 1 + 2^0 \times 0$$
$$= 4 + 2 + 0$$
$$= 6$$

例②：5進数の4321を10進数に変換する

5進数は、1桁で0～4の値が利用できる基数です。まずは、各桁が5の何乗（5^N）で構成されていて、それぞれの桁に何個の値が入っているかを下表で整理します。その後、表をもとに各桁に何個の数があるかを足し合わせ、10進数ではいくつとなるのか計算しましょう。計算の結果、$(4321)_5 = (586)_{10}$となります。

5^3	5^2	5^1	5^0
4	3	2	1

$$
\begin{aligned}
& 5^3 \times 4 + 5^2 \times 3 + 5^1 \times 2 + 5^0 \times 1 \\
&= 125 \times 4 + 25 \times 3 + 5 \times 2 + 1 \times 1 \\
&= 500 + 75 + 10 + 1 \\
&= 586
\end{aligned}
$$

例③：16進数のA8Dを10進数に変換する

16進数は、1桁で0～9とA～Fまでの値が利用できる基数です。まずは、各桁が16の何乗（16^N）で構成されていて、それぞれの桁に何個の値が入っているかを整理します。

ただし、2進数や5進数の例と同様に計算しようとすると、私たちはAやDといった値で計算することには慣れていないため、計算に行き詰まってしまいます。この場合は、**AやDといったアルファベットは10進数に修正して計算を進めましょう。**16進数と10進数の対応は、p.313でも学習したように、次のとおりです。

10進数	0	1	2	3	4	5	6	7	8	9	10	11	12	13	14	15
16進数	0	1	2	3	4	5	6	7	8	9	A	B	C	D	E	F

16進数A～Fは、10進数10～15に対応するため、指で数えたり紙に書き出したりして導きましょう。次の計算により、$(A8D)_{16}=(2701)_{10}$となります。

16^2	16^1	16^0
A	8	D

$$
\begin{aligned}
& 16^2 \times A + 16^1 \times 8 + 16^0 \times D \\
&= 16^2 \times 10 + 16^1 \times 8 + 16^0 \times 13 \\
&= 2560 + 128 + 13 \\
&= 2701
\end{aligned}
$$

基数変換で桁ごとに揃えて計算する意味

10進数とそれ以外の基数を比べると、次の特徴があります。桁の上がり方を構造的に理解できると、自力で計算式を導くことにも役立ちます。

- **10進数は1桁に10個（0～9）の数が集まると桁がひとつ増える**
- **N進数は1桁にN個（0～N-1）の数が集まると桁がひとつ増える**

10進数をN進数に変換する方法

続いては、**10進数の値をN進数に変換する方法**を見ていきます。ここでは、すだれ算を使って、商と余りを元にN進数へ変換しましょう。

例①：10進数の6を2進数に変換する

さきほど求めた$(6)_{10}$を、今度は2進数にする計算を行います。ここでは、変換したい値をNですだれ算します。今回は6を2で割っていきます。

```
2) 6
2) 3 …0
   1 …1   →  110
```

すだれ算は割り算の筆算に近い形で、6を2で割った商と余りを上記のように計算します。割り切れなくなったら、計算はそこで終了です（計算のプロセスは本セクションの動画視聴がオススメです）。このすだれ算の結果から商と余りを組み合わせて、上図の矢印のように下から順に並べると、N進数に変換できます。計算の結果、$(6)_{10} \rightarrow (110)_2$となります。

例②：10進数の586を5進数に変換する

さきほど求めた$(586)_{10}$を、今度は5進数に変換します。586を5ですだれ算します。

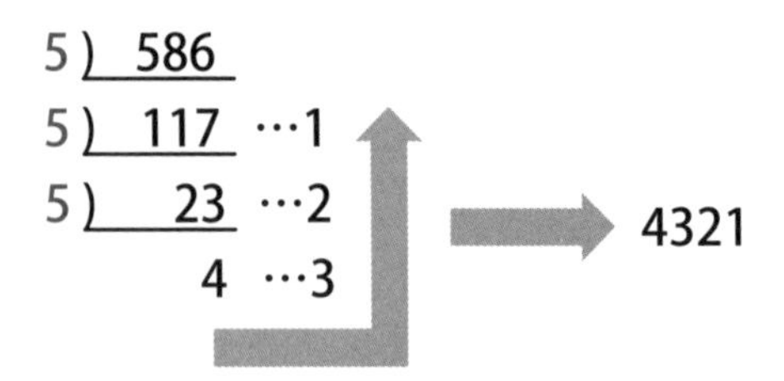

586を5で割った商と余りを上記のとおり計算します。最終的に、4はこれ以上5で割ることができないため計算が終了します。このすだれ算の結果から商と余りを組み合わせ、$(586)_{10}$は$(4321)_{5}$となります。

例③：10進数の2701を16進数に変換する

さきほど求めた$(2701)_{10}$を、16進数に変換します。今回の場合は2701を16ですだれ算します。

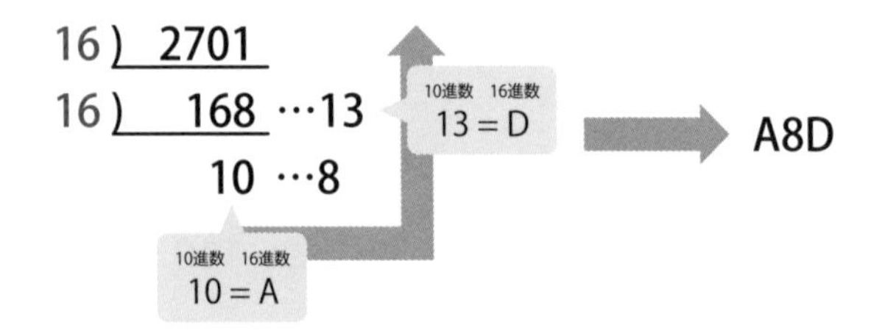

私たちが計算する結果は、10進数となるため、10や13といった1桁に収まらない値は、16進数のアルファベットに対応させます。このすだれ算の結果から商と余りを組み合わせ、$(2701)_{10}$は$(A8D)_{16}$となります。

すだれ算でN進数の値を算出できる理由

なぜ、N進数を求めるときは**すだれ算の商と余りが結果**となるのでしょうか？ここから先は、その理由を解説します。計算や数学が苦手な方は基数変換を公式のように暗記してもOKです。

$(586)_{10}$を5ですだれ算した結果について、計算の過程・背景を記述すると次のようになります。

```
5) 586
5) 117 …1
5)  23 …2
     4 …3
```

④…③のあまりで、残りの数は1つ。

③…②で割ったあまり(11)の数の中に5^1が2つ。
→ 11 ÷ 5 = 2 … 1

②…①で割ったあまり(86)の数の中に5^2が3つ。
→ 86 ÷ 25 = 3 … 11

①…5^3で割り切れた固まりが4つ
→ 586 ÷ 125 = 4 … 86

N進数とは、**Nの各桁が何個集まっているか**を示した結果となります。そのため上記の場合、586を5で3回割った結果（①）は、586の中に5^3（=125）の塊を4つ含むことを示しています。

①の余り86は、5^3 (=125)の桁に満たない数です。この中に5^2がいくつ含まれるかを計算します。②の計算結果より、3つの塊があると分かります。

②の余り11は、5^2 (=25)の桁に満たない数です。この中に5^1がいくつ含まれるかを計算します。③の計算結果より、2つの塊があると分かります。

③の余り1は、5^1 (=5)の桁に満たない数です。これは、5^0で扱われる数となります。④の計算結果の余りより、5^0の桁が1つ含まれることが分かります。

このように分解することで、10進数からN進数の値を求めることができます。

小テストはコチラ

テクノロジ系

Chapter 11

05 論理演算

解説動画 ▶

コンピュータの性質を演算で理解する

- **論理演算は、真理値などコンピュータが電子回路の設計を行うときなどに利用される。**
- **2つの入力値に何らかの操作が行われたとき、どんな出力値が得られるのかを演算する。**

論理演算とは

論理演算とは、真（True）と偽（False）の値を使って計算する方法です。電子回路における真と偽は、以下のように解釈します。

- 電気が流れている状態を**1** → 真（True）
- 電気が流れていない状態を**0** → 偽（False）

コンピュータは内蔵された電子回路によって動作するため（p.314）、論理演算はコンピュータの電子回路の設計やプログラミングなどでよく使われます。

計算と論理演算の違い

一般的に、計算とは、数値の操作（加算・減算・乗算・除算）によって結果を導きます。**論理演算と計算で異なる部分は、扱う内容が数字ではなく、真理値（電子回路においては電気信号）となる点**だと押さえておきましょう。

計算

数字を取り扱う

3 + 4 = 7

計算　結果

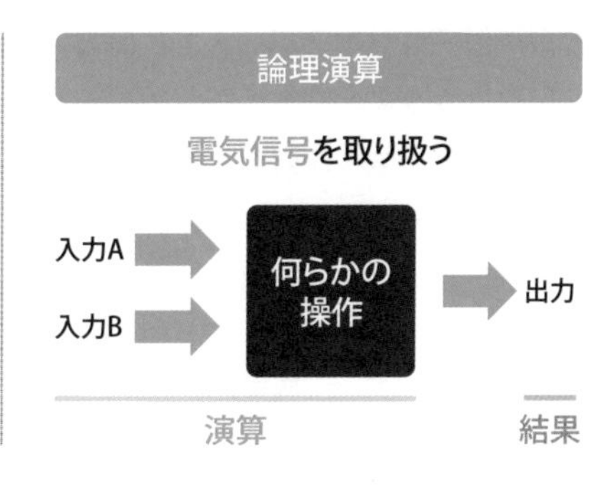

演算とは

演算は計算よりも汎用的なもので、数値だけではなく、文字列・ベクトル・行列なども扱える操作です。詳しくはプログラミング（p.340）でも学習します。

演算の例	結果
（数値の計算）　1+2	3
（文字列の計算）　"Hello" + "World!"	HelloWorld!

論理演算の基本

ベン図と真理値表

ベン図により、2つの入力値を視覚的に把握できます。次のベン図からは、入力Aと入力Bがあったとき、全部で4つの領域ができていることが分かります。

論理演算での入力値A、Bは、1または0の値を取ります。命題に対して、1のときを真、0のときを偽としたとき、**入力値に対する組み合わせは4パターン**です。

ベン図

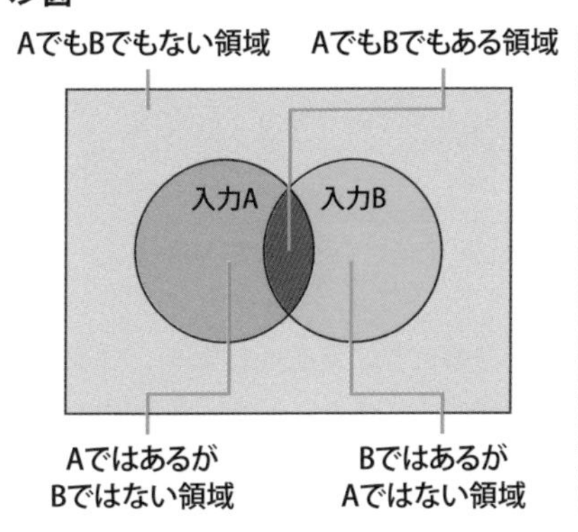

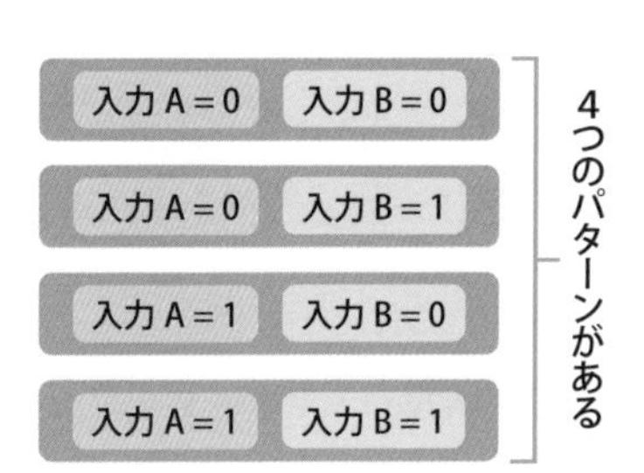

真理値表は**論理演算の入力と出力の関係を**表形式**で表したものです。**入力値A、Bが取りうるすべてのパターンに応じて出力値を確認できます。

論理演算ではベン図をもとに真理値表を導くと、複雑な論理式や集合の関係を直感的に理解できます。また、入力A、Bに対して行われる**何らかの操作**には、論理積・論理和・否定・排他的論理和などがあります。

真理値表

何らかの操作
（論理積・論理和・否定・排他的論理和など）

入力 A	入力 B	出力
0	0	?
0	1	?
1	0	?
1	1	?

論理積（AND）

論理積では、2つの入力値が共に真であるときに真を返します。つまり、2つの命題が共に正しい場合にのみ、全体の命題が真となります。AND条件は、どちらの条件も満たすという意味なので、ベン図は次のとおりです。

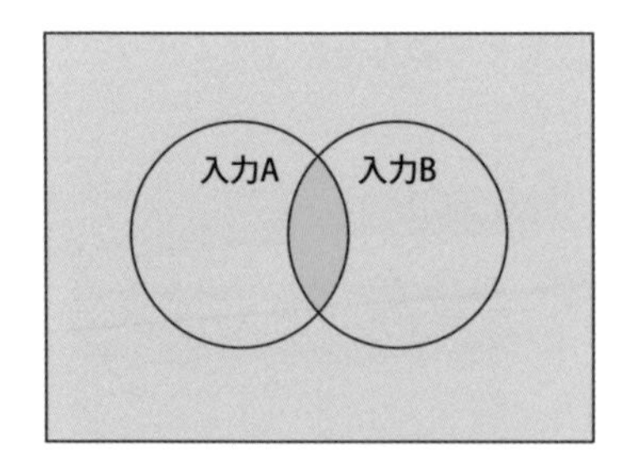

〈AND真理値表〉

入力 A	入力 B	出力
0	0	0
0	1	0
1	0	0
1	1	1

論理和（OR）

論理和では、少なくとも1つの入力が真であるときに真を返します。つまり、2つの命題のうちどちらか一方、あるいは両方が正しい場合、全体の命題が真となります。OR条件とはどちらかを満たすという意味なので、ベン図は次のとおりです。

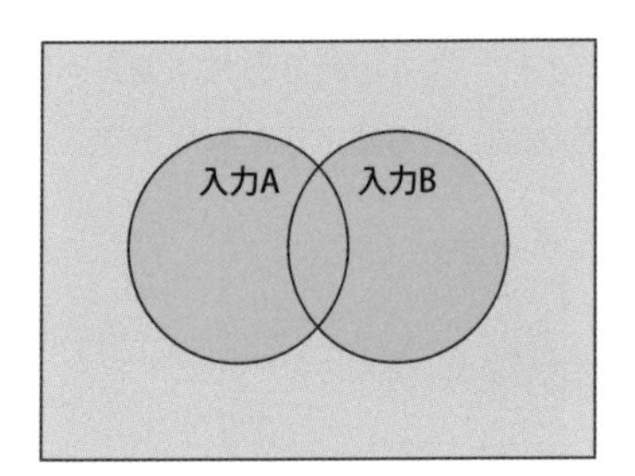

〈OR真理値表〉

入力 A	入力 B	出力
0	0	0
0	1	1
1	0	1
1	1	1

論理積(AND)と論理和(OR)の例

論理積や論理和など、イメージがつきづらい方は「テストの合格条件」を例に理解を深めましょう。「英語と数学のテストを受験して、両方の結果をみて試験に合格する」形式の試験があったとき論理積と論理和で、どのように試験結果の判定が異なるか見てみましょう。◎→合格（真理値表で1）、×→不合格（真理値表で0）として、真理値表に置き換えます。

論理積：
英語と数学のどちらも合格点を取れたら、試験結果は合格となる。

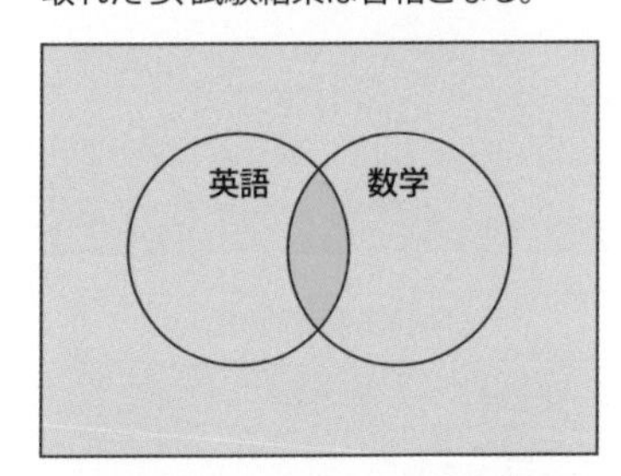

英語	数学	試験結果
×	×	×
×	◎	×
◎	×	×
◎	◎	◎

論理和：
英語と数学のどちらかで合格点を取れたら、試験結果は合格となる。

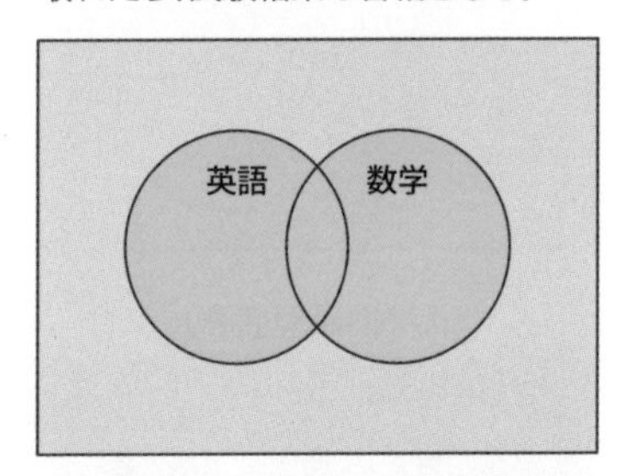

英語	数学	試験結果
×	×	×
×	◎	◎
◎	×	◎
◎	◎	◎

●否定（NOT）

否定では、入力の真偽を反転させます。つまり、入力が真であれば偽を、偽であれば真を返します。例えば、入力値が1であれば、出力値は0となります。

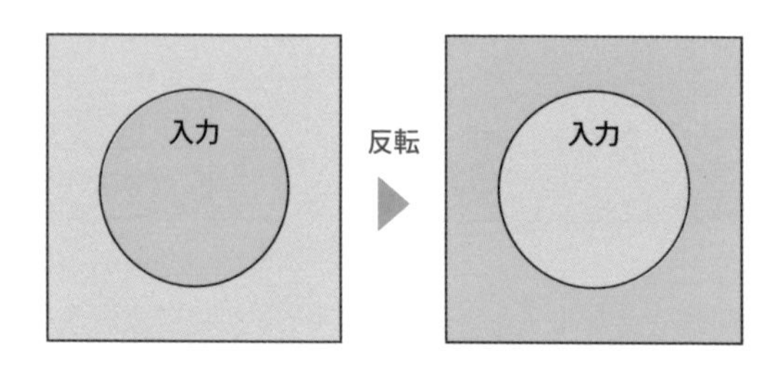

ここでは、論理積の否定（NAND）と論理和の否定（NOR）について見てみましょう。頭につく"N"は否定の'not'であることから、**NANDは（not AND）**、**NORは（not OR）**を意味します。

論理積の否定（NAND）は、ANDで求めた結果をすべて反転することで導くことができます。ANDを反転させるため、ベン図や真理値表は次のようになります。

〈AND〉

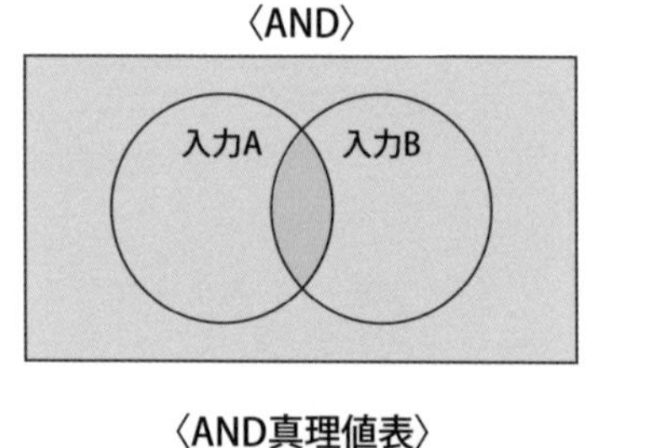

〈NAND〉

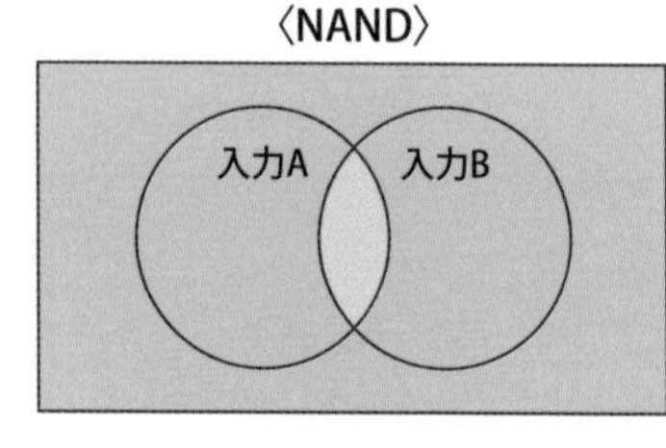

〈AND真理値表〉

入力 A	入力 B	出力
0	0	**0**
0	1	**0**
1	0	**0**
1	1	**1**

反転 ▶

〈NAND真理値表〉

入力 A	入力 B	出力
0	0	1
0	1	1
1	0	1
1	1	0

論理和の否定（NOR）は、ORで求めた結果をすべて反転することで導くことができます。ORを反転させるため、ベン図や真理値表は次記のようになります。

〈OR〉

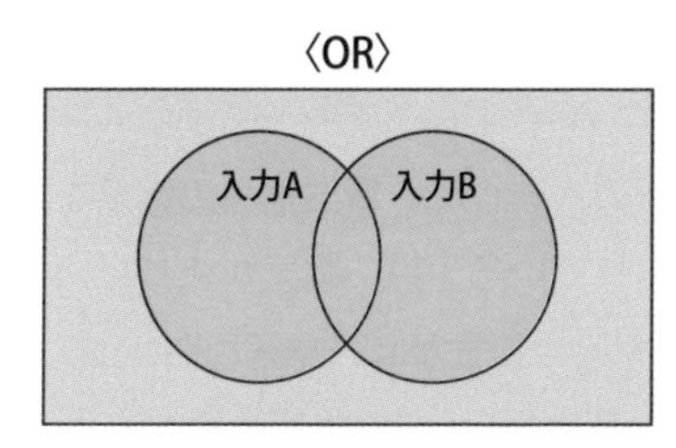

〈NOR〉

〈OR真理値表〉

入力 A	入力 B	出力
0	0	**0**
0	1	**1**
1	0	**1**
1	1	**1**

反転

〈NOR真理値表〉

入力 A	入力 B	出力
0	0	1
0	1	0
1	0	0
1	1	0

●排他的論理和（XOR）

排他的論理和では、２つの入力が異なるときに真を返します。つまり、２つの命題の一方だけが正しい場合にのみ、全体の命題が真となります。ベン図にすると、**排他的論理和**は、ORの重複部分を排除した下図となります。**論理和の重複部分を排除したもの**と理解しましょう。真理値表も重複部分だけを反転させます。

〈OR〉

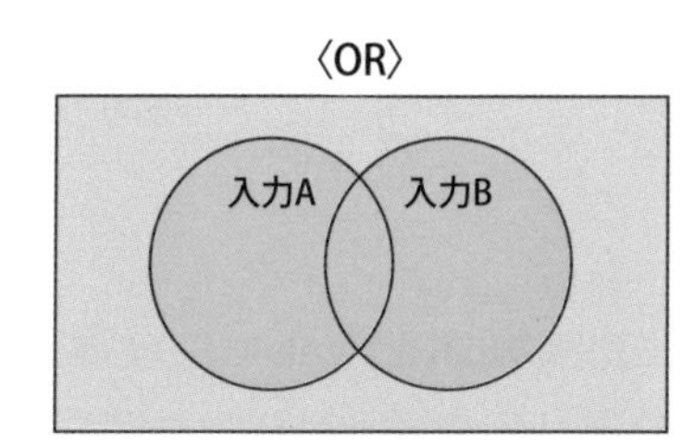

〈XOR〉

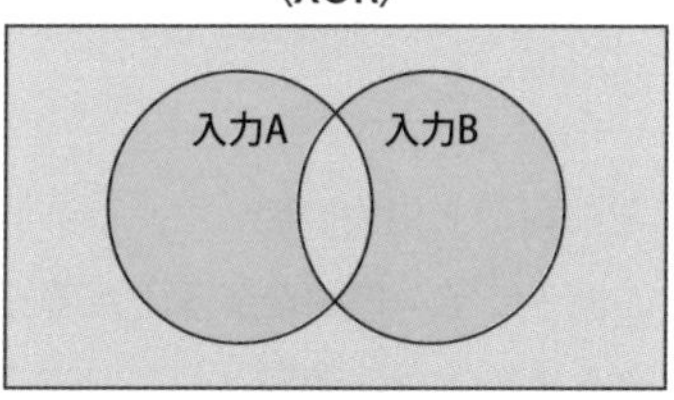

〈OR真理値表〉

入力 A	入力 B	出力
0	0	**0**
0	1	**1**
1	0	**1**
1	1	**1**

〈XOR真理値表〉

入力 A	入力 B	出力
0	0	0
0	1	1
1	0	1
1	1	0

MIL記号(ミル記号)

MIL記号は、**論理演算を回路図で表すためのパーツで、電気信号の結果を可視化**できます。コンピュータの世界は電気が流れている(1)、電気が流れていない(0)の2進数の世界でできており、これらの組み合わせがIC(集積回路)となります。このパーツの1つ1つが上記(論理演算の基本)で求めた演算結果です。

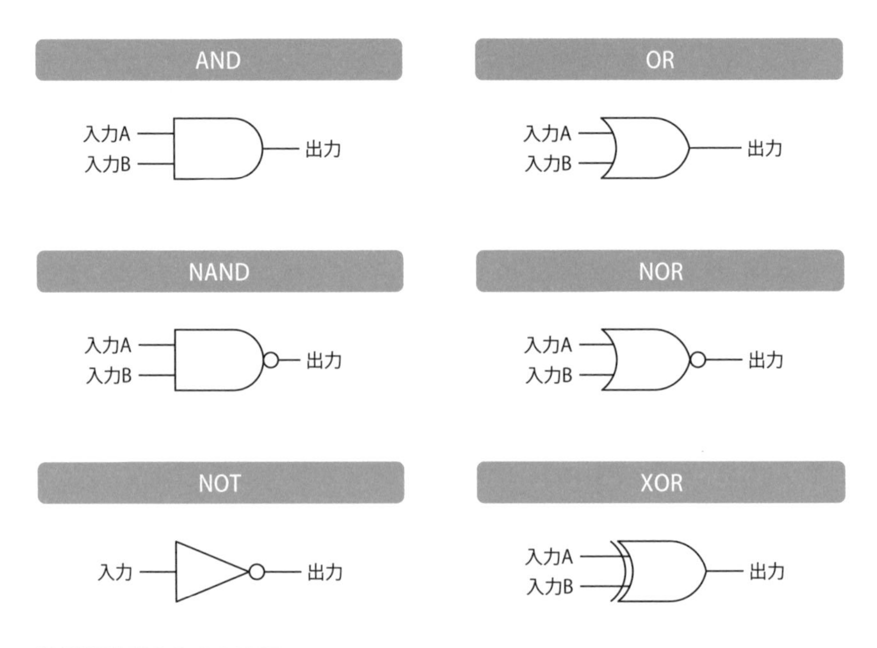

論理演算の入出力問題

ここまでに学んだ論理演算の真理値表、MIL記号の知識を活かして、次のステップに進みましょう。例題として、次の論理回路図(MIL記号を組み合わせた図)をみて、問題①、②に答えましょう。

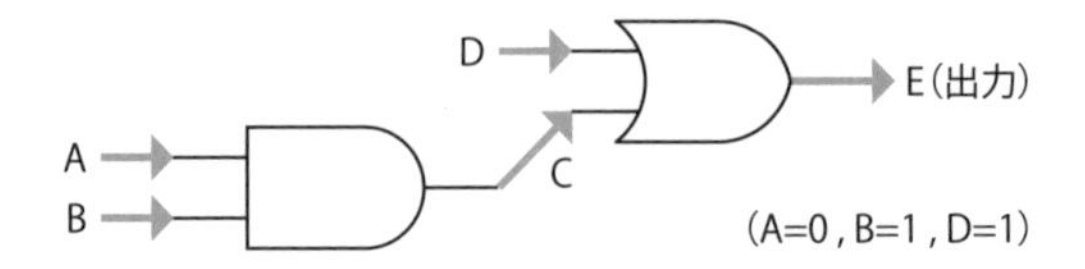

問題①

AとBのAND演算の結果は何ですか?

答え

論理積の真理値表より、B=1, A=0 のAND演算の結果は0となります。AND演算は両方の入力が1のときのみ1を出力するため、下図の回路と値になります。

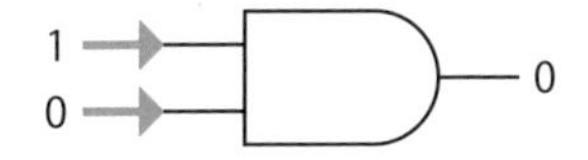

問題②

問題①の結果とDのOR演算の結果は何ですか？

答え

問題①の結果をもとに考えると、C=0 となり、下図の回路・値で示すことができます。そのため、論理和の真理値表をもとに考えると、D=1、C=0 のOR演算の結果は1となります。OR演算は少なくとも一方の入力が1であれば1を出力します。

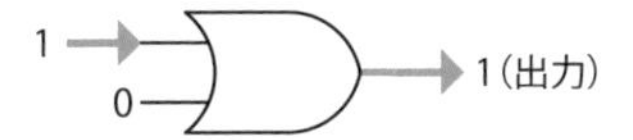

試験問題にチャレンジ

問題❶　R4-問73

膨大な数のIoTデバイスをインターネットに接続するために大量のIPアドレスが必要となり，IPアドレスの長さが128ビットで構成されているインターネットプロトコルを使用することにした。このプロトコルはどれか。

ア　IPv4
イ　IPv5
ウ　IPv6
エ　IPv8

正解　ウ

解説　IPアドレスの不足を解消するために新しいインターネットプロトコルであるIPv6が導入されました（p.321）。
IPv6は128ビットのアドレス長を持っており、膨大なIoTデバイスをインターネットに接続するために十分なアドレスを持っています。そのため、128ビットのアドレス長を持つインターネットプロトコルは「IPv6」となります。

問題❷　R3-問66

RGBの各色の階調を，それぞれ3桁の2進数で表す場合，混色によって表すことができる色は何通りか。

ア　8
イ　24
ウ　256
エ　512

正解　エ

解説　RGBの各色の階調を3桁の2進数で表す場合の基本を理解しましょう。3桁の2進数は、000から111までの2^3=8通りの組み合わせを持ちます。RGBでは、R（赤）、G（緑）、B（青）の3つの色があります。各色は3桁の2進数で8通りの階調を持つため、混色の組み合わせは「8（Rの階調）× 8（Gの階調）× 8（Bの階調）＝ 512通り」と計算できます。したがって、RGBの各色が3桁の2進数の場合、表すことができる色は512通りとなります。

問題❸ R3-問89

情報の表現方法に関する次の記述中のa～cに入れる字句の組合せはどれか。

情報を，連続する可変な物理量(長さ，角度，電圧など)で表したものを[a]データといい，離散的な数値で表したものを[b]データという。音楽や楽曲などの配布に利用されるCDは，情報を[c]データとして格納する光ディスク媒体の一つである。

	a	b	c
ア	アナログ	ディジタル	アナログ
イ	アナログ	ディジタル	ディジタル
ウ	ディジタル	アナログ	アナログ
エ	ディジタル	アナログ	ディジタル

正解　イ

解説

a　「連続する可変な物理量」で情報を表すものは「アナログデータ」と呼ばれます。例えば、アナログレコードやアナログテープなどがこれに該当します。

b　「離散的な数値」で情報を表すものは「デジタルデータ」と呼ばれます。

c　CDは情報をデジタルデータとして格納する光ディスク媒体です。音楽やデータなどを離散的な数値として保存します。

問題❹ R2秋-問62

10進数155を2進数で表したものはどれか。

ア　10011011

イ　10110011

ウ　11001101

エ　11011001

正解　ア

解説　p.325より、すだれ算を利用して10進数の値を2進数に変換します。

```
2 ) 155
2 )  77  … 1
2 )  38  … 1
2 )  19  … 0
2 )   9  … 1
2 )   4  … 1
2 )   2  … 0
      1  … 0
```

→ 10011011

問題❺ R2秋-問75

PCに設定するIPv4のIPアドレスの表記の例として，適切なものはどれか。

ア 00.00.11.aa.bb.cc

イ 050-1234-5678

ウ 10.123.45.67

エ http://www.example.co.jp/

正解 ウ

解説 IPv4アドレスの表記では、32ビットを8ビットずつ区切って10進数で表記します。

問題❻ H24秋-問79

16進数のA3は10進数で幾らか。

ア 103

イ 153

ウ 163

エ 179

正解 ウ

解説 p.324の手順より、次のように情報を整理します。また、$(A)_{16}$のままでは計算できないため、この値は10進数に数え直します。

16^1	16^0
A	3

↓ 計算のために10進数に数え直す

10

$$16^1 \times A + 16^0 \times 3$$
$$= 16^1 \times 10 + 16^0 \times 3$$
$$= 160 + 3$$
$$= 163$$

テクノロジ系

Chapter 12

プログラムとアルゴリズム

本章の学習ポイント

- プログラム言語は、人間の指示がコンピュータに伝わる規則で記述される。
- アルゴリズムは、問題解決の処理手順を示す。
- プログラムの基本は、順次処理・選択処理・繰返し処理の３パターン。
- 擬似言語の記述では、変数と定数、配列、データ型の区別などのルールを知り、問題に備える。

テクノロジ系　10分　★★★

Chapter 12

01 コンピュータ言語

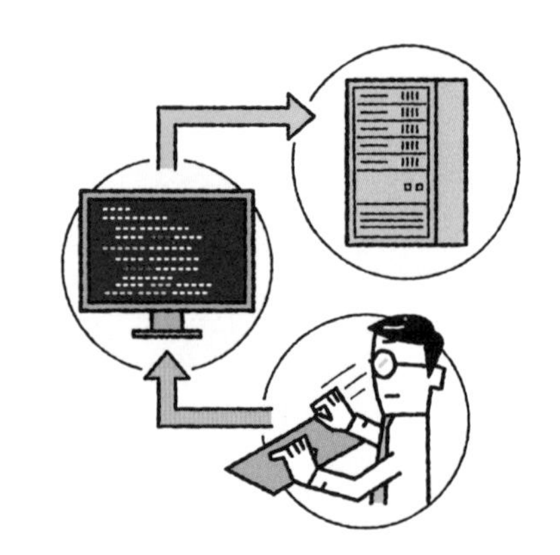

プログラミングの基本をつかむ

- コンピュータ言語とは、人間がコンピュータに処理を指示するための言語。
- プログラム言語には、コンパイラ型言語・インタプリタ型言語といった分類がある。

コンピュータ言語の役割

コンピュータ言語とは、人間とコンピュータがやりとりする処理や、コンピュータ同士で行う処理を命令するための言語の総称です。人間が普段話す言葉（自然言語）とコンピュータが直接解釈できるバイナリコード（マシン言語）の中間に位置します。人間が普段話す自然言語で機械に直接命令を出すことはできないため、コンピュータへの指示には、コンピュータ言語が利用されます。

自然言語

人間が普段、会話をするときに使う言葉。

コンピュータ言語（人工言語）

例：Python

```
if age >= 20:
  webbrowser.open('お酒サイト.com')
else:
  webbrowser.open('ジュースサイト.com')
```

コンピュータに指示を与えられる、人工言語。Pythonは英語ベースのため、英語を理解できる人には理解しやすい。

マシン言語（機械語）

CPUが直接理解できる言語。機械語ともいう。

コンピュータ言語の種類

コンピュータ言語には、いくつかの種類があります。プログラミングやアルゴリズムの問題を解く前に、**さまざまな言語の種類**を見てみましょう。

マークアップ言語	文書の構造や内容を記述するための言語。タグを使用して文書の構造をマークする。例：HTML、XMLなど
プログラム言語	コンピュータに対して命令を与えるための言語。アプリケーションやシステムの開発に使用される。例：C言語、Java、Pythonなど
スタイルシート言語	文書の表示スタイルやレイアウトを定義するための言語。例：CSS
クエリ言語	データベースの情報を操作したり、取得・更新したりするのに特化した言語。例：SQL

Webサイトを構成する言語

●マークアップ言語

コンピュータ上のテキスト表現に目印（マーク）を付けて、文書内での意味付けをする言語です。

HTML（HyperText Markup Language）	Webページの基本構造を定義するために使用されます。
XML（eXtensible Markup Language）	大量のデータを独自のフォーマットで保存または転送する必要がある場合に使用されます。例：Microsoft Office（Excel・PowerPoint・Word）、RSSフィードなど

最もメジャーなマークアップ言語はHTMLです。HTMLでの表記と、Webブラウザ上での表示は次のようになります。

HTMLでの表記

```
<h1>はじめての「ITすきま教室」</h1>
<p>こんにちは！ ITすきま教室のお時間です。</p>
<p>復習は、</p>
<a href="https://it-sukima.com">ITすきま教室のブログ</a>
<p>からどうぞ！</p>
```

Webブラウザでの表示

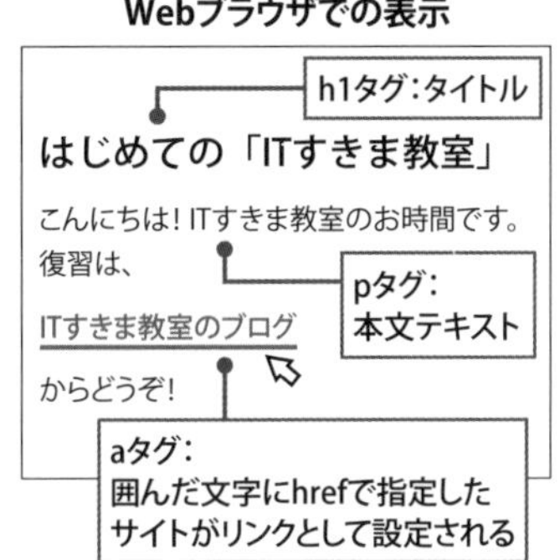

CSS

CSS（Cascading Style Sheets）は、Webサイトで配色や文字の大きさなどを指定する際に利用されます。スタイルシート言語に分類され、常にHTMLとセットで使用します。

▼Webサイト画面

JavaScript

JavaScriptは、Webブラウザ上で動作するプログラムを作成する際に使用されます。HTMLでページの構造をつくり、CSSでデザインを装飾した後、JavaScriptを使ってWebページに動的な要素を加えます。プログラム言語に分類されます。

▼Webサイト画面

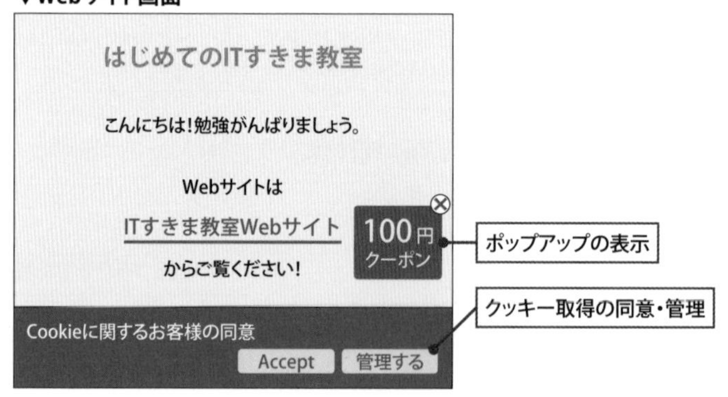

プログラム言語

プログラム言語（Programming language）は、コンピュータの動作やその手順を適切に指示するための人工的につくられた言語です。コンピュータが解釈できる文法で記述した命令文（コード）により動作します。開発者がアプリケーションを作成したり、特定のタスクを自動化したりできます。

プログラム言語の水準

プログラム言語は、コンピュータが直接理解し実行できる低水準言語（低級言語）と、人間が理解しやすい表記で記述する高水準言語（高級言語）に分類されます。

低水準言語	マシン言語	0と1のバイナリコードで記述される言語。
	アセンブリ言語	マシン言語を人間が読み書きしやすい形にした言語。
高水準言語	コンパイラ型言語	実行前にコンパイラによってマシン言語に一括で変換される言語。
	インタプリタ型言語	プログラムのソースコードを1行ずつマシン言語に変換しながら実行する言語。

低水準言語

低水準言語は、コンピュータの内部で行われる処理をより直接的に表現する言語です。そのため、人間が理解・記述することは困難ですが、コンピュータにとっては直接的な操作が可能です。

高水準言語

高水準言語は、人間が扱う言語により近い形でプログラムを記述する言語です。特定の環境（ハードウェアやOS）に依存しないため、異なるタイプのコンピュータで安定的に実行できます。

言語例：C、Fortran、Java、C++、Python、JavaScript、R

テクノロジ系　15分　★★★

Chapter 12

02 プログラミング問題の基本

解説動画▶

アルゴリズムの3つの処理を覚える

超効率ポイント

- アルゴリズムによる問題解決の手順は流れ図（フローチャート）で記述される。
- どんなに複雑なシステムも、順次処理・選択処理・繰返し処理の組み合わせで構成されている。

プログラミングでできること

プログラミングを学ぶと、コンピュータでの作業を**自動化**したり、システム化プロジェクトに取り組むための基本的な知識が身につきます。

例えば下図のように、システム内の売上データを月次で集計してメールで一斉送信したり、ユーザーが決められたフォームに情報入力することで効率的にデータを蓄積することができたりします。

これらの**処理をプログラムによりコンピュータに命令**することで、さまざまなタスクをコンピュータに任せることができるのです。

情報の転記・加工・生成など、人間の作業を自動化する。

ユーザーからの情報を受け取ってデジタル上で情報を管理できる

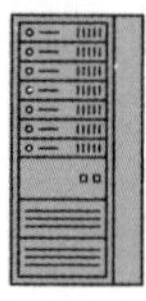

流れ図

プログラムの処理手順を示すとき、一般的に流れ図（フローチャート）がよく利用されます。これにより、アルゴリズムによる処理プロセスを視覚的に表現することができます。以下のような図形記号・進行方向や分岐の矢印を組み合わせ、プログラムの処理を表現します。

図形記号	役割
端子記号  開始 終了	アルゴリズムの開始と終了を表す記号。角丸の長方形で示す。
処理記号 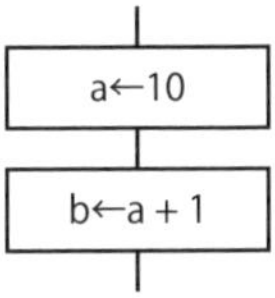 a←10 b←a + 1	処理を表す記号。長方形の中に、処理内容を記述して利用する。
判断記号 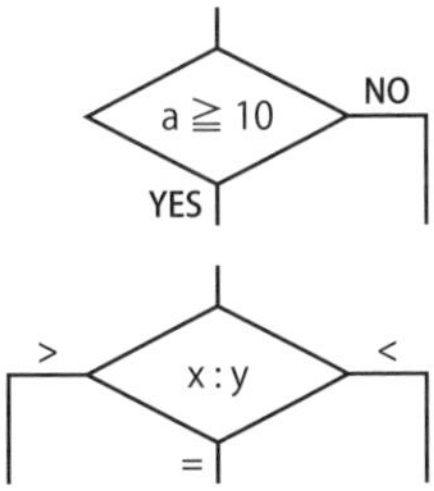 a ≧ 10　NO　YES x : y　>　<　=	記述された条件から判断し、選択処理を行う記号。ひし形で示す。
ループ記号 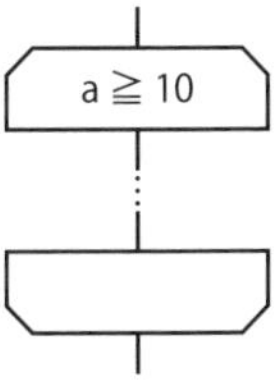 a ≧ 10	繰返し処理を表す記号。始端と終端はペアで使用し、一定の条件になるまで、ループ内の処理を繰り返す。

順次・選択・繰返し

アルゴリズムの基本的な構成要素として、**順次処理・選択処理・繰返し処理**の手順を学習しましょう。どんなに複雑なシステムも、コンピュータの処理手順は**基本の3つの処理を組み合わせて構成**されています。

順次処理

順次処理は、アルゴリズムのうち最も基本的な概念です。プログラムが一連の処理を順番通りに実行します。下図では、朝起きてから出かけるまでのシンプルな処理が示されています。

開始処理から始まり、

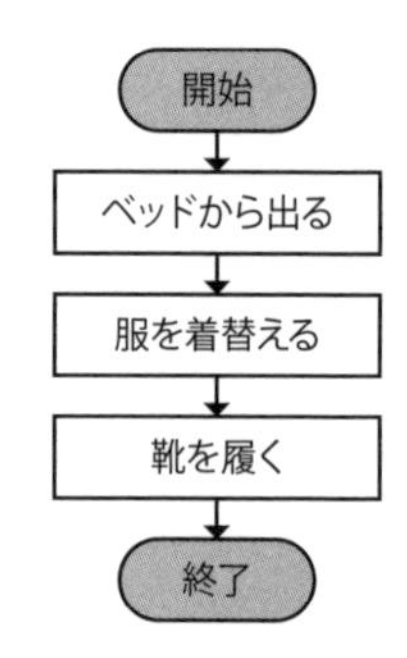

- ベッドから出る
- 服を着替える
- 靴を履く

と、記述通りの順番に処理が進み、終了しています。

選択処理

選択処理は、条件によって次に行う処理を決定します。一般的に条件分岐といったりもします。下図では、外出前に傘を持って出かけるかを判定する処理が示されています。

開始処理から始まり、

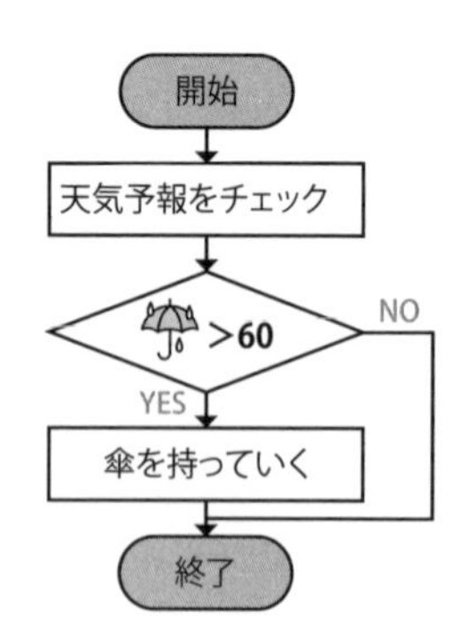

- 【降水確率が60%よりも大きい】場合、傘を持っていく
- 【降水確率が60%以下】の場合、何もせずに終了

といった形で、条件に応じて処理の内容を変化させることができます。

繰返し処理（ループ処理）

繰返し処理（ループ処理）は、**同じ操作を複数回行う**とき、その操作を一度記述してループ条件の中で繰返し実行する処理です。下図では、外出前に時間に余裕があった場合の処理が示されています。

開始処理から始まり、

- 8時になるまでは、この処理を繰返す
- 10分間ゲームで遊ぶ
- 時計を確認し、8時を過ぎたとき、このループから抜け出す

といった形で、特定の条件を満たすまで繰返し処理を継続することができます。

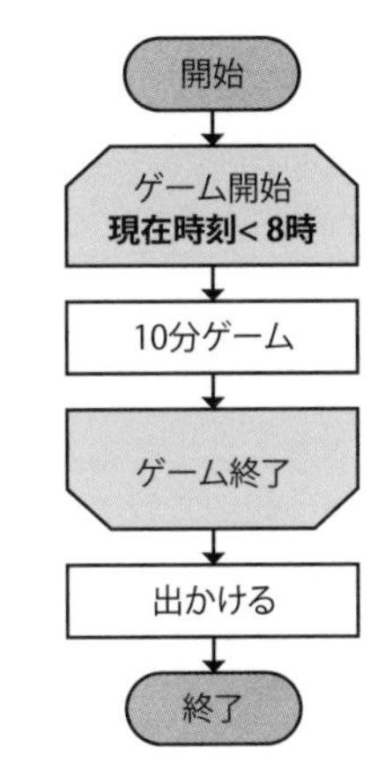

小テストはコチラ

テクノロジ系　10分　★★★

Chapter 12

03 変数と配列・データ構造

プログラムでデータを扱う基礎を知る

- 人間がプログラムをつくるときは、データを変数という箱に入れて、さまざまな値が処理できるようにする。
- 定数は、一度値を設定するとその後変更することのない値。
- 配列は、一度にたくさんのデータを1つの変数名でまとめて利用できる。

三角形の面積を求めるプログラム

三角形の面積を求めるプログラムを考えてみましょう。計算式だけで表すと、次のように求めることができます。

三角形の面積 = 底辺 × 高さ ÷ 2

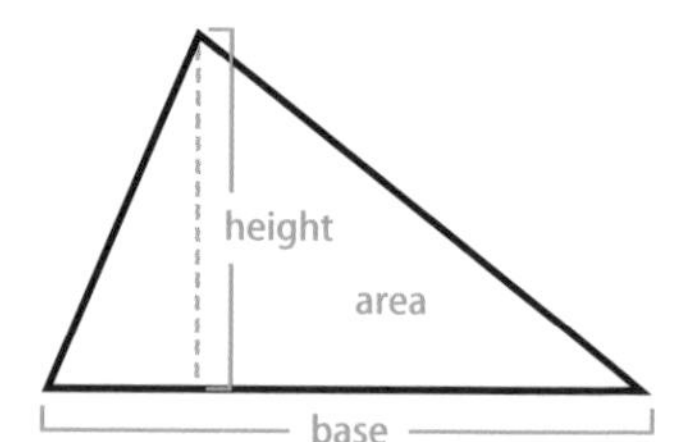

ここで、底辺と高さはユーザーから受け取った値を利用し、それを元に面積値を求めることを考えます。

ユーザー（外部）から受け取った値や、計算の結果は**変数**といわれるデータを格納する箱を利用します。また、一度設定するとその後は変更されないデータを格納する箱は**定数**といいます。

基本的に、プログラムはアルファベットや数字、記号で表記します。

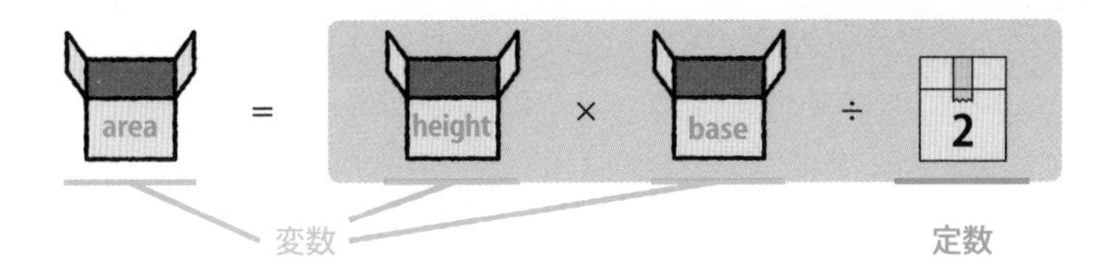

では、三角形の面積を求めるプログラムの処理手順を元に、考えてみましょう。

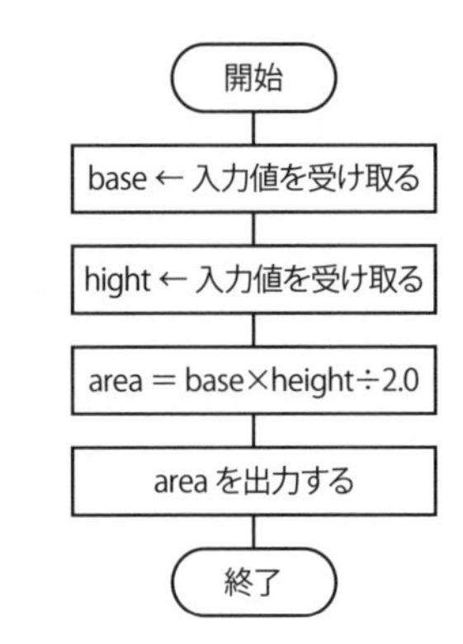

底辺（base）と高さ（hight）の値は、ユーザーから受け取った値を利用し変数に格納します。

変数areaは、baseとhightの値から計算し、面積値が算出されます。

このように処理手順を可視化し、これをプログラムとして記述することで、受け取った入力値を元に三角形の面積値を出力します。

三角形の面積を求めるプログラム（Pythonでの記述）

```
1  # ユーザーに底辺と高さの入力を求める
2  base = float(input("三角形の底辺の長さを入力してください: "))
3  height = float(input("三角形の高さを入力してください "))
4  # 三角形の面積を計算する
5  area = base * height / 2.0
6  # 結果を表示する
7  print("三角形の面積は", area, "平方単位です。")
```

変数と定数

変数

人間がプログラムをつくるときには、データを変数という箱に入れて処理を記述します。データの宣言・代入・参照などに利用します。

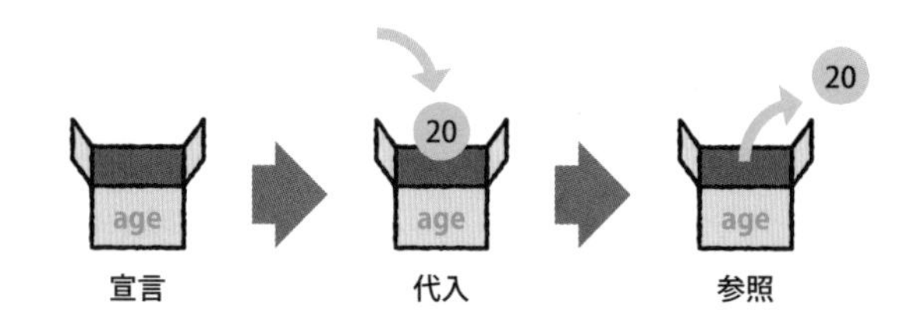

定数

定数は、一度値を設定すると、その後変更することのない値のことです。**プログラム内でその値が変更されることがない**ものに使います。

定数の例

円周率、消費税率、1週間の日数（7）、1日の時間数（24）など

データ型

データ型とは、プログラム言語で数値や文字列といったデータの種類を表すものです。変数に値を代入したり、計算や比較演算をしたりする際に必要となります。

データ型	説明
整数型	小数点以下の値のない数値。0も含む正負（±）の値。
実数型	小数点以下のある値も含む数値。
文字列型	複数の文字を連ねた値。
論理型	条件判定の結果を示す論理値。True（真）・False（偽）で表す。

文字列と数字(数値)の違い

プログラム言語では、データ型の違いを意識することが大切です。特に、数値と文字列は異なるデータ型となるため**"1"と1は別物**として扱われます。数値と異なり、文字列は"(ダブルクオーテーション)で囲まれることに注意しましょう。

- **数値での扱い:学校で学ぶ数学の計算と同じです。**
  1+2を出力する　(結果)3
- **文字列での扱い:下記の1と2は数値ではなく、文字列です。そのため、数学的な加算ではなく、文字列同士を連結(結合)する操作となり、結果は12となります。**
  "1"+"2"を出力する　(結果)12

演算子、比較演算子

プログラミングにおける演算とは、数学的な計算やデータ間の比較など、さまざまな種類の操作を指します。これには、四則演算や比較演算などが含まれます。

数値の演算を表す演算子

1 + 1のように、数値を足す操作を表す "+" の部分を算術演算子といいます。プログラミングでも同様に、データを操作する手法として演算子を使用します。数値の計算(加算、減算、乗算、除算など)では、以下のような演算子を利用します。

演算子	意味
+	プラス記号。和(足し算+)の計算で利用する。
-	マイナス記号。差(引き算-)の計算で利用する。
×	掛け算の記号。積(掛け算×)で利用する。
÷	割り算の記号。商(割り算÷)で利用する。
mod(モッド)	割り算の余りを結果とするときに利用する(剰余算)。

以下は、加算の演算の例です。

プログラム

```
1  整数型: kekka ← 1 + 1
2  kekka を出力する
```

結果

```
2
```

●比較を表す演算子

比較演算子は、2つの値を比較するために使われます。主に条件文やループなどの制御構造で使われ、比較の結果によってプログラムの実行フローを制御します。

2つのデータを比較するアルゴリズムを作成します。

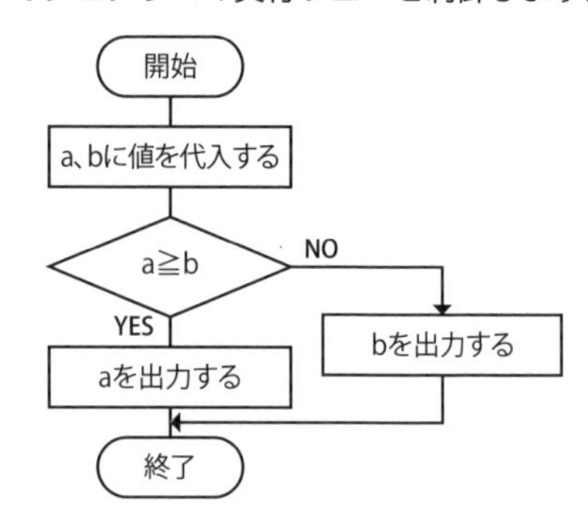

- **用意する変数**

2つの値を比較するため、aとbの変数を用意します。

- **処理の手順を整理**

選択処理により、2つの値の大小関係に応じて異なる表示を出力します。

- aがb以上であれば、YESの処理に進む
- aがbよりも小さければ、NOの処理に進む

これで、値を比較するアルゴリズムが完成しました。

アルゴリズムとプログラミングの分野では、以下のような演算子を利用してデータの比較を行います。

演算子	意味
a＝b	イコール。aとbが等しいことを示す（代入は←で行う）。
a ≠ b	ノットイコール。aとbが等しくないことを示す。
a > b	aは**bよりも大きい**ことを示す。
a < b	aは**bよりも小さい**ことを示す。
a ≧ b	aは**b以上**であることを示す。
a ≦ b	aは**b以下**であることを示す。

次のプログラムは、比較演算子で数値の大小を比較する例です。

プログラム

```
1  整数型: a ← 5
2  整数型: b ← 8
3  if (a ≧ b)
4      "aはb以上です" を出力する
5  else
6      "aはb未満です" を出力する
7  endif
```

結果

```
aはb未満です
```


配列

配列とは、同様のデータ（同じ型：p.350）をまとめて扱うデータ構造です。

変数では１つの箱で１つの値のみ扱えました。配列を使うと、**たくさんのデータを１つの名前でまとめて利用できます。**

次図のように４人分の年齢データを変数だけで扱う場合、変数を４つ用意する必要がありました。しかし配列を使用すると、１つの名前と番号を組み合わせて、４つのデータを取り扱うことができます。

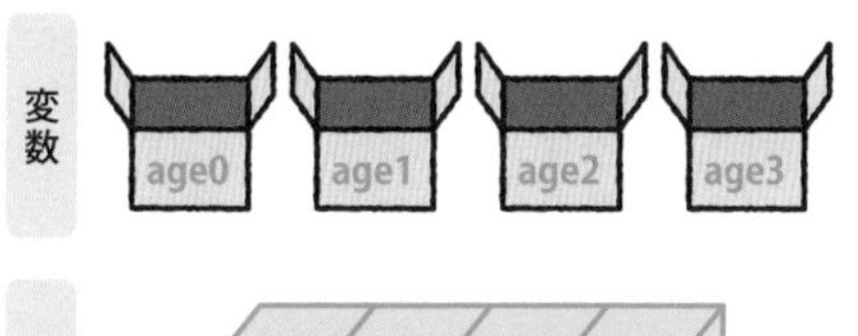

似たような変数を
複数扱うことは非効率…

配列名**age**と記述するだけで一度に
4つの値を意味することができる◎

一般的なプログラミングでは、配列を０から数える

コンピュータやプログラミングの世界では、多くの場合、モノの数え方は０から始まります。これは、**基準となる先頭からのずれ（オフセット）**を表現するためです。配列も同様に、最初の要素を基準として０から数えます。ただしITパスポート試験の擬似言語の問題では、１から数えることが問題文で示されていることがあります。

データ構造

データ構造は、データを一定の形式で格納したもので、データの整理・保存・操作を効率的に行う考え方です。これには、配列・スタック・キューなどがあります。

●スタックとキュー

スタック（Stack）とキュー（Queue）は、データを一時的に保存するデータ構造の一種です。データの追加や取り出し方が異なりますが、プログラムの中で情報を一時的に格納・利用するための構造として重要な役割を果たします。

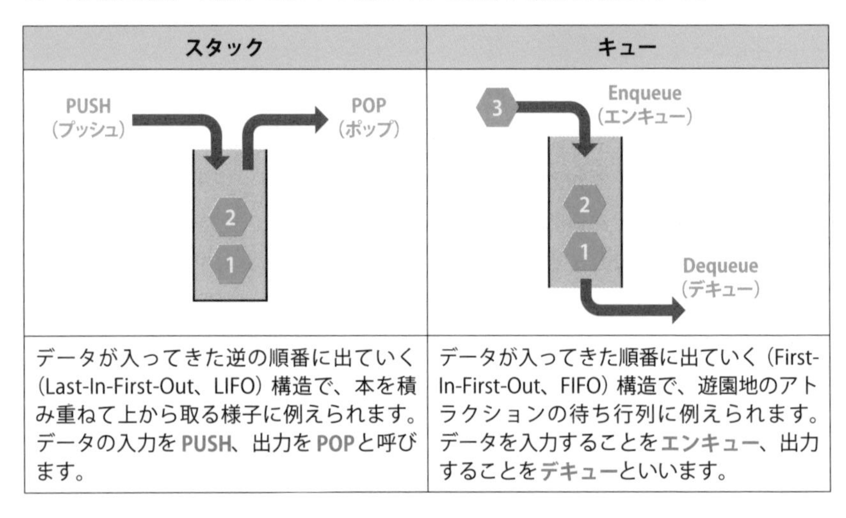

スタック	キュー
データが入ってきた逆の順番に出ていく（Last-In-First-Out、LIFO）構造で、本を積み重ねて上から取る様子に例えられます。データの入力を**PUSH**、出力を**POP**と呼びます。	データが入ってきた順番に出ていく（First-In-First-Out、FIFO）構造で、遊園地のアトラクションの待ち行列に例えられます。データを入力することを**エンキュー**、出力することを**デキュー**といいます。

擬似言語とは

Chapter12-1でも学習したように、世の中にはさまざまな種類のプログラム言語が存在します。これはプログラム言語によって**得意な処理分野**が異なるためです。開発シーンに応じて利用する言語を選択することは、よくあります。

以下に、変数aを操作するアルゴリズムをPython、VBA、Javaのそれぞれのプログラム言語で記述した例を示します。同じ処理でも、言語が異なれば内容が全く異なることが分かります。

▼アルゴリズム

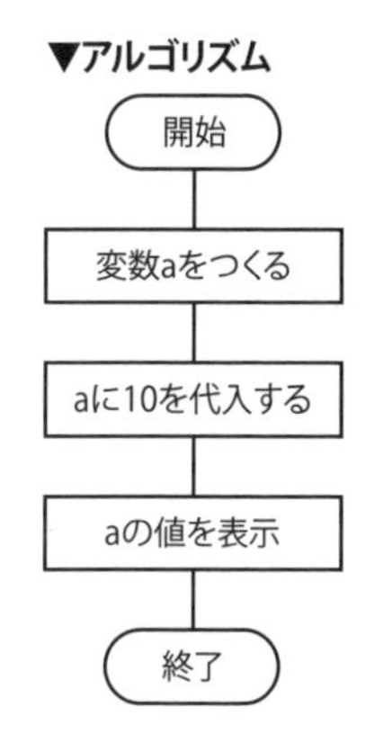

▼プログラム言語ごとの記述

●Python

```
a = 10
print(a)
```

●VBA

```
Sub var()
Dim a As Integer
a = 10
Debug.Print a
End sub
```

●Java

```
class var (
 public static void main (String[] args) {
  int a = 10;
  System.out.println(a);
 }
}
```

擬似言語の目的

プログラム言語にはさまざまな種類がある中で、ITパスポート試験では**特定の言語に依存せずにプログラミング思考力を評価するために、擬似言語が利用されます。**擬似言語により、受験者のプログラミング思考能力とアルゴリズム理解力を公平に評価できます。
ただし、擬似言語を本物のコンピュータで実行することはできません。

小テストはコチラ

テクノロジ系　20分　★★★

Chapter 12

04 疑似言語の順次・選択・繰返し・関数

解説動画▶

プログラムの記述手法を覚える

超効率ポイント

- 順次処理・選択処理・繰返し処理について、擬似言語での記述方法を理解する。
- 関数とは、特定の処理を行うコードをまとめて名付けたもの。
- 引数は、関数が処理を実行するために必要な情報を提供するもの。

順次処理

文字列の変数を使ったプログラム

次のプログラムでは、姓と名を組み合わせて1つのフルネームを作成し、そのフルネームを含むメッセージを出力しています。

プログラム

```
1  文字列型：name1, name2
2  name1 ← "田中"
3  name2 ← "太郎"
4  "お名前は" + name1 + name2 + "さんです。" を出力する
```

結果

```
お名前は田中太郎さんです。
```

まずname1とname2という2つの変数が宣言されています。それぞれには文字列の値（この場合は"田中"と"太郎"）を代入しています。そして、+演算子を使

用して複数の文字列を結合しています。これにより、"お名前は"、"田中"、"太郎"、"さん です。" の4つの文字列が1つの文字列になります。

数値の変数を使ったプログラム

Chapter12-3の「三角形の面積を計算するアルゴリズム」を擬似言語で表現すると以下のようになります。

プログラム

```
1  実数型: base, height, area
2  base ← 5.0
3  height ← 7.0
4  area ← base × height ÷ 2.0
5  area を出力する
```

結果

```
17.5
```

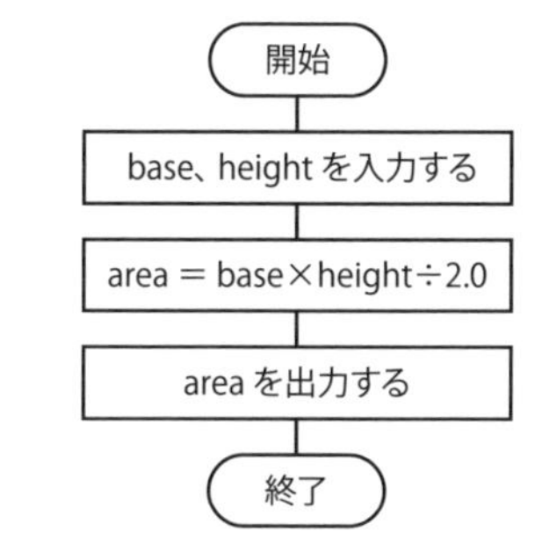

配列を使ったプログラム

擬似言語で配列を示すときは、次のような表記となります。

プログラム

```
1  /* 配列の作成 */
2  文字列型の配列: fruits ← {"apple", "banana", "cherry", "orange",
   "kiwi"}
3
4  /* リストの要素数を表示 */
5  fruits を出力する
```

結果

```
apple
banana
cherry
orange
kiwi
```

また、**/*と*/で囲まれた部分はプログラムの注釈**で、プログラムを実行する際は無視されます(コメントアウトといいます)。

配列のインデックス

配列内のデータは、一意のインデックス（位置）によって参照されます。例えば、下記の場合、インデックス0に対応する配列の要素は"apple"となります。

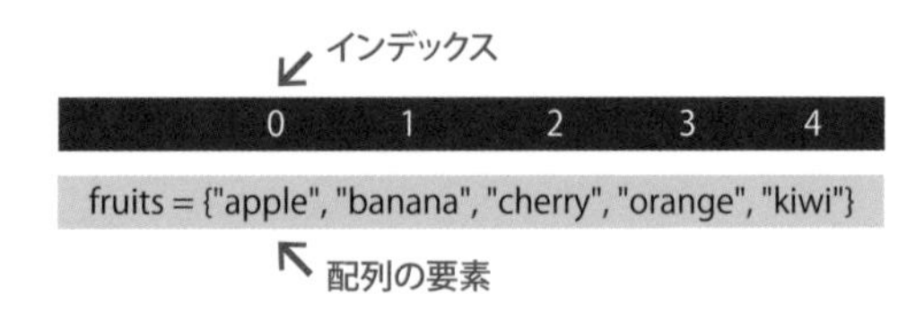

基本的にインデックスは0から数え、配列内の具体的な位置を数値で示して要素にアクセスします。ITパスポート試験の擬似言語問題によっては、1から数えるように問題内に指示があるため、注意しましょう。

プログラム

```
1   文字列型の配列: fruits ← {"apple", "banana", "cherry", "orange",
    "kiwi"}
2
3   fruits[2] を出力する
```

結果

```
cherry
```

選択処理

プログラミングにおける選択処理は、条件にもとづいて、プログラムの動作を決定する処理です。条件分岐ともいわれ、プログラムの流れを制御する際に使用します。

2つの値を比較する表現

if・elseは、プログラム内で複数の条件を判断し、条件に応じて異なる処理を行うための構造です。

if (条件 A)
　処理1
else
　処理2
endif
	・条件Aが真の場合、処理1を実行
	・条件Aが偽の場合、処理2を実行

次は、20歳以上の年齢を判定するプログラムです。

プログラム

```
1   整数型: age ← 25
2   if (age ≧ 20)
3     "お酒のWebサイトです。" を出力する
4   else
5     "ジュースのWebサイトです。" を出力する
6   endif
```

結果

```
お酒のWebサイトです。
```


● 3つ以上の条件で判断する表現

if・elseif・elseは、プログラム内で複数の条件を判断し、それぞれの条件に対して異なる処理を行うための構造です。

if (条件A) 　処理1 elseif (条件B) 　処理2 elseif (条件C) 　処理3 　　:	・条件Aが真の場合、処理1を実行 ・条件Aが偽の場合、条件Bを評価して、真であれば処理2を実行 ・条件Bが偽の場合、条件Cを評価して、真であれば処理3を実行 ・以降、条件の数だけ増やすことが可能

次は、選択処理を使って天気に応じた服装の選択を行うプログラムです。

プログラム

```
1   文字列型: weather ← "晴れ"
2   if (weather = "晴れ")
3     "Tシャツとショートパンツを着て出かけましょう。" を出力する
4   elseif (weather = "曇り")
5     "長袖とジーンズを着て出かけましょう。" を出力する
6   elseif (weather = "雨")
7     "レインコートを着て、傘を持って出かけましょう。" を出力する
8   else
9     "該当する天気がありません。" を出力する
10  endif
```

結果

```
Tシャツとショートパンツを着て出かけましょう。
```

繰返し処理

for文

for文では、あらかじめ指定した変数の範囲で処理を繰返します。一定回数の繰返しや、配列やリストの各要素についての処理を行いたいときに利用します。

次は、配列に格納されたデータについて処理を行うプログラムです。

プログラム

```
1   文字列型の配列: fruits ← {"apple", "banana", "cherry", "orange",
    "kiwi"}
2   for (iを0から4まで1つずつ増やす)
3       fruits[i] を出力する
4   endfor
```

結果

```
apple
banana
cherry
orange
kiwi
```

この例では、配列に格納されたすべての要素の出力を、処理として行っています。

while文

while文は、条件が成立するまでの間、指定したコードブロック（命令の塊）を繰返し実行します。

次ページのプログラムは、変数numberが0より大きい間、numberの値を表示し、その値から1を引きます。この処理をnumberが0になるまで繰返します。なお、number ← number - 1で、右辺のnumberに入っている数値から1だけ引いて、左辺のnumberに代入するという処理を行っています。

プログラム

```
1  整数型: number ← 5
2  while (number > 0)
3    number を出力する
4    number ← number -  1
5  endwhile
```

結果

関数

プログラミングにおける関数とは、特定の処理を行うコードをまとめて名付けたものです。関数を使用することで、同じ処理を何度も書くことなく、一度定義した関数を名前で呼び出すだけでその処理を実行でき、コードの可読性も向上します。

また、引数とは、関数が処理を実行するために必要な情報を提供するものです。

●関数と引数

例えば、コーヒー豆と水をコーヒーマシンに入れると、結果としてコーヒーができ上がります。これをプログラムに例えると、コーヒー豆と水を引数としてコーヒーマシンという関数に渡すことにより、コーヒーという結果が得られるということになります。これと同じように、「2つの数値を足す」関数に引数として1と2を渡すと、3という結果が得られます。

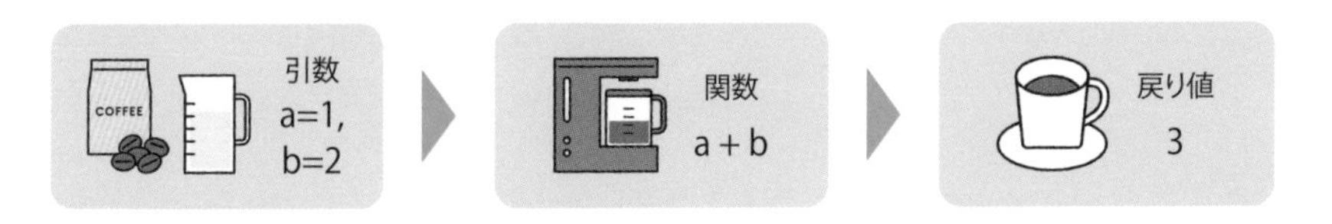

下記はこの「2つの数値を足す」関数をプログラムとして書いたものです。関数名に続く括弧内に、aとbの2つの変値が引数として記述されており、関数が呼び出されるときに渡されます。

プログラム

```
1  ○整数型 : add_numbers (整数型: a, 整数型: b)   ── 関数の宣言（引数は a,b）
2    return a + b   ── 引数を使用して加算し、その結果を返す。
3
4  result ← add_numbers(3, 4)   ── 関数add_numbersに3、4を渡し、結果を変数resultに格納。
5  result を出力する   ── 結果を出力する。
```

結果

```
7
```

05 プログラムとアルゴリズム

解説動画▶ 

アルゴリズムの基本的知識を覚える

- アルゴリズムの処理手順を知り、プログラムの効率化を学ぶ。
- 基本処理は、合計・平均・最大・最小。
- サーチとソートの有名なアルゴリズムの手順を理解する。

アルゴリズムによる問題解決

アルゴリズムとは、問題を解決するための手順や規則のことです。アルゴリズムを工夫することで、問題に対する結果を得るための効率が圧倒的に変化します。

次図のように野菜を星型に切る手順は、１つだけとは限りません。方法１では輪切りにしてから星型に成形、方法２では先に全体を星型に成形してから輪切りにします。どちらも同じ結果ですが、手間や時間の面で方法２の方が効率が良いです。

方法1	方法2
最初に野菜を薄くスライスし、その後、各スライスを星形に切り抜きます。各スライスを星形にカットするため、非効率的です。	最初に断面が星型になるように野菜をカットし、その後、スライスします。これで各スライスが星型となるので、方法1よりも少ないカットで目的を達成できます。

合計値を求めるアルゴリズム

まずは、アルゴリズムを学ぶ上で最も基本的な処理となる**合計値を求めるプログラム**をみてみましょう。

次のプログラムは、正の整数を引数max で受け取り、**1 からmax までの整数の総和を戻り値として返す関数sigma**を定義するプログラムです。

プログラム

```
1  〇整数型：sigma (整数型：max)
2    整数型：calcX ← 0
3    整数型：n
4    for (nを1から maxまで1ずつ増やす)
5      calcX ← calcX + n
6    endfor
7    return calcX
```

1行目：関数sigmaの宣言。引数としてmax（整数型）を受け取ります。

2行目：変数calcX（整数型）を宣言。初期値0とする。

3行目：変数n（整数型）を宣言。

4～7行目：繰返し処理を行う。1～maxまでの値をcalcXの中に加算する。

繰返し処理のうち、**変数n**には1～maxまでの値が入ります。**calcX ← calcX +nと記述する**ことで、変数calcXに入っている値とnを足した値に、変数calcXを上書きします。これを繰り返すことで、一つの変数で1からmaxまでの整数の総和を求めることができます。

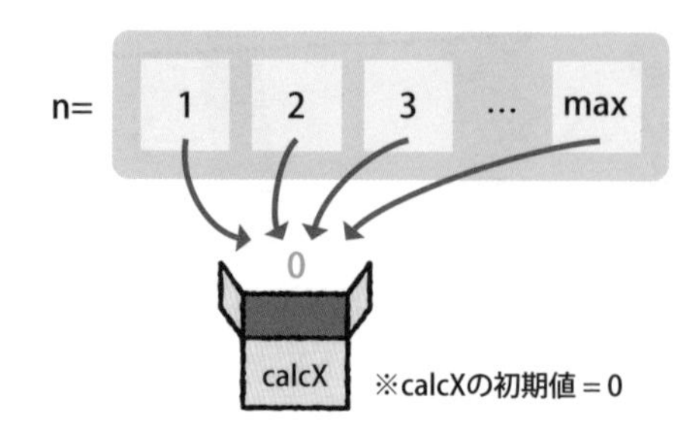

最大値を求めるアルゴリズム

次に、**与えられた配列の中から最も大きな値を出力する最大値を求める**プログラムをみてみましょう。

プログラム

```
1  整数型の配列：numbers ← {15, 22, 84, 14, 23}
2  整数型：max ← numbers[0]
3  for (iを1から4まで1つずつ増やす)
4      if (numbers[i] > max)
5          max ← numbers[i]
6      endif
7  endfor
8  max を出力する
```

結果

```
84
```

1行目：配列numbersの宣言。

2行目：配列numbersの要素番号が0の値を変数maxに代入する。この場合、値15がmaxに代入される。

3～7行目：繰返し処理を行う。配列の要素を先頭から順番に確認し、より大きな値が見つかった場合は変数maxを上書きする。

8行目：最終的に定まった変数maxを最大値として出力する。

2行目では、配列numbersの先頭の要素**numbers[0]**を使って**変数max（整数型）を初期化**します。最大値を探すとき、比較の基準となります。

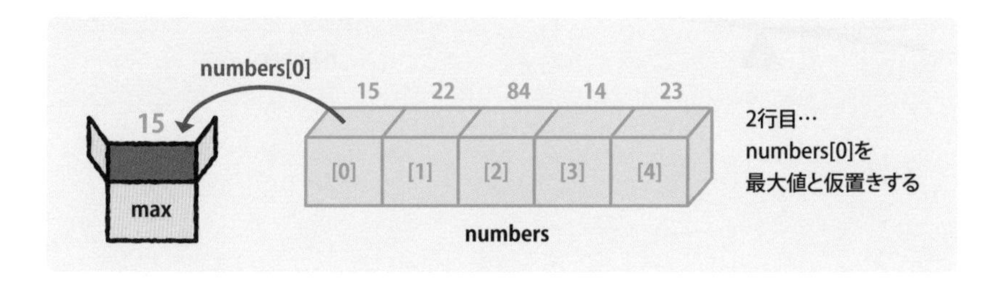

3～7行目の繰返し処理（for文）では、変数maxと配列numbersの値を順に比較します。

はじめにnumbers[1]の値22と変数maxを比較すると、22は変数maxよりも大きいので、変数maxを22に更新します。同じように要素番号2以降の値についても順に比較し、大きければ変数maxの値を更新（5行目）することで、最大値を求めることができます。

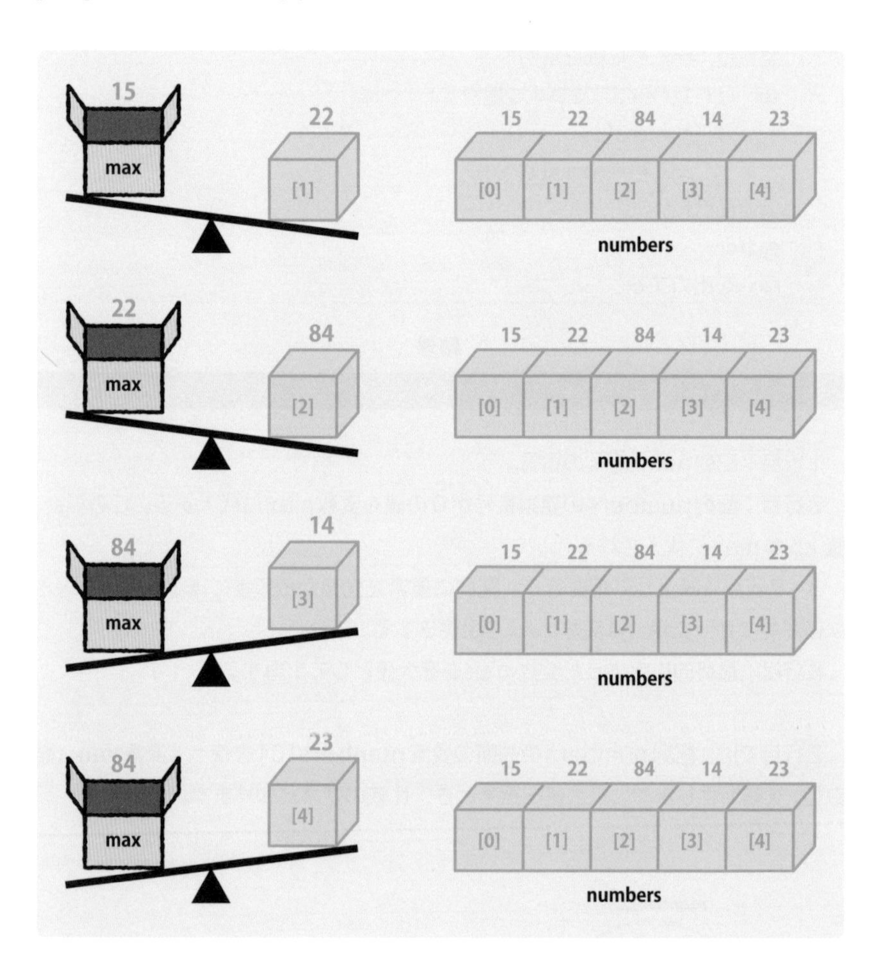

サーチアルゴリズム

サーチ（Search）とは、「検索する」という意味です。サーチアルゴリズムでは、大量の情報の中からコンピュータが**目的の値（データ）**を探し出します。

線形探索法

線形探索法は、データの集合を**最初から最後まで一つずつ順番に調べて、目的の要素を探し出す方法**です。データの量が多いほど探索に時間がかかるため、効率はあまり良くありません。未ソート（ソート：p.368）のデータであっても探索が可能です。

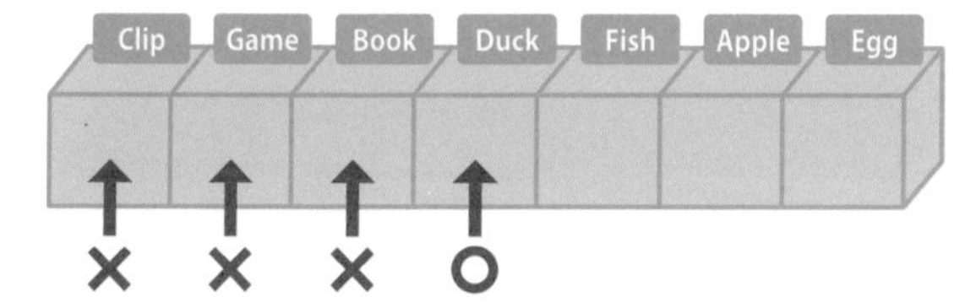

二分探索法

二分探索法は、ソート済みのデータに対して使用される探索方法です。**データの中央の値を見て、探している値が左右のどちらにあるかを判断し、不要な部分を捨てることで探索範囲を半分に絞ります。**探索範囲を半分に絞りながら探索するため、探索効率は線形探索法よりも良いです。

探索データ = Game のとき

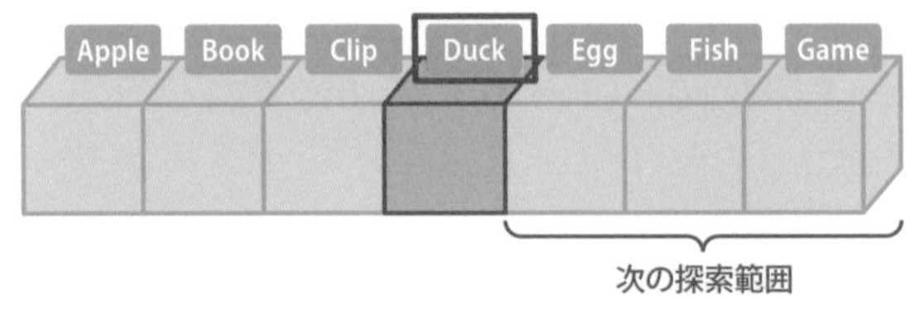

中央の値は「Duck」。
この値は探索データとは異なるが、データはソートされているためこの値よりも右側を探索範囲に絞り、左側は探索しない。

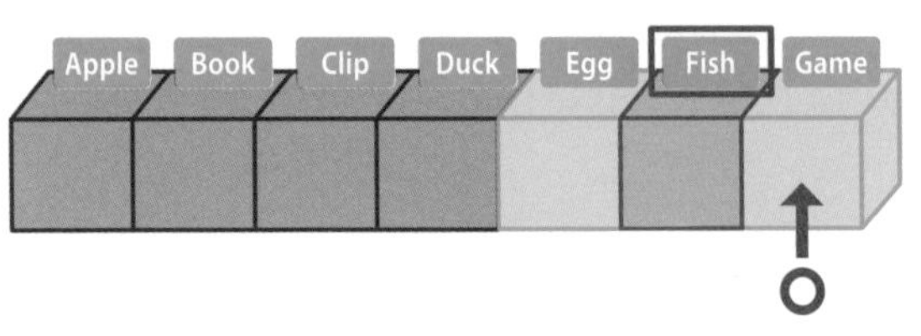

中央の値は「Fish」。
この値は探索データとは異なるが、データはソートされているためこの値よりも右側が探索範囲。すると、Fishより右側はGameのみとなり探索が完了する。

ソートアルゴリズム

ソート（Sort）とは、**一定の規則に従って並べる**ことです。ソートアルゴリズムでは、データを決められた規則により順番に整列させることができます。数値の小さい順や大きい順、文字のアルファベット順などに並べます。

バブルソート

バブルソートでは、配列内の隣接する要素を比較して、順序が正しくない場合は要素を交換します。この比較・交換のプロセスを配列の０番目と１番目の要素から始め、配列の最後の要素まで行うことで、最後の要素が確定します。また同様に、配列の０番目と１番目の要素から始め、最後から２番目の要素まで繰り返すことで、最後から２番目の要素が確定します。これを未確定の部分が無くなるまで繰返すことで、ソートが完了します。

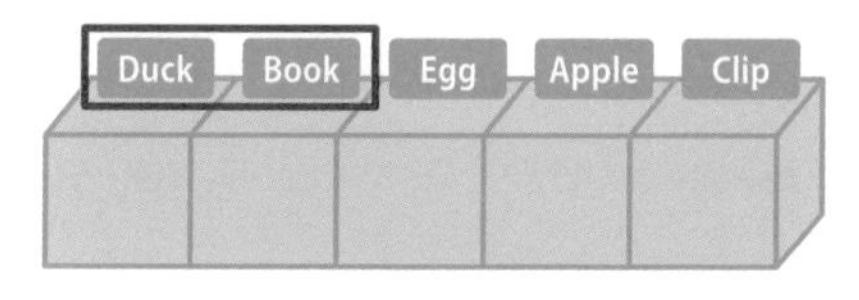

先頭の2つの値を比較する。アルファベット昇順とする場合、Book < Duck であるため、値を入れ替える。

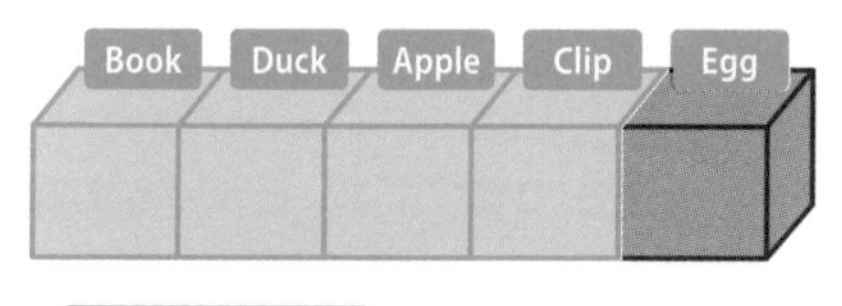

次に、DuckとEggを比較する。
ここでは、Eggの方がアルファベット順では後ろにあるため入れ替えは行わない。

⋮

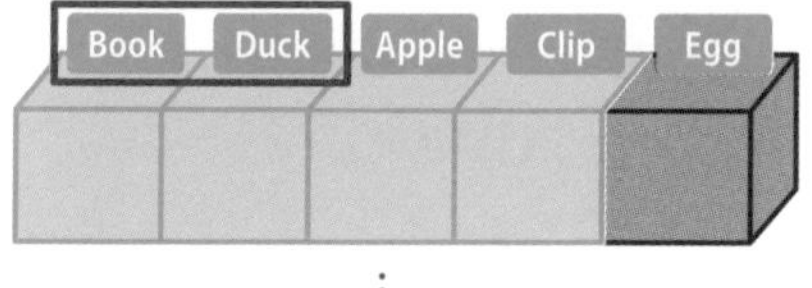

これを繰返すことで、配列の最後の要素がEggと確定する。

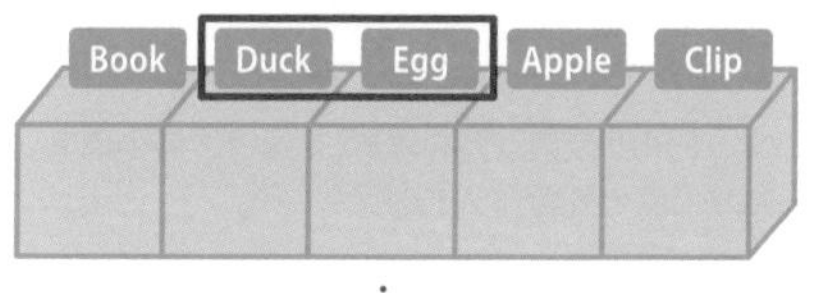

最後から2番目の値を確定するために同じ手順で繰返す。
これをソートが完了するまで繰返し行う。

⋮

バブルソートの由来

ソートされた値が１つずつプカプカと浮かび上がってくることから、バブルソートと呼びます。
昇順の場合は小さい順になるように要素を入れ替えるので、大きい値から１つずつプカプカと浮かび上がってきます。

選択ソート

選択ソートは、配列から最小値（または最大値）を繰り返し選択し、この値を配列の前方へ移動することでソートを行います。

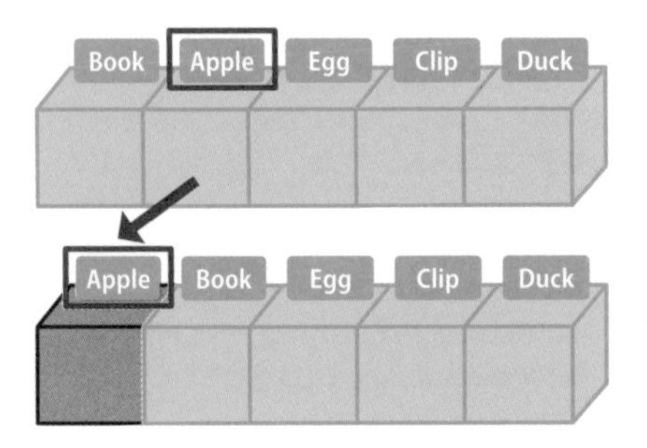

最小値をみつけたら、配列内の値を入れ替える。

ソート済みの値以外を確認し、同様に最小値を残りの値の先頭に入れ替えていく。

クイックソート

クイックソートでは、基準となる数（ピボット）を１つ選びます。ピボットの選択方法はプログラムに応じて異なります。

ピボット以外の数を、「ピボットより小さい値」と「ピボット以上の値」の２つのグループに分け、これをグルーピングしながらソートを行います。

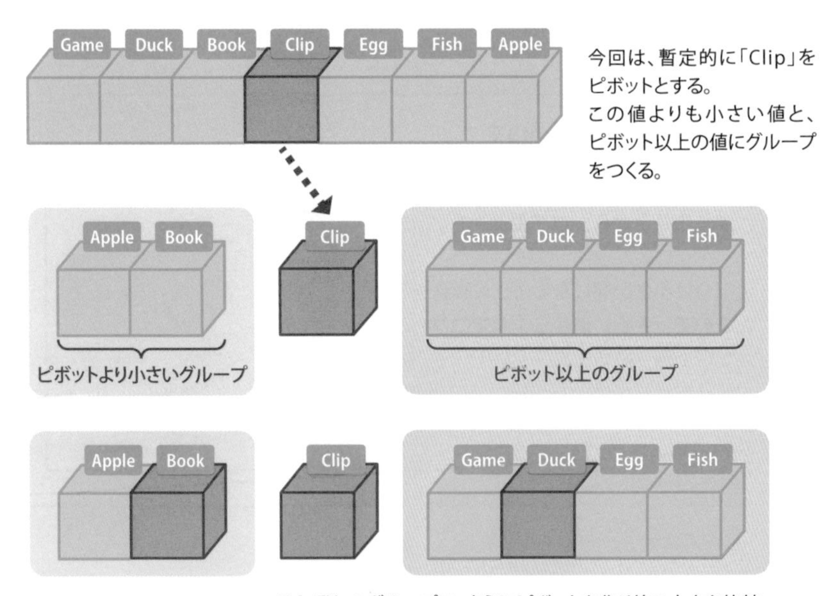

それぞれのグループで、さらにピボットを作り値の大小を比較。
これを繰り返し、ソートが完了する。

試験問題にチャレンジ

問題❶ R4-問88

IoTデバイスで収集した情報をIoTサーバに送信するときに利用されるデータ形式に関する次の記述中のa，bに入れる字句の適切な組合せはどれか。

[a]形式は，コンマなどの区切り文字で，データの区切りを示すデータ形式であり，[b]形式は，マークアップ言語であり，データの論理構造を，タグを用いて記述できるデータ形式である。

	a	b
ア	CSV	JSON
イ	CSV	XML
ウ	RSS	JSON
エ	RSS	XML

正解　イ

解説

CSV：データをカンマで区切ったテキスト形式です。シンプルで表計算ソフトやデータベースとの互換性が高いです（p.459）。

RSS：Webサイトの更新情報を配信するためのXMLベースのフォーマットです。主にニュースサイトやブログで使用されます。

JSON：データ交換用のテキスト形式です。シンプルで読みやすく、JavaScriptとの親和性が高いです。

XML：データを階層的に構造化するためのマークアップ言語です。タグを使用してデータを表現し、多様なアプリケーションでのデータ交換に使用されます。

問題❷ R5-問64

関数 sigma は，正の整数を引数 max で受け取り，1 から max までの整数の総和を戻り値とする。プログラム中の a に入れる字句として，適切なものはどれか。

```
1  ○整数型：sigma (整数型：max)
2    整数型：calcX ← 0
3    整数型：n
4    for (n を1から max まで 1 ずつ増やす)
5    [  a  ]
6    endfor
7    return calcX
```

ア calcX ← calcX × n

イ calcX ← calcX + 1

ウ calcX ← calcX + n

エ calcX ← n

正解 ウ

解説 この問題は、forループの中で実行される処理（aの部分）を特定することを求めています。

整数型n：ループ変数として使用されます。forループの中で、nは1からmaxまでの値を順番に取ります。この変数は、1からmaxまでの各整数を一つずつ参照するためのものです。

整数型max：関数sigmaの引数として与えられる正の整数です。

問題文の1行目より、関数sigmaは、1からmaxまでの整数の総和を計算します。例えば、max=5の場合、関数は1 + 2 + 3 + 4 + 5 = 15 と計算することを意味します。
そのため、forループの中では、calcXにnを加算する必要があるため、aの部分には以下のような処理を入れる必要があります。

```
calcX ← calcX + n
```

この処理により、nが1からmaxまで増加するたびに、calcXにその値が加算され、最終的に1からmaxまでの総和がcalcXに格納されます。

問題❸ R4-問79

流れ図で示す処理を終了したとき，xの値はどれか。

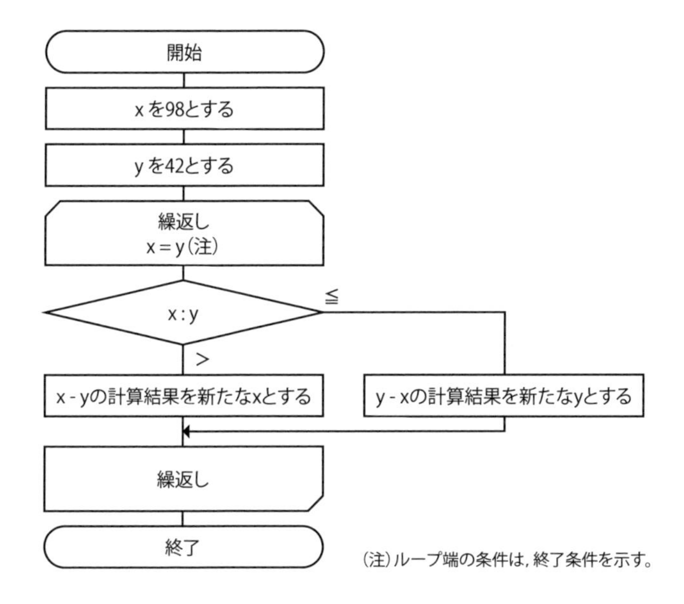

ア 0
イ 14
ウ 28
エ 56

正解　イ

解説 フローチャートに沿って、問題を解きます。与えられた条件より、x=98、y=42となります。

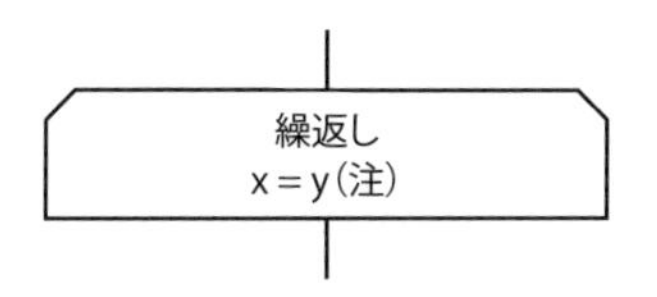

この部分より、x=y となることが終了条件となります。
それまでは、xとyを比較し、xの方が大きい場合は「＞」側の分岐へ進み、xの値以上のyの値が確認できた場合は、「≦」側の分岐へ進みます。

	判定	処理
1回目の処理	x=98, y=42 のため、xの方が大きい	98-42 = 56 (=新しいx)
2回目の処理	x=56, y=42 のため、xの方が大きい	56-42 = 14 (=新しいx)
3回目の処理	x=14, y=42 のため、yの方が大きい	42-14 = 28 (=新しいy)
4回目の処理	x=14, y=28 のため、yの方が大きい	28-14 = 14 (=新しいy)

以上の処理より、x=14, y=14 となり、終了条件が満たされます。結果、xが14のときが答えとなります。

問題❹ R5-問60

手続printArrayは，配列integerArrayの要素を並べ替えて出力する。手続printArrayを呼び出したときの出力はどれか。ここで，配列の要素番号は1から始まる。

```
1   ○printArray ()
2     整数型：n, m
3     整数型の配列:integerArray ← (2, 4, 1, 3)
4     for (n を 1から (integerArray の要素数 - 1) まで 1 ずつ増やす)
5       for (m を 1 から (integerArray の要素数 - n) まで 1 ずつ増やす)
6         if (integerArray[m] > integerArray[m + 1])
7           integerArray[m]とintegerArray[m + 1]の値を入れ替える
8         endif
9       endfor
10    endfor
11    integerArray の全ての要素を先頭から順にコンマ区切りで出力する
```

ア 1，2，3，4　　**イ** 1，3，2，4
ウ 3，1，4，2　　**エ** 4，3，2，1

正解　ア

解説 この手続きprintArrayは、配列integerArrayの要素を並べ替えるアルゴリズムを実行しています（p.13の過去問解説シリーズの動画でも詳しく扱っています）。
バブルソートと呼ばれるアルゴリズムで、隣接する要素を比較・交換することで、配列を昇順に並べ替えるためのアルゴリズムです。二重のforループとその内部のif文から成り立っており、バブルソートの基本的なアルゴリズムの構造です。プログラムの4～10行目の処理に注目しましょう。

外側のforループ：

nは1からintegerArrayの要素数 - 1までの値を取ります。このループは、配列の要素を何回比較・交換するかを決定します。

内側のforループ：

mは1からintegerArrayの要素数 - nまでの値を取ります。このループは、配列の要素を実際に比較・交換するためのものです。

if文：

integerArray[m]とintegerArray[m + 1]を比較します。もしintegerArray[m]の方が大きければ、これらの要素の位置を交換します。そうでなければ、配列は交換せず何もしません。

プログラム3行目より、手続きの初めに、integerArrayは(2, 4, 1, 3)という順序で要素を持っています。nが1から順に増えていくときの手続きを整理すると、次のプロセスとなります。

最初の外側のループでnが1のとき：

m=1	[1][2][3][4] **2**, **4**, 1, 3	integerArray[1]とintegerArray[2]を比較。交換は不要。
m=2	[1][2][3][4] 2, **4**, **1**, 3 →2, 1, 4, 3	integerArray[2]とintegerArray[3]を比較。交換が行われる。
m=3	[1][2][3][4] 2, 1, **4**, **3** →2, 1, 3, 4	integerArray[3]とintegerArray[4]を比較。交換が行われる。

nが2のとき：

m=1	[1][2][3][4] **2**, **1**, 3, 4 →1, 2, 3, 4	integerArray[1]とintegerArray[2]を比較。交換が行われる。
m=2	[1][2][3][4] 1, **2**, **3**, 4	integerArray[2]とintegerArray[3]を比較。交換は不要。

nが3のとき：

m=1	[1][2][3][4] **1**, **2**, 3, 4	integerArray[1]とintegerArray[2]を比較。交換は不要。

最後に、integerArrayのすべての要素を先頭から順にコンマ区切りで出力する部分が実行されるので、出力は 1,2,3,4 となります。

問題❺ R1秋-問62

下から上へ品物を積み上げて，上にある品物から順に取り出す装置がある。この装置に対する操作は，次の二つに限られる。

PUSH x：品物xを１個積み上げる。

POP：一番上の品物を１個取り出す。

最初は何も積まれていない状態から開始して，a，b，cの順で三つの品物が到着する。一つの装置だけを使った場合，POP操作で取り出される品物の順番としてあり得ないものはどれか。

ア a，b，c　**イ** b，a，c　**ウ** c，a，b　**エ** c，b，a

正解　ウ

解説 データ構造のスタック構造についての問題です。a、b、cの順に３つの品物が到着したときにありえないものを探す場合、選択肢を１つずつ検証して確認します。

ア aが積み上がる→aを取り出す→bが積み上がる→bを取り出す→cが積み上がる→cを取り出す

イ aが積み上がる→bが積み上がる→bを取り出す→aを取り出す→cが積み上がる→cを取り出す

エ aが積み上がる→bが積み上がる→cが積み上がる→cを取り出す→bを取り出す→aを取り出す

よって、選択肢ア、イ、エが実現できているため、ウがあり得ない取り出し方となります。

Chapter 13

コンピュータシステム

本章の学習ポイント

- システムは、特定の目的を達成するための構造のこと。
- 企業の方針や予算に合わせて、オンプレミスやクラウドなどのシステム構築を選択する。
- システムメンテナンスにより、システム稼働を正しく保つ。
- システムにはデータを失うリスクがある。対策としてバックアップを行う。

Chapter 13

01 システムとは

解説動画▶

システム構成を支える要素

- システムとは、特定の目的を達成するために複数の要素が作用して稼働するもの。
- コンピュータはシステムの一部として機能する。
- ITインフラストラクチャとは、ITシステムの基盤。

コンピュータとシステム

システムは、特定の目的を達成するために複数の要素が協調して動作します。コンピュータは、そのうちの一部に含まれます。例えば、銀行のATMはコンピュータですが、これはデータベースサーバや管理用コンピュータ、コールセンターなどを合わせた全体の銀行の金融システムの一部として動作しています。

コンピュータ	システム （例：銀行のシステムの場合）

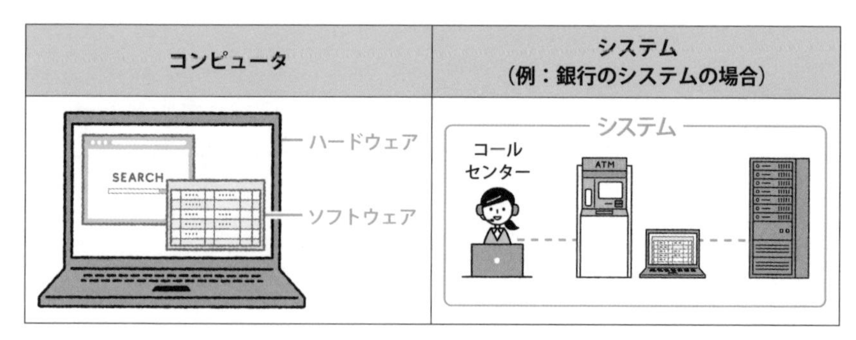

ITインフラストラクチャ

ITインフラストラクチャとは、ITシステムの基盤を形成するものの総称です。

【例】

- ハードウェア（サーバやストレージなど）
- ソフトウェア（OSやネットワークソフトウェアなど）
- ネットワーク（LAN、WANなど）
- データセンター（サーバなどが設置された物理的な設備や冷却装置など）

コンピューティングリソース

コンピューティングリソースとは、コンピュータシステムが提供する計算能力やデータ処理能力のことです。これらのリソースは、**物理的なハードウェア**として存在する場合もあれば、クラウドコンピューティング（p.382）を通じて仮想的に提供される場合もあります。

コンピュータ装置が一度に処理できるデータや命令には、性能によって限界があります。システムが処理する情報に応じて、コンピューティングリソースを適切に選択する必要があります。

コンピューティングリソースの例

- CPU（プロセッサ）：コンピュータの「脳」として、計算や命令の実行を担当。
- メモリ（RAM）：一時的なデータ保存やプログラムの実行に必要な空間。
- ストレージ（ハードディスク、SSDなど）：データを長期的に保存する場所。
- ネットワーク：データの送受信を行うための通信設備。
- グラフィックスカード（GPU）：グラフィックス処理や、近年ではAIやデータ解析などにも使用されます。

ITインフラのハードウェアやソフトウェアが故障した場合でもサービスを継続させるためには、データに高い冗長性・可用性・安全性を持たせることが重要です。

テクノロジ系 15分 ★★★

Chapter 13

02 オンプレミスとクラウド

解説動画▶

企業のシステム運用の中身を学ぶ

- オンプレミスとは、自組織の施設内にITシステムを設置すること。
- クラウドとは、インターネット経由で提供されるコンピューティングリソースのこと。
- SaaS、PaaS、IaaSの違いを理解する。

オンプレミス

オンプレミス（On Premise：施設にある）とは、自組織の施設内にITシステム（サーバやネットワーク装置など）を設置し、運用する方式です。

システムをオンプレミスで運用する場合、企業が管理する敷地で、データ管理をするサーバ、それを検索するソフトウェア、ネットワーク装置など、**必要なすべてのIT機器を自分たちで所有し、自分たちで運用・管理**します。

また、施設の維持管理のためのファシリティマネジメント（p.223）は、オンプレミスによる運用においては必須の知識となります。

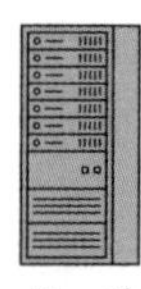

オンプレミスのメリット・デメリットには、次のようなものがあります。

- メリット：自組織ですべてをコントロールできるため、必要なリソースを必要な分だけカスタマイズしやすい点。
- デメリット：設備投資が大きくなる点や、専門的な知識を持ったスタッフが必要となるため、運用コストが高くなりがちである点。

ハウジングサービスとホスティングサービス

システムを運用するための一部業務を、**外部の事業者**に委託して運用するハウジングサービスとホスティングサービスについても学びましょう。

ハウジングサービスとは、事業者が提供するデータセンターに企業組織のサーバ機器を設置（場所の提供）するサービスです。電源供給やネットワーク接続、冷却設備など、物理的なインフラをハウジングサービス事業者から借りて利用できます。

自前でやること	外部の専門企業がやること
・必要なハードウェアの用意 ・ソフトウェアの開発・メンテナンス ・アップデートのスケジュール ・物理的なセキュリティ　など	・管理場所の提供 ・インターネット接続　など

ホスティングサービスは、組織が**外部のサーバリソースの一部を借りる**形式のサービスです。ソフトウェア開発やメンテナンスは自社で行いますが、ハードウェア、OS、一部のソフトウェア（Webサーバなど）は外部の事業者から提供を受けます（例：**レンタルサーバー**はホスティングサービスに該当します）。

自前でやること	外部の専門企業がやること
・ソフトウェアの開発・メンテナンス ・アップデートのスケジュール　など	・管理場所の提供 ・インターネット接続 ・必要なハードウェアの用意 ・物理的なセキュリティ　など

クラウドサービス

クラウドとは、インターネット経由で提供されるコンピューティングリソースで、それをサービスとして利用する形態のことをクラウドコンピューティングといいます。クラウドを利用する企業は、データセンターやサーバなどの物理的な環境を所有・メンテナンスする必要がありません。サーバの処理能力・ストレージ・データベースなど、**利用する量に応じて利用料金を支払う**ため、管理費用・工数を大幅に削減することができます。

クラウドサービスは、提供範囲により主に３つに分類されます。

形態	説明
SaaS（Software as a Service）	すでに開発されたアプリケーションの機能を企業組織が必要な分だけ利用する。 例：メールシステム、勤怠管理システム、オフィスツール（Microsoft 365）など
PaaS（Platform as a Service）	企業組織がアプリケーションの開発・テスト・デプロイを容易にするため、プラットフォームを利用する。 OS、データベース、開発ツールなどが利用できる。開発者はアプリケーションのコードを書くことに集中でき、基盤の設定や管理から解放される。
IaaS（Infrastructure as a Service）	企業組織が必要な分のサーバやストレージ、ネットワークなどのリソースを利用する。 これにより、企業は自分たちで物理的なサーバなどを管理する必要がなくなり、必要なリソースを従量課金形式で利用できる。

オンプレミスと比較すると、企業組織が自前で用意・管理する範囲は次のようになります。

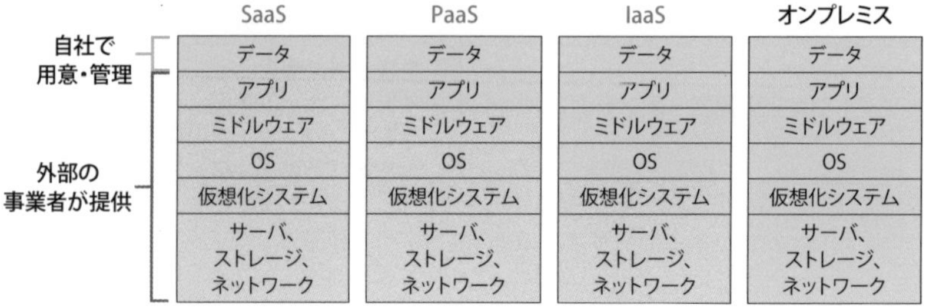

自社で用意・管理

外部の事業者が提供

SaaS	PaaS	IaaS	オンプレミス
データ	データ	データ	データ
アプリ	アプリ	アプリ	アプリ
ミドルウェア	ミドルウェア	ミドルウェア	ミドルウェア
OS	OS	OS	OS
仮想化システム	仮想化システム	仮想化システム	仮想化システム
サーバ、ストレージ、ネットワーク	サーバ、ストレージ、ネットワーク	サーバ、ストレージ、ネットワーク	サーバ、ストレージ、ネットワーク

有名なクラウドサービスの事例

代表的なクラウドサービスには、Amazon Web Services、Google Cloud、Microsoft Azure、Alibaba Cloudなどがあります。クラウドサービスの提供企業は、**大規模なリソースを保有しており、その一部を他社に提供しています。**皆さんも聞いたことのある次の企業は、膨大なアクセス数に耐えられる強力なインフラ技術を保有しています。

- **Amazon Web Services：グローバルなECサイトを持つAmazon社が提供**
- **Google Cloud：グローバルな検索サービスを運営するGoogle社が提供**
- **Alibaba Cloud：人口14億人の中国で最大のECサイト阿里巴巴集団（アリババグループ）が提供**

システムの環境

マイグレーション

マイグレーションとは、システムを１つの環境から別の環境へ移行することを指します。

- オンプレミスで運用していたシステムをクラウドへ移行する
- 旧式のハードウェアから、新しいハードウェアへ移行する
- 企業Aが提供するSaaSサービスから別のサービスへ移行する

システムインテグレーション

SI（System Integration）とは、さまざまな異なるコンピューターシステムやソフトウェアをつなぎ合わせ、１つの大きなシステムとして機能させることです。

例えば、ある企業の、顧客管理システム、発注管理システム、在庫管理システムが別々に存在していたため、SIにより異なるシステムをつなぎ合わせ、企業組織の情報共有を実現します。

個人向けのクラウド

「クラウド」と聞いて、Googleドライブ、Dropbox、iCloudなど、身近なサービス名を思い浮かべた人も多いかもしれません。

これらはクラウドストレージというサービスです。物理的な場所にとらわれず、インターネットを通じてストレージ内のデータを使用できます。クラウドストレージはSaaSサービスに分類されます。

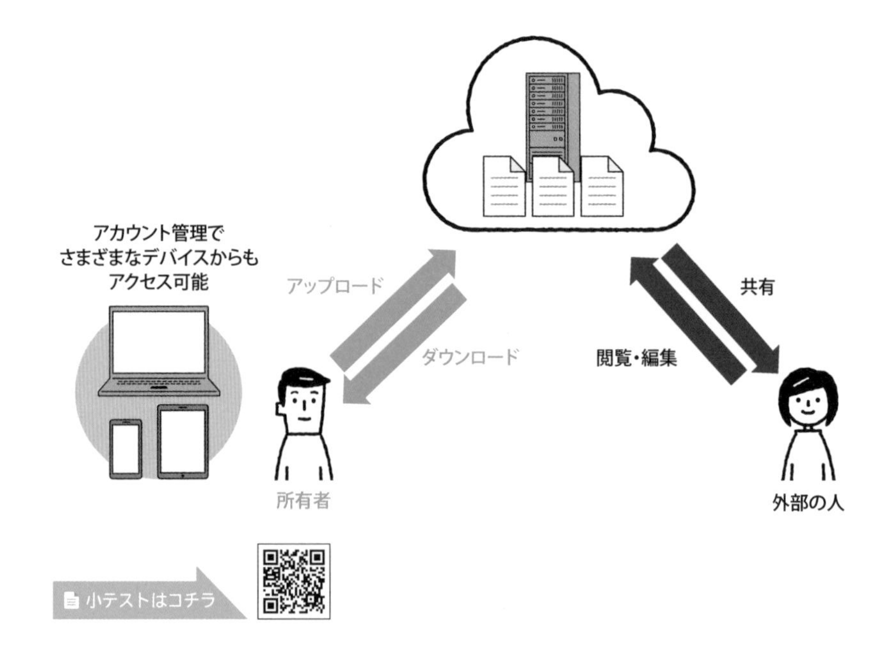

03 システム設計と効率

解説動画▶

システム効率化のための選択肢を知る

超効率ポイント

- コンピュータの仮想化は、コンピューティングリソースを仮想環境で動かす技術。
- 集中処理と分散処理、デュアルシステムとデュプレックスシステムなど、コンピュータシステムの構成について理解する。

コンピュータの仮想化

コンピュータの仮想化 (Virtualization) とは、コンピューティングリソース (CPU、メモリ、ストレージ、ネットワークなど) をソフトウェアによって再現する技術です。この仮想環境は仮想マシン (Virtual Machine：VM) と呼ばれ、物理的な１台のコンピュータ上で複数の仮想マシンを動作させることができます。

サーバの仮想化

サーバの仮想化とは、仮想マシン上でサーバのソフトウェアを動かすことです。各仮想サーバはOSとアプリケーションを実行でき、物理サーバのリソース (CPU、メモリ、ストレージなど) を効率的に活用できます。

例えば、**サーバの仮想化技術を利用すれば、1つの物理サーバ上で3つの仮想サーバを稼働させることができます** (次ページの図)。サーバの仮想化技術は、クラウドサービス (p.382) の基盤にもなっており、特にIaaSでは、仮想マシンをオンデマンドで提供しています。

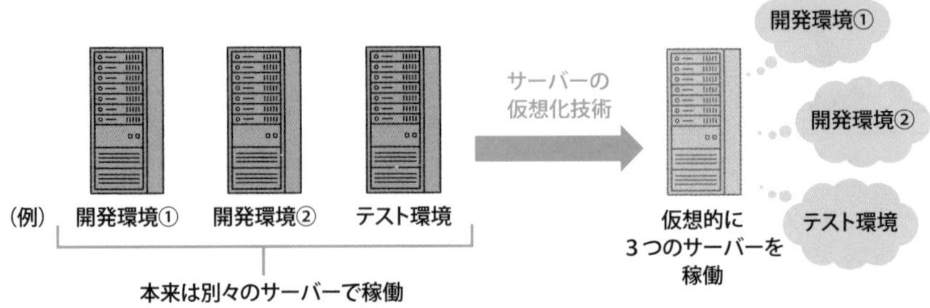

VDI

VDI(Virtual Desktop Infrastructure:仮想デスクトップ基盤)とは、クライアント端末側では情報を保持せず、ネットワーク接続により情報が利用できるようになる技術です(シンクライアントシステムの一種)。

VDIの利点は、企業内の機密情報が個々のユーザーのデバイスに保存されないため、デバイスを紛失した場合や、不正アクセスがあった場合でもデータを守ることができる点です。

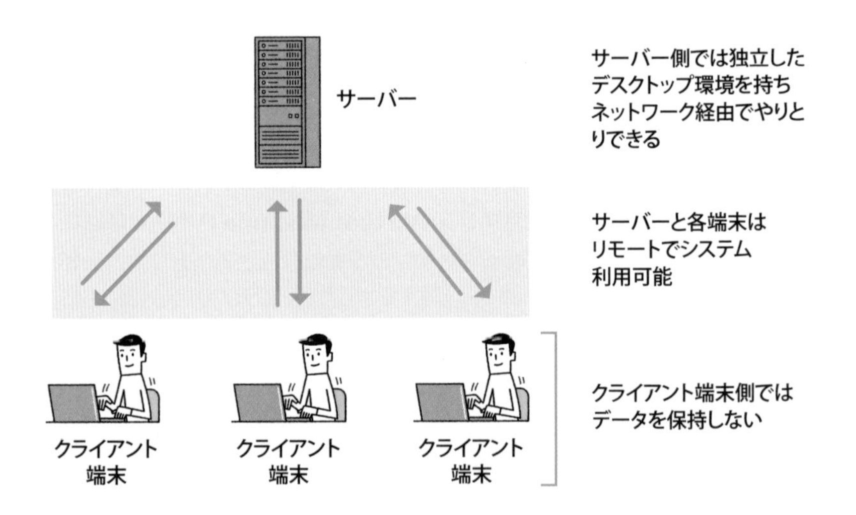

個人PCでの「仮想化」技術

パソコンの仮想化をすることで、例えば、皆さんが使っているWindows PCでMac OSやLinux OSを動かすことも可能です。
この場合、事実上はWindowsOSのPC上でそれぞれのOSは動作していますが、物理的なハードウェア上で直接実行されているわけではなく**仮想化された環境上で動作**しています。
仮想化ソフト（例：VMware Fusion、VirtualBoxなど）のインストールで実現します。

システムの構成

コンピュータ処理が**単一のマシン**で行われる場合、**リソース（CPU、メモリ、ストレージなど）**が限界に達すると、パフォーマンスは頭打ちとなります。これにより、処理時間が長くなる、システムがダウンする、といったリスクが考えられます。

こうした課題へのアプローチとして、システム性能の信頼性・拡張性を向上する技術を見てみましょう。

集中処理

集中処理（Centralized Processing）は、すべてのデータ処理を1つの中央システム（ホストコンピュータ）で行う方式です。端末はデータ入力や結果の表示に使用され、大部分の処理は中央システムが担当します。

- メリット：データ更新やセキュリティ対策が1か所で完結する。
- デメリット：故障してしまうとシステム全体が停止する。

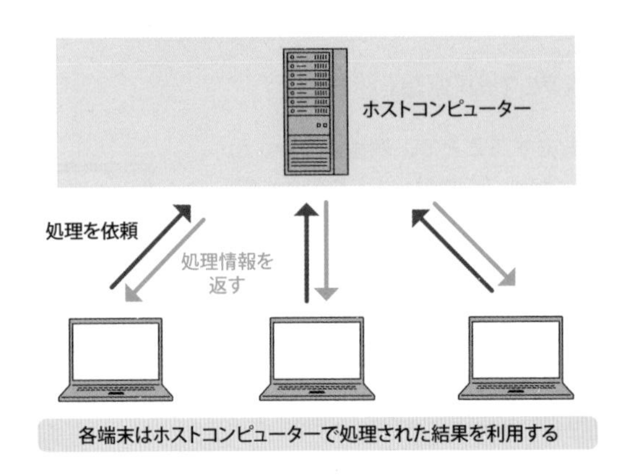

分散処理

分散処理（Distributed Processing）は、複数のコンピュータが連携してデータ処理を行う方式です。各部（ノード）はそれぞれ一部の処理を担当し、全体を通してシステムが作動します。

- メリット：必要な分の機能拡張ができ、一部が故障しても全体は機能する。
- デメリット：管理やセキュリティ対策が複雑になる。

代表的な分散処理システムには２つの処理形態があります。

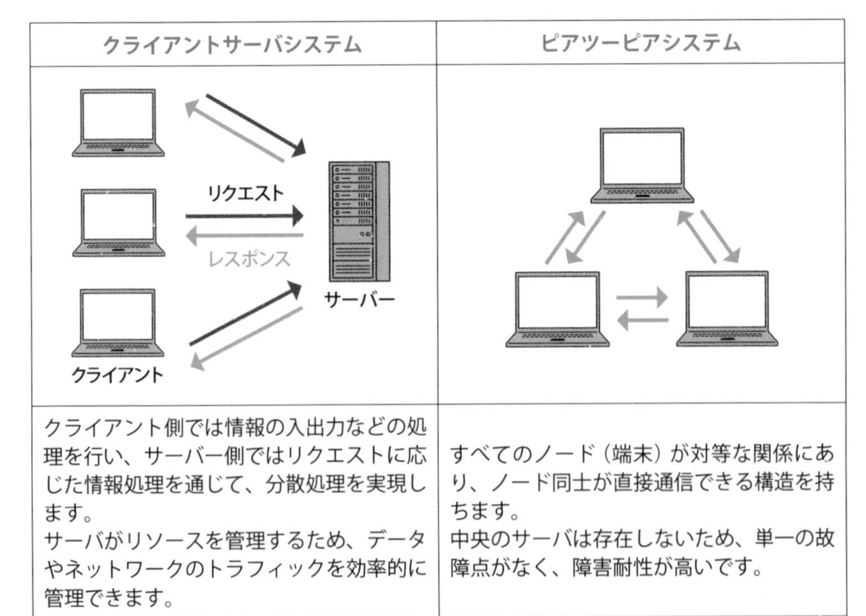

クライアントサーバシステム	ピアツーピアシステム
クライアント側では情報の入出力などの処理を行い、サーバー側ではリクエストに応じた情報処理を通じて、分散処理を実現します。 サーバがリソースを管理するため、データやネットワークのトラフィックを効率的に管理できます。	すべてのノード（端末）が対等な関係にあり、ノード同士が直接通信できる構造を持ちます。 中央のサーバは存在しないため、単一の故障点がなく、障害耐性が高いです。

システムの可用性と冗長性

システムの多くは障害が発生しても運用できるように二重化されており、システムのダウンタイム発生を防いでいます。

事例：システム故障による企業活動への影響

- 製造ライン、販売システム、決済システムなど、ビジネスに直接影響を与えるシステムの業務停止。
- 24時間365日の稼働が期待されるオンラインサービスや金融システムが使えないことによる顧客からの信頼喪失。

ここでは、故障に備えて待機系システムを設けるデュプレックスシステムと、結果を照合して並列処理を行うデュアルシステムの特徴を見てみましょう。

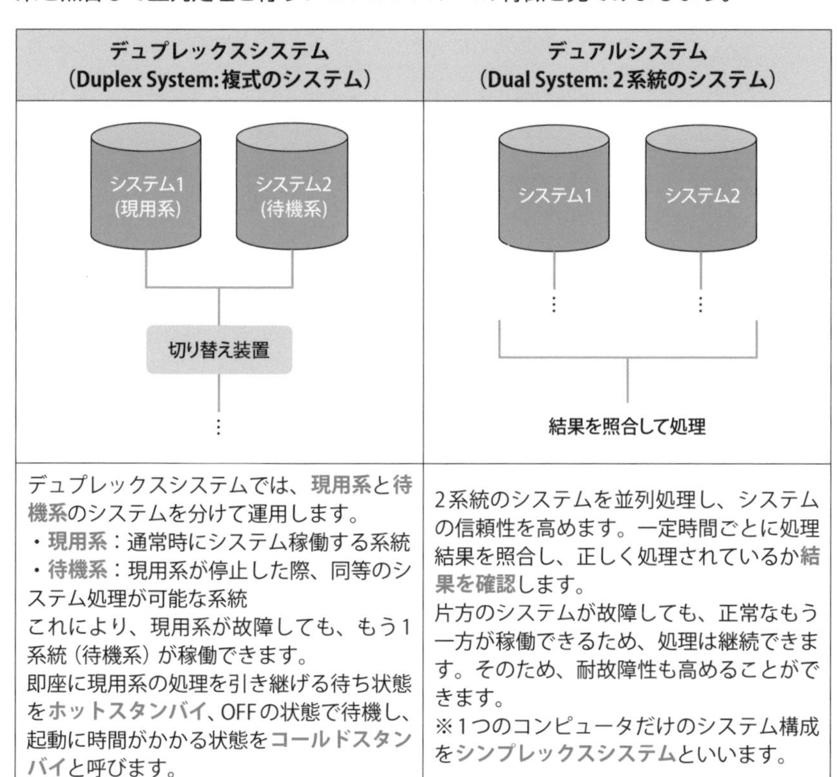

デュプレックスシステム（Duplex System: 複式のシステム）	デュアルシステム（Dual System: 2系統のシステム）
デュプレックスシステムでは、**現用系**と**待機系**のシステムを分けて運用します。 ・**現用系**：通常時にシステム稼働する系統 ・**待機系**：現用系が停止した際、同等のシステム処理が可能な系統 これにより、現用系が故障しても、もう1系統（待機系）が稼働できます。 即座に現用系の処理を引き継げる待ち状態を**ホットスタンバイ**、OFFの状態で待機し、起動に時間がかかる状態を**コールドスタンバイ**と呼びます。	2系統のシステムを並列処理し、システムの信頼性を高めます。一定時間ごとに処理結果を照合し、正しく処理されているか**結果を確認**します。 片方のシステムが故障しても、正常なもう一方が稼働できるため、処理は継続できます。そのため、耐故障性も高めることができます。 ※1つのコンピュータだけのシステム構成を**シンプレックスシステム**といいます。

システム処理の種類

効率的なシステム稼働は、システム全体のパフォーマンス評価につながります。

特に、**大量のデータ処理があるときや、リアルタイムな応答が求められるとき（金融取引、オンラインゲームなど）には、深刻な問題**となります。

システムの処理方式には、次の種類があります。

対話型処理（Interactive Processing）	ユーザーとシステムが直接対話する形式の処理方法です。**ユーザー**が操作を行い、**システム**が反応しフィードバックを返すという形式を取ります。 例：コマンドを入力してコンピュータを操作する、Webブラウザなどのアプリケーションを操作する　など
リアルタイム処理（Real-Time Processing）	**入力されたデータ**を即座に処理し、迅速に結果を出力する処理方法です。遅延が許されない状況で使われます。 例：自動車の制御システムなど
バッチ処理（Batch Processing）	あらかじめ指定した一連の**ジョブ（処理）**を自動的に実行する処理方法です。一度にまとめて処理できるため、効率がいいです。 例：勤怠管理や給与計算、日次のデータバックアップなど（前日までのデータを当日毎15時に更新する、など）

Chapter 13

04 システム稼働率を求める

解説動画 ▶

システム構成ごとの稼働率を覚える

- システムの稼働率を求めることで、システムの安定性や信頼性を測定できる。
- システムが複数ある場合、直列システムと並列システムを区別して稼働率を求める。

稼働率

稼働率とは、システムのある一定期間を切り取ったとき、稼働している割合を示すものです。

稼働率のイメージをつかむために、あるビジネスパーソンの1日の稼働率を考えます。あるビジネスパーソンの**勤務時間が8時間**で、**休憩が1時間**だったとき、このビジネスパーソンの稼働率は、次のように求められます。

$$\frac{\overset{\text{稼働時間}}{8\text{時間}}}{\underset{\text{稼働時間}}{8\text{時間}} + \underset{\text{休憩時間}}{1\text{時間}}} \fallingdotseq 88.9\%$$

システムの稼働率

ビジネスパーソンの例と同様に、システムの稼働率も求めてみましょう。システムの稼働率を求める場合は、平均故障間隔と平均修復時間を利用します。

稼働率の公式

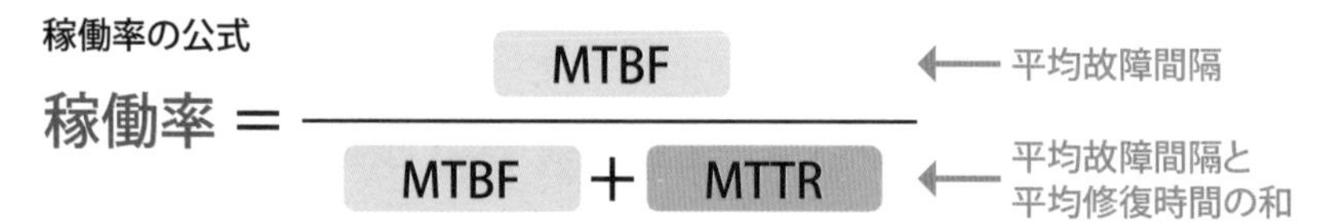

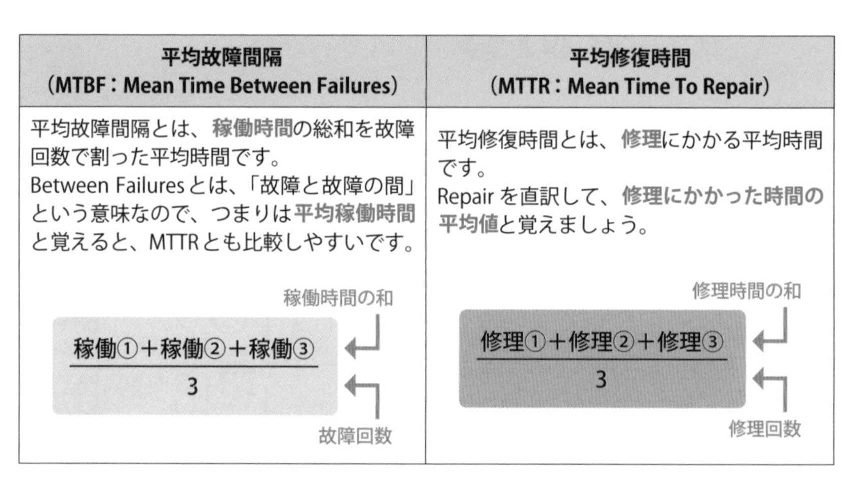

平均故障間隔 （MTBF：Mean Time Between Failures）	平均修復時間 （MTTR：Mean Time To Repair）
平均故障間隔とは、**稼働時間**の総和を故障回数で割った平均時間です。 Between Failuresとは、「故障と故障の間」という意味なので、つまりは**平均稼働時間**と覚えると、MTTRとも比較しやすいです。 稼働時間の和 (稼働①＋稼働②＋稼働③) / 3 故障回数	平均修復時間とは、**修理**にかかる平均時間です。 Repairを直訳して、**修理にかかった時間の平均値**と覚えましょう。 修理時間の和 (修理①＋修理②＋修理③) / 3 修理回数

システムの稼働率は上述の**稼働率の公式**より、平均故障間隔を平均故障間隔と平均修復時間の和で割ることで求められます。

では、以下の要件のとき、システムの稼働率は何％でしょうか。

2時間	1時間	4時間	1時間	3時間	1時間
稼働①	修理①	稼働②	修理②	稼働③	修理③

● STEP①：平均故障間隔（MTBF）を求める

稼働時間の総和を故障回数で割って求めることができます。

$$\text{MTBF} = \frac{稼働①＋稼働②＋稼働③}{3} = \frac{2時間＋4時間+3時間}{3} = 3時間$$

● STEP②：平均修復時間（MTTR）を求める

修理時間の総和を修理回数で割って求めることができます。

$$\text{MTTR} = \frac{修理①＋修理②＋修理③}{3} = \frac{1時間＋1時間+1時間}{3} = 1時間$$

STEP③：稼働率を求める

平均故障間隔 → MTBF

$$稼働率 = \frac{MTBF}{MTBF + MTTR} = \frac{3時間}{3時間+1時間} = 75\%$$

MTBF + MTTR ← 平均故障間隔と平均修復時間の和

直列システムと並列システムの稼働率

安定性や性能の観点から、システムを構成する装置を複数用意する場合の稼働率について考えます。

- 直列システム：各装置が直列につながっており、**1つの装置が故障するとシステム全体が止まってしまいます。**装置が増えるほど1つの故障の影響を受けやすくなり、システム全体の稼働率は下がります。
- 並列システム：同じ装置が並列につながっており、**1つの装置が故障してももう一方のシステムは稼働できます。**故障の影響を受けにくくなり、システム全体の稼働率が上がります。

それぞれの稼働率の求め方は、次のとおりです。

直列システム	並列システム
装置A（70%）―装置B（80%）	装置A（70%）／装置B（80%）（並列）
直列システムの稼働率を求める公式： **稼働率＝A × B**	並列システムの稼働率を求める公式： **稼働率 =1-(1-A) × (1-B)**
0.7 x 0.8 = 0.56 (56%)	1-(1-0.7)x(1-0.8) =1-0.3x0.2 =0.94 (94%)

※並列システムの公式の算出方法は、本セクションの動画で紹介しています。

テクノロジ系　15分　★★★

Chapter 13

05 コンピュータのデータ保護

データの冗長性と信頼性を知る

- バックアップとは、データを別の場所にコピーして保存すること。
- RAIDとは、複数のハードディスクを組み合わせ、仮想的に1つのハードディスクとして扱う技術。

データのバックアップ

バックアップとは、データを別の場所にコピーして保存しておくことです。

平時からデータを復元できるようバックアップすることにより、企業はデータ消失時のリスクを最小限に抑えられます。その反面、データを重複して保有する必要があるため、ストレージのリソースや管理コストがかかります。

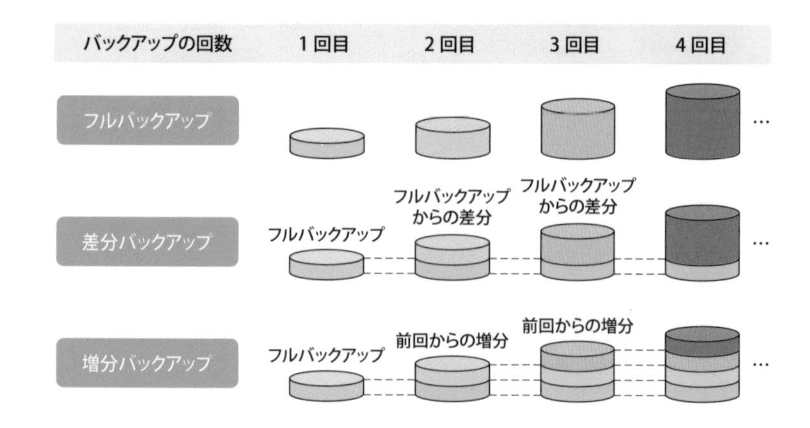

フルバックアップ	すべてのデータを**毎回完全にコピー**する方法です。最も基本的なデータ保全の形となります。 保存するデータ量が大きい場合、フルバックアップを取るのに時間がかかり、膨大なストレージ容量が必要となるため、週1回など一定の間隔で行われることが多いです。
差分バックアップ	最後のフルバックアップ以降、**変更のあったデータを全量バックアップ**する方法です。 差分バックアップは、フルバックアップに比べて時間とストレージ容量の面で効率的です。一方、日々の変更データが増えると、バックアップに必要な時間と容量も増えることになります。
増分バックアップ	前回のバックアップ以降、**変更のあったデータだけ**をバックアップする方法です。 増分バックアップは、ストレージ消費を最小限に抑えつつ、日々の変更データを定期的にバックアップできます。データを復元する際には、最後のフルバックアップとその後のすべての増分バックアップをつなぎ合わせる手間が発生します。

レプリケーション

レプリケーションとは、データをコピーし、他の場所に自動的に保存することです。複製（レプリカ）をつくることを意味します。これは、データがストレージに書き込まれるのとほぼ同時に実行されます。もし１つの場所でデータに問題が発生しても、他の場所にコピーが存在するため、データ損失のリスクを軽減できます。

ハードディスクの冗長性

RAID（Redundant Array of Independent Disks：独立したディスクの冗長配列）とは、複数のハードディスク（もしくはSSD）を組み合わせて、仮想的に１つのハードディスクとして扱う技術のことです。

コンピュータのハードディスクは、時間経過や突発的なトラブルにより壊れる可能性があります。**ディスクが壊れた場合、保存されたデータは読み出せず、データは失われます。**そのため、RAIDによりデータを複数のディスクに分散することで、データの安全性を高め、読み書き速度を向上できます。

RAIDレベルの比較

RAIDは、冗長性・パフォーマンス・ストレージ効率が異なる複数のレベルがあります。試験に向けて次のRAIDレベルを理解しましょう（RAIDには0、1、5以外の種類も存在します）。

	RAID0（ストライピング）	**RAID1（ミラーリング）**	**RAID5**
	元データ → 5 3 1 / 6 4 2	元データ → 3 2 1 / 3 2 1	元データ → P3 4 1 / 5 P2 2 / 6 3 P1 ※Pはパリティ
説明	2つ以上のディスクを1つの大きなディスクとみなす。データは各ディスクに**分散**される。 データの冗長性が不要で、高速処理が求められるケースで使われる。	2つ以上のディスクに、**すべて同じデータ**を保存する。1つのディスクが壊れても他のディスクからデータを再構築できる。 企業のデータ管理などでは一般的に使われる。	ストライピングと**パリティ**（誤り訂正コード）を組み合わせたもの。3つ以上のディスクを使用する。 冗長性と容量効率が求められる場合に使われる。
データの冗長性	×：1つのディスクが故障すると、すべてのデータが失われる。	○：コピーデータとなるため、ディスク1つが壊れてもデータの再構築が可能。	○：パリティの利用でデータ復元が可能。2つ以上のディスクが同時に壊れるとデータを再構築できない。
処理速度	○：複数ディスクにデータを分散して読み書きするため、速度は向上する。	△：読み込みは高速。書き込みは元データのコピーを作成する分、RAID 0よりも遅い。	△：読み込みは高速。書き込みはパリティ計算するため、遅くなることがある。
容量効率	○：すべてのディスク容量がデータ保存に利用される。	×：同じデータが複数のディスクにコピーされるため、実データの倍（またはそれ以上）の容量が必要。	△：データとパリティの両方を保存するため、RAID1より小さく、RAID0より大きい容量が必要。

パリティ（誤り訂正符号）

RAID5では、ディスクを３台以上用意し、元データとパリティデータを分散します。パリティとは、エラー検出のためのチェック用データで、元データの復元に使用できます。

次図のようにディスクAが破損したケースを考えてみましょう。

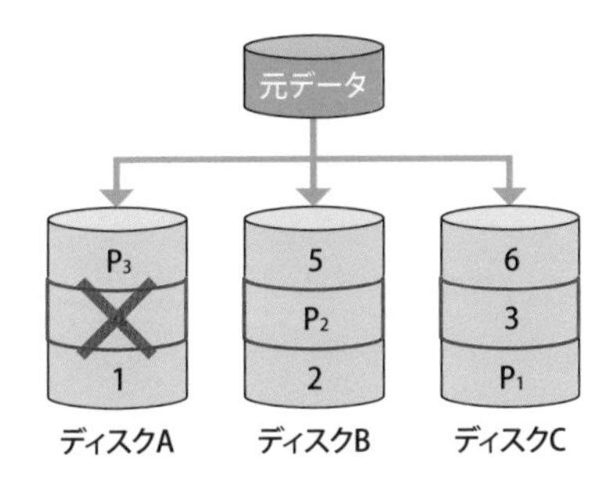

復元のイメージ例：データ4が破損した場合

予め、パリティデータを作成　　パリティデータから「データ4」を復元

ディスクAが破損した場合、パリティのP_1はデータ１とデータ２の演算結果なので、逆算することでデータ１を再現可能です。

RAID5の特徴をまとめると、以下のようになります。

- RAID0（ストライピング）より大きい容量が必要だが、パリティで１台分の容量を使用するため、３台構成の場合は３分の２の容量となる。
- RAID1（ミラーリング）と同等のデータ冗長性担保が可能（ただし、３台構成で２台が破損した場合は、データを復元できない）。

小テストはコチラ

試験問題にチャレンジ

問題❶　R5-問63

容量が500GバイトのHDDを2台使用して，RAID0，RAID1を構成したとき，実際に利用可能な記憶容量の組合せとして，適切なものはどれか。

	RAID0	RAID1
ア	1Tバイト	1Tバイト
イ	1Tバイト	500Gバイト
ウ	500Gバイト	1Tバイト
エ	500Gバイト	500Gバイト

正解　イ

解説　RAID0はストライピング、RAID1はミラーリングです。ストライピングでは、データを分散させて保持するため、500GバイトのHDD（ハードディスク）が2台ある場合、1Tバイトの容量を記憶できます。ミラーリングでは、同じ情報を2台同時に利用して記憶するため，500Gバイトの容量となります。

問題❷　R5-問4

ASP利用方式と自社開発の自社センター利用方式（以下"自社方式"という）の採算性を比較する。次の条件のとき，ASP利用方式の期待利益（効果額－費用）が自社方式よりも大きくなるのは，自社方式の初期投資額が何万円を超えたときか。ここで，比較期間は5年とする。

〔条件〕

・両方式とも，システム利用による効果額は500万円／年とする。
・ASP利用方式の場合，初期費用は0円，利用料は300万円／年とする。
・自社方式の場合，初期投資額は定額法で減価償却計算を行い，5年後の残存簿価は0円とする。また，運用費は100万円／年とする。
・金利やその他の費用は考慮しないものとする。

ア　500　　イ　1,000　　ウ　1,500　　エ　2,000

正解　イ

解説 この問題では、ASP（p.155）を利用してシステムを利用したときと、自社でゼロからシステム開発をして利用したとき、５年間で得られる利益の大きさを比べています。ASP利用方式と自社開発方式を比べたとき、利益が大きく生み出される方を採用するためです。

このシステムによる効果額：５年間で500万円/年 × ５年 = 2,500万円

ASP利用方式の採算性：

費用：初期費用０円 + 利用料300万円/年 × ５年 = 1,500万円

期待利益：2,500万円 - 1,500万円 = 1,000万円

自社開発方式の採算性：

費用：初期投資額 + 運用費100万円/年 × ５年 = 初期投資額 + 500万円

期待利益：2,500万円 - (初期投資額 + 500万円)

ASP利用方式の期待利益が自社方式よりも大きくなるためには、以下の条件を満たす必要があります。

1,000万円 > 2,500万円 - (初期投資額 + 500万円)

この不等式を解くと、初期投資額 > 1,000万円 となります。したがって、自社方式の初期投資額が1,000万円を超えたとき、ASP利用方式の期待利益が自社方式よりも大きくなります。

問題❸ R4-問99

１台の物理的なコンピュータ上で，複数の仮想サーバを同時に動作させることによって得られる効果に関する記述a～cのうち，適切なものだけをすべて挙げたものはどれか。

a. 仮想サーバ上で，それぞれ異なるバージョンのOSを動作させることができ，物理的なコンピュータのリソースを有効活用できる。

b. 仮想サーバの数だけ，物理的なコンピュータを増やしたときと同じ処理能力を得られる。

c. 物理的なコンピュータがもつHDDの容量と同じ容量のデータを，すべての仮想サーバで同時に記録できる。

ア a　**イ** a, c　**ウ** b　**エ** c

正解 ア

解説

a. 正しい。仮想サーバ（仮想マシン）は、物理的なハードウェア上で複数の独立したOSを動作できます。これにより、１台の物理的なコンピュータ上で複数のタスクやアプリケーションを効率的に実行できます。

b. 正しくない。仮想サーバは物理的なコンピュータのリソースを共有して動作します。仮想サーバの数を増やしても、物理的なコンピュータの処理能力を超えません。

c. 正しくない。仮想サーバは物理的なコンピュータのストレージを共有して使用します。すべての仮想サーバが物理的なコンピュータのHDD（ハードディスク）の容量と同じ容量のデータを同時に記録することはできません。

問題❹ R3-問5

クラウドコンピューティングの説明として，最も適切なものはどれか。

ア システム全体を管理する大型汎用機などのコンピュータに，データを一極集中させて処理すること

イ 情報システム部門以外の人が自らコンピュータを操作し，自分や自部門の業務に役立てること

ウ ソフトウェアやハードウェアなどの各種リソースを，インターネットなどのネットワークを経由して，オンデマンドでスケーラブルに利用すること

エ ネットワークを介して，複数台のコンピュータに処理を分散させ，処理結果を共有すること

正解　ウ

解説

ア 「集中処理」の説明です。

イ 「エンドユーザーコンピューティング」の説明です。

ウ ITリソースをネットワーク経由でオンデマンド（必要に応じてスケールアップ・ダウンする）で利用できるのがクラウドの特徴です。

エ 「分散コンピューティング」の説明です。クラウドコンピューティングも分散されたリソースを利用する点では似ていますが、この説明だけではクラウドコンピューティングの全体像を捉えることはできません。

問題❺ R2秋-問64

記述a～dのうち，クライアントサーバシステムの応答時間を短縮するための施策として，適切なものだけをすべて挙げたものはどれか。

a. クライアントとサーバ間の回線を高速化し，データの送受信時間を短くする。

b. クライアントの台数を増やして，クライアントの利用待ち時間を短くする。

c. クライアントの入力画面で，利用者がデータを入力する時間を短くする。

d. サーバを高性能化して，サーバの処理時間を短くする。

ア a, b, c　　**イ** a, d　　**ウ** b, c　　**エ** c, d

正解　イ

解説

b. クライアントの台数を増やしても、サーバの応答時間自体は短縮されません。むしろ、サーバへのアクセスが増えるため、サーバの負荷が増加する可能性があります。

c. 利用者の操作速度に関わるもので、システムの応答時間とは直接関係ありません。

問題⑥　H31春-問84

オンラインストレージに関する記述のうち，適切でないものはどれか。

ア インターネットに接続していれば，PCからだけでなく，スマートフォンやタブレットからでも利用可能である。

イ 制限された容量と機能の範囲内で，無料で利用できるサービスがある。

ウ 登録された複数の利用者が同じファイルを共有して，編集できるサービスがある。

エ 利用者のPCやタブレットに内蔵された補助記憶装置の容量を増やせば，オンラインストレージの容量も自動的に増える。

正解　エ

解説 オンラインストレージの容量は、利用者が契約するサービスのプランや設定に基づいて決まります。利用者のPCやタブレットの補助記憶装置の容量とは関係なく、それを増やしてもオンラインストレージの容量は自動的に増えません。

問題⑦　R6-問67

図に示す2台のWebサーバと1台のデータベースサーバから成るWebシステムがある。Webサーバの稼働率はともに0.8とし，データベースサーバの稼働率は0.9とすると，このシステムの小数第3位を四捨五入した稼働率は幾らか。ここで，2台のWebサーバのうち少なくとも1台が稼働していて，かつ，データベースサーバが稼働していれば，システムとしては稼働しているとみなす。また，それぞれのサーバはランダムに故障が起こるものとする。

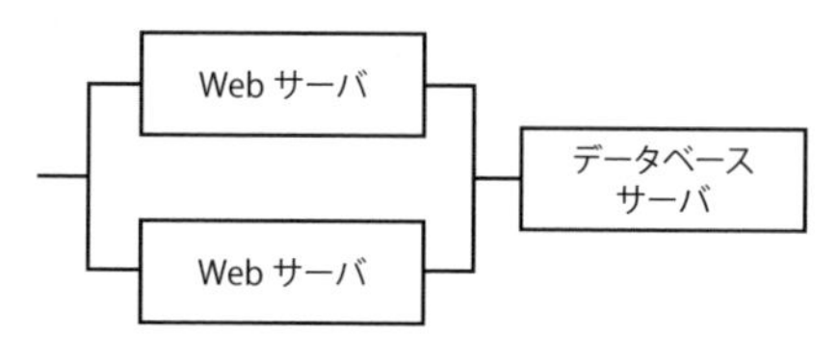

ア 0.04　　**イ** 0.58　　**ウ** 0.86　　**エ** 0.96

正解　ウ

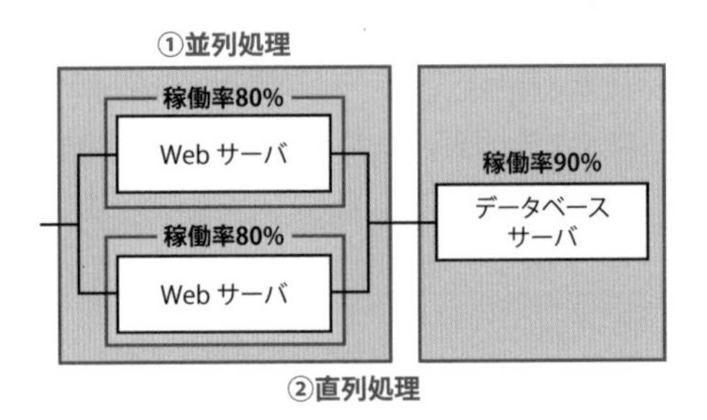

解説 Webサーバ２台（赤枠）の構成に注目すると、並列処理であることがわかります。…①並列処理

さらに、Webサーバー２台で囲われた並列処理の装置を１つに見立て、データベースサーバーとならべるとこれが直列処理であることがわかります。…②直列処理

①並列処理の計算は、公式通りに計算すると、次のように求められます。

1- (1-0.8) x (1-0.8) ＝ 1 - 0.04 = 0.96 (96%)

②直列処理の計算は、①の結果を用いて、同様に公式に当てはめて計算します。

0.96 x 0.9 = 0.864 ≒ 0.86 (86% / 結果は四捨五入する。)

テクノロジ系

Chapter 14

情報セキュリティ

本章の学習ポイント

- 不正アクセスは、情報の盗聴・改ざん・破壊により、金銭的な被害につながる。
- 情報セキュリティの３つの脅威は、人的・物理的・技術的脅威。
- 情報セキュリティは、機密性・完全性・可用性の高い状態を保つことが重要。
- 情報セキュリティを守るには、認証技術やネットワークの工夫など、さまざまな観点から対策する。

テクノロジ系　10分　★★★

Chapter 14

01 情報資産と不正アクセス

解説動画▶

情報セキュリティの重要性に注目

- 情報セキュリティは、企業や個人が持つ大切な情報資産を保護する取り組み。
- 不正アクセスとは、許可されていない人がコンピュータシステムやネットワークにアクセスする行為。

情報資産

企業が保有する経営資源は、ヒト、モノ、カネ、情報です。このうち、ヒト、モノ、カネは、盗まれないために、例えば次のような工夫がされています。

- **社員**は、他社に引き抜かれないように適正な給料を払う。
- **備品**は、内部・外部の人間が持ち出せないように貸出表で管理する。
- **お金**は、銀行に預けたり株式で保有する。

情報も同じように、失ったり改ざんされたりしては困ります。中でも次のような情報は、盗聴・改ざん・破壊されては困る**個人や企業の資産**として扱われます。**このような経済的価値のある情報を情報資産といいます。**

- 企業で管理するWebサイト、社内で保持する機密情報
- 知的財産権が保護する著作権や産業財産権、不正競争防止法が定める営業秘密
- 個人情報保護法における、氏名や住所、勤務先、家族構成などの個人情報

情報セキュリティとは

情報セキュリティとは、企業や個人が持つ大切な情報資産を保護することです。不正アクセス・ウイルス感染、内部不正による情報漏洩といったさまざまなリスクから情報を守ります。不正アクセスの被害例は、**企業に対して行われていることか、個人に対して行われていることか**を切り分けて理解しましょう。

不正アクセスとは

不正アクセスとは、許可されていない人が、不正な手段でコンピュータシステムやネットワークにアクセスすることです。人的・技術的なさまざまな手法により起こります。

不正アクセスによる情報資産への攻撃の事例

盗聴、改ざん、破壊、身元詐称（なりすまし）、個人情報の不正取得（盗用）、システム稼働の妨害行為（サービス拒否）

盗聴

盗聴とは、情報を不正取得する行為です。「盗聴」と聞くと、家やオフィスに盗聴器を仕掛けて音声を盗み取るという想像をされる方もいますが、情報セキュリティ分野での盗聴は**ネットワーク上を行き来する情報を盗み取ることや、不正アクセスにより情報を詐取（さしゅ）すること**などを指します。

例えば、盗聴される情報としては、**企業機密や顧客情報、個人がネットで買い物をするときのクレジットカード情報**などがあります。

個々の情報の価値は低いケースもありますが、攻撃者は大量に収集した情報の中から、価値あるものを選び出し悪用することを考えています。

改ざん

改ざんとは、情報を不正に変更する行為です。文書・Webサイト・データベースのレコードの改変も含みます。**改ざんの結果、すべての情報は信頼性を失い、その情報に関連する操作は不適切である**と見なされるようになります。

企業の被害例として、**ECサイトに不正アクセスされ、商品の価格をすべて10万円に書き換えられるケース**を考えてみましょう。顧客は正規の価格を知らないまま購入してしまう可能性があり、被害を受けたサイトは経済的損失を被る可能性があります。

また攻撃者がセキュリティ対策業者を装い、高額な金銭を要求する、といった手口も起こりやすいです。

個人の被害例としては、銀行情報などに不正アクセスされ、攻撃者の改ざんにより、銀行内の預金を横領される、勝手にローンを組まれる、などの事態を引き起こされることが考えられます。これにより、個人が経済的損失を被るほか、一度漏洩した個人情報が二次利用されるなど、さまざまな悪用の可能性が拡大します。

破壊

破壊は、情報やシステムを故意に機能させなくする、または完全に消去するなどの行為です。**攻撃者の目的は、業務の妨害や経済的ダメージを与えること、企業の評判を貶めること**です。データベースの消去、Webサイトのダウン、ネットワークの遮断などが該当します。

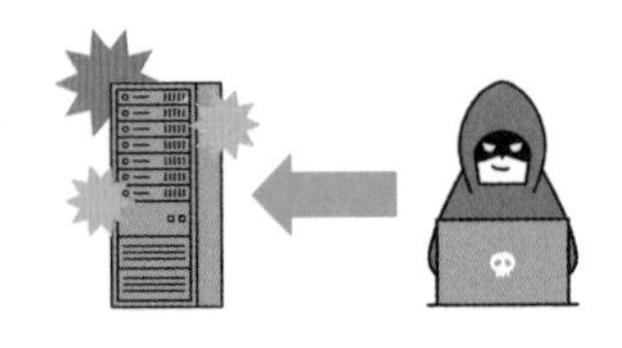

企業の被害例としては、企業サーバに対し、**複数のコンピュータでアクセス過多を引き起こし、サーバをダウンさせるDoS攻撃（p.415）**があります。

サイトにアクセスできない期間は、企業は顧客にサービスを提供できず、売上毀損を引き起こします。ECサイトなどであれば、サーバがダウンしている間は顧客が他社サービスへ流出する可能性が高いため、機会損失につながります。

個人の被害例としては、パソコン・スマホへの不正アクセスにより、正常に動かない状態にされるものがあります。重要な情報にアクセスできない状態にし、セキュリティ対策業者を装った攻撃者が「パソコンを修正するならば○○万円支払うように」などと持ちかけ、金銭を詐取（さしゅ）します。ランサムウェア（p.413）のようなケースが有名です。

情報セキュリティの企業対策

解説動画▶

企業の情報セキュリティを守る手法を知る

- 情報セキュリティポリシーは、企業が取り組む情報セキュリティ方針を社内外に宣言する文書。
- 企業が情報セキュリティを保つために、サイバーキルチェーンやデジタルフォレンジックスがある。

情報セキュリティポリシー

情報セキュリティポリシーとは、企業の経営者が責任者となり、企業が取り組む情報セキュリティの方針（セキュリティ対策）を社内外に宣言する文書です。基本方針で定めたことをもとに、従業員がルールにもとづいて現場で判断・行動できるよう導きます。

基本方針（ポリシー）	**組織全体での理念や方針** →セキュリティの必要性や考え方について、組織に浸透させるための概念 (例) 情報セキュリティの重要性、保護すべき情報の種類
対策基準（スタンダード）	**基本方針を実現するための規則** →実施すべきことのルールを定める (例) パスワードポリシー、データ保護、ユーザー教育
実施手順（プロシージャ）	**運用手順や対象者の明確な細則** →業務マニュアルとして位置づけられる文書 (例) 対策基準で「パスワードは10文字以上の英数記号で作成」と定めた場合、これに従う「tanakaIT@55」とする

情報セキュリティが狙われ続ける理由

情報セキュリティを脅かす攻撃者の目的は金銭や機密情報の窃取、業務妨害などさまざまです。セキュリティ対策が比較的強固な大手企業に対し、中小企業はセキュリティ対策が必ずしも十分でない場合が多く、比較的侵入しやすい標的となります。攻撃者はこれを利用し、取引先を経由して大企業の重要なデータに侵入しようと試みます。こうした攻撃手法をサプライチェーン攻撃といいます。**サプライチェーン攻撃のスタートには、人的・物理的・技術的な攻撃（p.410）などがあり、その入口はさまざまです。**

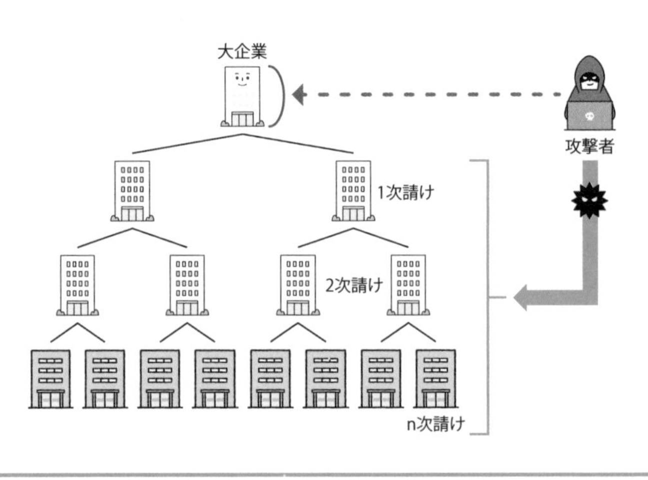

情報セキュリティを保つ手法

● ペネトレーションテスト

セキュリティの専門家が実際のサイバー攻撃を模倣して、コンピュータシステム、ネットワーク、アプリケーションなどのセキュリティ強度を評価するテストです。

● セキュリティ・バイ・デザイン

製品が世の中に出た後でセキュリティインシデント対策を行うのではなく、開発初期フェーズからセキュリティ対策を実装することで、セキュリティリスクを軽減する考え方です。

サイバーキルチェーン

サイバー攻撃の手順を攻撃者の視点からモデル化したものです。攻撃を段階ごとに整理し、防御策を用意することで早期対策につなげます。

段階	概要
探偵	公開情報（企業のWebサイトなど）を元に、標的の組織に関する情報を収集する。
武器化	収集した情報を元に攻撃準備（フィッシングメールの作成など）をする。
配送	準備した攻撃手段を標的に送る。（フィッシングメールを標的の従業員に送信するなど）
攻撃	標的が攻撃手段に反応するのを待つ。（標的がフィッシングメールのリンクをクリックすると、マルウェアがそのコンピュータに侵入）
インストール	攻撃者のマルウェアが標的のシステムにインストールされる。
遠隔操作	インストールしたマルウェアを遠隔操作し、標的のシステム内で行動を起こす。（機密情報を盗み出す、システムの制御を奪うなど）
目的達成	最終的な目標（情報窃取、システム破壊など）を達成する。

デジタルフォレンジックス

デジタルフォレンジックス（Digital Forensics：デジタル鑑識）とは、**犯罪・事件の調査**として、コンピュータに保存された情報を解析することです。

デジタルフォレンジックスの活用事例

犯罪の捜査や証拠収集・法廷証拠、システムのセキュリティ違反の調査、データ復旧 など

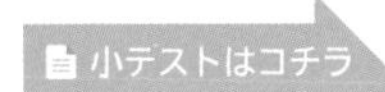

テクノロジ系

Chapter 14

03 脅威の種類

解説動画▶ 

情報セキュリティを脅かすものを覚える

- 情報セキュリティの脅威には、人的脅威・物理的脅威・技術的脅威がある。
- 技術的脅威は、他人のコンピュータの情報の盗聴・改ざんのほかに、いたずら目的でアクセスできなくさせたり、故障させたりなど、さまざまな悪影響をもたらす。

情報セキュリティの脅威

「情報」がさらされている3つの脅威は、次の通りです。

脅威	概要
人的脅威	システムの誤操作や、紛失・不正利用・怠慢など、人が原因となる脅威。
物理的脅威	地震・洪水・火災・停電などの災害、故障や悪意ある人物による破壊行為など、システムを動かす機器が物理的に動作できなくなる脅威。
技術的脅威	ネットワーク上の脆弱性（弱点）をついた不正アクセスや、コンピュータウイルスなど悪意ある第三者による攻撃（マルウェア・サイバー攻撃）をはじめとする技術的な手段による脅威。

人的脅威

人的脅威とは、人が原因となって起こる脅威です。例えば、**誤操作によるデータ消失・内部関係者によるデータの持ち出し（盗難）・パソコン画面ののぞき見**などは、すべて人によるミスや不注意・不正に起因します。

ソーシャルエンジニアリング

人間の心理的な隙をついて機密情報を入手する情報盗犯の手法です。

種類	概要
ショルダーハッキング	パソコンなどの画面を**肩越しに後ろからのぞき見**して情報を得る方法。 対策：重要情報（IDやパスワード、クレジットカード番号など）を扱う場合には周囲の環境に注意する、パソコンやスマートフォンに**のぞき見防止フィルム**を貼るなど
トラッシング	ゴミ箱に捨てられた資料や記憶媒体（パソコンやハードディスクなど）から情報を盗み取り、悪用すること。 対策：機密情報を扱った紙資料は**シュレッダー**にかけて廃棄する、機器の廃棄時はデータが復元されないようにデータを**完全消去**するなど

クラッキング

クラッキングとは、悪意をもった人がコンピュータに不正に侵入し、犯罪行為（データの改ざんや盗難）を働くことです。重要情報の盗み出しやWebサイトの改ざんなどの行為が該当します。

フィッシング

メールやWebサイトを通じてユーザーの個人情報（例えば、ログインID、パスワード、クレジットカード番号など）を騙し取る手法です。攻撃者は次のような「一見相手にとって有益そうな情報」を装った通知を送り、個人情報などを入力させます。これらの情報に騙されることで、攻撃者の被害にさらされます。

事例：フィッシング

- 国税庁、銀行からの振込確認など、公的組織の名前を悪用する
- 再配達、SNSの公式マーク付与など、利用者の興味を引く虚偽の連絡をする

フィッシングの２つの側面

フィッシングは人的脅威と技術的脅威が複合的に組み合わさった攻撃です。

- **人的脅威：ユーザーが偽のメールやWebサイトに誘導される側面**
- **技術的脅威：ユーザーに本物であると誤認させる技術（偽のWebサイトの作成など）や、リンククリックによりスクリプトが発動するなどの側面**

廃棄時の情報漏えい防止策

データの盗難や不正利用など、記憶装置（PCやHDDなど）を廃棄する場合は、人為的脅威に対策するため次のことを実施しましょう。

- 専用のデータ消去用ソフトを使用し、ランダムなデータを記憶装置の全領域に複数回書き込む。
- ドリルやメディアシュレッダーで物理的に破壊する。

物理的脅威

物理的脅威とは、ネットワークに関わる機器が物理的に破壊・妨害されることを指します。例えば、地震・洪水・火災や、機器の経年劣化などが挙げられます。あらかじめ対策できることが明確なため、脅威とセットで覚えておきましょう。

脅威	対策
災害（地震・洪水・火災など）	ファシリティマネジメント（p.223）
機器の経年劣化	バックアップ（p.394）
盗難や器物破損への対策	メンテナンス（p.223）

技術的脅威

技術的脅威とは、技術的な手段によって引き起こされる脅威のことです。他人のコンピュータの情報を盗聴・改ざんするだけではなく、いたずら目的でアクセスを阻害する、故障させるなど、さまざまな被害をもたらします。

感染させたのち、拡散する機能をもつマルウェア

マルウェアは悪意のあるソフトウェアの総称で、ユーザーの意図に反して機能するソフトウェアです。システムの正常な機能の妨害、システムの侵害、データの盗聴などを実行します。

感染させたのち、拡散する機能を持つ代表的なマルウェア

種類	概要
コンピュータウイルス	ソフトウェアに寄生（プログラムにコードを埋め込む）し、感染したプログラムを実行することで拡散するマルウェア
ワーム	ソフトウェアに寄生せずに存在し、感染したシステムを利用して他のシステムに拡散するマルウェア

マルウェアに感染したら

コンピュータの不審な挙動によりマルウェアの感染に気づいたら、まずはコンピュータをネットワークから遮断しましょう。これにより、ネットワークを経由したほかのコンピュータへの感染拡大を防ぎます。その後、社内の情報システム担当部門やサイバー犯罪相談窓口（p.91）などの専門家へ相談することが有効です。

潜伏して、情報を盗み出すマルウェア

種類	概要
スパイウェア	スパイ（Spy）の名の通り、**ユーザーの行動を監視・収集した情報を第三者に送信**するソフトウェア。何らかのソフトウェアをダウンロードしたときや、Webサイトを訪れたときなど、ユーザーの知らない間にインストールされることがある。
トロイの木馬	ユーザーにとって、一見**無害なソフトウェア**を装ってダウンロードさせ、実際には悪意のあるふるまいをするソフトウェア。ユーザーがトロイの木馬となるソフトウェアを実行すると、悪意のあるコードが実行され、攻撃者がユーザーのコンピュータを制御できるようになる。
キーロガー（Keylogger）	**ユーザーがキーボードで入力した情報を不正に記録**するソフトウェアです。これにより、パスワード、クレジットカード番号、個人情報など、ユーザーが入力した情報を不正に取得できます。カスタムキーボードが無料で利用できるスマホアプリの中には、キーロガーが仕込まれている可能性もあるため、注意しよう。

バックドア

バックドアとは、コンピュータやソフトウェアに意図的に設置された**秘密の入り口**です。スパイウェアやトロイの木馬がバックドアをつくるケースもあり、**攻撃者は感染したコンピュータに自由に侵入**できます。

ランサムウェア

ランサム（Ransom）とは、身代金を意味します。ユーザーの**システム利用を制限した後、解除方法を提供する代わりに身代金**を要求します。

お金を支払っても必ず復元されるわけではないため、支払いせずにコンピュータをネットワークから切断し、サイバー犯罪相談窓口（p.91）やプロの業者に相談しましょう。

その他の技術的脅威

セキュリティホール

セキュリティホールとは、コンピュータシステムなどに存在する未修正の脆弱性のことです。この脆弱性を悪用することで、不正アクセスや情報漏洩、サービス停止などの攻撃を行います。

クロスサイトスクリプティング

クロスサイトスクリプティング（XSS）は、ユーザーのブラウザ上で悪意のあるスクリプトを実行させる攻撃手法です。攻撃者はWebサイトの脆弱性を利用してスクリプトを埋め込むことで、ユーザーのセッション情報を盗んだり、ユーザーを別のサイトにリダイレクトさせたりします。

フィッシング攻撃とXSSの違い

- **フィッシング攻撃は一般的にユーザーの認識と教育によって防ぐことができる。**
- **XSSはWebアプリケーションのセキュリティ強化によって防ぐことができる。**

SQLインジェクション

SQLはデータベースを操作する言語（p.458）で、インジェクションは「注入」の意味です。SQLインジェクションとは、特別に作成されたSQL文を書き込むことで、データベースの情報抽出・データ改ざん・削除などを行う攻撃です。

脆弱性の悪用により、予期しない動作を引き起こす攻撃方法

種類	概要
ゼロデイ攻撃	未公開の脆弱性・アプリなどの開発者自身がまだ認識していない脆弱性を突く攻撃。脆弱性が発見されてから修正プログラムがリリースされるまでの間に攻撃されるため、防御が非常に難しい。
バッファオーバーフロー攻撃	プログラムが処理可能な容量を大幅に超える量のデータを送ることで、メモリ領域をオーバーフローさせ、不正なコードを注入して実行する攻撃。対策として、プログラムが扱うデータの長さを適切に制御することで、被害を防ぐ方法がある。

Botを利用した攻撃

コンピューティングリソース（p.379）を過度に消費させ、ユーザーにサービスを利用できなくさせる攻撃です。

種類	概要
Bot攻撃	Bot攻撃は、**特定のタスクを自動的に実行するためにプログラムされた"Bot"（ロボット）**を使用した攻撃。Botとは、**ソフトウェア**のことであり、物理的なロボットが動いて操作するわけではない。 Botの攻撃例として、コンピュータに侵入してリモート操作・制御する、ネットワーク経由で膨大な攻撃タスクを実行する、その他スパムメールの送信やDDoS攻撃を行うなどのものがある。
DoS攻撃	攻撃者が**大量のリクエストやデータを送信**し、ターゲットとなるシステムやネットワークのサービスを停止させせる攻撃。結果として、ユーザーは正常なサービスにアクセスできなくなる。
DDoS攻撃	**複数のコンピュータ（ボットネットと呼ばれるネットワーク）**から大量のリクエストやデータを一斉に送信し、ターゲットとなるシステムやネットワークのサービスを停止させせる攻撃。DoS攻撃と比べて規模が大きく、防御も困難となる。

ID / パスワード の「数撃ちゃ当たる」攻撃

次の３つの攻撃は、人間が手動で行うことはまれで、ほとんどの場合**Bot**（不正なソフトウェア）の利用により行われます。

種類	概要
辞書攻撃	辞書などをもとに、**一般的に使用される用語**からIDやパスワードを推測する手法。複雑なパスワードを設定しない場合、攻撃の対象となる。
総当たり攻撃（ブルートフォース攻撃）	パスワードの**すべての組み合わせを試行**し、攻撃対象のIDやパスワードを推測する手法。時間や計算力を要すが、最終的には正しいパスワードを見つけ出す可能性がある。この攻撃の対策の1つに、**パスワード入力回数の制限**があり、一定時間内のパスワード試行回数を制限する仕様を採用するなどの方法がある。
パスワードリスト攻撃	特定のターゲットが**複数のログインシステムで同一のIDやパスワードを使い回している**場合、その情報をもとに他のサービスにログインしようとする手法。

小テストはコチラ

テクノロジ系　15分　★★★

Chapter 14 04 情報セキュリティマネジメントシステム

解説動画▶

情報セキュリティが守られる技術を知る

- 情報セキュリティマネジメントシステム（ISMS）で示される機密性・完全性・可用性をバランスよく満たす。
- 認証技術では、システムにアクセスする際に本人証明を技術的に行う。

情報セキュリティの安全性と利便性

Chapter14-3では、さまざまな情報セキュリティへの脅威について学習しました。**悪意ある人物によるセキュリティリスクや脅威は計り知れないことから、情報へのアクセスは強固で堅牢**にしておいた方が良さそうです。

皆さんの自宅も同様に、泥棒に入られないようあらゆる入り口（家の玄関や窓）に鍵を100個ずつ付けるとします。これだけ厳重にすれば、泥棒の侵入も困難です。

しかし同時に、自分が家に出入りするときや、窓の開け閉めをするときにも、毎回鍵を100個開け閉めする必要があり、日常生活で鍵の管理に時間がかかり生活に支障を来します。セキュリティの強固さを求めると、どうしても利便性は下がるため、情報セキュリティ分野では、**安全性と利便性のバランスを考えた現実的な対策**を検討します。

情報セキュリティマネジメントシステム(ISMS)

情報セキュリティマネジメントシステム(ISMS:Information Security Management System)は、情報資産を適切に維持するための仕組みです。ISO/IEC 27001で標準規格化されています。

ISMSの標準に準拠した組織は、情報セキュリティマネジメントが適切に行われている認証を第三者機関から受けることができます。

次の情報セキュリティが守られている7つの状態のうち、特に重要な3要素は機密性、完全性、可用性です。

要素	概要
機密性	認証されたユーザーのみが情報にアクセスできる状態。 例:企業内の個人情報には、許可された人だけがアクセスできるよう保護される。
完全性	改ざん・消去・破壊をされず、情報の正しさが維持された状態。 例:データベースのレコードが誤って変更されないよう、適切なセキュリティ制御を行う。
可用性	必要なとき、情報にアクセスできる状態。 例:サーバが劣化して故障しても、バックアップにより可用性を保つ。
真正性	情報が本物である状態。 例:ユーザーが本人であることを確かめる認証や、Webサイトの証明書など。
信頼性	情報処理システムが正確な結果を提供し、期待通りに機能している状態。 例:医療記録システムが患者情報の正確性と一貫性を保ち、アクセス回数が増えても迅速に応答する。
責任追跡性	情報の編集履歴など、データ上の行動ログがたどれる状態。インターネット上の証跡に限らず、オフィスの入退室管理なども該当する。 例:銀行などは、取引のすべての履歴が記録される。誰がどの取引を、いつ行ったのかが明確となり、不正取引や誤操作を迅速に特定・対処できる。
否認防止	メッセージの送信・受信者が、あとからその行為を否認できない状態。 例:デジタル署名やタイムスタンプなど。

次の事例は、情報セキュリティマネジメントシステムにおける重要な指標への不備により起きる内容です。身近な例と共に見てみましょう。

事例	概要
事例1： 適切な環境での情報利用	公共のWi-Fiを使用して、従業員が顧客の個人情報を扱ったところ、盗聴被害に遭い、個人情報が漏洩した。→**機密性**の不備
事例2： 社員を狙ったフィッシングの事例	ある企業の従業員に対し、取引先社員を装った攻撃者からフィッシングメールが送信された。添付ファイルを開封すると、マルウェアのインストールが開始され、企業の重要情報に不正アクセスが発生した。→**機密性**・**完全性**の不備
事例3： 不正アクセスによるサーバ情報の書き換え	企業のサーバに不正アクセスされて情報が書き換えられ、サイトの情報も改ざんされた。これにより、企業には経済的な損失や信頼の失墜といった被害が起きた。→**機密性**・**完全性**の不備

不正のトライアングル

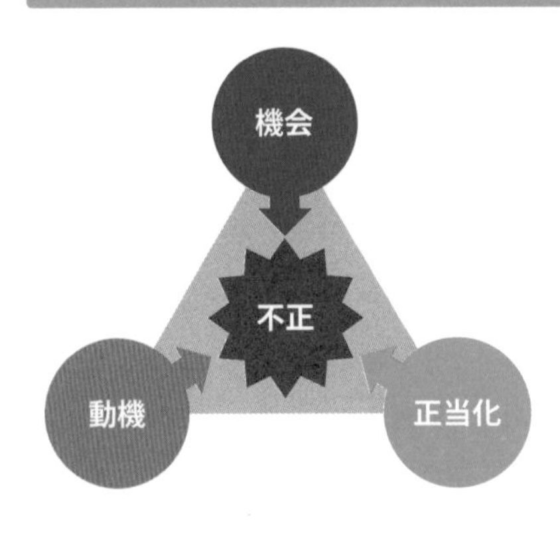

不正のトライアングルとは、**3つの要素が重なったときに不正行為が生じやすいこと**を示す理論です。**機会**・**動機**・**正当化**の3つが重なったときに不正行為のリスクが高まるとされ、犯罪学の世界で広く認知されています。

要素	概要
機会 （Opportunity）	組織の監督制度の欠如やセキュリティホールの存在など、**不正行為を行う機会**が存在するとき。 例：特定の担当者に、現金管理などの権限が集中している、現金や商品の立て替えに関して、承認制度が不十分　など
動機 （Pressure）	経済的な困難や過剰な目標など、**個人を不正行為に駆り立てる動機**が存在するとき。 例：個人的な金銭上の問題を抱えている、ノルマに対する強いプレッシャーがあり、達成できないと強く責められる　など
正当化 （Rationalization）	**行為者自身が自己正当化できる思考や価値観**があるとき。 例：「私は会社から十分な報酬を受け取っていないから…」と理由付けする、「一時的にお金を借りるだけ…」と思い込む　など

認証技術

認証技術とは、システムにアクセスする際に、アクセスしてきた人が本人であることを証明・確認する技術です。IDとパスワードを基本とし、組み合わせることで多様な認証が可能です。

●ワンタイムパスワード

一時的に確認可能な使い捨てパスワードによる認証方式です。使い捨てパスワードはトークンやスマホの専用アプリを利用することで確認できます。

トークン：
パスワードを生成する専用端末

スマホ専用アプリ：
ワンタイムパスワードの
残り時間が表示され、
時間が切れると新たな
パスワードが発行される。

●シングルサインオン

シングルサインオンとは、１回のユーザー認証により、独立した複数のサービスにログインできる機能のことです。ユーザーはWebサイトごとにIDとパスワードの組み合わせを入力する必要がなくなります。

例えば、一度Googleアカウントにログインすると、スマホ上の他のアプリで「Google 連携」機能を利用し、ID/パスワードの入力なしでのログインが可能となります。

●コールバック

IDとパスワードの登録先サーバのシステムから、設定された電話番号に電話をかけ直し（コールバック）、実在するクライアントからのアクセスであることを確認する方式です。

バイオメトリクス認証

身体的特徴によって個人を識別・認証する方式です。この手法の利点は、利用者が ID・パスワードを記憶する必要がない点ですが、けがや病気、先天性欠損などによって生体認証ができない人への対応が進んでいない点が課題です。指紋、顔、瞳の中の虹彩、静脈（指や手のひらなどの血管の形を読み取る）、声紋などといった実用例があります。

２要素認証

ICカードとパスワード、指紋とパスワードなどのように、利用者が知っている・持っている・有している情報のうち２種類の要素を組み合わせて認証する方式です。

認証の組み合わせ

- 知っている（知識）：ユーザーだけが知っている情報。
  例：ユーザID、パスワード、ジェスチャー、PINコードなど
- 持っている（所持）：ユーザーが物理的に所有しているもの。
  例：ICカード、セキュリティトークン、ワンタイムパスワードトークンなど
- 有している（生体認証）：ユーザーの生物学的特徴または行動特性。
  例：指紋、虹彩、顔、静脈その他の生体情報など

例えば、オフィス内のサーバルームへ入室する際に、ID・パスワード（知識）を入力したのち、従業員証として本人に支給しているICカード（所持）を読み取るなどの事例があります。ただし、IDやパスワードと「秘密の質問」の組み合わせは、いずれも「知識」による認証方法となるため、２要素認証にはなりません。

Chapter 14

05 セキュリティ技術

解説動画 ▶ 

コンピュータを守る手法の基本を知る

- ネットワーク経路では、攻撃者による不正アクセスのリスクが常に付いて回るため、暗号化技術により対策する。

ネットワークセキュリティ

インターネットの世界では、不特定多数の人がさまざまなコンピュータと通信しています。このとき、**すべての人が公正にインターネットを使っていれば良いのですが、必ずしもそうではありません。**ネットワークの経路における不正アクセス（盗聴や改ざん、なりすまし）のリスクは常に付いて回ります。

そのため暗号化技術などにより、当事者以外の人がネットワークの途中で情報を解読できないようにし、情報を攻撃者から守ります。

コンピュータを守る壁 / アクセス制御

ファイアウォール、IDS（侵入検知システム）、IPS（侵入防御システム）、WAF（Web Application Firewall）は、さまざまなサイバー攻撃に対して異なるレベルの防御を行うため、組み合わせて使用されます。

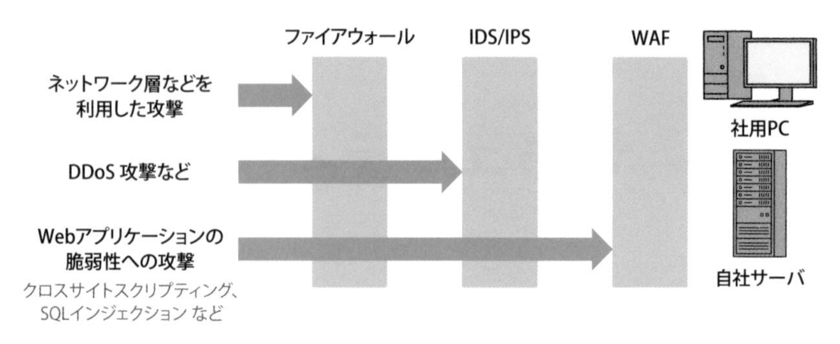

分類	概要
ファイアウォール（Fire Wall：防火壁）	ネットワークを利用した不正アクセスによる侵入から情報を守る仕組み。あらかじめ通信を許可（もしくは拒否）する通信の種類（ポート番号など）を指定し、それ以外の通信を遮断する。一方、ファイアウォールによる接続制限があっても、許可されたネットワークからは制限なくアクセスすることができる。
IDS / IPS	IDS（Intrusion Detection System：侵入検知システム）は、通信を監視し、異常な通信を検知したら管理者に通知する機能。 IPS（Intrusion Prevention System：侵入防止システム）は、管理者への通知だけでなくその通信のブロックまで行う機能。
WAF（Web Application Firewall）	Webアプリケーションの脆弱性を狙った不正な攻撃（クロスサイトスクリプティングやSQLインジェクションなど）を防ぐことに特化したファイアウォール。アプリケーションレベルでデータを解析し攻撃をブロックする。

セキュアブート

コンピュータが起動する際、セキュアブートは正規のソフトウェア（特にオペレーティングシステム）がロードされることを保証するセキュリティ機能です。不正な改ざんやマルウェアの侵入からシステムを保護することが目的です。

Wi-Fiとセキュリティ

MACアドレスフィルタリング

MACアドレスフィルタリングは、MACアドレスの許可（または拒否）リストを作成し、特定のデバイスのみがネットワークに接続できるようにする、無線LANルータなどが備える機能です。ネットワークに接続できるデバイスを制限することで、Wi-Fiのパスワードを知らない第三者の無線ネットワーク接続を防ぎます。

SSID

SSID (Service Set IDentifier) とは、ルーターなどから発信されるWi-Fi（アクセスポイント）の名前です。企業組織やカフェなどの来訪者向けに一時的にインターネット接続のみを提供します。"ゲストポート"や"ゲストSSID"といった名称で提供されます。

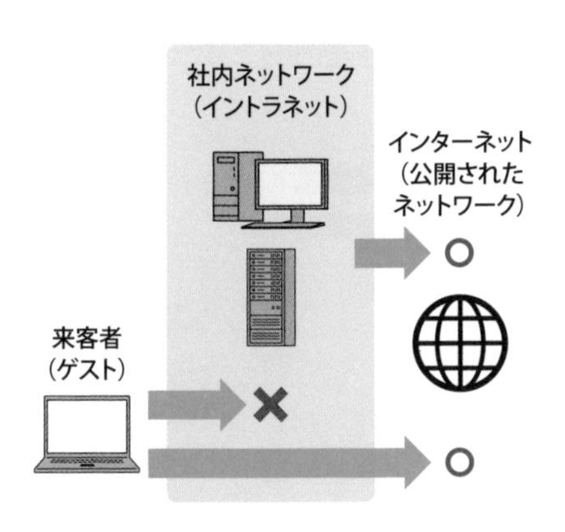

企業組織に所属する人は、セキュリティが強化されたイントラネットにより社内外のネットワークを利用できます。これにより企業の機密情報へのアクセスが可能です。

一方、**社外の人物（来客者など）**がゲストSSIDを利用する場合、主にインターネットアクセスのみを許可し、企業の内部ネットワークには接続できないよう制限をかけられます。

ネットワーク関連の用語整理

用語	説明
無線LAN・Wi-Fi（Wireless Fidelity）	電線やケーブルを使用せずにデバイスをネットワークに接続する際の方式。
Wi-Fiルーター	Wi-Fi親機を内蔵したルーター。家庭用と業務用がある（p.300）。
SSID	ワイヤレスネットワークの名前。Wi-Fiルーターの設定時にSSIDを設定し、デバイスがそのネットワークを認識して接続する。

WPA2

WPA2(Wi-Fi Protected Access 2) は、無線LAN上での通信を暗号化・保護するための技術規格です。コンピュータからの通信を暗号化しています。同様の技術規格であるWEP・WPAはセキュリティ技術の初期に登場したもので、暗号化しても容易に解読できてしまう脆弱性があったため、WPA2はこれらの強化版としてつくられました。

DMZ

DMZ (Demilitarized Zone：非武装地帯) は、外部ネットワークと企業の重要情報の間に設置されるネットワーク環境です。DMZ内にWebサーバやメールサーバなどを配置することで、外部とのネットワーク通信を安全に行います。

企業のネットワーク環境は、公開されたサーバを入り口として攻撃の対象となるリスクがあります。危険なエリア (外部の公開されたサーバ) 付近に企業情報を置くことは危ないため、緩衝地帯を配置して攻撃から守る設計思想となっています。

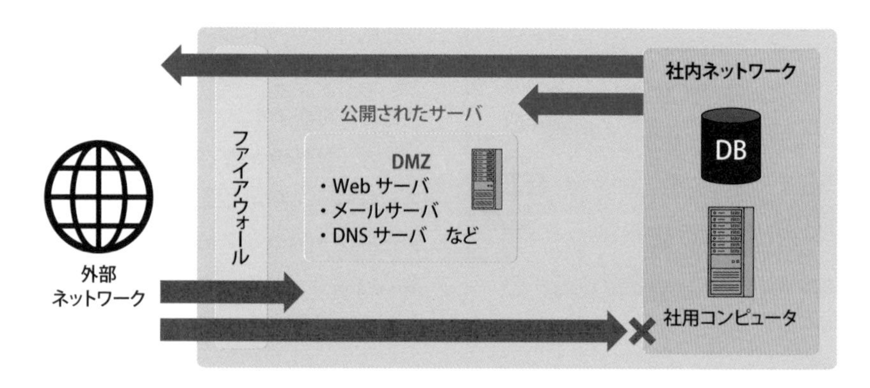

VPN

VPN (Virtual Private Network) は、仮想的なトンネルを利用して通信データを暗号化し、安全に通信する技術です。情報が第三者に盗聴されるリスクを低減します。また、VPNにより、ユーザは自分が物理的にいる場所とは異なるネットワーク (社内オフィスネットワークなど) に安全に接続できるため、リモートワークなどでのセキュリティ対策としても利用されます。

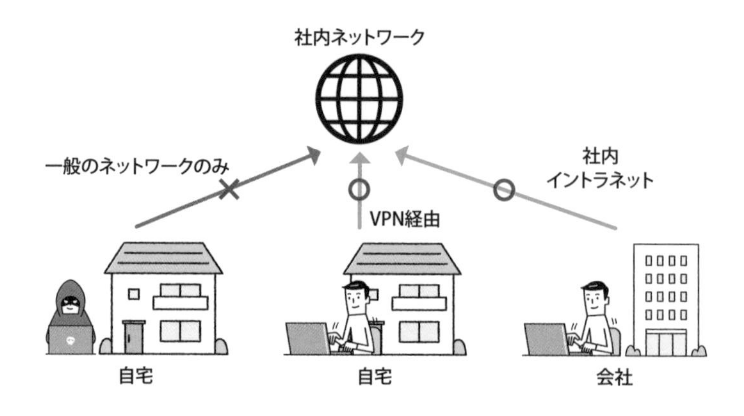

耐タンパ性

耐タンパ性とは、コンピュータやソフトウェアなど、外部の攻撃者による不正行為（改ざんや破壊など）から保護する性質のことです。

テクノロジ系 15分 ★★★

Chapter 14

06 暗号化技術

暗号化通信の基礎を覚える

超効率ポイント

- 暗号化技術では、誰でも解読できる状態の情報を平文、解読が難しい状態の情報を暗号文という。
- 共通鍵暗号方式と公開鍵暗号方式の違いを理解する。

情報の暗号化

暗号化とは、情報を秘密に保つための手法の１つで特定のルール（暗号化アルゴリズム）にもとづいて情報を変換する技術です。

暗号化技術では、暗号化されていない情報を平文（ひらぶん）、解読が難しい状態に加工した情報を暗号文といいます。そして、平文を暗号文に変換することを暗号化、暗号文を平文に戻すことを復号といいます。元の情報を読むことができるのは、解読できる「鍵」を持つ人だけとなります。

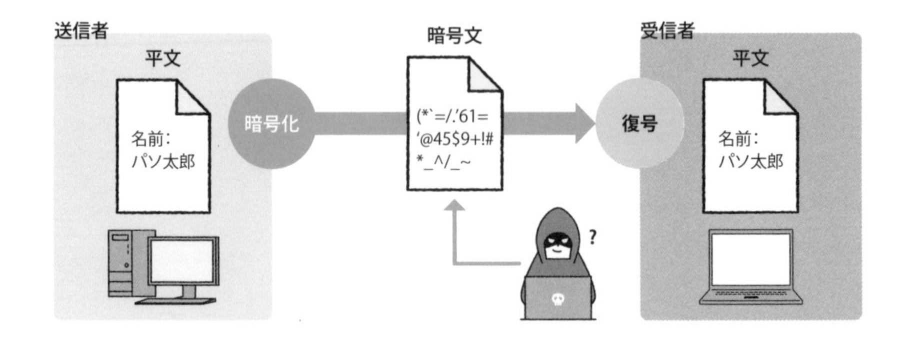

共通鍵暗号方式

暗号化と復号に同じ鍵（共通鍵）が使用されます。送信者側で平文を暗号化し、受信者側ではあらかじめ送信者から送られた共通鍵を利用して復号します。

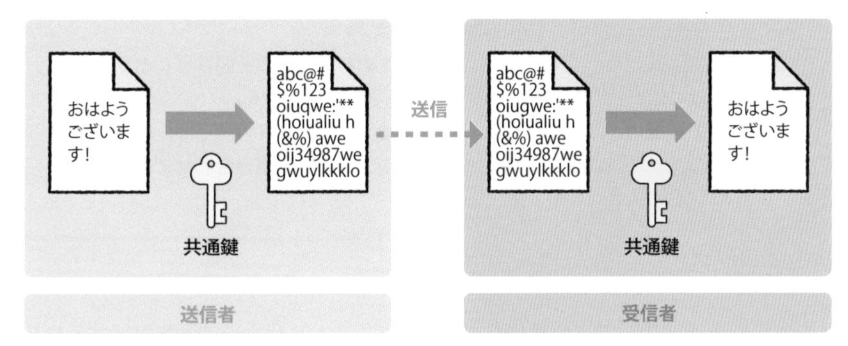

公開鍵暗号方式

暗号化と復号に異なる二つの鍵（公開鍵と秘密鍵）が使用されます。

送信者は受信者の公開鍵を使用してデータを暗号化し、受信者は自身の秘密鍵を使用してデータを復号します。共通鍵暗号方式に比べて処理速度は遅いです。

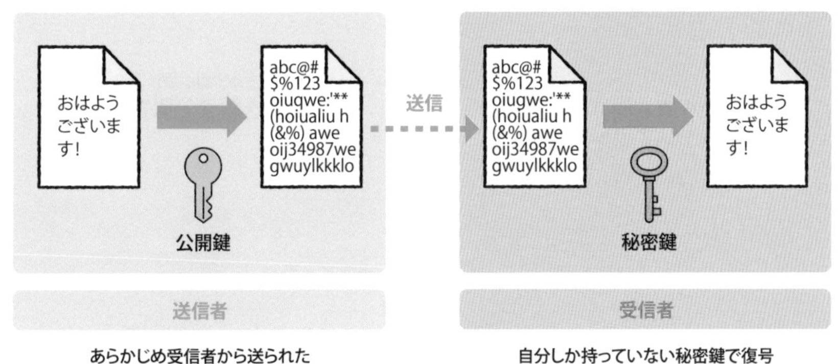

暗号化技術における「鍵」とは

暗号化技術における「鍵」は、アクセスを制御する役割を果たすものといえます。物理的な鍵は物理的なアクセス（ドアの開閉など）を制御し、**暗号化の鍵はデジタルデータのアクセス（情報の読解など）を制御**します。
物理的な鍵は、特定の形状を持ち、錠前とマッチするとドアを開けることができます。鍵がなければ、正当な所有者であってもドアが空きません。
暗号化技術での鍵は、情報を保護するための抽象的なデータの塊です。鍵は一般的にはランダムな値で構成され、特定の暗号アルゴリズムと組み合わせて使用されます。

●デジタル署名

デジタル署名とは、電子文書やデータが改ざんされていないことを証明するための技術です。公開鍵暗号方式の技術を利用し、なりすましやデータの改ざんを防ぐために利用されます。

例えば、企業の大切な情報（見積書や請求書など）をオンラインで送るとき、データの改ざん防止のために使われます。受け取ったデータが改ざんされた場合、デジタル署名により検知できます。

例：請求書（平文）の改ざんを確かめるとき

あらかじめ実施すること
- 送信者は公開鍵と秘密鍵のペアを作成し、認証局に届ける。
- 認証局は送信者の身元を確認し、公開鍵と送信者の情報を含む電子証明書を発行する。

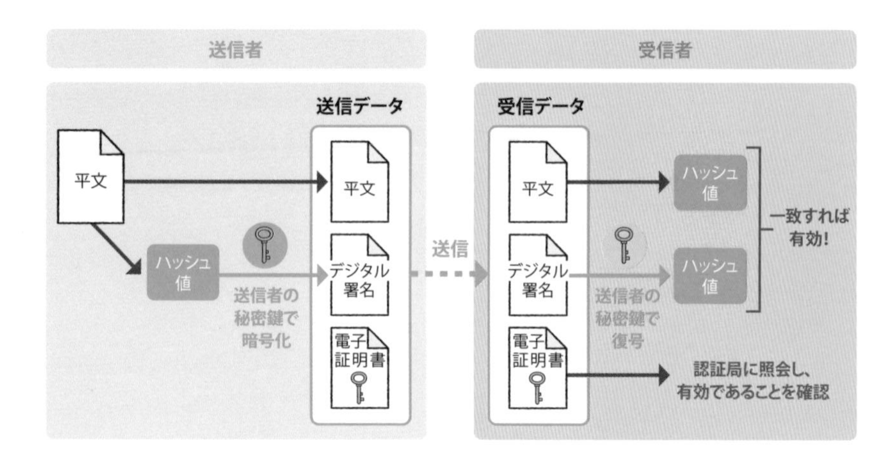

デジタル署名の主な役割は、次のとおりです。

- 受け取った文書の内容が改ざんされていないことを確認できる。
- 受け取った文書の作成者が本人であることを認識できる。

デジタル証明書

デジタル証明書は、あるWebサイトやサービスが「信頼できるもの」であると証明するための電子証明書です。証明書は、信頼された第三者機関（認証局：Certificate Authority／CA）によって発行されます。

例として、オンラインショッピングサイトが安全であることを証明するために、デジタル証明書が使用されます。

SSL/TLS

SSL（Secure Sockets Layer）/TLS（Transport Layer Security）は、インターネット上でデータを安全に送受信するための仕組みです。共通鍵暗号方式と公開鍵暗号方式の両方を組み合わせて利用し、Webブラウザとサーバー間の通信を暗号化することでデータの盗聴や改ざんを防ぎます。

あらかじめ実施すること	・Webサーバー側は公開鍵と秘密鍵のペアを作成し、認証局に届ける。 ・認証局はWebサーバー側の身元を確認し、公開鍵と送信者の情報を含む電子証明書を発行する。

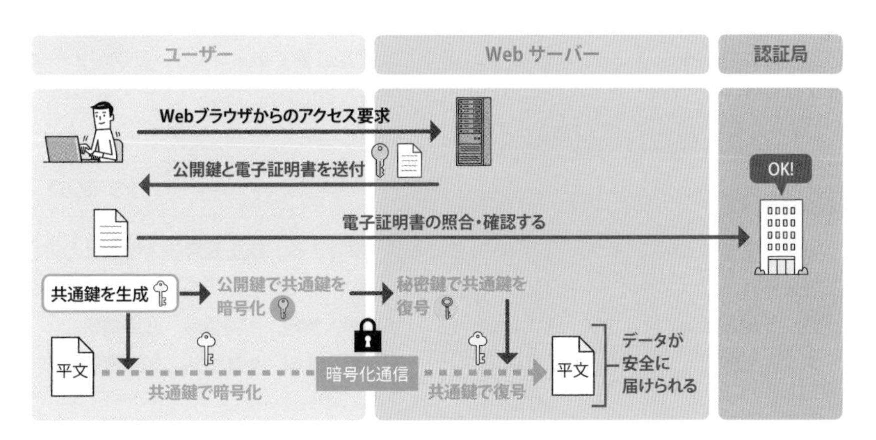

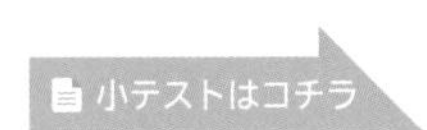

試験問題にチャレンジ

問題❶　　H30秋-問1

表はコンピュータa～dのネットワーク接続(インターネットなどのオープンネットワークに接続，又はローカルエリアネットワークに接続)の有無及びアクセス制御機能の有無を示したものである。コンピュータa～dのうち，不正アクセス禁止法における不正アクセス行為の対象になり得るものはどれか。

	ネットワーク接続	アクセス制御機能
コンピュータa	有	有
コンピュータb	有	無
コンピュータc	無	有
コンピュータd	無	無

ア　コンピュータa　　**イ**　コンピュータb
ウ　コンピュータc　　**エ**　コンピュータd

正解　ア

解説 アクセス制御機能とは、情報システムやネットワーク上のリソース（ファイル、アプリケーション、データベースなど）へのアクセスを管理・制限する機能のことです。不正アクセス罪の成立には、ネットワーク接続されたコンピュータへの他人の識別情報を用いたアクセスと、アクセス制御機能を通じた特定利用が必要です。つまり、コンピュータはネットワーク接続とアクセス制御機能の両方を持つことが要件です。

問題❷　　R5-問62

情報セキュリティにおける認証要素は３種類に分類できる。認証要素の３種類として，適切なものはどれか。

ア　個人情報，所持情報，生体情報　　**イ**　個人情報，所持情報，知識情報
ウ　個人情報，生体情報，知識情報　　**エ**　所持情報，生体情報，知識情報

正解　エ

解説 p.420より、認証要素の分類として適切なものは選択肢エとなります。

問題❸ R5-問95

情報セキュリティにおける機密性，完全性及び可用性に関する記述のうち，完全性が確保されなかった例だけを全て挙げたものはどれか。

a. オペレーターが誤ったデータを入力し，顧客名簿に矛盾が生じた。
b. ショッピングサイトがシステム障害で一時的に利用できなかった。
c. データベースで管理していた顧客の個人情報が漏えいした。

ア a　**イ** a，b　**ウ** b　**エ** c

正解　ア

解説

a. データに間違いが含まれると現実の情報との不一致が生じるため、データの完全性が低下します。
b. 可用性が確保されなかった事例です。
c. 機密性が確保されなかった事例です。

問題❹ R4-問56

ランサムウェアによる損害を受けてしまった場合を想定して，その損害を軽減するための対策例として，適切なものはどれか。

ア PC内の重要なファイルは，PCから取外し可能な外部記憶装置に定期的にバックアップしておく。
イ Webサービスごとに，使用するIDやパスワードを異なるものにしておく。
ウ マルウェア対策ソフトを用いてPC内の全ファイルの検査をしておく。
エ 無線LANを使用するときには，WPA2を用いて通信内容を暗号化しておく。

正解　ア

解説

イ パスワードリスト攻撃への対策です。
ウ 損害を受けた後に検査をしても手遅れであるため、対策ではありません。
エ 通信内容の盗聴への対策です。

問題❺ R4-問60

公開鍵暗号方式で使用する鍵に関する次の記述中のa，bに入れる字句の適切な組合せはどれか。

それぞれ公開鍵と秘密鍵をもつA社とB社で情報を送受信するとき，他者に通信を傍受されても内容を知られないように，情報を暗号化して送信することにした。A社からB社に情報を送信する場合，A社は[a]を使って暗号化した情報をB社に送信する。B社はA社から受信した情報を[b]で復号して情報を取り出す。

	a	b
ア	A社の公開鍵	A社の公開鍵
イ	A社の公開鍵	B社の秘密鍵
ウ	B社の公開鍵	A社の公開鍵
エ	B社の公開鍵	B社の秘密鍵

正解　エ

解説 **公開鍵暗号方式**（p.427）では、公開鍵で暗号化された情報は、対応する秘密鍵でのみ復号できます。逆に、秘密鍵で暗号化された情報は公開鍵でのみ復号できます。
この問題では、A社からB社に安全に情報を送信します。A社はB社の公開鍵で情報を暗号化することで、B社の秘密鍵を持っているB社のみがその情報を復号できます。この方法により、他者が通信を傍受しても、B社の秘密鍵を持っていなければ情報を復号できないため、内容を知ることはできません。

問題❻　R4-問64

a〜dのうち，ファイアウォールの設置によって実現できる事項として，適切なものだけを全て挙げたものはどれか。

a. 外部に公開するWebサーバやメールサーバを設置するためのDMZの構築
b. 外部のネットワークから組織内部のネットワークへの不正アクセスの防止
c. サーバルームの入り口に設置することによるアクセスを承認された人だけの入室
d. 不特定多数のクライアントからの大量の要求を複数のサーバに動的に振り分けることによるサーバ負荷の分散

ア a，b　**イ** a，b，d　**ウ** b，c　**エ** c，d

正解　ア

解説

a. DMZ（Demilitarized Zone）は、公開サーバと内部ネットワークを分離するためのネットワーク領域であり、ファイアウォールを使用して構築されます。

b. ファイアウォールは、不正な通信やアクセスをブロックするための役割を持ちます。

c. 物理的なセキュリティの問題であり、ファイアウォールはネットワークのセキュリティを担当するデバイスであるため、物理的なアクセス制御は実現できません。

d. ファイアウォール自体はサーバの負荷分散の機能を持っていません。

問題⑦　R2秋-問68

リスク対応を，移転，回避，低減及び保有に分類するとき，次の対応はどれに分類されるか。

〔対応〕

職場における机上の書類からの情報漏えい対策として，退社時のクリアデスクを導入した。

ア　移転　　**イ**　回避　　**ウ**　低減　　**エ**　保有

正解　ウ

解説　p.183より、リスク対応のうち、リスク対応策の内容を理解しましょう。
問題の「職場における机上の書類からの情報漏えい対策として，退社時のクリアデスクを導入した」という対応は、机上に書類を放置することからの情報漏えいリスクを減少させる目的があります。したがって、この対応は「低減」に分類されます。

問題⑧　R1秋-問84

内外に宣言する最上位の情報セキュリティポリシーに記載することとして，最も適切なものはどれか。

ア　経営陣が情報セキュリティに取り組む姿勢

イ　情報資産を守るための具体的で詳細な手順

ウ　セキュリティ対策に掛ける費用

エ　守る対象とする具体的な個々の情報資産

正解　ア

解説

イ　最上位の情報セキュリティポリシーでは、具体的で詳細な手順は記載しません。方針や姿勢を示すべきです。具体的な手順は、下位のガイドラインや手順書で記載します。

ウ　最上位の情報セキュリティポリシーでは、具体的な費用や予算の詳細は記載せず、経営の方針や取り組みの姿勢を示すべきです。

エ 最上位の情報セキュリティポリシーでは、具体的で詳細な手順は記載しません。具体的な情報資産のリストは、ほかの文書で管理するのが適切です。

問題⑨ H31春 - 問38

SNSの事例におけるITサービスマネジメントの要件に関する記述のうち，機密性に該当するものはどれか。

ア 24時間365日利用可能である。
イ 許可されていないユーザはデータやサービスにアクセスできない。
ウ サーバ設置場所に地震などの災害が起こっても，1時間以内に利用が再開できる。
エ 投稿した写真の加工や他のユーザのフォローができる。

正解 イ

解説

ア 可用性の説明です。 **ウ** 信頼性の説明です。 **エ** 機能に関する説明です。

問題⑩ R6-問77

出所が不明のプログラムファイルの使用を避けるために，その発行元を調べたい。このときに確認する情報として，適切なものはどれか。

ア そのプログラムファイルのアクセス権
イ そのプログラムファイルの所有者情報
ウ そのプログラムファイルのデジタル署名
エ そのプログラムファイルのハッシュ値

正解 ウ

解説

ア アクセス権をみても発行元はわかりません。
イ 問題文では、「出所不明のプログラムファイル」という前提があるため、プログラムファイルは常に正しい情報を公開していない。また、所有者情報は偽造することも可能です。
ウ デジタル署名の役割は発行元の正当性であるため、正しい。
エ ハッシュ値とは、セキュリティ技術で用いられる「データの塊（固定長要約）」です。発行元はわかりません。

テクノロジ系

Chapter 15

データサイエンス

本章の学習ポイント

- データ活用の基礎は、平均値・中央値・最頻値などの基本統計量を知ること。
- データから知りたいことを仮説立て、さまざまな分析手法を活用する。
- 表計算ソフトは、個人規模でもデータを集計・活用できる。
- 関係データベースは、より大規模なデータをサーバで扱うことができる。
- データベースでデータを取り扱う場合、トランザクション処理を行う。

テクノロジ系 15分 ★★★

Chapter 15

01 データ分析の手法

データの可視化と基本分析

- データ分析には、定量分析と定性分析がある。
- ヒストグラムやパレート図など、データを可視化するための手法を学ぶ。

ビジネスとデータの関係

ビジネスとデータに密接な関係があることは、これまでのChapterでも見てきました。大まかにまとめると次のようになります。

企業経営戦略 **(p.27)**	企業の利益をアップさせるため、目的別にデータを分析する。 ・売上を増やす目的：顧客購買データを分析し、注力商品の強化による顧客増や、顧客単価を上げるための企画を考える ・費用を抑える目的：自社経費データを分析した結果、光熱費と従業員の残業を減らす余地があると分かる
Webマーケティング **(p.72)**	検索キーワードの検索ボリュームを分析し、よく検索されるキーワードに関連するリスティング広告を出稿する。
マネジメント分野の企画プロセス **(p.173)**	Webシステムの改修を行うことになったとき、アクセス時間の少ない時間を選び、その時間にシステムをメンテナンスする（アクセス数の多い時間帯にサイトを停止させると、その期間の商機を逃すことになるため）。

データ分析には、すぐに高度な数学的知識が必要となるわけではありません。ITパスポート試験対策として、基本的な数学による確率統計の知識を身につけましょう。

データ分析のアプローチ

データの見方には、定量分析と定性分析の２つのアプローチがあります。

定量分析は数値データを用いて「何がどれだけ起きたか」を明確にし、統計的な手法で傾向を分析します。定性分析は数値で表せないデータを用いて「なぜそれが起きたのか」について分析します。

定量分析	数値や量により事象やパターンを明確にして分析する方法。人口統計、販売データ、Webサイトの訪問者データ、企業のシーズンごとの売上データ、アンケート結果など
定性分析	定性分析は、数値には現れていないデータに焦点を当て、事象やパターンを分析する方法。顧客観察、インタビュー、文書分析などの手法、アンケートで得るコメントなど

定量分析

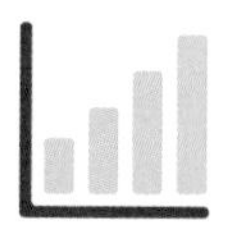

定量分析で得られた傾向に対し、定性分析でその「なぜ」を探る。

定性分析で見つけた仮説を、定量分析で数値化して検証する。

定性分析

データの可視化

データの可視化は、情報理解と伝達の重要な手段です。人間の脳は視覚的な情報の処理に優れているため、数字の一覧を見るよりもグラフを利用した方が、データの傾向を素早く捉えられます。また、他人に情報を伝える際に、グラフを用いることで、データの傾向を直感的に理解させやすくなるため有用です。

散布図

散布図とは、２つの変数を視覚的に表すグラフです。各データ点は、縦横それぞれの軸に対応する値がプロットされます。散布図のように、２つ以上の変数の傾向を調査する統計手法を相関分析といいます。

散布図を用いると、データの分布や相関関係を確認できます。

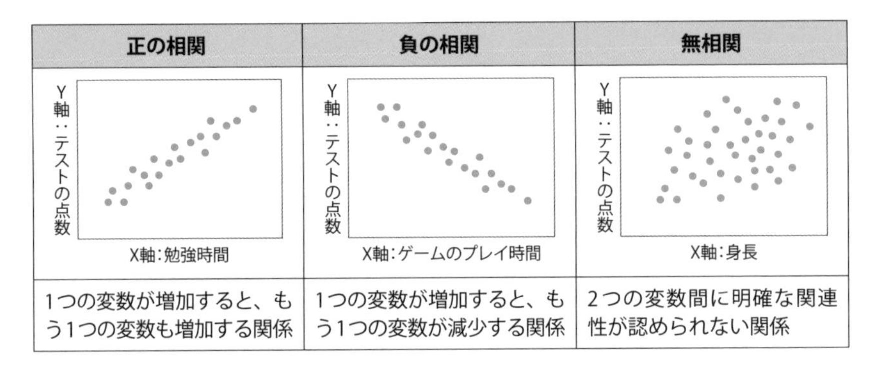

正の相関	負の相関	無相関
Y軸：テストの点数 X軸：勉強時間	Y軸：テストの点数 X軸：ゲームのプレイ時間	Y軸：テストの点数 X軸：身長
1つの変数が増加すると、もう1つの変数も増加する関係	1つの変数が増加すると、もう1つの変数が減少する関係	2つの変数間に明確な関連性が認められない関係

ヒストグラム

ヒストグラムは、データの頻度分布を表すことに有用です。特定の範囲の値がデータセットの中にどれだけ存在するかを示します。

得点	人数（人）
49点以下	144
50〜59点	250
60〜69点	361
70〜79点	237
80〜89点	122
90点以上	127

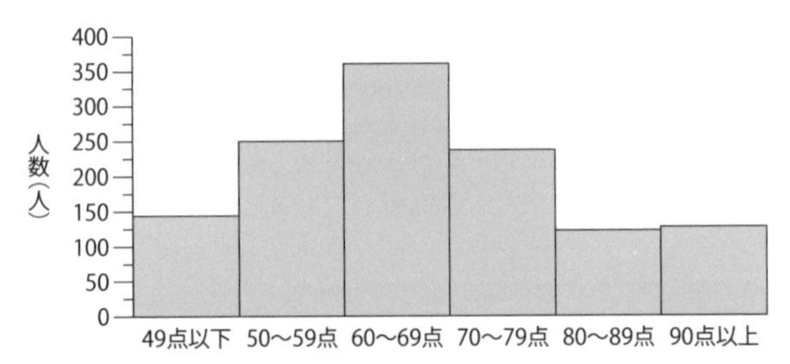

レーダーチャート

レーダーチャートは、複数の項目の大きさを表すことができるグラフです。多変量の値を一度に視覚化できます。

次図のように、複数の項目・基準にもとづいて分析・評価することを多変量解析といいます。**例として、自社でコンピュータ機器を導入する場合を考えます。**重視する項目は「処理速度」「容量の大きさ」「画質」「バッテリー時間」「価格」の5つです。コンピュータメーカーごとに5要素をレーダーチャートにプロットし比較します。

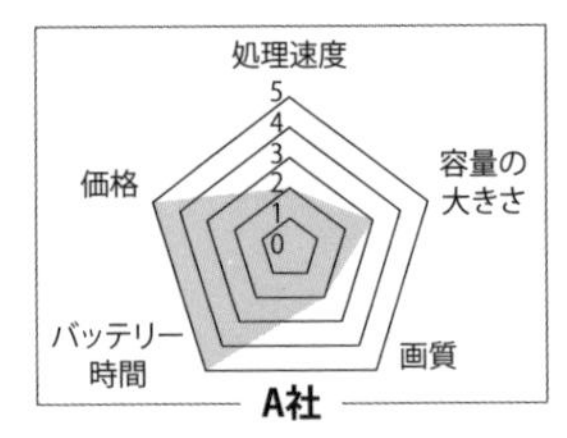

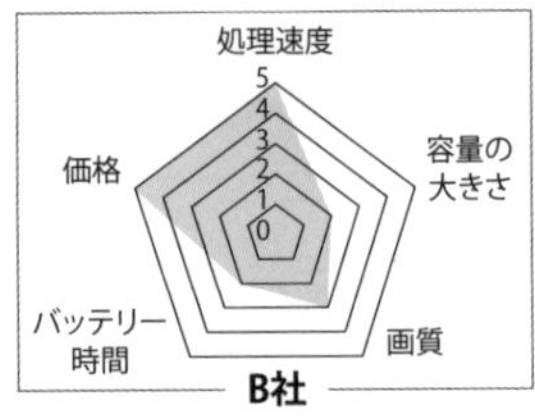

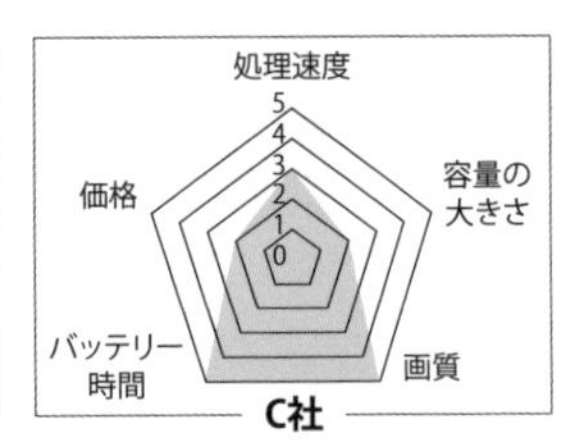

バブルチャート

バブルチャートは、データの３つの指標を視覚的に表すグラフです。右の図例では、マーケティングのためのRFM分析（p.60）をバブルチャートで表しています。右図では、縦軸で年間の購入回数、横軸で顧客単価、バブルの大きさで顧客数のボリュームを表しています。

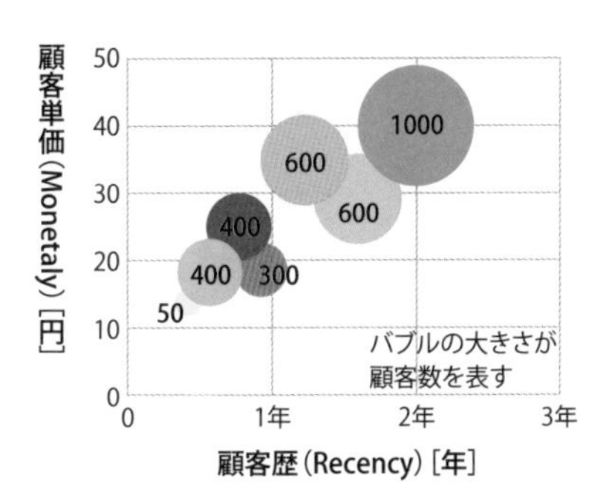

パレート図

パレート図は、データを重要度や頻度で降順に並べた棒グラフと、累積パーセンテージ（%）の折れ線グラフで表したものです。各項目の全体に占める割合が分かり、問題の原因分析に有効です。またパレート図をもとに、各項目の重要度にもとづき３つのカテゴリー（A、B、C）に分ける手法をABC分析といいます。

次表は、あるエリアの交通事故の原因を図示・分析した例です。

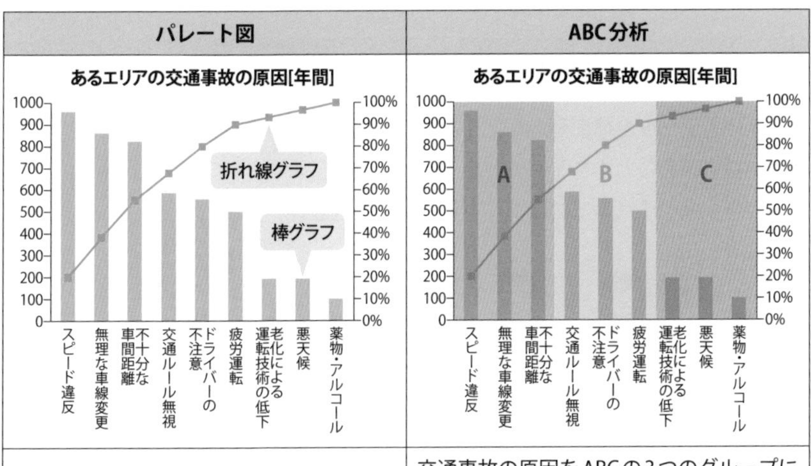

パレート図	ABC分析
棒グラフと折れ線グラフは、それぞれ次の意味を表しています。 ・棒グラフ：事故原因別の件数 ・折れ線グラフ：事故原因の累積比率	交通事故の原因をABCの3つのグループに整理して評価します。 ・Aグループ：重要な原因 ・Bグループ：中程度の原因 ・Cグループ：少数の原因 AとBで事故原因の約90%を占めていることが分かります。

テクノロジ系 15分 ★★★

Chapter 15

02 データ分析と統計の基本

解説動画▶

データを把握する計算方法を知る

- ビジネスを取り巻くデータを理解する手法として、平均値・中央値・最頻値を学ぶ。
- よく出題される基本の計算問題の考え方を学ぶ。

代表値の計算

まずは、データ全体の傾向を知るための基本の値をみてみましょう。平均値・中央値・最頻値のことをまとめて代表値といったりします。

次の学生達のテストでの得点結果について、代表値を見ていきましょう。

50点

65点

65点

80点

85点

平均値

平均値とは、すべてのデータの値を合計し、データの個数で割った値のことです。学生全体の平均値は、以下のように計算します。

(50点 ＋ 65点 ＋ 65点 ＋ 80点 ＋ 85点) ÷ 5 ＝ 69　　**平均値：69**

中央値

中央値とは、データを昇順（小さい順）か降順（大きい順）に並べたときの、中央の値です。データの個数が**奇数の場合**は中央値が１つとなり、データの数が**偶数の場合**は中央値が２つとなるので、その２つの平均を中央値とします。

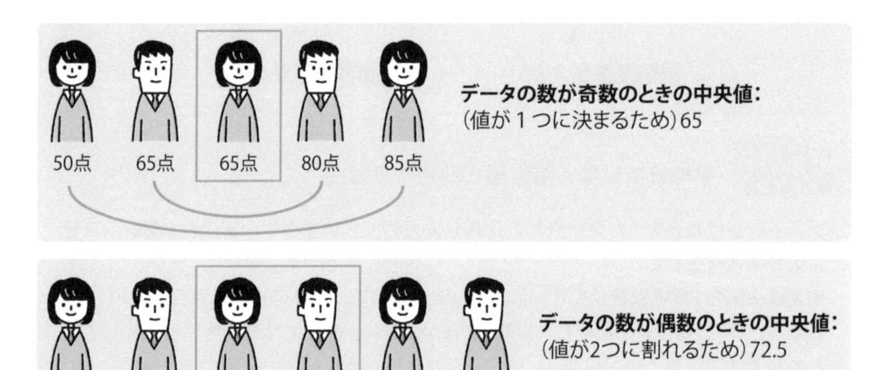

50点 65点 65点 80点 85点 88点

(65+80)/2＝72.5

データの数が偶数のときの中央値：
（値が2つに割れるため）72.5

最頻値

最頻値とは、データセットに最もたくさん出現する値のことです。今回のデータセットでは、65点が２回出現するため、これが最頻値になります。

最頻値：65

標準偏差から偏差値を求める

標準偏差とは

標準偏差とは、データ全体のばらつき具合を数値で表したものです。例えば次の確率分布図をみたとき「標準偏差が大きい」方は全体的なデータのばらつきが広がっており、「標準偏差が小さい」方は、平均値周辺にデータ全体が集中している状態です。

（標準偏差自体の求め方は過去問より出題されていないため、詳しくは動画をご視聴ください。）

確率分布図の比較

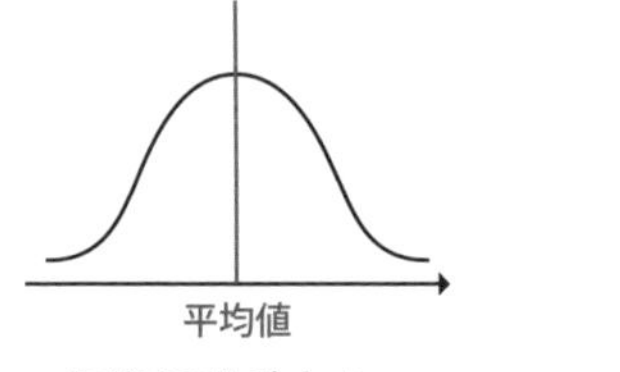

標準偏差が大きい

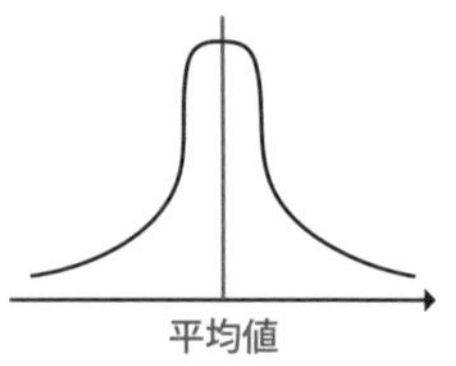

標準偏差が小さい

平均値ではなく偏差値を利用する理由

テストを受けたとき「自分が全体と比較してどのくらいできているのか」を測るときに偏差値は有効です。
例えば上図の「標準偏差が小さい」ときの確率分布で、全体の平均点が50点の中、自分が80点得点できていた場合、「標準偏差が大きい」ときよりも、全体と比較してより良くできているといえます。
これは、平均値と比べるだけでは見えてこないデータといえます。

偏差値の求め方

偏差値は、個人のスコアがグループ内でどの位置にあるかを示す数値です。偏差値の計算には、平均値と標準偏差を利用します。

公式 $$\text{偏差値} = 10 \times \frac{\text{個人のスコア} - \text{平均値}}{\text{標準偏差}} + 50$$

例：平均点が60点、標準偏差が10のとき、学生Aは70点を取得した。このときの偏差値はいくつか。

$$10 \times \frac{70 - 60}{10} + 50 = 60$$

偏差値 ： 60

期待値

期待値とは、予想される平均的な結果のことです。確率的な事象が発生する場合、その結果が取りうる値とその確率をかけ合わせた値の総和です。

次の図のように、10枚のくじが入った箱からくじを1枚引くゲームの期待値を求めてみましょう。

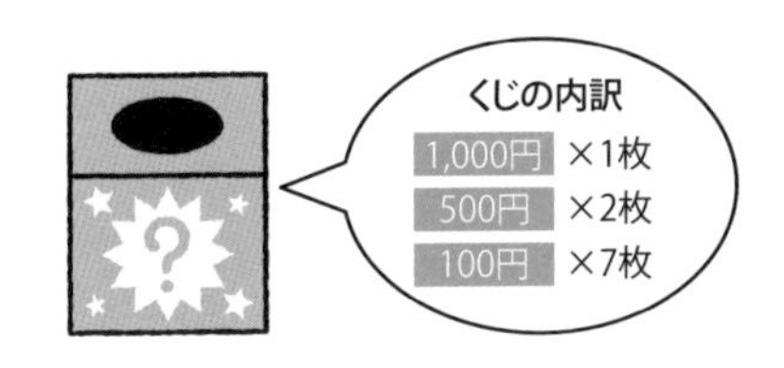

まず、それぞれのくじを引く確率を計算します。全部で10枚のくじがあるので、次のように確率が求められます。

1,000円が当たる確率：1/10 = 0.1

500円が当たる確率：2/10 = 0.2

100円が当たる確率：7/10 = 0.7

それぞれの金額が出る確率とその金額をかけ合わせ、それらをすべて足し合わせます。

$$
\begin{aligned}
&(1000 \times 0.1) + (500 \times 0.2) + (100 \times 0.7) \\
&= 100 + 100 + 70 \\
&= 270
\end{aligned}
$$

期待値270円

順列と組み合わせ

順列と組み合わせについて、アイスクリーム屋さんのフレーバーを例に見てみましょう。アイスクリーム屋さんにバニラ、チョコレート、ストロベリーの3種類があるときの、順列と組み合わせの計算方法の違いを考えます。

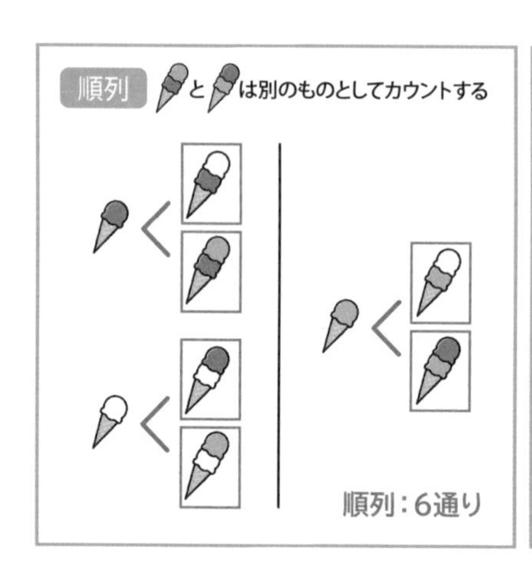

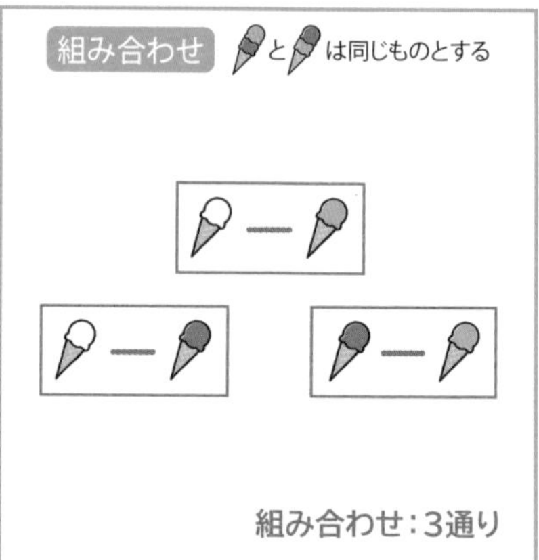

順列

順列は、n個の異なるものからr個を取り出して1列に並べる場合の数を表します。2種類のフレーバーを上下に並べるダブルアイスの組み合わせが何通りになるか考えます。

公式 $nPr = \frac{n!}{(n-r)!}$

$$_3P_2 = \frac{3!}{(3-2)!}$$

$$= \frac{3 \times 2 \times 1}{1!} = 6$$

順列：6通り

組み合わせ

組み合わせは、n個の異なるものからr個を取り出してできる場合の数です。順列と違い、取り出す順番を考慮しません。2種類のフレーバーの組み合わせを考えます。

公式 $nCr = \frac{n!}{r!(n-r)!}$

$$_3C_2 = \frac{3!}{2! \times (3-2)!}$$

$$= \frac{3 \times 2 \times 1}{2^1 \times 1 \times (1!)} = 3$$

組み合わせ：3通り

Chapter 15

03 ビッグデータと分析手法

解説動画 ▶ 

ビッグデータとビジネス活用方法

- **母集団とは、調査の対象となる集団全体のこと。標本（サンプル）とは、母集団から一部を選び出した調査対象のこと。**
- **回帰分析、決定木分析、クラスター分析など、多様な分析手法について学ぶ。**

ビッグデータ

ビッグデータとは、従来のデータベースシステムでは管理・処理・解析が困難なほど巨大なデータの集合です。ビッグデータは、単なる文字や数字のデータだけでなく、動画、画像、音声、センサーデータなど多様な形式のデータを含みます。

●ビッグデータの事例

みなさんが検索でよく利用するGoogle社は、世界中の人がどんなことに興味・関心があるかを示す**検索キーワード**のデータを保有しています。また、ECサイトのAmazon社は、誰が・何を・いつ購入したのか、という**購買データ**を持っています。これらのデータは情報量が単に大きいだけではなく、分析することで、隠れていたたくさんの意味に気づくことができます。

世界中でこのようなビッグデータは、**社会課題を解決し、富を生み出す21世紀の新しい資源**といわれています。それぞれのデータは一人ひとりの行動から生まれるため、データを大量に集めることで、社会全体の流れや傾向を見つけ出すことができ、ビジネスにも役立ちます。

データ分析と統計

データ分析において、解析したい対象すべてを隅々まで調べることは、効率も悪く、現実的ではありません。こうしたときは、全体の中から一部を適切に取り出すことで、**データ全体の特性を高い確率で推測することができます。**

また、このような大量のデータはデータベースで管理されるケースが多く、これはChapter15-5で学習します。まずは、ECサイトが保有するユーザーのデータを例に、さまざまな用語を見てみましょう。

母集団と標本

母集団とは、調査の対象となる集団全体のことです。標本（サンプル）は、母集団から一部を選び出した調査対象のことです。ECサイトの事例では、全ユーザーが母集団で、母集団の特性を推測するために選ばれる集団が標本です。

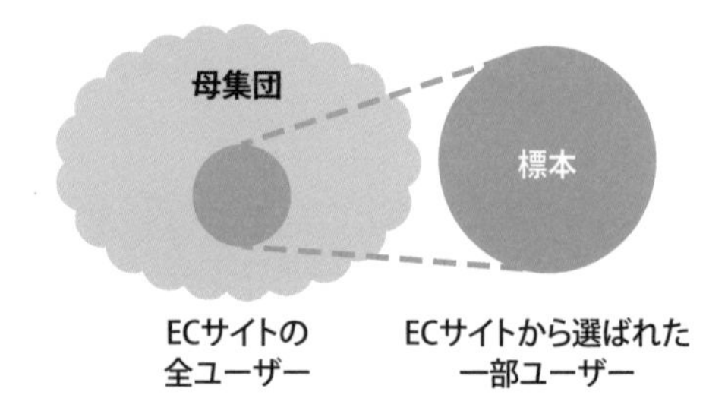

標本が必要な理由

母集団と標本の例は、マーケティングや売上予測だけに利用されるわけではありません。例えば、LED電球を製造する工場では、**LEDが何時間点灯に耐えられるのかを**テストし、製品に問題がないことを検品します。このとき、製造したLED電球すべてについて耐久テストをしてしまうと、販売するためのLED電球がなくなってしまいます。そのため、**いくつか標本抽出したものをテストし、それらの有効な数値を用いて検品済み**とします。

標本サイズ

母集団全体を正確に収集・分析することは困難ですが、標本が少なすぎても、母集団の真の特性をうまくとらえられず、正確さに欠けてしまいます。

そのため標本は、統計学的に適切な形で決定する必要があります。

- 標本抽出：大きな母集団から代表的な一部分を選び出すこと
- 標本サイズ：調査のために選ばれた個体の数のこと

次の標本抽出手法は、母集団の特性や調査目的によって使い分けられます。

<table>
<tr>
<td>単純無作為抽出
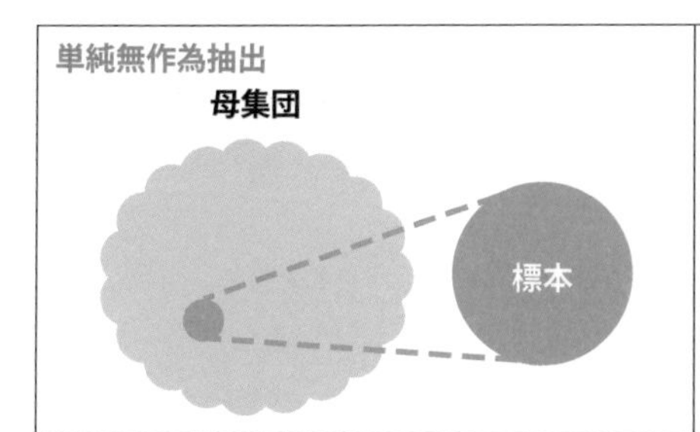
</td>
<td>母集団全体から、ランダムに標本抽出する。</td>
</tr>
<tr>
<td>層別抽出
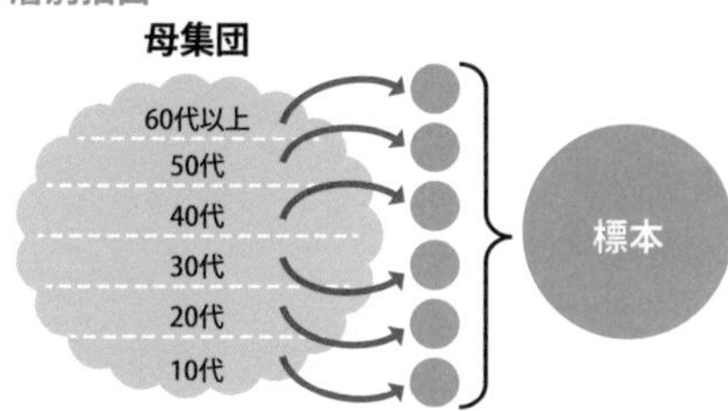
</td>
<td>母集団を異なる「層」に分けてから、標本抽出します。母集団から各層が適切に抽出されることが担保される。例えばECサイトの事例ならば、10代、20代、30代…といった年齢ごとに分け、年齢層ごとにランダムな抽出を行う。</td>
</tr>
<tr>
<td>多段抽出
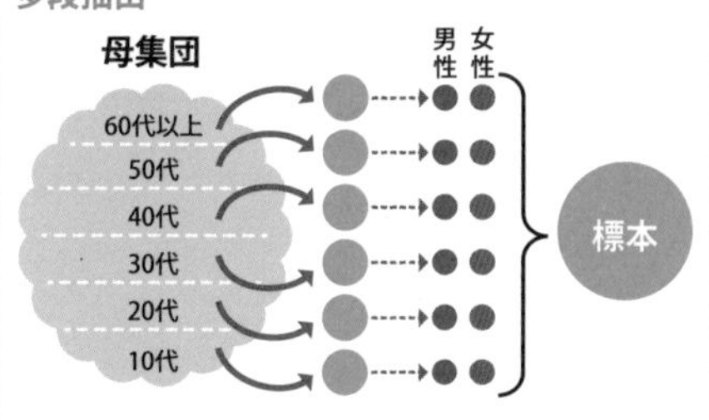
</td>
<td>母集団からの標本抽出を段階的に行う。これにより、大規模なデータであっても高い精度での検証が可能となる。例えばECサイトの事例ならば、

・1段階目：年齢別で抽出
・2段階目：男女別で抽出

とし、年齢と性別の2つの観点でより公平な標本を抽出できる。</td>
</tr>
</table>

データの分析手法

回帰分析

回帰分析は、１つ以上の説明変数と目的変数の関係を分析する手法です。説明変数が目的変数にどの程度影響を与えるか示したり、将来の目的変数の予測に利用したりします。回帰分析は、機械学習の教師あり学習（p.143）の１つに分類されます。

	説明変数			目的変数
	中間テスト1	中間テスト2	中間テスト3	期末テスト
過去の受験者Aさん	50	60	55	55
過去の受験者Bさん	70	90	80	80
過去の受験者Cさん	40	70	70	60
過去の受験者Dさん	60	80	80	80
過去の受験者Eさん	**70**	**85**	**80**	**?**

- 説明変数：目的変数の予測に役立つ情報
- 目的変数：我々が予測したい最終的な結果

決定木分析（ディシジョンツリー）

決定木分析は、データをツリー構造に分割することで、パターンや関連性を見出す手法です。機械学習の教師あり学習でよく利用されます。

アイスクリーム屋を例に考えます。この店では、天気、気温、購入者数の１ヶ月間のデータから、どのような条件で購入者数が増減するのか、予測モデルの作成に決定木分析を利用しました。

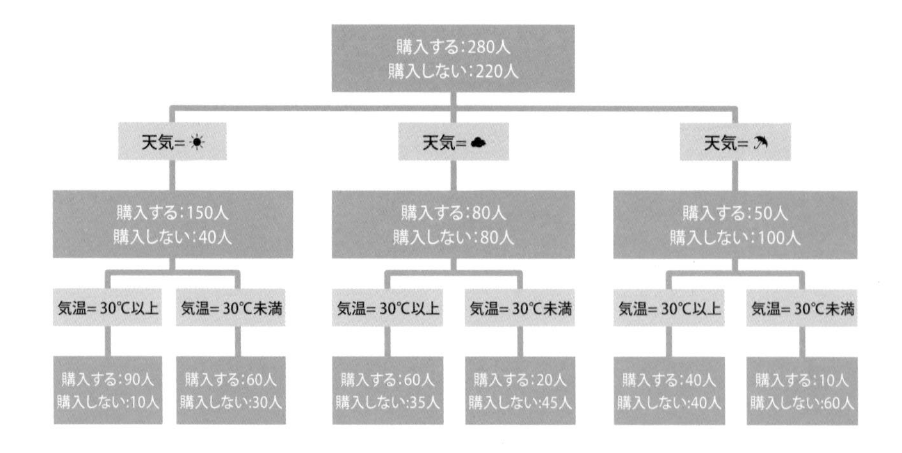

この結果から、次のようなビジネス判断が可能です。

- **天気＝晴れ、かつ、気温30℃以上**のときは混雑が予想されるため、スタッフのシフトを手厚くする
- **天気＝雨、かつ、気温30℃未満**のときはお客さんが少ないためキャンペーンを開催する

クラスター分析

クラスター分析（Cluster：束、集まり）とは、大量のデータを似た性質を持つもの同士でグループ化する手法です。グループ化されたデータの集まりをクラスター（集団）といいます。機械学習の教師なし学習（p.143）でよく利用されます。

ある大手ECサイトの利用者数は1億5,000万人といわれており、データベースには、年齢・性別・居住地・購入商品・閲覧履歴・クリックした商品… など、多様な情報（多変量の情報）が保持されています。

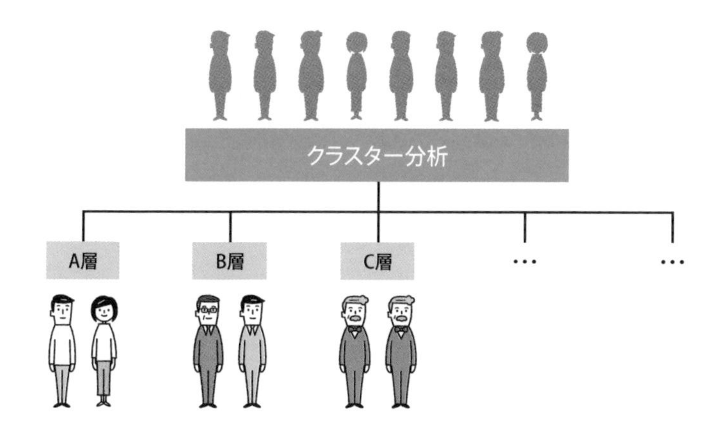

しかし、データの数が膨大なので、例えば単に「20代女性」のグループを抽出しただけでは、購入傾向はバラバラで、分析の精度は低くなります。

そこで、より似通った傾向を抽出してグループ化することで、より多くの人に高い精度でECサイトのおすすめ商品を提示することが可能になります。

Chapter 15 テクノロジ系 20分

04 表計算ソフト

解説動画 ▶ 

表計算ソフトの特徴と操作

- 表計算ソフトは、データを理解するために利用される応用ソフトウェア。
- セル参照には、絶対参照と相対参照がある。

表計算ソフトの用途

表計算ソフトは、データを表計算形式で整理し、計算や分析、グラフ作成などを行うためのソフトウェアです。

・データ（文字・数字など）を表形式で整理する

	A	B	C	D
1		商品	値段	
2		りんご	150	
3		バナナ	120	
4		いちご	500	
5		もも	400	

・表のデータをもとに計算する

商品	値段
りんご	150
いちご	500
預かり金額	1000
お釣りの計算	C21-(C18+C19)

・データからグラフを作成し、情報を可視化する

商品	値段
りんご	150
バナナ	120
いちご	500
もも	400

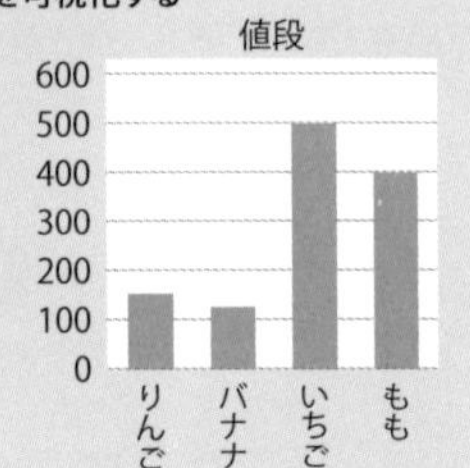

・関数（用意された式）を利用する

商品	値段
りんご	150
バナナ	120
いちご	500
もも	400
合計	合計(C2:C5)

表計算ソフトは応用ソフトウェア (p.257) に分類され、小～中規模のデータセットを扱うことに適しています。データから価値のある発見をするための、データサイエンスの第一歩として利用されます。

●セルの指定方法

表のセルを指定するときには、**列のアルファベットと、行の番号を組み合わせて表記**します (セル番地といいます)。

次の図は、学校の先生が学生の成績を**表計算ソフト**で管理する場合の例です。

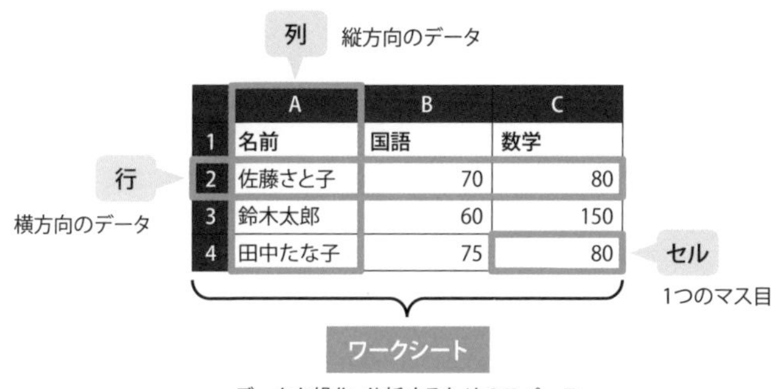

例えば、上図で「田中たな子さんの数学の点数」のセルを指定するときのセル番地は、C4となります。

- 一番上の行についている英字 (A,B,C,…) : **列見出し** (column header)
- 一番左の列についている番号 (1,2,3,…) : **行番号** (row number)

表計算ソフトが扱うデータ

表計算ソフトでは、次のようなデータ形式や演算処理を扱えます。

数値	演算に使える数字のデータ。+、-、*、/ などの四則演算子、<、>、≧、≦などの比較演算子が使用できる。
文字列	演算には使えない文字データ。
数式	演算子や関数などを使った、セル番地どうしの処理。

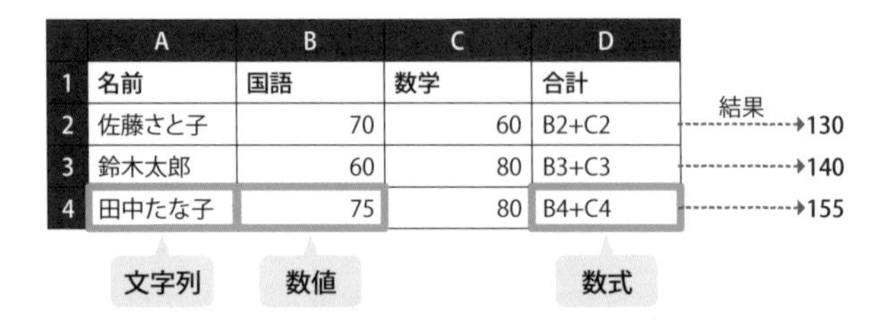

表計算ソフトの関数

関数とは、特定の計算処理ができる機能です。

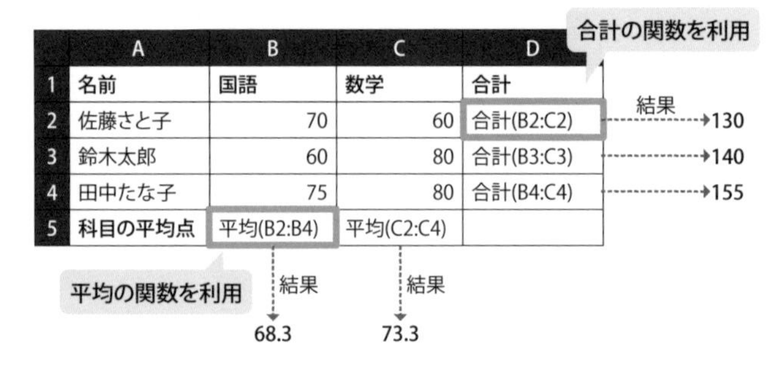

合計（セル範囲）	指定されたセル範囲の数値を合計する。
平均（セル範囲）	指定されたセル範囲の数値の平均値を算出する。
最大（セル範囲）/ 最小（セル範囲）	セル範囲内の数値の最大値 / 最小値を表示する。
個数（セル範囲）	指定されたセル内のデータの個数を出力する。
IF（論理式, 式1, 式2）	論理式の評価がtrueであれば式1、falseであれば式2の値を表示する。

セル参照

セル参照とは、あるセルから別のセルを指定することです。これにより、指定したセルの内容をそのセルで利用したり、変更された内容を自動的に反映したりすることができます。参照方法として相対参照と絶対参照があります。

相対参照

相対参照は、セルの複写（コピー）時に、参照元のセルからの「相対的な位置」を維持するための参照方法です。次の場合、佐藤さと子さんの合計セルを**相対参照により複写**をすることで、自動的に行番号が増えていき、鈴木太郎さん、田中たな子さんのそれぞれの合計値を求めることができます。

	A	B	C	D
1	名前	国語	数学	合計
2	佐藤さと子	70	60	B2+C2
3	鈴木太郎	60	80	B3+C3
4	田中たな子	75	80	B4+C4

相対参照で複写

絶対参照

絶対参照は、セルの複写時に参照先のセルを固定するための参照方法です。次の場合、科目数はどの学生にとっても共通するものなので、常にF2セルの「科目数」を参照したいです。そのため次のように＄（ドル）マークを使い、佐藤さと子さんの合計セルでD2/$F$2と式を組み立てて、科目数を絶対参照します。

	A	B	C	D	E	F
1	名前	国語	数学	合計	科目の平均点	科目数
2	佐藤さと子	70	60	130	D2/$F$2	2
3	鈴木太郎	60	80	140	D3/$F$2	
4	田中たな子	75	80	155	D4/$F$2	

F2セルを絶対参照で複写

出力

65
70
77.5

絶対参照と相対参照の表記の違い

先の例では、学生ごとの合計得点を相対参照、平均を求めるための科目数の値を絶対参照しています。これらの値を利用して平均点を求める場合、以下のように式をつくります。これにより、分母（科目数）は、何度複写しても常に同じセルを参照し、分子（科目の平均点）は学生（参照元のセルの行）に応じたセルを参照します。

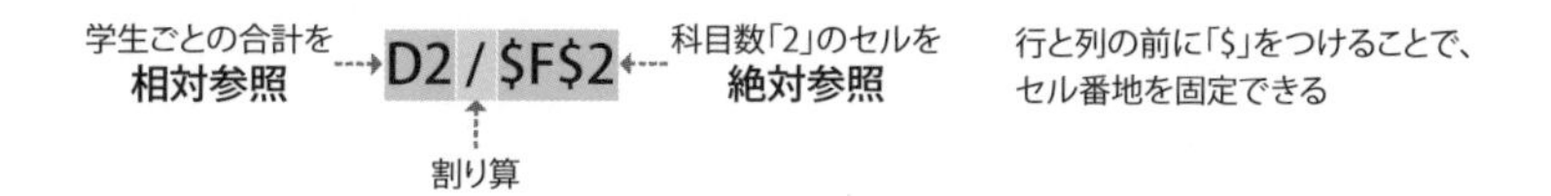

一般的な表計算ソフト

有名な表計算ソフトには、Microsoft社のExcel、Google社のGoogle スプレッドシート、Apple社のNumbersなど、さまざまな種類があります。**ITパスポート試験では、試験専用の関数や複写表記**を利用します。これは、普段どの表計算ソフトを利用していても公平に問題が解けるようにするためです。
だからといって、**表計算問題での記述方法について、試験にむけて特別な暗記をする必要はありません。試験専用の表記は、**CBT試験の画面上部の「**表計算仕様**」を開くと確認できます。

Chapter 15

05 関係データベース

解説動画▶

関係データベースの構造と操作

- 関係データベースでは、選択・射影・結合によりデータ操作を行う。
- 関係データベースを扱う場合は、RDBMSというソフトウェアにより作成・操作・管理を行う。

データベース

データベース（Data Base：情報の基地）とは、大量のデータの集合体です。表計算ソフトでは扱いきれないような大規模なデータでも、効率的に一元管理します。高速な検索や計算などの処理が可能であり、ビジネスや行政システム、医療、科学研究など、さまざまな分野で利用されています。

●データベースの活用

ECサイトのようにデータが膨大なサイトでは、顧客・商品・受注の情報をデータベースで管理しています。RFM分析（p.60）などでは、膨大な顧客数・購入情報・購入日のデータから、精度の高いマーケティング施策を立案できます。

また、ECサイトのWebページでは、データベースからWebサーバを経由して商品情報が表示されています。Webサーバが商品ページのリクエストを受けると、商品情報を保持するデータベースから必要な情報だけを抽出し、レスポンスします。

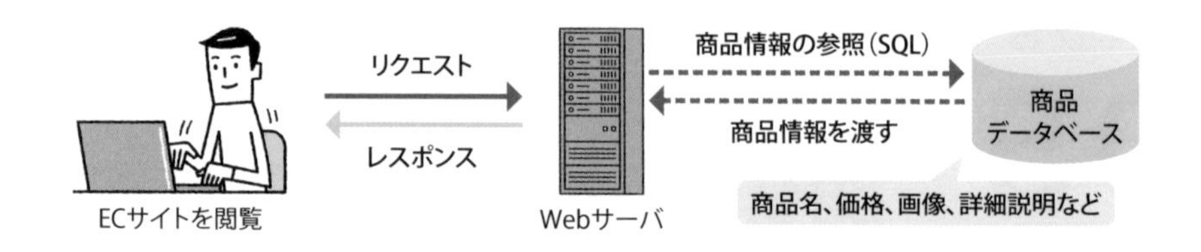

関係データベースの利用

データベースには、階層型、ネットワーク型、関係（リレーショナル）型などの種類が存在します。現在、最も広く使われているものは関係データベース（Relational Database）です。

関係データベースの見方

関係データベースでは、データを２次元の表形式で管理します。

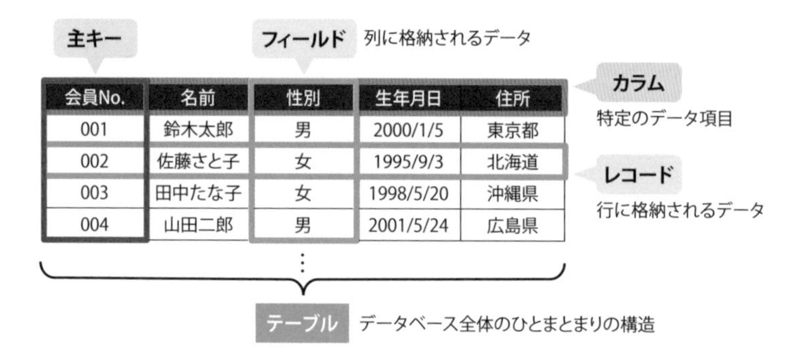

会員No.	名前	性別	生年月日	住所
001	鈴木太郎	男	2000/1/5	東京都
002	佐藤さと子	女	1995/9/3	北海道
003	田中たな子	女	1998/5/20	沖縄県
004	山田二郎	男	2001/5/24	広島県

主キー

主キーは、テーブル内の各レコードを一意に識別するためのカラムです（一意とは、「1つだけ」という意味）。上図でいうと、会員No.=001は、鈴木太郎さんだけに付けられる番号であり、このテーブルで同じ会員No.を持つ人はほかにいません。

外部キー

外部キーは、関係データベースでテーブル同士の関係を参照するために、別のテーブルの主キーを参照するカラムです。

ECサイトで扱うデータベースとして、購入情報を扱う購入テーブルと、会員の個人情報を扱う会員テーブルの２つのテーブルを考えます。

購入テーブルでは、会員テーブルの主キーとなる「会員No.」を外部キーとして保持することで会員の個人情報（送付するための住所や名前など）を参照できます。このように管理することで、**データの整合性が取りやすくなり、データベースでの情報管理を効率化できます。**

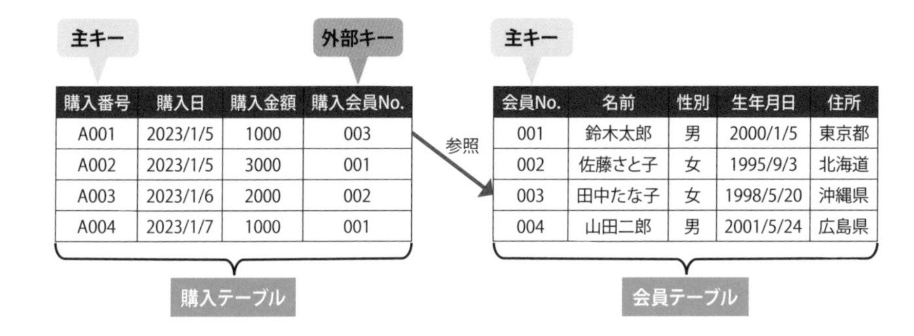

購入番号	購入日	購入金額	購入会員No.
A001	2023/1/5	1000	003
A002	2023/1/5	3000	001
A003	2023/1/6	2000	002
A004	2023/1/7	1000	001

会員No.	名前	性別	生年月日	住所
001	鈴木太郎	男	2000/1/5	東京都
002	佐藤さと子	女	1995/9/3	北海道
003	田中たな子	女	1998/5/20	沖縄県
004	山田二郎	男	2001/5/24	広島県

関係データベースの操作

関係データベースでは、選択（Selection）、射影（Projection）、結合（Join）により、データ操作・分析を柔軟に行うことができます。

●選択と射影

関係データベースの基本操作は、選択と射影です。

会員No.	名前	性別	生年月日	住所
001	鈴木太郎	男	2000/1/5	東京都
002	佐藤さと子	女	1995/9/3	北海道
003	田中たな子	女	1998/5/20	沖縄県
004	山田二郎	男	2001/5/24	広島県

レコード（行のデータ）を抽出
選択

003	田中たな子	女	1998/5/20	沖縄県

射影
属性情報のデータを抽出

住所
東京都
北海道
沖縄県
広島県

●結合

データベース操作における結合とは、2つ以上のテーブルを「くっつける」操作です。次の例では、注文テーブルと会員テーブルの2つのテーブルを結合しています。この2つの情報に共通するキーは「会員No.」であるため、この情報をもとにテーブル同士を結合します。

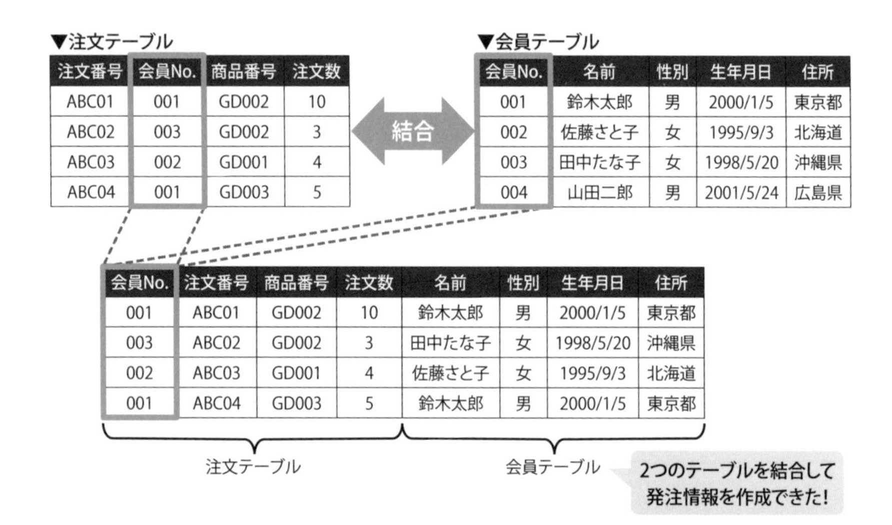

▼注文テーブル

注文番号	会員No.	商品番号	注文数
ABC01	001	GD002	10
ABC02	003	GD002	3
ABC03	002	GD001	4
ABC04	001	GD003	5

▼会員テーブル

会員No.	名前	性別	生年月日	住所
001	鈴木太郎	男	2000/1/5	東京都
002	佐藤さと子	女	1995/9/3	北海道
003	田中たな子	女	1998/5/20	沖縄県
004	山田二郎	男	2001/5/24	広島県

会員No.	注文番号	商品番号	注文数	名前	性別	生年月日	住所
001	ABC01	GD002	10	鈴木太郎	男	2000/1/5	東京都
003	ABC02	GD002	3	田中たな子	女	1998/5/20	沖縄県
002	ABC03	GD001	4	佐藤さと子	女	1995/9/3	北海道
001	ABC04	GD003	5	鈴木太郎	男	2000/1/5	東京都

SQL

関係データベースの情報を利用するには、SQL（Structured Query Language）というデータ操作を行うためのクエリ言語（p.341）を利用します。人間がデータベースから情報を抽出するときや、コンピュータプログラム内でデータベース情報を利用するときに用いられます。

RDBMS

RDBMS（Relational DataBase Management System：関係データベース管理システム）は、関係データベースを作成・操作・管理できるソフトウェアシステムです。人間やコンピュータが必要な情報をデータベースから抽出するとき、必ずRDBMSを経由しています。SQLが命令を出す対象はRDBMSです。

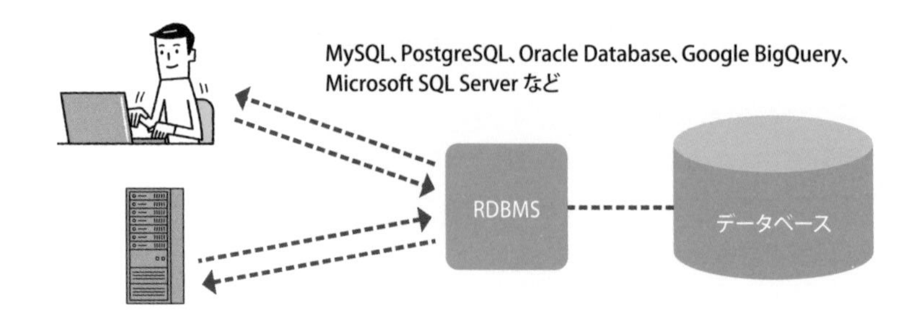

ビジネスシーンでの活用

データを保持するファイル形式

データを保持する汎用的なファイル形式の1つにCSV（Comma Separated Values）があります。表形式のデータとの互換性が高いファイル形式で、表計算ソフト（p.450）やデータベースソフトウェアで使用されます。

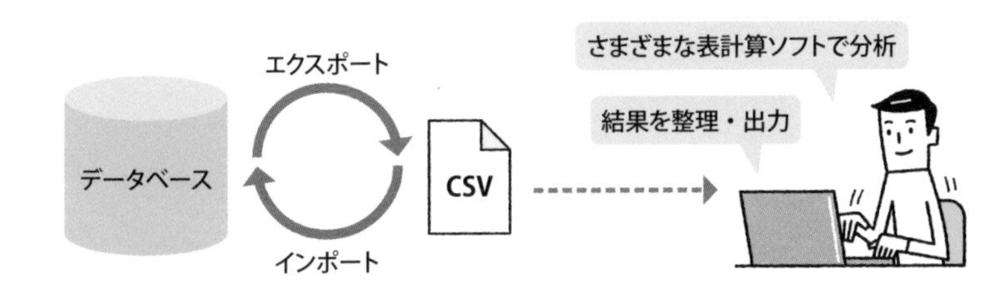

例えば実務現場では、下記のように利用されます。

- データベースに蓄積された必要情報をSQLで抽出し、CSVファイルでエクスポートする。CSVでエクスポートした情報を、表計算ソフトで加工・分析する。
- CSV形式のデータをデータベースにインポートする。

CSVの特徴

- データをカンマ区切りで表現する。
- CSVデータの1行が、関係データベースの1レコード分に該当する。

データベース

購入番号	購入日	購入金額	購入会員No.
A001	2023/1/5	1000	003
A002	2023/1/5	3000	001
A003	2023/1/6	2000	002
A004	2023/1/7	1000	001

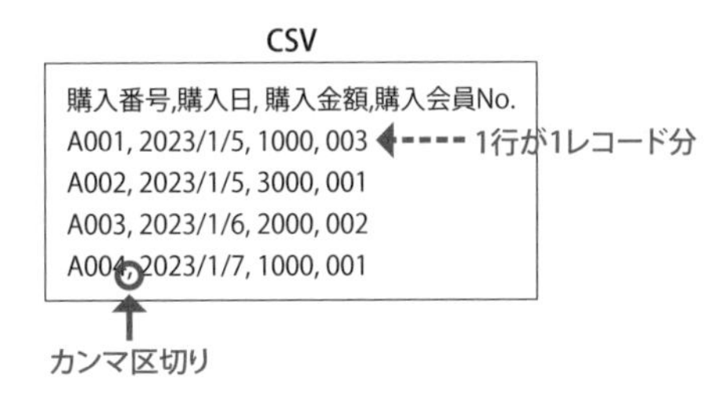

データ活用

データベースを使った情報活用を学習しましたが、SQLなどによるデータ抽出は誰にでもできることではありません。欲しい情報が複雑な場合、SQLの記述にテクニックが必要なこともあります。

データベースの設計

データベースは、分析のためのデータ資源を確保するだけではなく、システムのモニタリング・参照元として非常に重要です。そのため、データを扱うためのデータベースの適切な設計についても学習しましょう。

E-R図

E-R図（Entity-Relationship Diagram）とは、関連するシステムでどういったデータテーブルが関与しているかを表した図です。

- エンティティ（実態）：データベースに格納する情報の種類を示します。
- リレーションシップ（関係）：エンティティ同士を結びます。

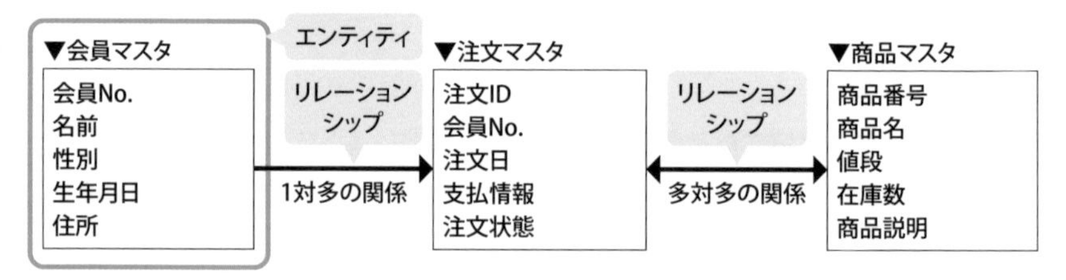

1対多の関係
- 1人のユーザーは複数の注文を持つことが可能
→ ユーザーは注文を「持つ」
- 1つの注文は1人のユーザーのみに関連付けられる
→ 注文はユーザーに「属する」

多対多の関係
- 1つの注文は複数の商品を含むことが可能
→注文は商品を「含む」
- 1つの商品は複数の注文に含まれることが可能
→商品は複数の注文に「含まれる」

正規化

関係データベースの正規化とは、情報を効率よく整理し、データを重複させずに分割することです。これにより、データの矛盾を回避します。

例えば、ECサイトで顧客情報から商品情報、受注情報までを１つのテーブルで管理すると、どうなるでしょうか？　同じ人が複数回注文すれば、同じ顧客情報を重複して記録することになり、もし住所を変更した場合、すべてのデータを更新する無駄な工程が発生します。

▼ECサイトで一回の注文で扱う情報

受注ID	会員No.	名前	性別	住所	商品番号	商品名	値段
ABC02	003	佐藤さと子	女	沖縄県	GD002	バナナ	120
ABC03	002	田中たな子	女	北海道	GD001	りんご	150

⋮

・同じ人が複数回注文すると、同じ情報を何度も記録することになり、効率が悪い
・住所や値段の変更があった場合などは、すべてのデータを書き換える必要がある

正規化

▼顧客テーブル

会員No.	性別	住所
001	男	東京都
002	女	北海道
003	女	沖縄県
004	男	広島県

⋮

▼商品テーブル

商品番号	商品名	値段
GD001	りんご	150
GD002	バナナ	120
GD003	いちご	500
GD004	もも	400

⋮

▼受注テーブル

受注ID	会員No.	商品番号
ABC01	001	GD003
ABC02	003	GD002
ABC03	002	GD001
ABC04	004	GD004

⋮

　こうしたことを避けるために、データベースを**正規化**し、**データの冗長性を排除**します。1つのデータが1箇所だけに格納されるように整理し、データ更新処理のミスやそれに伴う異常の発生を防ぎます。

小テストはコチラ

テクノロジ系 15分 ★★★

Chapter 15

06 トランザクション処理

データトラブルに備える仕組み

- トランザクションとは一連の操作が全部成功するか、もしくは全部なかったことにするか、というデータの処理方式。
- トランザクションにより、データの一連の操作を「1つのまとまり」として扱う。

トランザクション処理とは

トランザクションとは、コンピュータの世界で**一連の操作を1つの処理単位として扱い、全部成功するか、もしくは全部なかったことにするか**という処理方式です。特にデータベースでよく使われます。データベースやシステムの一貫性と信頼性を確保します。

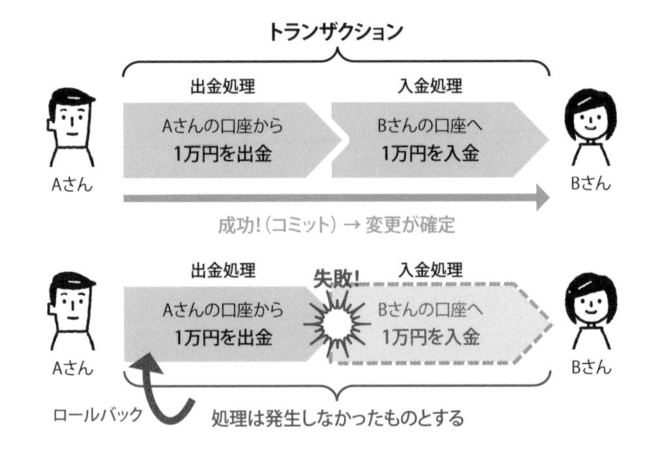

例えば、Aさんの銀行口座からBさんの銀行口座へ、1万円を入金する場面を考えます。このとき、Aさんの口座からの出金と、Bさんの口座への入金の２つの処理が発生します。この２つの処理は、両方が成功するか、そうでなければ両方とも失敗として操作自体をなかったことにする必要があります。理由は、**出金だけ成功して入金が失敗すると、１万円のお金が消失**してしまうからです。

トランザクションでは、このような一連の操作を１つのまとまりとして扱い、データの整合性を保ちます。

排他制御

排他制御（Exclusive Control）とは、複数の人が同じデータを同時に更新しようとしたときに、データの矛盾を防ぐための仕組みです。**データの一貫性を維持**するために重要な機能です。

例えば、**Aさんが社内の共有ファイルを編集中に、Bさんが同じファイルを開こうとした場合**を考えてみましょう。このとき、編集内容に矛盾が出ないように、Bさんのパソコンではファイルが読み取り専用モードで開かれ、編集はできないようにする必要があります。これと同じように、データベースで処理中のデータを複数のユーザーが編集できないようにする仕組みが、排他制御です。

ロック

ロックとは、データベースへの読み書きを一時的に制限する機能で、排他制御を実現するための具体的な手法の１つです。ロックをかけることで、特定のリソースに対するアクセスを一時的に制限します。ロックには、読み取り専用ロック（共有ロック）や書き込み専用ロック（排他ロック）などがあります。

データの復旧方法

データベースでトランザクションが失敗したときやシステム障害が発生したときに、データの一貫性を保つための手法を紹介します。

ロールバック（Rollback：後退復帰）

ロールバックは、トランザクションの途中でエラーが発生したり処理が中断されたりした場合に、**操作を取り消し、**更新前ログファイル**を利用してデータの復帰**を行います。トランザクションの失敗は、ネットワーク切断・システム障害・何らかのエラーなどが原因です。

銀行での資金移動のトランザクションでは、途中でエラーが発生した場合、そのトランザクション全体の処理を取り消し、口座残高などのデータを元に戻します。

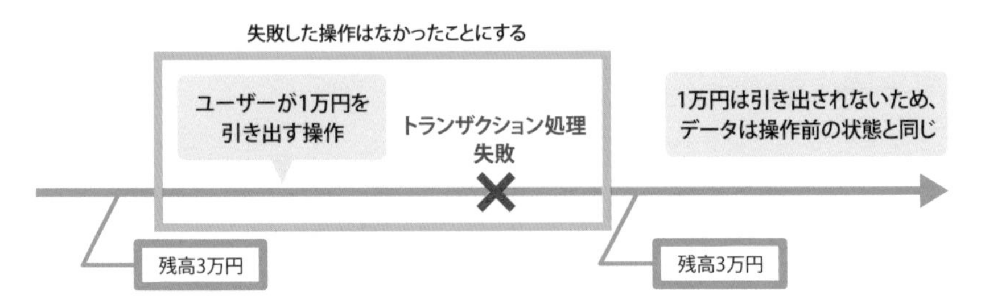

●ロールフォワード（Rollforward：前進復帰）

ロールフォワードは、**データベースやシステムに障害が発生した際の復旧方法**です。最後のバックアップからシステムを復元した後、その時点以降に実行されたすべてのトランザクションログ（データの変更や更新）を再適用します。これにより、障害発生前の最新の状態に戻すことが可能です。

ECサイトの商品データベースの更新後に障害が発生した場合、データベースは一時利用停止となります。ここで、あらかじめ取っておいたバックアップを適用し、バックアップを取った後に行った一連のトランザクションを再度実行します。

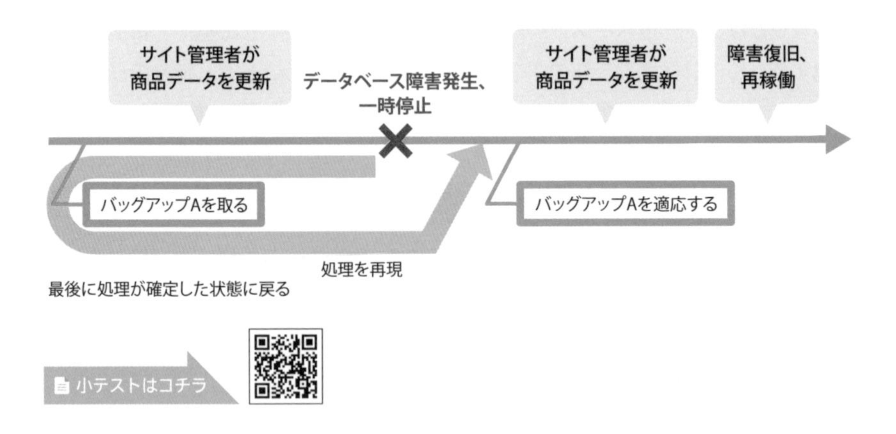

小テストはコチラ

試験問題にチャレンジ

問題❶

R5-問6

A社では，顧客の行動や天候，販売店のロケーションなどの多くの項目から成るデータを取得している。これらのデータを分析することによって販売数量の変化を説明することを考える。その際，説明に使用するパラメータをできるだけ少数に絞りたい。このときに用いる分析法として，最も適切なものはどれか。

ア　ABC分析　　**イ**　クラスター分析　　**ウ**　主成分分析　　**エ**　相関分析

正解　ウ

解説 主成分分析は、相互に関連する複数の要因から、主要な特性を"主成分"という新しい変数に集約する手法です。そのため選択肢ウが最も適切です。

問題❷

R4-問59

次のデータの平均値と中央値の組合せはどれか。

〔データ〕10，20，20，20，40，50，100，440，2000

	平均値	中央値
ア	20	40
イ	40	20
ウ	300	20
エ	300	40

正解　エ

解説

平均値

10＋20＋20＋20＋40＋50＋100＋440＋2000＝2700

2700÷9＝300

中央値

次のように値を整理することで、中央値は40であることが分かります。

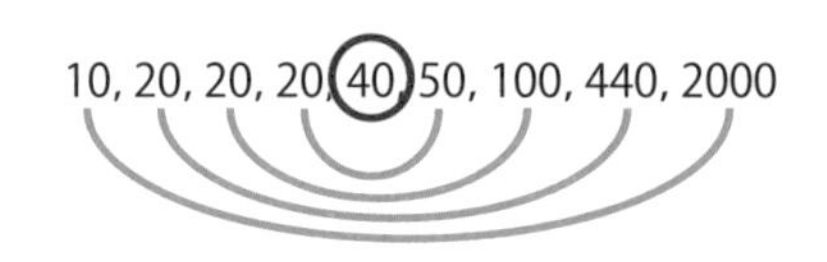

問題❸ R1秋-問76

ある商品の月別の販売数を基に売上に関する計算を行う。セルB1に商品の単価が，セルB3～B7に各月の商品の販売数が入力されている。セルC3に計算式"B$1 ∗ 合計(B$3：B3) / 個数(B$3：B3)"を入力して，セルC4～C7に複写したとき，セルC5に表示される値は幾らか。

	A	B	C
1	単価	1,000	
2	月	販売数	計算結果
3	4月	10	
4	5月	8	
5	6月	0	
6	7月	4	
7	8月	5	

ア 6　　**イ** 6,000　　**ウ** 9,000　　**エ** 18,000

正解　イ

解説 この問題は、表計算ソフトの相対参照と絶対参照の理解を確認するためのものです。まず、セルC3に入力された計算式を見てみます。

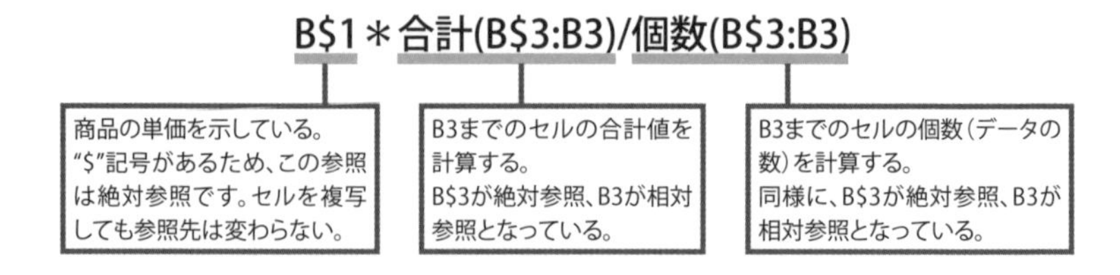

セルC3の計算式をセルC4に複写すると、相対参照の部分が１行下に移動します。したがって、セルC4の計算式は、次のとおりです。

B$1 ∗ 合計(B$3：B4) / 個数(B$3：B4)

同様に、セルC4の計算式をセルC5に複写すると、計算式は次のようになります。

B$1 ＊合計(B$3：B5) / 個数(B$3：B5)

この計算式を数値に置き換えることで、セルC5に当てはまる

1000＊(10+8+0) / 3 = 6000

を導くことができます。

問題④ R3-問95

関係データーベースで管理された“商品”表，“売上”表から５月中で，かつ，商品ごとの合計値が20,000円以上になっている商品だけを全て挙げたものはどれか。

商品

商品コード	商品名	単価（円）
0001	商品A	2,000
0002	商品B	4,000
0003	商品C	7,000
0004	商品D	10,000

売上

売上番号	商品コード	個数	売上日	配達日
Z00001	0004	3	4/30	5/2
Z00002	0001	3	4/30	5/3
Z00005	0003	3	5/15	5/17
Z00006	0001	5	5/15	5/18
Z00003	0002	3	5/5	5/18
Z00004	0001	4	5/10	5/20
Z00007	0002	3	5/30	6/2
Z00008	0003	1	6/8	6/10

ア 商品A，商品B，商品C　　**イ** 商品A，商品B，商品C，商品D

ウ 商品B，商品C　　**エ** 商品C

正解 ウ

解説 問題では「売上日が５月」とあるため、対象となる売上を「売上」テーブルから抽出すると次のとおりです。

売上

商品表と紐づける情報

売上番号	商品コード	個数	売上日	配達日
Z00001	0004	3	4/30	5/2
Z00002	0001	3	4/30	5/3
Z00005	0003	3	5/15	5/17
Z00006	0001	5	5/15	5/18
Z00003	0002	3	5/5	5/18
Z00004	0001	4	5/10	5/20
Z00007	0002	3	5/30	6/2
Z00008	0003	1	6/8	6/10

売上日がすべて5月中の範囲

商品

商品コード	商品名	単価(円)
0001	商品A	2,000
0002	商品B	4,000
0003	商品C	7,000
0004	商品D	10,000

「売上」表の商品コードから「商品」表の「単価」を参照して、それぞれの商品の単価と「売上」表の「個数」を計算することで、商品ごとの売上金額を求めます。

商品A：2000 x (5 + 4) = 18000　**商品B**：4000 x (3 + 3) = 24000
商品C：7000 x 3 = 21000　**商品D**：10000 x 0 = 0

よって、売上が20,000円以上の商品はB、Cとなります

問題⑤　H31春-問98

表計算ソフトを用いて，二つの科目X，Yの成績を評価して合否を判定する。それぞれの点数はワークシートのセル A2，B2 に入力する。合計点が120点以上であり，かつ，2科目とも50点以上であればセル C2 に"合格"，それ以外は"不合格"と表示する。セル C2 に入れる適切な計算式はどれか。

	A	B	C
1	科目X	科目Y	合否
2	50	80	合格

ア　IF(論理積((A2+B2) ≧ 120, A2 ≧ 50, B2 ≧ 50), '合格', '不合格')
イ　IF(論理積((A2+B2) ≧ 120, A2 ≧ 50, B2 ≧ 50), '不合格', '合格')
ウ　IF(論理和((A2+B2) ≧ 120, A2 ≧ 50, B2 ≧ 50), '合格', '不合格')
エ　IF(論理和((A2+B2) ≧ 120, A2 ≧ 50, B2 ≧ 50), '不合格', '合格')

正解　ア

解説　この問題は、表計算ソフトの条件付き計算を使用して、2つの科目の成績にもとづいて合否を判定するものです。次の2つの条件を満たす場合に"合格"、それ以外の場合に

"不合格"と表示されるようにします。

- 条件1：2科目の合計点が120点以上であること。
- 条件2：2科目ともに50点以上であること。

今回は、選択肢よりIF文を利用して結果を表示できると分かります。
→ IF(論理式, "表示1", "表示2")（論理式がtrueのとき表示1、falseのとき表示2の意）
この問では、条件1、2の両方を満たすときに合格となるため、論理積を利用します（どちらか一方でも良い場合は、論理和を利用します。/p.330）。そのため、合否を判定する式を次のように記述できます。

IF(論理積(A2+B2≧120, A2≧50, B2≧50), "合格", "不合格")

条件1　条件2　式がTrueのときの表示　式がFalseのときの表示

条件1、2の論理積を表す式

問題❻　R4-問65

条件①～⑤によって，関係データベースで管理する"従業員"表と"部門"表を作成した。"従業員"表の主キーとして，最も適切なものはどれか。

〔条件〕

①各従業員は重複のない従業員番号を一つもつ。
②同姓同名の従業員がいてもよい。
③各部門は重複のない部門コードを一つもつ。
④一つの部門には複数名の従業員が所属する。
⑤１人の従業員が所属する部門は一つだけである。

ア　"従業員番号"　　**イ**　"従業員番号"と"部門コード"
ウ　"従業員名"　　**エ**　"部門コード"

正解　ア

解説 主キーは、関係データベースのテーブル内の各レコードを一意に識別するためのキーです。主キーとして選択される属性は、次の条件を満たす必要があります。

- 各レコードにおいて一意であること。
- NULL値を持つことができない（NULLとはデータがない状態のこと）。

「各従業員は重複のない従業員番号を一つもつ。」という条件より、従業員番号が一意であることを示しています。そのため、主キーに最も適切なものはアです。

問題❼ R3-問62

金融システムの口座振替では，振替元の口座からの出金処理と振替先の口座への入金処理について，両方の処理が実行されるか，両方とも実行されないかのどちらかであることを保証することによってデータベースの整合性を保っている。データベースに対するこのような一連の処理をトランザクションとして扱い，矛盾なく処理が完了したときに，データベースの更新内容を確定することを何というか。

ア コミット　**イ** スキーマ　**ウ** ロールフォワード　**エ** ロック

正解　ア

解説

ア コミット：データベースのトランザクションが完了し、行われた変更を確定させる操作です。

イ スキーマ：データベースの構造や関係を定義するフレームワークや設計図です。

ウ ロールフォワード：バックアップからの復元後に、その時点以降のトランザクションログを使用してデータベースを最新の状態に更新する操作です。

エ ロック：同時に複数のトランザクションがデータにアクセスする際の競合や不整合を防ぐため、特定のデータ項目やリソースへのアクセスを一時的に制限する機能です。

問題❽ R6-問83

１から６までの六つの目をもつサイコロを３回投げたとき，１回も１の目が出ない確率は幾らか。

ア $\frac{1}{216}$　**イ** $\frac{5}{72}$　**ウ** $\frac{91}{216}$　**エ** $\frac{125}{216}$

正解　エ

解説

１の目が１度も出ない確率：$1-\frac{1}{6}=\frac{5}{6}$

サイコロを３回投げたときは、それぞれ独立した事象であるため、次の式で求めます。

$$\frac{5}{6}\times\frac{5}{6}\times\frac{5}{6}=\frac{125}{216}$$

付録 タイパよく合格を狙う！ITパスポート 厳選キーワード245

ITパスポート試験の直近3年間で出題されたキーワードとシラバス6.3を編集部が厳選！　過去に出題されたキーワードを覚えれば、効率よく合格に一歩近づくことができます。本書の学習の補助にお使いください。

3-2-1 ルール
バックアップの基本原則で、3つのコピーを2つの異なるメディアに保存し、1つをオフサイトに保管する方法。

36協定
労働基準法第36条に基づき、時間外労働を合法化するための労使間の協定。

ABC分析
各項目ごとの累計数の多い順にA、B、Cのグループ分けをして、重要度を決める分析方法。分析にはパレート図を用いる。

AI
AI（Artificial Intelligence：人工知能）。知的行動を人間に代わってコンピュータが行う技術の総称。自己学習、問題解決、言語理解などがある。

AIOps
AIを活用してIT運用を最適化する手法。障害検知や予測、パフォーマンス分析を自動化する。

API
API（Application Programming Interface）。ソフトウェアの一部を公開し、第三者がその機能を利用できるようにした仕組み。

BCP
BCP（Business Continuity Plan：事業継続計画）。災害やシステム障害などが発生しても、事業が継続できる計画。

BIツール
さまざまな指標を可視化することで、経営層の意思決定を支援するための分析ツール。

BLE
BLE（Bluetooth Low Energy）。小型デバイスが低電力かつ低コストでデータを無線で送受信する技術。

Bluetooth
10メートル程の範囲でデバイス間の通信を行う規格。スマホからイヤホンに音楽を流すなど、さまざまに利用される。

BPMN
BPMN（Business Process Model and Notation）。業務フローを図式化する手法。ISO/IEC19510として標準化されている。

BPR
BPR（Business Process Re-engineering）。業務の効率や生産性などを上げるために、業務プロセスを見直し抜本的に改善すること。

BYOD
BYOD（Bring Your Own Device：私物デバイスの活用）。従業員が個人で保有するパソコン、スマホ、タブレットなどのIT機器を業務に使用すること。

CAPTCHA認証
Webサービスのフォーム入力などが、コンピュータではなく人間によって行われたことを判断するための画像認証方式。

CPU
CPU（Central Processing Unit：中央処理装置）。制御装置と演算装置で構成されるコンピュータ装置。人間の頭脳に相当する。

CSIRT
CSIRT（シーサート：Computer Security Incident Response Team）。企業や組織内に設置され、セキュリティ事故が発生した際、適切な対応を行う組織。

DDos攻撃
複数のコンピュータから大量のデータを一斉送信し、サービスを停止させる攻撃。DoS攻撃と比べて規模が大きく、防御も困難。

DDR SDRAM
高速メモリ規格の一種で、パソコンやサーバーで使用される動的ランダムアクセスメモリの種類。

DE & I
Diversity, Equity, and Inclusionの略で、多様性（Diversity）、公平性（Equity）、包摂性（Inclusion）を企業文化に統合する取り組み。

DevOps
開発（Develop）と運用（Operations）の組織が互いに協力し合うソフトウェアの開発体制。

DFD
DFD（Data Flow Diagram）。システム内のデータの流れを４つの記号でモデル化した図。業務プロセスの表記に使用される。

DNS
DNS（Domain Name System）。インターネットに接続しているコンピュータのIPアドレスとドメイン名を対応させるシステムです。

DNSサーバ
専用のデータベースからIPアドレスを検索し、ドメイン名とIPアドレスを対応付ける役割を持つサーバ。

DoS攻撃
企業サイトに対し、単一のコンピュータ・自動操作した端末でアクセス過多を引き起こし、サーバをダウンさせる攻撃。

E-R図
E-R図（Entity-Relationship Diagram）。実体（エンティティ）と関連（リレーションシップ）によってデータの関係をモデル化する手法。

e-ラーニング
e-ラーニングは、パソコンやスマホを使用したオンライン学習手法です。
"e"はelectronic（電子）を表す。

EA
エンタープライズ・アーキテクチャ（Enterprise Architecture：EA）。業務と情報システムの全体像を可視化し、最適化する手法。

EDR
Endpoint Detection and Responseの略で、エンドポイント（端末）の異常を検出し、対応するセキュリティ技術。

FAQ
FAQ（Frequently Asked Questions）。ユーザーから多く寄せられる質問と回答をまとめたWebページ。

FAR
False Acceptance Rateの略で、認証システムが不正なユーザーを誤って許可してしまう確率。

FinTech
フィンテック。金融（Finance）と技術（Technology）を組み合わせた造語。キャッシュレス決済や暗号資産など。

FRR
False Rejection Rateの略で、認証システムが正当なユーザーを誤って拒否する確率。

FTP
クライアントとサーバの間でファイル転送を行うための通信プロトコルの１つ。

GPGPU
General-Purpose computing on Graphics Processing Unitの略で、GPUを汎用計算に利用する技術。

GPU
GPU（Graphics Processing Unit）。CPUが一般的な計算処理を行うのに対し、画像や動画の処理を専門的に行う。

GROW モデル
Goal, Reality, Options, Willの４つの要素から成るコーチングのモデルで、目標達成を支援する。

GX
グリーントランスフォーメーションの略で、持続可能な経済や社会への転換を目指す環境対応の変革。

GX推進法
グリーントランスフォーメーションを加速し、持続可能なエネルギー社会の実現を目指す法律。

HDD
ハードディスク（Hard Disk Drive：HDD）。磁気を利用してデータを読み書きする補助記憶装置。

IDS
IDS（Intrusion Detection System：不正侵入検知システム）。通信を監視し、異常な通信を検知したら管理者に通知する。

IMAP
メールサーバ上でメールを管理するプロトコル。どの端末でも同じメールを閲覧できる。

IoT
IoT（Internet of Things：モノのインターネット）。モノ（デバイス）をインターネットに接続し、情報のやり取りや自動制御を行う。

IoTデバイス
インターネットに接続されたセンサーや機器類。

IPS（Indrusion Prevention System）
IPS（不正侵入防止システム）。不正アクセスを検知し、管理者への通知だけでなくブロックまで行うシステム。

IPv4
32ビットのIPアドレス空間を持つ通信方式。IPv4方式ではIPアドレスが不足しており、IPv6が使われ始めている。

IPアドレス
インターネット上で通信装置などを識別する「住所」。「.」（ドット）で区切られた4組の数字の組み合わせ。

ISMS
情報セキュリティマネジメントシステム（ISMS：Information Security Management System）は、情報資産を守り、管理するためのシステム。ISO/IEC 27001で規格化されている。

ISMS適合性評価制度
組織においてISMS（情報セキュリティマネジメントシステム）への取組みが適切に行われていることを認証する制度。

ISO/IEC 27017
クラウドサービスに関する情報セキュリティ管理策の規格。

ITIL
ITIL（Information Technology Infrastructure Library）。ITサービスの品質を効率的に管理するベストプラクティス。

ITガバナンス
経営陣が組織の価値を高めるために実践する行動であり，情報システム戦略の策定及び実現に必要な組織能力のこと。

ITサービスマネジメント
組織として安定的かつ効率的なITサービスの運用を行い、品質を維持・改善させるための仕組み。

JIS Q 31000
リスクマネジメントに関する日本工業規格で、リスク管理のフレームワークを提供する。

LATCHの法則
場所（Location）、アルファベット順（Alphabet）、時間（Time）、カテゴリー（Category）、階層（Hierarchy）の5つの方法で情報を整理する理論。

MACアドレス
ネットワークに接続する機器が持つ固有の番号。

MDM
MDM（Mobile Device Management）。業務用ノートパソコンやスマホなどを一括で管理するシステム。紛失や盗難時にロックやデータ削除などが可能。

MLOps
機械学習のモデルを効率的に開発・運用するためのプロセス管理手法。

MOT
MOT（Management of Technology：技術経営）。研究開発の成果を商品に結びつけ、技術力によって事業を伸ばす経営のこと。

MR
Mixed Realityの略で、現実空間と仮想空間を融合させた技術。HoloLensなどのデバイスが利用される。

MVNO
MNO（Mobile Network Operator：移動体通信事業者）の通信網を借りてサービスを提供するのが、MVNO（Mobile Virtual Network Operator：仮想移動体通信事業者）。

MVV
Mission, Vision, Valuesの略で、企業の使命、ビジョン、価値観を示し、経営の基盤となる。

NDA
NDA（Non-Disclosure Agreement：機密保持契約）とは、事業の秘密情報を漏らさないよう約束をする契約。

NFC
NFC（Near Field Communication）。非接触の無線通信の規格。ICカードや電子マネー決済にも利用されている。

NFT
Non-Fungible Tokenの略で、デジタルコンテンツの所有権を証明するためのブロックチェーン技術。

NTP
NTP（Network Time Protocol）。ネットワーク上の複数のコンピュータの時刻を同期させる通信プロトコル。

OSS
オープンソースソフトウェア（Open Source Software：OSS）。ソースコードが公開されていて、改変や再配布が自由におこなえるソフトウェア。

PCI DSS
PCI DSS（Payment Card Industry Data Security Standard）。クレジットカード業界の国際的なセキュリティ基準。

PDCA
Plan、Do、Check、Actionの頭文字。業務や情報セキュリティなどで継続的に改善を行うためのフレームワーク。

PLC
PLC（Power Line Communication）。電力を供給する電力線を通信回線として利用する技術。

PMBOK
PMBOK（Project Management Body of Knowledge）。プロジェクトマネジメントのノウハウをまとめた知識体系ガイド。

PoC
Proof of Conceptの略で、アイデアや技術が実現可能かを小規模で検証するプロセス。

POP3
POP3（Post Office Protocol version 3）。受信メールをサーバからクライアントにダウンロードするプロトコル。

PoV
Proof of Valueの略で、技術やアイデアが実際にビジネス価値を生むかを証明するプロセス。

PPM
PPM（プロダクト・ポートフォリオ・マネジメント）。縦軸に市場成長率、横軸に市場シェアを取り、製品や事業の位置づけを分析する手法。

RAID
複数のハードディスクにデータを分散して保存することで、耐障害性を高める技術。RAID0（ストライピング）、RAID1（ミラーリング）などがある。

RFID
RFID(Radio Frequency Identification：無線周波数識別）とは、情報を埋め込んだICタグなどと無線でデータを読み書きする規格。

RPA
RPA（Robotic Process Automation）。ソフトウェアのロボットが定型的な事務作業などを代替し、業務を自動化するシステム。

SCM
SCM（サプライチェーンマネジメント）。原材料の調達から生産、流通、販売など一連の流れを管理し、業務の効率化や顧客満足の向上を図る手法。

SLA
Service Level Agreementの略で、サービス提供者と利用者の間で合意されたサービスの品質や範囲を定めた契約。

SLI
Service Level Indicatorの略で、SLOの達成度を測るための指標。サービスのパフォーマンスを評価するために使用される。

SLM
SLM (Service Level Management)。ITサービスの品質を継続的かつ定期的に点検・検証し、品質を維持・向上させるための仕組み。

SLO
Service Level Objectiveの略で、SLA内で具体的に設定されたサービスの性能目標や基準を指す。

SMTP
SMTP (Simple Mail Transfer Protocol)。電子メールをの送信や、メールサーバー間の転送に使われるプロトコル。

SOC
SOC (Security Operation Center)。企業などで情報システムへの脅威の監視や分析を行う専門組織。

SQL
関係データベースの情報の検索、更新、削除など、データ操作をするための言語。

SQLインジェクション
Webページのフォームなどに悪意のあるSQLコマンドを埋め込み，サーバ内のデータの抽出や改ざん、削除などを行う攻撃。

SSD
SSD (Solid State Drive)。半導体を利用してデータを高速に読み書きできる補助記憶装置。

UPS
停電などの電源障害の発生時に一時的に電力供給する無停電電源装置。

VPN
VPN (Virtual Private Network)。インターネット上に仮想的に設定された専用回線。

VRゴーグル
仮想現実 (Virtual Reality：VR) を体験するためのヘッドセットで、視覚的に仮想空間に没入できるデバイス。

WBS
WBS (Work Breakdown Structure)。プロジェクトを実行可能な小さな単位に分解し、階層化して管理する手法。

WORM機能
Write Once Read Manyの略で、一度書き込んだデータを変更できないストレージ機能。改ざん防止に用いる。

WPA2
WPA2 (Wi-Fi Protected Access 2)。無線LAN上での通信を暗号化・保護するための規格。

アウトソーシング
アウトソーシング (Outsourcing)。自社の業務の一部を外部に委託すること。

アクセシビリティ
アクセシビリティ (Accessibility)。年齢や障害などに関係なく、容易にシステムなどが利用できること。

アクチュエーター
アクチュエーターは、IoTサーバなどからの電気信号を物理的な動作に変換する装置。

アクティビティ図
UMLの図の一種で、業務や処理の対象者・役割・手順など一連の手続きを可視化する図。

アジャイル開発
迅速かつ適応的にソフトウェア開発を行う開発手法。常に改善を重ね、仕様変更にも柔軟に対応できる。

アダプティブラーニング
アダプティブラーニング (Adaptive Learning)。1人1人の習熟度、理解に応じて、問題の難易度や知識やスキルを提供する教育方法。

アライアンス
アライアンス (Alliance：同盟)。他社と組織的統合することなく、自社にない技術や弱い部分を他社の優れた技術などで補完する戦略。

アルゴリズム
問題を解決するための一連の手順のこと。アルゴリズムの基本構造は、順次、選択、繰返し。

アローダイアグラム
各作業の流れや所要時間などを組み合わせて可視化した図。

暗号化と復号
暗号化技術において、平文を暗号文に変換することを暗号化、暗号文を平文に戻すことを復号という。

暗号資産
ビットコインなど、ブロックチェーン技術を使った仮想通貨のこと。

アンチパスバック
セキュリティで保護された区域への入退室管理で、ひとりを認証した際に他者も一緒に入室する共連れの防止対策。

イノベーション
「技術革新」や「経営革新」などを意味する。いままでにない新たな価値の創出や、大きな技術革新が起こることを指す。

イミュータブルバックアップ
データを変更不可能な形で保存するバックアップ方式。ランサムウェア対策として有効。

インシデント
ITサービスが中断したり、サービスの品質が低下したりする出来事。

インダストリー 4.0
第4次産業革命（Industry 4.0）。医療やインフラ、交通システムなどの生活のさまざまな領域で、インターネットやAIによりサービスの自動化や質の向上が図られること。

インデックス
データベース管理システム（DataBase Management System：DBMS）で、データを高速に検索、特定するための情報。書籍でいう索引。

インボイス制度
取引先に対して、適格請求書（インボイス）を発行し、それを保存することで消費税を管理する制度。

ウェアラブルデバイス
スマートウォッチなど人が装着して使用する情報機器。

ウォーターフォールモデル
ウォーターフォール（滝）のように、上流工程から下流工程へ開発を進めるソフトウェア開発手法。

運用テスト
システムのユーザー自身が本番と同じ環境で要件どおりにシステムが動作するか検証すること。

営業秘密
経営や営業活動において重要な技術や情報。不正競争防止法で保護の対象となる。

エッジコンピューティング
IoTサーバの負荷を軽減するために、IoTデバイスに近いコンピュータで可能な限りのデータ処理を行うシステム。

エンドユーザコンピューティング
情報システム部門以外の人が自らシステムの管理や運用を行い、業務に役立てること。

オブジェクト指向
ソフトウェア開発の手法。プログラムコードの1つをオブジェクト（部品）として捉え、それらの組み合わせによりシステムを構築していく。

カーボンニュートラル
温室効果ガスの排出量を削減し、残りの排出を吸収することで実質ゼロにする目標。

カーボンフットプリント
製品やサービスが生産から消費までに排出する二酸化炭素の総量を測定する指標。

カスタマージャーニーマップ
顧客が商品やサービスを購入するまでの過程を視覚化し、体験を分析するツール。

仮想化
1台のコンピュータリソース（CPU、メモリ、ストレージ、ネットワークなど）を論理的に分割し、複数のコンピュータとして利用すること。

可用性
必要なときに情報にアクセスできる状態のこと。情報セキュリティの重要な要素である機密性、完全性、可用性の1つ。

関係データベース
Relational Database(リレーショナルデータベース)。データを複数の表として管理し、表と表の関係を定義することで、複雑なデータの関連性を扱えるようにしたデータベース管理方式。

完全性
情報が改ざん・消去・破壊されず、信頼性が維持された状態のこと。情報セキュリティの重要な要素である、機密性、完全性、可用性の1つ。

かんばん方式
必要なものを、必要なときに、必要なだけ作るジャストインタイム生産方式の一つ。部品名や数量、保管場所などを記した「かんばん」を用いて効率化を図る。

管理図
生産現場において品質や工程に異常がないか、基準値と管理限界値をもとに確認するための図。

機械学習
コンピュータが与えられたデータからルールや規則性などを分析、学習するAI技術。

擬似言語
アルゴリズムを表現するための擬似的なプログラム言語で、ITパスポート試験のみで使われる言語。

機密性
認証されたユーザーのみが情報にアクセスできる状態。情報セキュリティの重要な要素である、機密性、完全性、可用性の1つ。

キャッシュメモリ
CPUと主記憶装置の中間に位置し、一時的な処理データを保持する装置。主記憶装置よりも高速なアクセスが可能。

キャリアアグリゲーション
複数の周波数帯を同時に使い、1つの伝送路として送受信することで、データの伝送時間が短くなり、通信の高速化を図る。

強化学習
AIの機械学習の1つ。適切な行動によって得られる報酬を最大化するように学習するモデル。

教師あり学習
AIの機械学習の1つ。大量の入力データと正解データを投入することで学習するモデル。

教師なし学習
AIの機械学習の1つ。正解がない学習データを与えられて学習するモデル。

共通鍵
暗号化と復号に同じ共通鍵を用いる暗号方式。

共通フレーム
システム開発で、発注側と開発側に考えや解釈の齟齬が発生しないよう、用語や作業内容などを取り決めたガイドライン。

クラウドコンピューティング
データセンターに集約されたコンピュータやソフトウェア、データなどを、ネットワークを介して利用する仕組み。

クラスター分析
大量のデータから似た性質を持つもの同士をグループ化し、分析する手法。

クリティカルパス
プロジェクトの作業がもっとも長くなる経路。ここに遅延が発生するとプロジェクト全体が遅れる。

クレデンシャルスタッフィング
過去に流出したユーザー名やパスワードを使用して、他のサービスに不正アクセスを試みる攻撃手法。

クロック周波数
1秒間あたりのCPUの動作回数。単位はHz(ヘルツ)。クロック周波数が高いほど、CPUは短時間で多くのデータ処理が可能。

経常利益
企業の経常的(定常的)な事業活動によって得た利益。営業利益と営業外収益の合計から営業外費用を引いた利益。

景品表示法
商品の販売促進において、虚偽や誇大な表示を規制し、公正な取引を守る法律。

結合
関係データベースにおいて、複数の表から共通の値を持つ列をキーとして1つの表に合体させること。

結合テスト
システム開発で、単体テストが完了した部品（モジュール）を組み合わせて動作確認を行うテスト。

公開鍵暗号方式
暗号化に使う鍵が公開されている暗号方式。送信者は、受信者が作成した公開鍵で暗号化して送信し、受信者は自分だけが持つ秘密鍵で複号する。

構成管理
ITサービスマネジメントにおいて、サービスを構成するすべての機器やソフトウェアに関する情報を最新、正確に維持管理すること。

個人情報保護法
個人情報取扱事業者が、個人情報を適切に扱うための義務などを取り決め、個人の権利・利益を保護する法律。

コミット
データベースのトランザクションが正常に処理されたときに、データベースへの更新を確定させること。

サービスデスク
システムの操作や技術に関する問い合わせに対応するユーザーサポート部門。

システム監査
情報システムのセキュリティやパフォーマンス、法令遵守などがきちんと確保・運用されているかを検証する。

システム監査人
システム監査の対象から独立した立場にある専門家。

システム要件定義書
システムの発注者とベンダー企業の間で交わす、開発するシステムに求められる性能要件などを定義した書類。

シャドーIT
LINEの個人アカウントで仕事の連絡を行うなど、会社の許可を得ていないIT機器やITサービスを使って業務を行うこと。

主キー
データベースのテーブル内の各レコードを一意に特定する項目のこと。

主記憶装置
CPUが処理するデータを記憶する装置。DRAMが使われる。メインメモリ、メモリともいう。

情報セキュリティ
企業や個人が持つ大切な情報資産の安全を確保し、維持すること。

情報セキュリティポリシー
経営者が責任者となり、企業が取り組む情報セキュリティの方針（セキュリティ対策）を社内外に宣言する文書。

シングルサインオン
1回のユーザー認証により、独立した複数のサービスにログインできる機能。

スクラムチーム
アジャイル開発手法の一環で、少人数のチームが自律的に働くソフトウェア開発チーム。

スコープ
プロジェクトで実施する作業や範囲、期限を表すプロジェクトマネジメントの用語。

ストライピング
RAID0のこと。2つ以上のディスクに一つのデータを分割して書き込むことで、高速処理が可能。

スプリント
アジャイル開発における短期間での開発サイクル。1～4週間が一般的な期間。

スマートシティ
IT技術を活用して、都市のインフラやサービスを効率的かつ持続可能に管理する都市。

スマートメーター
住宅などに設置され、電気やガスなどの使用量を自動的に計測し、携帯電話回線などを利用して供給事業者にそのデータを送信するIoT機器。

正規化
関係データベースの表から重複するデータを取り除き、表を分割して整理すること。

セキュアブート
OSやファームウェアなどの起動時に、それらのデジタル署名を検証して正当な場合のみ実行する技術。IoT機器のソフトウェアの改ざん対策に用いられる。

センサ
IoTデバイスに搭載されるデータの計測装置。位置情報や加速度、温度や光、心拍数や血圧などさまざまなデータを測定する。

ソーシャルエンジニアリング
肩越しにパスワードを盗み見たり、なりすましでシステムを不正利用したりするなど、マルウェアなどを使わない不正行為。

ソーシャルメディアポリシー
企業や従業員が公私限らずソーシャルメディアを使用する際のルールなどの取り決め。社外からも理解できるようにする。

ソースコード
プログラミング言語を用いて記述したソフトウェアやプログラムの一部または全部（テキストまたはテキストファイル）。

ソフトウェア保守
ソフトウェアやシステムの安定稼動を目的とした業務。不具合対応やユーザーサポートなども含まれる。

損益計算書
損益計算書（Profit and Loss statement：P/L）。企業で年間に発生した費用と収益が分かる財務諸表。合計が利益または損失となる。

第三者中継
不正メール送信者が他人のメールサーバーを利用してメールを中継し、送信する行為。

耐タンパ性
機器や装置、ソフトウェアの内部構造を不正に読み取られたり、改ざんされたりすることに対する耐性（強度）。

ダブルエクストーション
ランサムウェア攻撃でデータを暗号化するだけでなく、公開するぞと脅して二重に身代金を要求する手法。

チャットボット
AI技術を活用して、会話形式で自動的に問い合わせに対応するシステム。

著作権法
音楽や小説、映画、ソフトウェアなどの著作物を保護する法律。プログラム言語、アルゴリズム、プロトコル（規約）などは保護の対象にならない。

ディープラーニング
人間の脳の神経回路ネットワークを模倣したニューラルネットワークを多層に組み合わせて学習させる手法。

適格請求書等保存方式
消費税の仕入れ控除を受けるために、適格請求書の保存を義務付ける制度。

デジタルガバメント
政府のサービスや業務をデジタル技術を活用して提供・運営する枠組み。

デジタル署名
電子文書やデータが改ざんされていないことを証明するための技術。公開鍵暗号技術が使われている。

デジタルディバイド
情報格差。情報通信技術、特にインターネットが利用できる人とできない人との間に生じる経済的、社会的な格差。

デジタルトランスフォーメーション
DXともいう。企業がデジタル技術の活用により、企業自身やビジネスが進化、変革すること。

デジュレスタンダード
政府や公的機関が制定した公式の技術標準。国際規格や業界標準に基づく。

テスト駆動開発
テストプログラムを先に作成し、そのテストに合格するようにコードを記述する開発手法。

特性要因図
特性（結果）とその要因（原因）の関係を視覚的に把握しやすくした図。形から「フィッシュボーンチャート」ともいう。

ドメイン名
数字の羅列であるIPアドレスを、人間が理解しやすい言葉（英数字）で識別するために置き換えられたもの。

共連れ
サーバ室など、セキュリティで保護された区画への入退室管理において、１人の認証で他者も一緒に入室する不正行為。

トランザクション
一連の操作が全部成功するか、全部なしとするかという仕組み。原子性（Atomicity）、一貫性（Consistency）、独立性（Isolation）、耐久性（Durability）が要求される。

内部統制
企業が自ら設定したビジネスを健全かつ効率的に行うためのルールや取り組み。

流れ図
アルゴリズムによる問題解決の手順を示す図。フローチャートともいう。

ニューラルネットワーク
ディープラーニングなどで用いられる、脳神経系の仕組みをコンピュータで模したモデル。

人間中心のAI社会原則
内閣府が策定した文書。持続性ある社会、多様な背景を持つ人々が多様な幸せを追求できる社会、人間の尊厳が尊重される社会、この３つを理念とする。

パーパス経営
企業の存在意義（パーパス）を明確にし、その理念に基づいて企業活動を行う経営スタイル。

バイオメトリクス認証
指紋や顔、瞳の中の虹彩、静脈（指や手のひらなどの血管の形を読み取る）、声紋などといった身体的特徴によって、個人を識別・認証する方式。

配列
同様のデータをまとめてあつかうデータ構造。配列内のデータ（要素）と各要素の要素番号（添え字）で構成される。

パスワードレス認証
従来のパスワードを使用せず、バイオメトリクスやトークンを使用して認証を行う方式。

バックドア
スパイウェアやトロイの木馬を使った侵入者によってコンピュータやソフトウェアに設置された秘密の入口。

ハッシュ値
ハッシュ関数を使って生成される規則性のない値。入力される元データが同じなら、同じハッシュ値が生成される。

バッファオーバーフロー攻撃
プログラムのメモリバッファを超えるデータを書き込み、悪意あるコードを実行させる攻撃手法。

ハラスメント
職場などでの言動や態度が、他人に対して心理的な負担や苦痛を与える行為。

パレート図
データを重要度や頻度で降順に並べた棒グラフと、累積パーセンテージ（%）の曲線で表した図。ABC分析に使用される。

ビッグデータ
さまざまな種類や形式の膨大なデータのこと。SNSの投稿やECサイトの個人情報、政府の統計資料など、多くのデータがある。

秘密鍵
公開鍵暗号方式で、受信者が複号に使用する鍵。受信者は秘密鍵で公開鍵を作成し、送信者は公開鍵で暗号化して受信者に送信する。

ファイアウォール
インターネットと社内ネットワークの間に設置して、不正アクセスによる侵入から情報を守る仕組み。

ファシリティマネジメント
ファシリティマネジメント（Facility Management：設備管理）。システムの継続稼働を目的として建物・設備などを維持・管理する業務。

フィッシング
メールやWebサイトを通じてユーザーの個人情報を騙し取る手法。

不正アクセス禁止法
アクセス権限のないコンピュータやネットワークに侵入したり、不正にパスワードを取得したりすることを禁止する法律。

ブラックボックステスト
入力に対して仕様どおりの出力が得られるかを確認するテスト。プログラムの内部構造は考慮しない。

プロジェクト資源マネジメント
PMBOKの知識エリアの1つ。資源とは人的資源と物的資源の2つがある。プロジェクトメンバーとなる人材の確保と、装置や資材などの資源を確保する。

プロジェクトスコープマネジメント
PMBOKの知識エリアの1つ。プロジェクトの範囲を決め、成功に必要な成果物とタスクを定義し、目標達成の確率を高めることを目的とする。

プロジェクトマネジメント
プロジェクトを推進して成功に導くための管理手法。人的リソースや予算、スケジュールなど複数の要素を計画・管理し、成果を出すことを目的とする。

プロセスイノベーション
開発、製造、販売などの業務プロセスを変革すること。

ブロックチェーン
情報通信ネットワーク上にある端末同士を直接接続して、取引記録を暗号技術を用いて分散的に処理・記録する技術。

プロトコル
ネットワーク上でデータをやり取りするための通信規約。

プロトタイピング
開発の早い段階でシステムの試作品（プロトタイプ）をつくり、利用者に承認を得ながら開発を進めていく手法。

ペアプログラミング
ひとつのプログラムを2人の開発者が共同で開発することによって、生産性と信頼性を向上させる手法。

変更管理
ITサービスマネジメントにおいて、サービスのすべての変更を一元的に管理することで、変更に伴う障害発生などのリスクを低減する。

ホワイトボックステスト
プログラム内部の分岐処理などが網羅されるよう内部構造を重視したテスト。

本調査
システム監査は①予備調査、②本調査、③評価・結論の順で実施される。本調査は予備調査で収集した情報を元に調査・分析を行い、監査証拠を入手すること。

マルウェア
マルウェアは悪意のあるソフトウェアの総称。コンピュータに侵入して、ファイルの破壊やデータの盗聴などを実行する。

ミラーリング
RAID1のこと。2つ以上のディスクに同じデータを保存することで、信頼性を向上する。

問題管理
ITサービスマネジメントにおいて、インシデントの原因を分析し、根本的な原因を解決することで再発を防止する。

要件定義プロセス
システム開発において、業務要件の実現に必要なシステムの機能要件、および非機能要件を定義する。

予備調査
システム監査は、監査計画を元に、①予備調査、②本調査、③評価・結論の順で実施される。予備調査は、インタビューやヒアリング、資料の確認などを行い、監査対象の実態を把握すること。

ランサムウェア
コンピュータのファイルを勝手に暗号化して、戻すためのパスワードを教えることと引換えに身代金（ランサム）を要求するマルウェアの一種。

リスキリング
デジタル変革などに対応するため、従業員が新しいスキルを学び直す取り組み。

リスクアセスメント
情報セキュリティにおいて、リスクの特定、分析、評価を行うプロセス。

リスク移転
リスクマネジメントにおいて、リスクを他者に移転すること。損害保険をかけたり、外部に運用を委託するなど。リスク共有ともいう。

リスク回避
リスクマネジメントにおいて、リスクを伴う業務自体を停止したり、リスク要因を根本的に排除したりすること。

リスク受容
リスクマネジメントにおいて、リスクの発生確率や損害が小さいと考えられる場合に、特に対策を講じず、リスクを受け入れること。リスク保有ともいう。

リスク低減
リスクマネジメントにおいて、災害に備えてデータセンターを地理的に離れた複数の場所に分散するなど、リスクの発生確率や損害を減らす対策を講じること。

リスク特定
リスクによって、どんな事象が起きるかを把握すること。

リスク評価
リスク分析の結果から、損害発生時の対応基準や優先順位を定めること。

リスク分析
リスクの性質を理解し、起きたときの規模を想定すること。

リスクベース認証
ユーザーの行動や状況に基づいてリスクを評価し、認証強度を動的に調整するセキュリティ手法。

リスクマネジメント
情報セキュリティのリスクを組織的に管理する取り組み。リスク移転（共有）、リスク回避、リスク受容（保有）、リスク低減の４つの観点で対策を講じる。

リバースエンジニアリング
既存のソフトウェアのソースコードを解析するなどして、製造方法や動作原理、ソースコードなどを調査する技法。

リファクタリング
プログラムの振る舞いを変えずに、プログラムの内部構造を改善すること。

リブート
コンピュータのシステムなどを再起動すること。

リリース及び展開管理
ITサービスマネジメントにおいて、変更管理で計画された変更を実装すること。

レーダーチャート
放射状に伸びた数値軸上の値を線で結んだ多角形のグラフ。

労働安全衛生法
労働者の安全と健康を守るための法律で、職場環境の整備や労働者の健康管理を義務付ける。

索引

数字・記号

A

B

C

D

E・F

G・H

I

J～L

T～Z

あ行

か行

さ行

た行

な行

は行

ま行

や行

ら行

わ行

著者　**渡辺 さき**

株式会社すきまデザイン代表　https://it-sukima.com/
東京都立大学 理学部化学科卒業。新卒で株式会社リクルートに入社し、6年半マーケティング職に従事。在職中に「1週間で基礎が身につくITパスポート」を出版。YouTube『ITすきま教室（チャンネル登録者数10万人：2024年11月時点）』や、フリーナレーターとしてイベント、展示会でも活躍中。情報学講師。東進ハイスクール講師（ITパスポート試験、高校情報科）。

STAFF

カバーデザイン	山之口正和（OKIKATA）
本文デザイン・DTP	リブロワークス・デザイン室
本文イラスト	神林 美生
カバー制作	鈴木 薫
編集	リブロワークス
	寺内 元朗
	鹿田玄也
編集長	玉巻 秀雄

■商品に関する問い合わせ先

このたびは弊社商品をご購入いただきありがとうございます。本書の内容などに関するお問い合わせは、下記のURLまたは二次元コードにある問い合わせフォームからお送りください。

https://book.impress.co.jp/info/

上記フォームがご利用いただけない場合のメールでの問い合わせ先

info@impress.co.jp

※お問い合わせの際は、書名、ISBN、お名前、お電話番号、メールアドレス に加えて、「該当するページ」と「具体的なご質問内容」「お使いの動作環境」を必ずご明記ください。なお、本書の範囲を超えるご質問にはお答えできないのでご了承ください。

- 電話やFAX でのご質問には対応しておりません。また、封書でのお問い合わせは回答までに日数をいただく場合があります。あらかじめご了承ください。
- インプレスブックスの本書情報ページ https://book.impress.co.jp/books/1124101058 では、本書のサポート情報や正誤表・訂正情報などを提供しています。あわせてご確認ください。
- 本書の奥付に記載されている初版発行日から3 年が経過した場合、もしくは本書で紹介している製品やサービスについて提供会社によるサポートが終了した場合はご質問にお答えできない場合があります。

■落丁・乱丁本などの問い合わせ先

FAX 03-6837-5023

電子メール service@impress.co.jp

※古書店で購入された商品はお取り替えできません

[令和 7 年度]
IT パスポート 超効率の教科書＋よく出る問題集

2024 年 11 月 21 日 初版発行

著 者 IT すきま教室 渡辺さき

発行人 高橋 隆志

編集人 藤井 貴志

発行所 株式会社インプレス
〒 101-0051 東京都千代田区神田神保町一丁目 105 番地
ホームページ https://book.impress.co.jp/

印刷所 日経印刷株式会社

ISBN978-4-295-02057-8 C3055

Printed in Japan